LE DESTIN D'UN HOMME

Du même auteur

Le temps est venu, Les Escales, 2017 ; Le Livre de Poche, 2018

Plus fort que l'épée, Les Escales, 2016 ; Le Livre de Poche, 2017

Juste retour des choses, Les Escales, 2015 ; Le Livre de Poche, 2016

Des secrets bien gardés, Les Escales, 2014 ; Le Livre de Poche, 2015

Les Fautes de nos pères, Les Escales, 2013 ; Le Livre de Poche, 2014

Seul l'avenir le dira, Les Escales, 2012 ; Le Livre de Poche, 2013

Et là, il y a une histoire, Éditions First, 2011

Le Sentier de la gloire, Éditions First, 2010 ; Le Livre de Poche, 2011
Prix Relay du roman d'évasion

Kane et Abel, Éditions First, 2010 ; Le Livre de Poche, 2012

Seul contre tous, Éditions First, 2009 ; Le Livre de Poche, 2010 ;
Prix Polar international du Festival de Cognac

Jeffrey Archer

LE DESTIN
D'UN HOMME

Chronique des Clifton
Tome VII

Traduit de l'anglais
Par Georges-Michel Sarotte

LES ESCALES

Titre original : *This Was a Man*
© Jeffrey Archer, 2016
Première publication en 2016 par Macmillan, une filiale de Pan Macmillan,
département de Macmillan Publisher Limited.

Édition française publiée par :
© Éditions Les Escales, un département d'Édi8, 2018
12, avenue d'Italie
75013 Paris – France
Courriel : contact@lesescales.fr
Internet : www.lesescales.fr

ISBN : 978-2-36569-261-8
Dépôt légal : mai 2018
Imprimé en France

Couverture : Hokus Pokus Créations
Mise en pages : Nord Compo

À ma première petite-fille

FAMILLE BARRINGTON

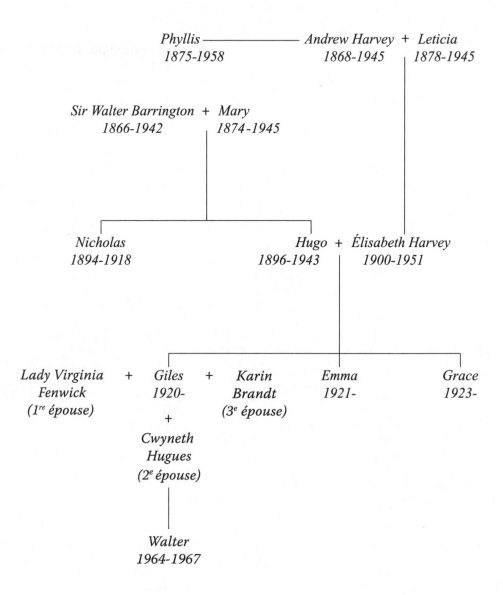

Phyllis ————————— Andrew Harvey + Leticia
1875-1958   1868-1945   1878-1945

Sir Walter Barrington + Mary
1866-1942   1874-1945

Nicholas   Hugo + Élisabeth Harvey
1894-1918   1896-1943   1900-1951

Lady Virginia   +   Giles   +   Karin   Emma   Grace
Fenwick   1920-   Brandt   1921-   1923-
(1ʳᵉ épouse)   (3ᵉ épouse)
                      +
                   Cwyneth
                   Hugues
                   (2ᵉ épouse)

Walter
1964-1967

FAMILLE CLIFTON

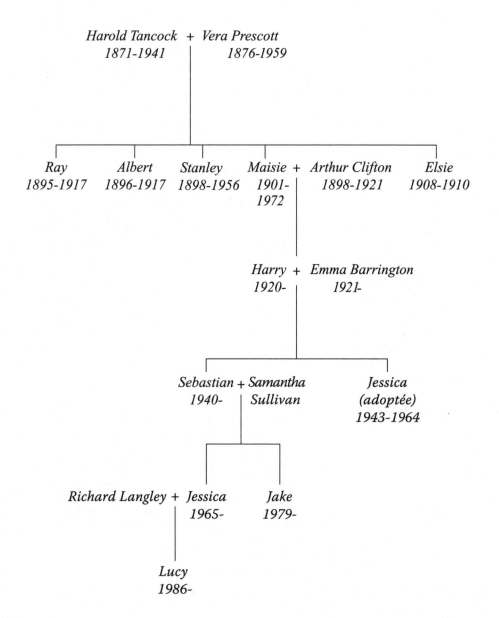

Harold Tancock + Vera Prescott
1871-1941   1876-1959

Ray   Albert   Stanley   Maisie + Arthur Clifton   Elsie
1895-1917   1896-1917   1898-1956   1901-   1898-1921   1908-1910
                                                      1972

Harry + Emma Barrington
1920-   1921-

Sebastian + Samantha   Jessica
1940-   Sullivan   (adoptée)
                                            1943-1964

Richard Langley + Jessica   Jake
                          1965-   1979-

Lucy
1986-

Prologue

1978

Emma regardait toujours plutôt deux fois qu'une tout bateau battant pavillon canadien, puis lisait le nom inscrit sur la coque, avant que son cœur reprenne son rythme normal.

Ce jour-là, son cœur battit presque deux fois plus vite et ses jambes faillirent ployer sous elle. Elle fixa à nouveau le bateau ; voilà un nom qu'elle ne risquait pas d'oublier. Elle regarda les deux petits remorqueurs remonter l'estuaire, de la fumée noire jaillissant des cheminées tandis qu'ils conduisaient le vieux cargo rouillé à sa destination finale.

Elle changea de direction mais, sur le chemin de la casse, elle ne put s'empêcher de s'interroger sur les conséquences possibles qu'entraînerait, après toutes ces années, la recherche de la vérité. Ce serait, bien sûr, plus raisonnable de retourner à son bureau, au lieu de fouiller dans le passé... dans un lointain passé.

Elle ne rebroussa pas chemin, cependant, et lorsqu'elle atteignit la casse, elle se dirigea tout droit vers le bureau du chef d'équipe, comme si elle ne faisait que sa tournée matinale habituelle. Elle entra dans le wagon de train qui servait de bureau et fut soulagée de constater que Frank était absent, qu'il n'y avait qu'une secrétaire occupée à taper à la machine et qui se leva dès qu'elle aperçut la présidente.

— Je crains que M. Gibson ne soit pas là, madame Clifton. Voulez-vous que j'aille le chercher ?

— Non, ce ne sera pas nécessaire.

11

Elle jeta un coup d'œil au grand emploi du temps accroché au mur et sa plus grande peur fut confirmée. Le *Maple Leaf* – feuille d'érable – était destiné à la casse, et sa démolition devait commencer mardi en huit. Cela lui donnait au moins le temps de décider si elle devait avertir Harry ou fermer les yeux et oublier l'affaire. Mais si Harry apprenait que le *Maple Leaf* avait rejoint sa tombe et lui demandait si elle était au courant, elle serait incapable de lui mentir.

— Je suis certaine que M. Gibson sera très bientôt de retour, madame Clifton.

— Ne vous en faites pas. Ce n'est pas important. Mais pourriez-vous lui demander de venir me voir la prochaine fois qu'il passera devant mon bureau ?

— Puis-je lui dire de quoi il s'agit ?

— Il le saura.

Tandis que le train continuait sa course en direction de Truro, Karin regardait par la fenêtre la campagne filer sous ses yeux. Mais elle avait la tête ailleurs, elle essayait de digérer la mort de la baronne.

Cela faisait plusieurs mois qu'elle n'avait pas été en contact avec Cynthia, et le MI6 n'avait pas essayé de lui trouver un nouveau tuteur. Ne s'intéressait-on plus à elle ? Cynthia ne lui avait rien donné d'important à transmettre à Pengelly pendant un certain temps et leurs réunions dans le salon de thé s'étaient espacées.

Pengelly avait signalé qu'il n'allait pas tarder à retourner à Moscou. Ce ne serait jamais assez tôt pour Karin. Elle en avait assez de tromper Giles, le seul homme qu'elle ait aimé, et d'aller dans les Cornouailles sous prétexte de rendre visite à son père. Pengelly n'était pas son père mais son beau-père. Elle le haïssait et avait seulement voulu l'utiliser pour fuir un régime qu'elle abhorrait et être avec l'homme qu'elle aimait. L'homme qui était devenu son amant, son mari et son meilleur ami.

Elle détestait devoir cacher à Giles la raison pour laquelle elle avait si souvent rendez-vous avec la baronne dans le salon de thé de la Chambre des lords. Seul point positif, elle n'aurait plus à vivre dans le mensonge maintenant que Cynthia était morte. Mais lorsque Giles découvrirait la vérité, croirait-il qu'elle avait fui la tyrannie de Berlin-Est uniquement parce qu'elle voulait être avec lui ? Avait-elle menti une fois de trop ?

Quand le train entra en gare de Truro, elle pria pour que ce soit la dernière fois qu'elle y venait.

— Depuis combien de temps travaillez-vous pour l'entreprise, Frank ?

— Près de quarante ans, m'dame. J'ai travaillé pour vot' père et avant pour vot' grand-père.

— Vous avez entendu parler du *Maple Leaf* ?

— C'était avant mon époque, m'dame, mais dans les chantiers tout le monde connaît l'histoire, même si rares sont ceux qui en parlent.

— J'ai un service à vous demander, Frank. Pouvez-vous recruter une petite équipe d'hommes de confiance ?

— J'ai deux frères et un cousin qui ont toujours travaillé pour la Barrington.

— Il faudra qu'ils viennent un dimanche, lorsque les chantiers sont fermés. Je les paierai double, en espèces, et il y aura une prime du même montant dans un an, mais seulement si je n'ai eu aucun écho du travail effectué ce jour-là.

— Très généreux de vot' part, m'dame, dit Frank en portant la main à sa casquette.

— Quand pourront-ils se mettre au travail ?

— Dimanche après-midi. Les chantiers seront fermés jusqu'à mardi, puisque lundi est un jour férié.

— Mais vous ne m'avez même pas demandé ce que je voulais que vous fassiez !

— C'est pas la peine, m'dame. Et qu'est-ce qu'on fait si on trouve ce que vous cherchez dans le double-fond ?

— Je souhaite seulement qu'on enterre chrétiennement les restes d'Arthur Clifton.

— Et si on trouve rien ?

— Ce sera un secret que nous emporterons tous les cinq dans la tombe.

Le père de Karin ouvrit la porte d'entrée et l'accueillit avec un sourire inhabituellement chaleureux.

13

— J'ai de bonnes nouvelles à t'annoncer, déclara-t-il au moment où elle entrait dans la maison, mais cela devra attendre un peu.

Est-ce vraiment possible, se demanda Karin, que ce cauchemar se termine enfin ? Elle aperçut alors un exemplaire du *Times* posé sur la table de la cuisine et ouvert à la page de la notice nécrologique. Elle regarda la photo familière de la baronne Forbes-Watson. Était-ce une coïncidence ou avait-il laissé le journal ouvert simplement pour la provoquer ?

Tout en buvant un café, ils échangèrent des banalités, mais Karin ne pouvait guère ne pas voir, annonciatrices d'un départ imminent, les trois valises placées devant la porte. Cela ne l'empêcha pas de devenir de plus en plus inquiète, Pengelly demeurant bien trop détendu et amical pour son goût. Quelle était déjà la vieille formule des troufions... « Enfin la quille ! » ?

— L'heure est venue de parler de questions plus sérieuses, déclara-t-il en plaçant un doigt sur ses lèvres.

Il passa dans l'entrée et décrocha son lourd pardessus d'une patère près de la porte. Karin pensa détaler à toutes jambes, mais si elle s'enfuyait alors qu'il devait seulement lui faire part de son retour à Moscou, elle se démasquerait. Il l'aida à renfiler son manteau et ils sortirent de la maison.

Elle fut étonnée qu'il lui saisisse fermement le bras et la fasse quasiment marcher au pas cadencé dans la rue déserte. D'habitude, elle glissait son bras sous le sien, de sorte que les passants supposent qu'il s'agissait d'un père et de sa fille en promenade, mais pas ce jour-là. Elle décida que s'ils rencontraient quelqu'un, même le vieux colonel, elle s'arrêterait pour lui parler, parce qu'elle savait que Pengelly n'oserait pas prendre le risque qu'ils soient découverts.

Il continua à égrener des propos badins. Cela cadrait si peu avec le caractère de l'homme que son angoisse s'accrut. Elle lançait des regards de tous côtés mais, par cette journée grise et maussade, personne ne semblait faire une promenade de santé.

Lorsqu'ils atteignirent l'orée du bois, comme toujours, Pengelly regarda à l'entour, pour voir s'ils étaient suivis. Si oui, ils rebroussaient chemin et revenaient au pavillon. Mais ce n'était pas le cas cet après-midi-là.

Il était à peine 16 heures mais le jour tombait rapidement. Il lui serra davantage le bras au moment où ils quittèrent la rue afin d'emprunter le sentier qui menait au bois. Le ton de sa voix changea pour s'accorder à l'air froid vespéral.

— Je sais, Karin...

Il ne l'appelait jamais par son prénom

— ... que tu seras contente d'apprendre que j'ai été promu et que je vais bientôt retourner à Moscou.

— Félicitations, camarade. Tu l'as bien mérité.

— Ce sera donc notre dernier rendez-vous, continua-t-il en relâchant l'étreinte de sa main sur le bras de Karin.

Pouvait-elle vraiment espérer que... ?

— Mais le maréchal Koshevoy m'a chargé d'une dernière mission.

Il n'en dit pas plus, presque comme s'il voulait qu'elle réfléchisse tout à loisir à la question. Plus ils s'enfonçaient dans le bois plus il faisait sombre, au point qu'elle ne voyait pas à un mètre devant elle. Lui, au contraire, paraissait savoir exactement où il allait, comme s'il avait parfaitement reconnu le terrain au préalable.

— Le chef du contre-espionnage, reprit-il d'un ton serein, a finalement démasqué le traître parmi nous, la personne qui trahit la mère patrie depuis des années. Et j'ai été choisi pour appliquer le châtiment mérité.

Desserrant enfin sa forte prise, il relâcha la jeune femme. Le premier instinct de Karin fut de s'enfuir en courant, mais il avait bien choisi son endroit. Un bouquet d'arbres derrière elle ; à sa droite la mine d'étain désaffectée ; à sa gauche un étroit sentier qu'elle devinait à peine dans les ténèbres ; et, se dressant au-dessus d'elle, Pengelly, qui n'aurait pu avoir l'air plus calme ni l'esprit plus clair.

Il sortit lentement un pistolet de la poche de son pardessus et le tint d'un air menaçant contre son flanc. Espérait-il qu'elle s'enfuirait à toutes jambes, afin qu'il faille plus d'une balle pour la tuer ? Mais elle resta figée sur place.

— Tu as trahi, dit-il. Et tu as fait plus de mal à la cause que n'importe quel agent par le passé. Tu dois donc mourir comme un traître. Je serai de retour à Moscou longtemps avant qu'on

15

ne découvre ton cadavre, poursuivit-il en jetant un coup d'œil au puits de la mine. Si on le retrouve jamais.

Il leva lentement le pistolet jusqu'à ce qu'il soit au niveau des yeux de Karin. Avant qu'il n'appuie sur la détente, la dernière pensée de Karin fut pour Giles.

Un seul coup retentit dans le bois, et un vol de sansonnets monta très haut dans les airs tandis que son corps s'effondrait sur le sol.

HARRY ET EMMA
CLIFTON

1978-1979

1

Le numéro 6 appuya sur la détente. La balle jaillit du fusil à 340 km/h et frappa sa cible deux centimètres sous la clavicule gauche, tuant l'homme sur-le-champ.

La deuxième balle se logea dans un arbre, à plusieurs mètres de l'endroit où les deux corps étaient tombés. Quelques instants plus tard, cinq parachutistes du SAS[1] se précipitèrent dans les fourrés, passèrent devant la mine d'étain désaffectée et entourèrent les deux corps. Tel un mécanicien chevronné dans un stand de formule 1, chacun accomplit sa mission sans discuter, ni poser de questions.

Le numéro 1, le lieutenant, chef de l'unité d'intervention, ramassa l'arme de Pengelly et la mit dans un sac en plastique, tandis que le numéro 5, médecin, s'agenouilla près de la femme et lui tâta le pouls : il était faible mais elle était toujours vivante. Elle avait dû s'évanouir en entendant le premier coup de feu. C'est la raison pour laquelle les hommes qui font face à un peloton d'exécution sont souvent attachés à un poteau.

Les numéros 2 et 3, deux caporaux, soulevèrent délicatement l'inconnue et la déposèrent sur un brancard, avant de la transporter jusqu'à une clairière, à une centaine de mètres de là, où les attendait un hélicoptère dont les hélices vrombissaient déjà. Une fois le brancard sanglé à l'intérieur de l'appareil, le numéro 5 monta à bord pour rejoindre sa patiente. Dès que

---

1. Special Air Service. Commando d'intervention spéciale de l'armée britannique, l'équivalent du GIGN. (*Toutes les notes sont du traducteur.*)

le toubib eut fixé son harnais de sécurité, l'hélicoptère décolla. Il tâta à nouveau le pouls de la patiente : un peu plus régulier.

Au sol, le numéro 4, un sergent, qui était également le champion de boxe poids lourd du régiment, souleva le corps et le jeta sur son épaule comme si c'était un sac de pommes de terre. Le sergent partit en trottinant à son propre rythme dans la direction opposée de celle qu'avaient prise ses collègues. Il savait exactement où il allait.

Peu après, apparut un deuxième hélicoptère qui tournoya au-dessus de la zone d'opération, la balayant d'un ample jet de lumière. Leur rôle de brancardiers terminé, les numéros 2 et 3 s'empressèrent de rejoindre le numéro 6, le tireur, qui était descendu d'un arbre, le fusil en bandoulière, puis ils se mirent à chercher les deux balles.

La première s'était logée dans le sol à quelques mètres de l'endroit où était tombé Pengelly. Le numéro 6, qui avait suivi la trajectoire de la balle, la repéra rapidement. Bien que tous les membres de l'unité d'intervention aient l'habitude de détecter des traces de ricochet de balles ou des restes de poudre, ils mirent un peu plus longtemps à retrouver la seconde. L'un des deux caporaux, dont c'était seulement la deuxième mission, leva la main dès qu'il l'aperçut. Il l'extirpa de l'arbre avec son couteau et la donna au numéro 1, qui la lâcha dans un deuxième sac en plastique. Souvenir qui serait accroché dans un mess. Mission accomplie.

Les quatre hommes repassèrent en courant devant l'ancienne mine d'étain en direction de la clairière et y débouchèrent juste au moment où le deuxième hélicoptère atterrissait. Le lieutenant attendit que ses hommes aient grimpé à bord avant de rejoindre le pilote et d'attacher sa ceinture. Lorsque l'appareil décolla, il déclencha un chronomètre.

— Neuf minutes, quarante-trois secondes. Tout juste acceptable, lança-t-il en hurlant pour dominer le vrombissement des pales.

Il avait assuré à son chef que, non seulement l'exercice serait couronné de succès, mais que tout serait terminé en moins de dix minutes. Il regarda le sol en contrebas... À part quelques empreintes de pied qui seraient effacées par la prochaine pluie, il ne restait aucune trace de l'opération qui venait d'avoir lieu.

Si des gens du coin avaient remarqué les deux hélicoptères qui volaient dans des directions opposées, ils n'y auraient guère prêté attention. Après tout, la base de la RAF de Bodmin ne se trouvait qu'à une trentaine de kilomètres, et les opérations aériennes faisaient partie de la vie quotidienne des habitants de la région.

Toutefois, l'un de ces habitants était parfaitement au courant de ce qui se passait. Dès qu'il avait vu Pengelly quitter son pavillon, serrant fortement le bras de sa fille, le colonel à la retraite Henson (croix de guerre) avait téléphoné à la base de Bodmin. Il avait composé le numéro qu'on lui avait demandé d'appeler s'il jugeait qu'elle était en danger. Bien qu'il n'eût pas la moindre idée de l'identité de son correspondant, il avait prononcé un seul mot : « Amarante », avant que la communication ne soit coupée. Quarante-huit secondes plus tard, deux hélicoptères avaient décollé.

Le colonel se dirigea vers la fenêtre et regarda les deux Puma survoler son bureau, puis prendre la direction du sud. Il se mit à arpenter la pièce, consultant sa montre constamment. Homme d'action, il n'était pas né pour être simple spectateur, même s'il acceptait à contrecœur qu'à trente-neuf ans il était trop vieux pour prendre part aux opérations secrètes. Ceux qui ne font qu'attendre servent également, comme on dit.

Lorsque dix minutes se furent enfin écoulées, il se dirigea à nouveau vers la fenêtre, mais ce ne fut que trois minutes plus tard qu'il aperçut un hélicoptère descendre à travers les nuages. Il attendit quelques secondes de plus avant d'être certain de pouvoir décroiser les doigts, car si le deuxième appareil suivait le premier, cela signifiait que l'opération avait échoué. Les instructions de Londres n'auraient pu être plus claires... Si la femme était morte, il fallait transporter le corps en hélicoptère à Truro et le déposer dans un hôpital privé où une troisième équipe avait déjà reçu des consignes. Si elle avait survécu, il fallait la transporter en hélicoptère à Londres, où une quatrième équipe prendrait le relais. L'officier ne connaissait ni les ordres de cette équipe ni l'identité de la femme. Il n'était pas assez gradé – tant s'en fallait – pour être en possession de ce renseignement.

Lorsque l'hélicoptère atterrit, l'officier resta encore sur place. Une portière s'ouvrit et le lieutenant sortit d'un bond de l'appareil, dont les pales continuaient à tournoyer. Il fit quelques mètres en courant avant de se redresser et, voyant le colonel debout devant la fenêtre, il lui fit signe que l'opération avait réussi. L'officier poussa un soupir de soulagement, retourna s'asseoir à son bureau et composa le numéro inscrit sur son bloc-notes. Ce serait la seconde et dernière fois qu'il téléphonerait au secrétaire général du gouvernement.

— Le colonel Dawes à l'appareil, monsieur.

— Bonsoir, colonel, dit sir Alan.

— L'opération Amarante est terminée et elle a été couronnée de succès, monsieur. Le Puma numéro 1 a regagné la base et le numéro 2 se dirige vers sa destination.

— Merci, dit sir Alan, avant de reposer le combiné.

Il n'y avait pas un instant à perdre. Son prochain rendez-vous allait arriver d'une minute à l'autre. Comme s'il avait le don de double vue, la porte s'ouvrit et sa secrétaire annonça :

— Lord Barrington.

— Giles, dit sir Alan en se levant de derrière son bureau et en serrant la main de son visiteur. Puis-je vous offrir une tasse de thé ou de café ?

— Non, merci, dit Giles, qui ne s'intéressait qu'à une seule chose : la raison pour laquelle le secrétaire général du gouvernement avait souhaité le voir de toute urgence.

— Désolé de vous avoir arraché à la Chambre, mais je dois discuter avec vous d'une question personnelle, notre entretien étant soumis au règlement du Conseil privé.

Giles n'avait pas entendu la formule depuis qu'il avait cessé d'être secrétaire d'État, mais il n'avait pas besoin qu'on lui rappelle que le sujet dont sir Alan et lui allaient discuter ne pourrait jamais être abordé devant un tiers, à moins que celui-ci appartienne au Conseil privé.

Il hocha la tête en signe d'assentiment.

— Permettez-moi de commencer par vous indiquer, reprit sir Alan, que Karin n'est pas la fille de Pengelly.

Une fenêtre brisée et, quelques instants plus tard, les six hommes se trouvaient à l'intérieur. Ils ne savaient pas précisément ce qu'ils cherchaient, mais lorsqu'ils l'apercevraient, ils le reconnaîtraient sans le moindre doute. Le commandant chargé de la deuxième unité, connue sous le nom d'« équipe de nettoyeurs », n'avait pas de chronomètre, parce qu'il n'était pas pressé. Ses hommes avaient été formés pour prendre leur temps et s'assurer que rien ne leur échappe. Ils ne jouissaient jamais d'une seconde chance.

Contrairement à leurs collègues de la première unité, ils étaient en survêtements et portaient de grands sacs-poubelle noirs. Une seule exception : le numéro 4... Mais ce n'était pas un membre permanent de l'unité. On tira tous les rideaux avant d'allumer les lumières et de commencer la fouille. Ils scrutèrent chaque pièce à fond, rapidement, méthodiquement, sans rien laisser au hasard. Deux heures plus tard, ils avaient rempli huit sacs en plastique. Ils ne s'intéressèrent pas au corps que le numéro 4 avait déposé dans la salle de séjour ; l'un d'eux fouilla ses poches, cependant.

En dernier lieu, ils examinèrent les trois valises qui se trouvaient dans l'entrée, près de la porte : un vrai trésor. Leur contenu n'emplit qu'un seul sac mais il s'y trouvait plus de renseignements que dans l'ensemble des huit autres : agendas, noms, numéros de téléphone, adresses et dossiers confidentiels que Pengelly avait sans aucun doute projeté d'apporter à Moscou.

L'unité passa encore une heure à tout revérifier, sans découvrir grand-chose d'intéressant ; il est vrai qu'ils étaient formés pour tout trouver du premier coup et ne rien laisser de côté. Lorsque le chef de l'unité fut convaincu qu'ils ne pouvaient rien faire de plus, les six hommes sortirent par la porte de derrière et regagnèrent le dépôt par des itinéraires différents, bien repérés à l'avance, ne laissant sur les lieux que le numéro 4. Lui n'était pas un nettoyeur mais un destructeur.

Lorsque le sergent entendit se refermer la porte de derrière, il alluma une cigarette et tira dessus un certain nombre de fois avant de la lâcher sur le tapis près du corps. Puis il versa l'essence de son briquet sur le mégot incandescent et, peu après, une flamme bleue jaillit et embrasa le tapis. Il savait que le petit pavillon de bois brûlerait rapidement mais, parce qu'il lui fallait en être sûr, il resta sur les lieux jusqu'à ce que la fumée le fasse tousser. Il sortit alors de la pièce à grands pas et se dirigea vers la porte de derrière. Après avoir quitté le pavillon, il se retourna et, sûr que le feu était incontrôlable, il partit en courant vers la base. Il n'avait pas l'intention d'appeler les pompiers.

Les douze hommes revinrent à la caserne à des moments différents, ne redevenant une seule unité qu'un peu plus tard, ce soir-là, lorsqu'ils se retrouvèrent au mess pour boire un verre. Le colonel les rejoignit pour le dîner.

Le secrétaire général du gouvernement se tint près de la fenêtre de son bureau, au premier étage, et attendit que Giles Barrington quitte le 10 Downing Street et se dirige d'un pas décidé vers Whitehall. Il regagna ensuite sa table de travail, s'y assit et réfléchit longuement à son prochain appel et à ce qu'il allait dévoiler de cette affaire.

Harry Clifton était dans la cuisine quand le téléphone sonna. Il décrocha et quand il entendit la formule : « Ici le 10 Downing Street, ne quittez pas, s'il vous plaît », il pensa que le Premier ministre voulait parler à Emma. Il ne se rappelait pas si elle était à l'hôpital ou si elle présidait une réunion au bâtiment Barrington.

— Bonjour, monsieur Clifton. Ici Alan Redmayne. Je ne vous dérange pas ?

Harry faillit éclater de rire. Il fut tenté de répondre : « Si, sir Alan, vous me dérangez. Je suis dans la cuisine, en train de me préparer une tasse de thé, et je n'arrive pas à me décider si je dois y mettre un sucre ou deux. Par conséquent, pourriez-vous rappeler plus tard ? » Au lieu de ça, il éteignit le feu sous la bouilloire et répondit :

— Pas du tout, sir Alan. En quoi puis-je vous être utile ?

— Je voulais que vous soyez le premier à apprendre que John Pengelly ne constitue plus un problème. Et, bien que vous ayez été tenu à l'écart, il faut que vous sachiez que, même si elles étaient compréhensibles, vos craintes au sujet de Karin Brandt n'étaient pas fondées. Pengelly n'était pas son père, et depuis cinq ans, elle est l'un de nos agents les plus fiables. À présent que Pengelly ne constitue plus un problème, elle va être mise au vert et nous n'avons pas l'intention de lui confier d'autres missions.

Harry considéra que « ne constitue plus un problème » était un euphémisme pour « Pengelly a été éliminé », et, bien qu'il y ait eu plusieurs questions qu'il aurait aimé poser au secrétaire général du gouvernement, il n'en fit rien. Il savait qu'il n'était guère probable qu'un homme qui ne disait pas tout, même au Premier ministre, y réponde.

— Merci, sir Alan. Y a-t-il autre chose que je devrais savoir ?

— Oui. Votre beau-frère vient aussi de découvrir la vérité sur sa femme, mais lord Barrington ignore que c'est vous qui nous avez conduits jusqu'à Pengelly. Franchement, je préférerais qu'il ne l'apprenne pas.

— Mais que puis-je dire si jamais il aborde le sujet ?

— Inutile de faire la moindre révélation. Après tout, il n'a aucune raison de soupçonner que vous êtes tombé sur le nom de Pengelly alors que vous étiez à Moscou pour un congrès littéraire et, en tout cas, moi, je ne lui ai rien révélé.

— Merci, sir Alan. C'est très aimable à vous de me mettre au courant.

— C'est la moindre des choses. Au fait, monsieur Clifton, toutes mes félicitations. Bien méritées.

Après que Giles eut quitté le 10 Downing Street, il gagna en toute hâte sa résidence de Smith Square. Il fut soulagé que ce fût le jour de congé de Markham et, la porte d'entrée refermée, il monta immédiatement à sa chambre, alluma la lampe de chevet, tira les rideaux et replia le drap du dessus. Bien qu'il ne fût qu'un peu plus de 18 heures, les lampadaires de Smith Square brillaient déjà de tous leurs feux.

Redescendant au rez-de-chaussée, il se trouvait au milieu de l'escalier lorsque la sonnette retentit. Il se précipita pour ouvrir la porte. Un jeune homme se tenait sur le seuil. Derrière lui était garée une fourgonnette noire dont les portières arrière étaient ouvertes. L'homme lui tendit la main.

— Je suis le Dr Weeden, déclara-t-il. Je crois que vous m'attendez ?

— En effet, répondit Giles, tandis que deux hommes sortaient de l'arrière de la fourgonnette en portant un brancard avec précaution.

— Suivez-moi, dit Giles.

Une fois dans la chambre, les deux brancardiers soulevèrent la femme inconsciente et la placèrent sur le lit. Giles ramena la couverture sur son épouse, tandis que les brancardiers s'en allaient sans mot dire.

Le médecin tâta le pouls de la patiente.

— Je lui ai administré un sédatif, afin qu'elle dorme deux heures. Quand elle se réveillera, il se peut qu'elle imagine quelques instants qu'il ne s'agissait que d'un cauchemar, mais lorsqu'elle se rendra compte qu'elle se trouve dans un lieu familier, elle reprendra vite ses esprits et se rappellera exactement ce qui est arrivé. À coup sûr, elle se demandera ce que vous savez précisément, aussi disposez-vous d'un peu de temps pour réfléchir à la question.

— C'est déjà fait, dit Giles avant de raccompagner le Dr Weeden au rez-de-chaussée et d'ouvrir la porte.

Les deux hommes se serrèrent à nouveau la main, puis le médecin monta à l'avant de la fourgonnette noire sans se retourner. Le véhicule fit lentement le tour de Smith Square avant de tourner à droite et de se mêler à l'intense circulation du soir.

Dès que la fourgonnette eut disparu, Giles referma la porte et monta l'escalier quatre à quatre. Il approcha une chaise et s'assit à côté de son épouse endormie.

Giles avait dû s'assoupir parce qu'il se rendit soudain compte que Karin s'était redressée dans le lit et le fixait du regard. Il cligna les yeux, sourit et la prit dans ses bras.

— Tout est terminé, ma chérie. Tu es en sécurité à présent.

— Je croyais que si tu découvrais la vérité, tu ne me pardonnerais jamais, dit-elle en s'agrippant à lui.

— Il n'y a rien à pardonner. Oublions le passé et concentrons-nous sur l'avenir.

— Mais il est important que je te raconte tout. Les secrets, c'est fini.

— Alan Redmayne m'a déjà tout expliqué, dit Giles pour essayer de la rassurer.

— Pas tout, répliqua-t-elle en le lâchant. Même lui ne sait pas tout et je ne peux pas continuer à vivre dans le mensonge.

Giles la regarda d'un air anxieux.

— La vérité, c'est que je t'ai utilisé pour sortir d'Allemagne. Bien sûr, je t'aimais bien, mais une fois en sécurité en Angleterre, j'avais l'intention de vous fuir tous les deux, toi et Pengelly, pour commencer une nouvelle vie. Et c'est ce que j'aurais fait si je n'étais pas tombée amoureuse de toi.

Giles lui prit la main.

— Mais pour te garder, je m'étais assurée que Pengelly continue à croire que je travaillais pour lui. C'est Cynthia Forbes-Watson qui est venue à mon secours.

— Au mien également. Mais moi, je suis tombé amoureux de toi après la nuit que nous avions passée à Berlin. Ce n'est pas ma faute si tu as mis un peu plus de temps à te rendre compte de la chance que tu avais.

Elle éclata de rire et l'entoura de ses bras. Quand elle le relâcha, Giles lui dit :

— Je vais aller te faire une tasse de thé.

Typiquement britannique, pensa Karin.

2

— À quelle heure avons-nous ordre d'être à la disposition de Sa Majesté ? s'enquit Emma en souriant ironiquement.

Elle ne voulait pas reconnaître à quel point elle était fière de son mari et qu'il lui tardait d'assister à cette cérémonie. C'était loin d'être le cas pour le conseil d'administration qu'elle allait présider dans la semaine et qui était rarement loin de ses pensées.

— Entre 10 et 11 heures, répondit Harry en consultant son carton d'invitation.

— Tu as pensé à retenir la voiture ?

— Je l'ai fait hier après-midi. Et, à la première heure ce matin, j'ai vérifié que c'était bien prévu, précisa-t-il comme la sonnette retentissait.

— C'est sans doute Sebastian, dit Emma. Et, pour une fois, il est à l'heure, ajouta-t-elle en consultant sa montre.

— Il n'allait sûrement pas être retard pour cet événement, intervint Karin.

Giles se leva de la table du petit-déjeuner au moment où Markham ouvrait la porte et s'écartait pour laisser entrer Jessica, Sebastian et une Samantha enceinte jusqu'aux yeux.

— Avez-vous tous déjà pris le petit-déjeuner ? demanda Giles en embrassant Samantha sur la joue.

— Oui. Merci, répondit Sebastian, alors que Jessica s'affalait à la table, beurrait un toast et attrapait la marmelade d'orange.

— Pas tous, apparemment, répliqua Harry en faisant un sourire ironique à sa petite-fille.

— J'ai combien de temps ? s'enquit Jessica entre deux bouchées.

— Cinq minutes, tout au plus, répondit Emma d'un ton ferme. Je veux arriver au palais à 10 h 30, au plus tard, ma jeune dame.

Jessica beurra un deuxième toast.

29

— Giles, poursuivit Emma en se tournant vers son frère, merci de nous avoir hébergés cette nuit, et je suis désolée que tu ne puisses pas te joindre à nous.

— La famille proche seulement. Telle est la règle. Et à juste titre, car autrement il leur faudrait un stade de football pour accueillir tous ceux qui voudraient assister à la cérémonie.

Un léger coup fut frappé à la porte d'entrée.

— C'est sûrement notre chauffeur, dit Emma.

Elle vérifia une nouvelle fois que la cravate en soie de Harry était bien droite, enleva un cheveu gris de sa queue-de-pie avant de dire : « Suis-moi. »

— Quand on a été présidente, on le reste à vie, chuchota Giles en accompagnant son beau-frère à la porte d'entrée.

Sebastian et Samantha suivirent, Jessica fermant la marche tout en mâchonnant son troisième toast.

Au moment où Emma sortait sur Smith Square, un chauffeur ouvrit la portière arrière d'une limousine noire. Emma y fit monter son troupeau avant de rejoindre Harry et Jessica sur le siège arrière. Samantha et Sebastian s'installèrent sur les deux strapontins, en face d'eux.

— Tu as le trac, papy ? demanda Jessica alors que la voiture démarrait et se mêlait à la circulation matinale.

— Non, répondit Harry. À moins que tu projettes de renverser l'État.

— Ne lui mets pas des idées dans la tête, dit Sebastian comme ils longeaient la Chambre des communes avant d'entrer dans Parliament Square.

Même Jessica se tut quand la voiture passa sous Admiralty Arch et qu'apparut le palais de Buckingham. Le chauffeur avança lentement le long du Mall, contourna la statue de la reine Victoria, puis s'arrêta devant les grilles du palais. Baissant la vitre, il annonça au jeune officier de la Garde royale :

— M. Harry Clifton et sa famille.

Le lieutenant sourit et cocha un nom sur son écritoire à pince.

— Passez sous la voûte qui se trouve à votre gauche, et l'un de mes collègues vous indiquera où vous garer.

Le chauffeur suivit les instructions de l'officier et pénétra dans une vaste cour où se trouvaient déjà d'innombrables rangées de voitures.

— Garez-vous à côté de la Ford bleue tout au bout, déclara un autre officier en désignant l'autre côté de la cour. Ensuite, votre groupe pourra entrer dans le palais.

Lorsque Harry descendit de voiture, Emma l'examina une dernière fois.

— Tu ne vas pas me croire, chuchota-t-elle, mais ta braguette est ouverte.

Harry s'empourpra et remonta la fermeture Éclair avant qu'ils ne gravissent les marches et entrent dans le palais. Deux valets vêtus de l'uniforme noir et rouge de la maison de la reine se tenaient au garde-à-vous au pied d'un grand escalier couvert d'un tapis rouge. Harry et Emma gravirent lentement les marches, en essayant de tout enregistrer. En haut, ils furent accueillis par deux autres officiers de la maison royale. Harry remarqua qu'à chaque arrêt les grades des officiers étaient de plus en plus élevés.

— Harry Clifton, annonçait-il chaque fois qu'on lui demandait son nom.

— Bonjour, monsieur Clifton, dit le plus gradé des deux officiers. Auriez-vous l'amabilité de me suivre ? Mon collègue va conduire votre famille à la salle du trône.

— Bonne chance ! chuchota Emma, comme Harry s'éloignait avec l'officier.

La famille monta un nouvel escalier, un peu moins vaste, qui conduisait à une longue galerie. Quand elle entra dans la salle à haut plafond, Emma s'arrêta et fixa les rangées serrées de tableaux qu'elle n'avait vus jusque-là que dans des livres d'art. Elle se tourna vers Samantha.

— Comme nous n'avons guère de chances d'être réinvités, lui dit-elle, je devine que Jessica aimerait en savoir davantage sur la collection royale.

— Moi aussi, dit Sebastian.

— Étant donné qu'un grand nombre de rois et de reines d'Angleterre, commença Samantha, étaient des connaisseurs et des collectionneurs, ceci ne représente qu'une infime partie de la collection royale, qui n'est d'ailleurs pas la propriété du monarque mais de la nation. Vous noterez que dans cette galerie de peintures il y a surtout des peintres britanniques du début du XIXe siècle. Un remarquable Turner représentant Venise est

31

accroché en face d'une délicieuse peinture de Constable, son vieux rival, représentant la cathédrale de Lincoln. Mais, comme vous le voyez, un imposant portrait de Charles II peint par Van Dyck, qui, à l'époque, était le peintre de la cour en résidence, domine la galerie.

Jessica était si fascinée qu'elle oublia presque pourquoi ils étaient là. Lorsqu'ils finirent par atteindre la salle du trône, voyant que les dix premières rangées de chaises étaient déjà occupées, Emma regretta qu'ils ne soient pas partis plus tôt de la maison. Elle marcha à grands pas dans l'allée centrale, s'assit à une place au bout de la première rangée libre et attendit que sa famille la rejoigne. Une fois qu'ils furent installés, Jessica se mit à étudier soigneusement la salle.

Un peu plus de trois cents chaises dorées étaient disposées en rangées de seize, divisées en deux par une large allée. En haut de la salle, une plate-forme recouverte d'un tapis rouge s'étendait jusqu'au trône qui attendait sa légitime occupante. Le bourdonnement de chuchotements nerveux cessa à 10 h 54, au moment où un homme élégant en queue-de-pie entra dans la salle, s'arrêta au pied de la plate-forme, puis se retourna pour faire face à l'assemblée.

— Mesdames, messieurs, bonjour, commença-t-il. Soyez les bienvenus au palais de Buckingham. La cérémonie d'investiture va commencer dans quelques minutes. Permettez-moi de vous rappeler de ne pas prendre de photos et de ne pas quitter la salle avant la fin de la cérémonie.

Sur ce, sans un mot de plus, il repartit aussi discrètement qu'il était arrivé.

Jessica ouvrit son sac et en tira un petit bloc-notes et un crayon.

— Il n'a pas parlé de dessins, mamie, chuchota-t-elle.

Au moment où sonnaient 11 heures, Sa Majesté la reine Élisabeth II entra dans la salle du trône. Tous les invités se levèrent. Elle se plaça sur la plate-forme devant le trône mais demeura silencieuse. Sur un signe de tête d'un huissier, le premier récipiendaire d'une distinction entra de l'autre côté de la pièce. Pendant l'heure qui suivit, des hommes et des femmes venant de tout le Royaume-Uni et du Commonwealth reçurent des distinctions de la part de leur monarque. Celle-ci avait une brève conversation avec chacun d'entre eux avant que l'huissier fasse un nouveau signe de tête et qu'un autre récipiendaire prenne sa place.

Le crayon de Jessica resta en suspens en attendant l'entrée de son grand-père. Au moment où il se dirigea vers la reine, l'huissier plaça un petit tabouret devant Sa Majesté puis lui remit une épée. Le crayon de Jessica ne se reposa pas un seul instant et saisit la scène où Harry mettait un genou à terre et baissait la tête. La reine plaça délicatement la pointe de l'épée sur l'épaule droite de Harry, la releva, la plaça sur l'épaule gauche, avant de dire : « Levez-vous, sir Harry. »

— Alors, que s'est-il passé après que tu as été emmené à la Tour ? s'enquit Jessica comme ils sortaient du palais en voiture et longeaient à nouveau le Mall en direction du restaurant favori de Harry, à quelques centaines de mètres de là, pour un déjeuner de fête.

— D'abord, on nous a tous conduits dans une antichambre où un huissier nous a décrit le déroulement de la cérémonie. Avec une grande politesse, il nous a indiqué que lorsque nous rencontrerions la reine, nous devrions courber la tête et non pas nous pencher en avant comme un page, expliqua Harry en faisant la démonstration du mouvement. Il a ajouté que nous ne devions pas serrer la main de la reine, qu'on devait l'appeler Votre Majesté, et qu'il fallait attendre qu'elle nous adresse la parole. Et qu'il nous était absolument interdit de lui poser la moindre question.

— Quelle barbe ! fit Jessica. Parce qu'il y a des tas de choses que j'aimerais lui demander.

— Et lorsqu'on répondait à toute question posée par elle, poursuivit Harry sans faire cas de sa petite-fille, on devait l'appeler ma'ame, qui rime avec *jam*[1]. Puis, à la fin de l'entretien, nous devions la saluer à nouveau.

— En courbant la tête, précisa Jessica.

— Puis nous éloigner.

— Mais que se passerait-il si on ne bougeait pas et que l'on se mettait à lui poser des questions ? insista Jessica.

_____

1. Confiture.

— L'huissier nous a assuré poliment qu'il avait alors l'ordre de nous décapiter.

Tout le monde rit, sauf Jessica.

— Moi, je refuserais de courber la tête et de l'appeler Votre Majesté, déclara Jessica d'un ton ferme.

— Sa Majesté est très tolérante envers les rebelles, intervint Sebastian, pour essayer de ramener la conversation sur un terrain plus sûr. Elle admet que les Américains ne sont plus sous son contrôle depuis 1776.

— Alors, de quoi a-t-elle parlé ? s'enquit Emma.

— Elle m'a dit qu'elle aimait beaucoup mes romans et m'a demandé s'il y aurait un nouveau William Warwick à Noël. « Oui, ma'ame, ai-je répondu. Mais il se peut que vous ne l'appréciiez pas, car je songe à tuer William. »

— Qu'a-t-elle pensé de cette idée ? demanda Sebastian.

— Elle m'a rappelé ce que son arrière-arrière-grand-mère avait dit à Lewis Carroll après avoir lu *Alice au pays des merveilles*. Toutefois, je lui ai assuré que mon prochain livre ne serait pas un essai de mathématiques sur Euclide[1].

— Comment a-t-elle réagi ? s'enquit Samantha.

— Elle a souri pour indiquer que la conversation était terminée.

— Mais alors, si tu as l'intention de tuer William Warwick, quel sera le sujet de ton prochain livre ? demanda Sebastian, au moment où la voiture s'arrêtait devant le restaurant.

— J'ai promis à ta grand-mère, Seb, répondit Harry en descendant de voiture, que j'essaierais d'écrire une œuvre plus profonde et qui, pour la citer, « durerait plus longtemps que toute la liste des meilleures ventes » et passerait l'épreuve du temps. Étant donné que je ne rajeunis pas, dès que j'aurai honoré mon contrat actuel, j'ai l'intention de voir si je suis capable de me montrer à la hauteur de ses espérances.

---

1. Le romancier Lewis Carroll était également professeur de mathématiques à Oxford et l'auteur d'un certain nombre d'ouvrages sur les mathématiques, dont *Euclid and His Modern Rivals* (1879). Ayant beaucoup aimé *Alice au pays des merveilles*, la reine Victoria aurait émis le souhait de recevoir son prochain livre. Lewis Carroll lui aurait alors envoyé son ouvrage de mathématiques suivant.

— As-tu une idée, un sujet, et même un titre ? insista Sebastian au moment où ils entraient dans Le Caprice.

— Oui, oui, trois fois oui ! s'écria Harry, mais c'est tout ce que j'accepte de te dévoiler pour l'instant.

— Mais tu me le diras, à moi, papy ? fit Jessica en présentant un dessin de Harry agenouillé devant la reine, une épée touchant son épaule droite.

Harry resta bouche bée tandis que le reste de la famille souriait et applaudissait. Il s'apprêtait à répondre à la question de Jessica quand le maître d'hôtel s'approcha et le secourut.

— Votre table est prête, sir Harry.

3

— Jamais, au grand jamais ! s'écria Emma. Dois-je te rappeler que sir Joshua a fondé la compagnie maritime Barrington en 1839 et que la première année il a fait un bénéfice de...

— Trente-trois livres, quatre shillings et deux pence, comme tu me l'as raconté pour la première fois quand j'avais cinq ans, dit Sebastian. Toutefois, la vérité, c'est que, même si la Barrington a réussi à distribuer à ses actionnaires des dividendes d'un montant raisonnable l'année dernière, nous avons de plus en plus de mal à continuer à rivaliser avec des mastodontes comme la Cunard et la P&O[1].

— Je me demande ce que ton grand-père aurait pensé du rachat de la Barrington par l'une de ses rivales les plus acharnées.

— Après tout ce que j'ai entendu ou lu au sujet du grand homme, répondit Sebastian en levant les yeux vers le portrait de sir Walter accroché au mur derrière sa mère, avant de prendre sa décision, il aurait analysé ses diverses options et cherché à savoir ce qui convenait le mieux à ses actionnaires et à ses employés.

— Je ne veux pas interrompre cette querelle familiale, intervint l'amiral Summers, mais il me semble que le sujet dont nous devrions discuter est le suivant : l'offre de la Cunard vaut-elle le coup ?

— C'est une offre correcte, répondit simplement Sebastian. Mais je suis persuadé que je peux faire monter le chiffre d'au moins dix, voire quinze pour cent, ce qui, franchement, correspond à la somme maximale qu'on peut espérer. Alors tout ce qu'on doit décider, c'est ceci : souhaitons-nous étudier sérieusement la proposition de la Cunard ou la rejeter d'emblée ?

— Le moment est donc venu d'écouter les points de vue de nos collègues directeurs, déclara Emma en jetant un regard autour de la table du conseil.

---

1. Peninsular and Oriental Steam Navigation Company.

— Bien sûr, nous pouvons tous donner notre avis, présidente, sur ce qui est, sans aucun doute, la décision la plus importante de toute l'histoire de la compagnie. Cependant, votre famille étant toujours l'actionnaire majoritaire, vous êtes seuls à pouvoir décider du résultat, dit Philip Webster, le secrétaire de la compagnie.

Les autres membres du conseil opinèrent du chef, ce qui ne les empêcha pas de donner leur avis pendant les quarante minutes suivantes, permettant ainsi à Emma de comprendre qu'il y avait autant de directeurs pour que contre.

— D'accord, dit-elle après avoir constaté qu'un ou deux de ses collègues se répétaient. Clive, en tant que chef de service des relations publiques, pourriez-vous préparer deux communiqués de presse pour que le conseil puisse les examiner ? Le premier sera bref et précis, indiquant clairement à la Cunard que, bien que nous soyons flattés de leur offre, la compagnie maritime Barrington, entreprise familiale, n'est pas à vendre.

L'amiral eut l'air ravi, tandis que Sebastian restait de marbre.

— Et le second ? s'enquit Clive Bingham, une fois qu'il eut terminé de noter les paroles de la présidente.

— Le conseil rejette l'offre dérisoire de la Cunard et, en ce qui nous concerne, le travail continue.

— Ils vont penser que tu pourrais bien être intéressée si la somme était correcte, l'avertit Sebastian.

— Et que se passera-t-il alors ? demanda l'amiral.

— Le rideau se lèvera et la pantomime commencera, expliqua Sebastian. Le président de la Cunard sera parfaitement conscient que la jeune première ne laisse tomber son mouchoir par terre que dans l'espoir que son galant le ramasse. Débutera alors un jeu de séduction vieux comme le monde qui se terminera certainement par une offre qu'elle aura le sentiment de pouvoir accepter.

— Nous avons combien de temps ? s'enquit Emma.

— La City saura que nous tenons une réunion du conseil d'administration pour discuter de l'éventuelle OPA et attendra notre réponse à l'offre d'achat de la Cunard avant la clôture du marché des affaires, ce soir. Le marché peut supporter presque tout : sécheresse, famine, résultats inattendus d'une élection, voire un coup d'État... Mais pas l'indécision.

Emma ouvrit son sac à main et en tira un mouchoir, qu'elle laissa tomber par terre.

— Qu'as-tu pensé du sermon ? demanda Harry.

— Tout à fait intéressant, répondit Emma. Il est vrai que le révérend Dodswell est toujours très bon, ajouta-t-elle au moment où ils quittaient le cimetière et se dirigeaient vers le manoir.

— Je discuterais volontiers ses idées sur Thomas l'Incrédule avec toi si tu avais écouté un seul mot du prêche.

— J'ai trouvé fascinant son point de vue, protesta Emma.

— Non, c'est faux. Il n'a jamais parlé de Thomas l'Incrédule et je ne vais pas te mettre davantage mal à l'aise en te demandant quel était le thème de son sermon. J'espère seulement que Notre Seigneur comprendra que l'éventuelle OPA te tracasse.

Ils firent quelques mètres de plus en silence, puis Emma déclara :

— Ce n'est pas l'OPA qui me tracasse.

— C'est quoi alors ? dit Harry, l'air étonné.

Emma lui prit la main.

— C'est si grave ? reprit-il.

— Le *Maple Leaf* est revenu à Bristol et se trouve en cale sèche, à la casse... La démolition va commencer mardi, poursuivit-elle après un bref silence.

Ils continuèrent quelque temps à marcher avant que Harry demande :

— Et que comptes-tu faire à ce sujet ?

— Nous n'avons guère le choix, à mon avis, si nous ne voulons pas passer le reste de notre vie à nous interroger là-dessus...

— Et cela nous fournira peut-être la réponse à la question qui nous a obsédés notre vie entière. Alors, pourquoi n'essaierais-tu pas de savoir aussi discrètement que possible s'il y a quelque chose dans le double-fond ?

— Le travail pourrait commencer sur-le-champ, reconnut Emma. Mais je ne voulais pas donner l'autorisation définitive avant d'avoir eu ton consentement.

Clive Bingham avait été ravi qu'Emma lui demande de siéger au conseil d'administration de la compagnie maritime Barrington et, même si cela n'avait pas été facile de remplacer son père comme directeur externe, il avait le sentiment que la compagnie avait profité de son expérience et de sa compétence en matière de relations publiques, qualités qui avaient gravement fait défaut jusqu'à sa nomination. Clive était malgré tout certain que sir Walter Barrington aurait considéré qu'inviter un attaché de presse à siéger au conseil était comme convier un commerçant à dîner.

Clive dirigeait sa propre agence de presse à la City et employait onze personnes. S'il avait connu plusieurs batailles concernant des OPA, il avait avoué à Sebastian que celle-ci lui avait fait perdre de nombreuses heures de sommeil.

— Pourquoi donc ? Il n'y a rien de particulièrement exceptionnel dans le fait qu'une entreprise familiale soit rachetée. C'est arrivé très souvent récemment.

— Tout à fait d'accord, dit Clive. Mais cette fois-ci, c'est personnel. Ta mère m'a fait assez confiance pour m'inviter à siéger au conseil après la démission de mon père et, franchement, ce n'est pas comme si je présentais à la presse spécialisée une nouvelle ligne à destination des Bahamas ou le dernier programme de fidélité, voire la construction d'un troisième paquebot. Si je me trompe cette fois-ci...

— Jusque-là tes briefings ont été absolument parfaits. Et la dernière offre de la Cunard est sur le point d'être acceptée. Nous le savons et ils le savent. Par conséquent, tu n'aurais pu agir en professionnel plus avisé.

— C'est gentil de me dire ça, Seb, mais j'ai l'impression d'être un coureur dans la dernière ligne droite. Je vois l'arrivée mais il me reste une haie à franchir.

— Et tu vas le faire avec souplesse.

Clive hésita quelques instants puis reprit :

— Je ne suis pas persuadé que ta mère ait vraiment envie que l'OPA se fasse.

— Tu n'as peut-être pas tort. Cependant, elle y gagnerait quelque chose que tu n'as peut-être pas pris en compte.

— C'est-à-dire ?

— Elle est de plus en plus occupée par son travail à l'hôpital, lequel, ne l'oublie pas, a davantage d'employés que la compagnie Barrington et possède un budget encore plus conséquent. Et, ce qui est peut-être plus important, personne ne peut s'en emparer.

— Mais qu'en pensent Giles et Grace ? Après tout, ce sont les actionnaires majoritaires.

— Ils se rangeront à sa décision, ce qui est sans doute la raison pour laquelle elle m'a demandé mon avis. Et je lui ai bien fait comprendre que je pense par nature en banquier et non pas en administrateur d'une compagnie maritime, et que je préférerais être président de la Farthings Kaufman que de la Barrington. Ça n'a pas dû être facile pour elle, mais elle a fini par accepter que je ne pourrai pas faire les deux. Si seulement j'avais un frère cadet...

— Ou une sœur.

— Chut... Car Jessica risquerait de se mettre des idées en tête.

— Elle n'a que treize ans.

— Je ne pense pas que ça la gênerait.

— Comment s'habitue-t-elle à sa nouvelle école ?

— Selon sa professeure de dessin, l'école a gagné une élève de quatrième qui a déjà plus de talent qu'elle. Apparemment, elle a vu cela au premier coup d'œil !

Lorsque, tard dans la soirée de lundi, elle revint de la casse, Emma savait qu'elle devait faire part à Harry de ce que Frank Gibson et son équipe avaient découvert quand ils avaient démonté le double-fond du *Maple Leaf*.

— C'est exactement ce qu'on avait toujours craint de trouver, dit-elle en s'asseyant en face de Harry. Voire pire.

— Pire ? répéta Harry.

Elle baissa la tête.

— Arthur, répondit-elle, avait griffonné un message sur le côté du double-fond...

Elle se tut, incapable de poursuivre.

— Tu n'es pas obligée de me le dire, dit Harry en lui prenant la main.

— Si. Autrement, on continuera à vivre dans le mensonge jusqu'à la fin de nos jours... Il avait écrit, reprit-elle enfin : « Stan avait raison. Sir Hugo savait que j'étais coincé ici... » Par conséquent, mon père a tué le tien, sanglota-t-elle.

Harry ne réagit pas tout de suite.

— Nous ne pourrons jamais en être sûrs. Alors, ma chérie, peut-être ne devrions-nous pas...

— Je ne veux plus le savoir. Mais, en tout cas, on devrait donner une sépulture chrétienne au malheureux. Ta mère aurait voulu au moins ça.

— Je vais en parler discrètement au pasteur.

— Qui d'autre devrait assister à l'enterrement ?

— Rien que nous deux, répondit Harry sans la moindre hésitation. On ne gagnerait rien à faire endurer à Sebastian et à Jessie la souffrance qui a été la nôtre durant toutes ces années. Et prions Dieu que ça soit là le dénouement de l'histoire.

Elle fixa son mari.

— Apparemment, dit-elle, tu n'as pas entendu parler des chercheurs de Cambridge qui travaille sur quelque chose du nom d'ADN ?

NOUS SOMMES TOUT PRÈS D'UN ACCORD,
ANNONCE LE PORTE-PAROLE DE LA BARRINGTON

— Mince ! fit Clive après avoir lu le gros titre du *Financial Times*. Comment ai-je pu être aussi bête ?

— Arrête de culpabiliser, dit Sebastian. On est en effet tout près d'un accord.

— On le sait tous les deux. Mais il n'était pas nécessaire que la Cunard l'apprenne.

— Elle le savait déjà. Bien avant de voir la manchette. Franchement, on aurait beaucoup de chance si on parvenait à gratter plus d'un pour cent de plus. Je devine qu'ils ont déjà atteint leur limite.

— Quoi qu'il en soit, dit Clive, ça ne va pas enchanter ta mère. Et on la comprend.

— Elle va considérer que ça fait partie de la phase finale du jeu, et ce n'est pas moi qui vais la détromper.

— Merci de me soutenir, Seb. Je t'en suis reconnaissant.

— Je n'en fais pas plus que toi. Tu te souviens de la fois où Sloane s'est autoproclamé président de la Farthings avant de me virer le lendemain ? As-tu oublié que la Kaufman a été la seule banque à m'offrir un poste ? Et, de toute façon, il se peut que cette manchette fasse plaisir à ma mère.

— Que veux-tu dire ?

— Je ne suis toujours pas convaincu qu'elle souhaite la réussite de cette OPA.

— Est-ce que cela va nuire à l'OPA ? s'enquit Emma après avoir lu l'article.

— Il se peut qu'on soit forcé de sacrifier un point de pourcentage, voire deux, répondit Sebastian. Mais n'oublie pas les paroles sages de Cedric à propos des OPA. Si tu obtiens finalement davantage que la somme attendue alors que l'autre partie pense avoir tiré le meilleur profit, tout le monde se lève de la table des négociations entièrement satisfait.

— À ton avis, comment vont réagir Giles et Grace ?

— Oncle Giles passe la plus grande partie de son temps libre à parcourir le pays de long en large pour rendre visite aux circonscriptions dont le siège est très disputé, dans l'espoir que le Parti travailliste puisse encore gagner les prochaines élections. Parce que si Margaret Thatcher devient Première ministre, il risque de ne plus jamais obtenir de portefeuille.

— Et Grace ?

— Je ne crois pas qu'elle ait jamais lu le *Financial Times* et elle ne saurait quoi en faire si tu lui donnais un chèque de vingt millions de livres, vu que son salaire annuel actuel est d'une vingtaine de milliers de livres.

— Elle aura besoin de ton aide et de tes conseils, Seb.

— Sois certaine, maman, que la Farthings Kaufman investira extrêmement judicieusement le capital du Pr Barrington, sachant pertinemment qu'elle prendra sa retraite dans quelques années et qu'elle espérera recevoir des revenus réguliers et avoir un endroit où vivre.

— Elle peut venir habiter chez nous, dans le Somerset. L'ancien pavillon de Maisie lui conviendrait parfaitement.

— Elle est beaucoup trop fière pour ça. Et tu le sais, maman. D'ailleurs, elle m'a déjà dit qu'elle cherche un endroit à Cambridge afin d'être près de ses amis.

— Mais une fois que l'OPA sera terminée, elle aura assez d'argent pour s'acheter un château.

— Je parie qu'elle va malgré tout se retrouver dans une petite maison mitoyenne pas loin de son ancien collège.

— Tu t'approches dangereusement de la sagesse, dit Emma, tout en se demandant si elle devait confier son dernier souci à son fils.

4

— Six mois, dit Harry. Cet horrible homme aurait dû être pendu, éviscéré et écartelé.

— Qu'est-ce que tu racontes ? fit Emma, calmement, tout en se servant une deuxième tasse de thé.

— Le voyou qui a flanqué un coup de poing à une infirmière des urgences, avant d'agresser un médecin, a été condamné à seulement six mois de prison.

— Le Dr Hands, dit Emma. Même si je comprends ta réaction, il y avait des raisons.

— Quoi, par exemple ?

— L'infirmière en question a refusé de témoigner lorsque l'affaire a été jugée.

— Comment cela ? s'enquit Harry en reposant son journal.

— Plusieurs de mes meilleures infirmières sont originaires d'outre-mer et ne veulent pas venir à la barre des témoins de peur que les autorités ne découvrent que leurs papiers ne sont pas toujours, disons, parfaitement en règle.

— Ce n'est pas une raison pour fermer les yeux sur ce genre de chose.

— Nous n'avons guère le choix si on ne veut pas que le service médical public s'effondre.

— Ça ne change rien au fait que le voyou a donné un coup de poing à une infirmière.

Il consulta à nouveau l'article.

— Un samedi soir, alors qu'il était, à l'évidence, ivre.

— Le samedi soir... voilà la clé de l'affaire, que William Warwick aurait découverte après avoir interrogé la surveillante générale de l'hôpital et appris pourquoi elle allume la radio tous les samedis à 17 heures...

Harry arqua un sourcil.

— Pour écouter les résultats du match de Bristol City ou des Bristol Rovers, selon l'équipe qui joue à domicile ce jour-là.

Harry ne l'interrompit pas.

— Si elle a gagné, ce sera calme aux urgences. S'il y a eu match nul, ce sera supportable. Mais si elle a perdu, ce sera un cauchemar, pour la simple raison que nous n'avons pas assez de personnel pour faire face.

— Uniquement parce que l'équipe locale a perdu un match de foot ?

— Oui. Parce que tu peux être sûr et certain que les supporters de l'équipe locale vont noyer leur chagrin dans l'alcool et finir par déclencher des bagarres. Certains, tiens, tiens, vont échouer aux urgences, où ils devront patienter des heures durant avant qu'on s'occupe d'eux. Et que se passera-t-il alors ? Eh bien, de nouvelles bagarres éclateront dans la salle d'attente, et il arrive qu'une infirmière, un infirmier ou un médecin essaie d'intervenir.

— Vous n'avez pas d'agents de sécurité pour s'occuper de ça ?

— Pas en nombre suffisant, hélas. Et l'hôpital ne dispose pas de fonds suffisants alors que soixante-dix pour cent de ses ressources annuelles servent à payer les salaires. Et le gouvernement insiste pour qu'on fasse des coupes et pas de nouvelles dépenses. Alors tu peux être certain qu'on aura le même problème samedi soir, si les Rovers s'inclinent devant Cardiff City.

— Mme Thatcher a-t-elle trouvé de nouvelles idées pour résoudre le problème ?

— Je devine qu'elle serait d'accord avec toi, mon chéri. Pendu, éviscéré et écartelé serait un châtiment encore trop faible pour eux. Mais je ne crois pas que tu verras cette proposition mise en vedette dans le prochain programme du Parti conservateur.

Le Dr Richards prit le pouls de son patient.

— Soixante-douze pulsations par minute, dit-il, avant de cocher une autre case. Une dernière chose, sir Harry, dit le médecin en enfilant un gant en latex. Je veux juste vérifier l'état de votre prostate. Hum ! fit-il, quelques instants plus tard. Il se peut qu'il y ait une toute petite grosseur. Il faut que nous la surveillions. Rhabillez-vous à présent, sir Harry. Dans l'ensemble, vous êtes en assez bonne forme pour un homme qui va sur ses soixante ans. Âge auquel beaucoup d'entre nous pensent à la retraite.

— Pas moi. Je dois remettre un nouveau William Warwick avant de commencer mon prochain roman, qui risque de me prendre deux ans. Par conséquent, il faut que je vive au moins jusqu'à soixante-dix ans. C'est compris, docteur Richards ?

— Soixante-dix ans... Ça n'excède pas le contrat du Créateur. Je ne pense pas que cela pose de problème, ajouta-t-il, du moment que vous continuez à faire de l'exercice.

Il consulta le dossier du patient.

— La dernière fois que je vous ai examiné, sir Harry, vous couriez cinq kilomètres, deux fois par semaine, et faisiez huit kilomètres de marche, trois fois par semaine. Est-ce toujours le cas ?

— Oui. Mais j'avoue que j'ai cessé de me chronométrer.

— Vous continuez à faire ça entre vos séances d'écriture de deux heures ?

— Oui. Tous les matins, cinq jours par semaine.

— Parfait. En fait, c'est mieux que ce dont seraient capables nombre de mes jeunes patients. Juste deux questions supplémentaires. Je suppose que vous continuez à ne pas fumer ?

— Je ne fume jamais.

— Et quelle quantité d'alcool, en général, buvez-vous par jour ?

— Un verre de vin au dîner, mais pas au déjeuner. Sinon je dors l'après-midi !

— Par conséquent, vous devriez atteindre aisément les soixante-dix ans. Du moment que vous n'êtes pas écrasé par un autobus.

— Ça, ça ne risque guère d'arriver, étant donné que notre autobus local ne vient au village que deux fois par jour, bien qu'Emma écrive régulièrement au conseil pour se plaindre.

Le médecin sourit.

— Ça ne m'étonne pas de notre présidente.

Le Dr Richards referma le dossier, se leva de son bureau et raccompagna Harry.

— Et comment va lady Clifton ? s'enquit-il alors qu'ils longeaient le couloir.

47

Considérant qu'elle n'avait pas mérité son titre, Emma détestait qu'on lui donne du « lady » et, à l'hôpital, insistait pour qu'on l'appelle toujours Mme Clifton ou « présidente ».

— C'est à vous de me le dire, répondit Harry.

— Je ne suis pas son médecin, mais je peux vous affirmer que c'est la meilleure présidente que nous ayons jamais eue et je ne vois guère qui aura le courage de la remplacer lorsqu'elle quittera son poste dans un an.

Harry sourit. Toutes les fois où il se rendait à l'hôpital royal de Bristol, il sentait le respect et l'affection du personnel pour Emma.

— Si nous sommes choisis comme hôpital de l'année une deuxième fois, ajouta le Dr Richards, elle y sera sans aucun doute pour beaucoup.

Comme ils continuaient à avancer dans le couloir, Harry croisa deux infirmières qui prenaient leur pause-thé. Il remarqua que l'une d'elles avait un œil au beurre noir et une joue enflée qu'elle n'avait pas réussi à dissimuler, en dépit d'une épaisse couche de fard. Le Dr Richards conduisit Harry dans un petit box qui ne contenait qu'un lit et deux chaises.

— Ôtez votre veste. Une infirmière va bientôt vous rejoindre.

— Merci, dit Harry. J'aurai le plaisir de vous revoir dans un an.

— Dès que le laboratoire nous enverra les résultats, je vous les ferai parvenir avec mon avis. Mais je ne pense pas qu'ils seront très différents de ceux de l'année dernière.

Harry enleva sa veste, l'accrocha au dossier d'une chaise, ôta ses chaussures, puis s'allongea sur le lit. Il ferma les yeux et réfléchit au chapitre suivant de *William Warwick et le Tour des trois cartes*. Comment le suspect avait-il pu se trouver à deux endroits différents au même moment ? Était-il au lit avec sa femme, ou se dirigeait-il vers Manchester au volant de sa voiture ? Qu'en était-il ? Le médecin avait laissé la porte ouverte. Les pensées de Harry s'interrompirent lorsqu'il entendit quelqu'un mentionner le « Dr Hands ». Quand avait-il déjà entendu ce nom ?

— Vas-tu le dénoncer à la surveillante générale ? fit une voix.

— Pas si je veux garder mon boulot, répondit une deuxième voix.

— Par conséquent, le vieux « Mains baladeuses » s'en tire une fois de plus.

— Tant que c'est seulement sa parole contre la mienne, il n'a rien à craindre.

— Alors, qu'est-ce qu'il a fait cette fois-ci ?

Harry se redressa sur le lit, prit son bloc-notes et son stylo dans la poche de sa veste et écouta attentivement la conversation qui se déroulait dans le couloir.

— Je prenais des draps propres dans la lingerie, au troisième étage, quand quelqu'un est entré. Lorsque la porte s'est refermée, j'ai entendu un tour de clé et j'ai compris que ce ne pouvait être qu'une seule personne. J'ai fait semblant de ne rien remarquer, j'ai pris des draps et je me suis dirigée tout droit vers la porte. J'ai essayé de la déverrouiller mais il m'a attrapée et s'est plaqué contre moi. C'était répugnant. J'ai failli vomir. « Inutile que d'autres l'apprennent, a-t-il dit. C'est juste pour s'amuser un peu. » J'ai tenté de lui flanquer un coup de coude dans les parties mais il me coinçait contre le mur. Puis il m'a fait pivoter et m'a embrassée.

— Qu'est-ce que tu as fait ?

— Je lui ai mordu la langue. Il a hurlé, m'a traitée de chienne et m'a giflée. Mais ça m'a donné le temps de déverrouiller la porte et de m'échapper.

— Il faut que tu le dénonces. Il est grand temps que ce salaud soit viré de l'hôpital.

— Ça ne risque pas. Quand je l'ai rencontré ce matin, durant sa tournée, il m'a prévenue que si j'ouvrais la bouche, je devrais chercher un autre boulot, avant d'ajouter, poursuivit l'infirmière en chuchotant : « Quand une femme ouvre la bouche, c'est pour faire une seule chose. »

— C'est un grand malade. On ne doit pas lui permettre de s'en tirer.

— N'oublie pas qu'il est très puissant. Il a fait virer le petit copain de Mandy en disant à la police qu'il avait vu le garçon agresser Mandy, alors que c'est lui qui l'avait frappée. Par conséquent, quelle chance aurais-je d'avoir gain de cause après un simple pelotage dans la lingerie ? Non, j'ai décidé...

— Bonjour, sir Harry, dit une infirmière en entrant dans le box avant de refermer la porte derrière elle. Le Dr Richards m'a demandé de vous faire une prise de sang et de l'envoyer au laboratoire. C'est une vérification de routine… Pourriez-vous retrousser une manche ?

— Je suppose qu'un seul d'entre nous est qualifié pour être président, déclara Giles, sans pouvoir maîtriser un sourire ironique.

— Ce n'est pas une plaisanterie, répliqua Emma. J'ai déjà rédigé un ordre du jour pour être sûre de couvrir tous les sujets dont nous devons discuter.

Elle remit à Giles et à Grace un exemplaire chacun, et leur laissa un petit moment pour leur permettre de jeter un coup d'œil aux divers points.

— Peut-être, reprit-elle, devrais-je vous mettre au courant avant de passer au premier point.

Son frère et sa sœur opinèrent.

— Le conseil a accepté la dernière offre de la Cunard qui se monte à trois livres, quarante et un pence, par action. Et l'OPA a été ratifiée le 26 février, à midi.

— Ç'a dû être un crève-cœur, dit Giles d'un ton sincère.

— Je dois avouer que pendant que je vidais mon bureau, je me demandais encore si j'avais agi à bon escient. Et j'étais contente qu'il n'y ait eu personne d'autre dans la pièce au moment où j'ai décroché le portrait de grand-père, parce que je ne pouvais pas le regarder dans les yeux.

— Je serais heureux d'accueillir Walter s'il revient au château Barrington, dit Giles. Il peut prendre sa place sur le mur de la bibliothèque, à côté de grand-maman.

— En fait, Giles, le président de la Cunard a demandé s'il pouvait rester dans la salle du conseil à côté des précédents présidents.

— Je suis impressionné. Et cela me persuade encore plus que j'ai pris la bonne décision sur ma façon d'investir une partie de mon capital, ajouta-t-il sans fournir d'explication.

— Et toi, Emma ? s'enquit Grace en se tournant vers sa sœur. Après tout, tu as aussi acquis le droit de te trouver dans la salle du conseil.

— On a chargé Bryan Organ de faire mon portrait. Et je vais être accrochée en face de ce cher grand-papa.

— Comment Jessica a-t-elle réagi ? s'enquit Giles.

— C'est elle qui l'a recommandé. Elle a même demandé la permission d'assister aux séances de pose.

— Elle grandit si vite, dit Grace.

— C'est déjà une jeune fille, renchérit Emma. Et je pense lui demander son avis sur un autre sujet, ajouta-t-elle avant de consulter à nouveau l'ordre du jour. Après la signature des documents relatifs à l'exécution du contrat, une cérémonie de cession s'est tenue dans la salle du conseil. En moins de vingt-quatre heures, le nom de la compagnie maritime Barrington, qui s'affichait si fièrement au-dessus de la grille d'entrée depuis plus d'un siècle, a été remplacé par celui de la Cunard.

— Je sais qu'un seul mois s'est écoulé, dit Giles. Mais la Cunard a-t-elle honoré ses engagements envers notre personnel, en particulier envers ceux qui étaient là depuis longtemps ?

— À la lettre. Personne n'a été renvoyé, même si un bon nombre de vieux de la vieille ont profité de la généreuse indemnité de départ que Sebastian avait négociée pour eux, ainsi que d'un voyage gratuit à bord du *Buckingham* ou du *Balmoral*. Par conséquent, de ce côté-là, personne ne s'est plaint. Toutefois, nous devons discuter de notre propre position et de ce que nous allons faire à présent. Comme vous le savez tous les deux, on nous a proposé de choisir entre, soit la somme versée au comptant pour solde de tout compte, d'un peu plus de vingt millions de livres chacun, soit des actions de la Cunard, option qui présente plusieurs avantages.

— Combien d'actions offre-t-elle ? demanda Grace.

— Sept cent dix mille chacun, ce qui a rapporté, l'année dernière, deux cent quarante-six mille sept cent dix-sept livres. Avez-vous décidé ce que vous préfériez ?

— Moi, oui, répondit Giles. Après avoir consulté Seb, j'ai décidé de prendre la moitié de la somme en espèces sonnantes et trébuchantes, que la Farthings Kaufman va investir pour moi dans diverses entreprises, et l'autre moitié en actions de la Cunard. Elles ont légèrement chuté récemment, ce qui, d'après Sebastian, n'est pas rare après une OPA. Il m'assure, cependant, que la Cunard est une entreprise bien gérée qui a fait ses preuves, et il s'attend à ce que ses actions continuent à rapporter trois ou quatre pour cent, tout en croissant en valeur du même pourcentage environ, chaque année.

— Voilà une attitude très conservatrice, en fait, dit Emma d'un ton taquin.

— Mais ce n'est pas celle d'un conservateur, répliqua Giles. J'ai aussi accepté de financer une bourse pour recruter un assistant de recherche pour la Fabian Society[1].

— Quelle hardiesse ! s'écria Grace sans chercher à cacher son ironie.

— Et toi, tu as fait quelque chose de plus avant-gardiste ? rétorqua Giles.

— Je l'espère. Et de plus drôle, en tout cas.

Emma et Giles fixèrent leur sœur, tels deux étudiants d'une de ses classes dans l'attente de sa réponse.

— J'ai déjà mis le chèque en banque et encaissé la totalité de la somme. Quand je l'ai présenté au directeur de mon agence bancaire, j'ai cru qu'il allait s'évanouir. Sebastian est venu me voir le lendemain à Cambridge, et sur ses conseils, j'ai mis cinq millions de côté en prévision des impôts que j'aurai à payer et dix autres sur un compte d'investissement à la Farthings Kaufman, afin qu'il investisse la somme dans, pour le citer, un « large éventail de compagnies aux reins solides ». J'ai aussi déposé un million de livres à la Midland, somme qui sera largement suffisante pour acheter une petite maison près de Cambridge et qui me garantira un revenu annuel de trente mille livres. Ce qui est davantage que j'ai jamais gagné durant toute ma carrière de professeur d'université.

— Et les quatre autres millions ?

— J'ai fait un don d'un million de livres au fond de restauration de Newnham College, d'un demi-million au musée Fitzwilliam de Cambridge, et un autre demi-million est destiné à être partagé entre une douzaine d'associations caritatives auxquelles je m'intéresse depuis des années sans pouvoir leur donner jusque-là plus que quelques centaines de livres.

---

1. Association socialiste réformatrice fondée en 1883 à Londres, ayant pour but de parvenir au « changement progressif et pacifique » de la société capitaliste. Elle fut à l'origine du Parti travailliste. George Bernard Shaw en fut l'un des premiers membres.

— Tu me fais me rougir de honte, dit Giles.

— Je l'espère bien, Giles. Mais il est vrai que j'ai rejoint le Parti travailliste longtemps avant toi.

— Il reste encore deux millions, intervint Emma.

— Je sais que cela ne me ressemble pas mais je me suis livrée à une débauche d'emplettes avec Jessica.

— Grand Dieu ! Qu'a-t-elle acheté ? demanda Emma. Des diamants et des sacs à main ?

— Sûrement pas, répliqua vertement Grace. Un Monet, deux Picasso, un Pissarro, un Lucian Freud, qui, d'après elle, est l'homme qui monte, et l'un des *Pape hurlant* de Bacon, que je n'aimerais pas entendre prononcer un sermon. Ainsi qu'une maquette de Henry Moore appelée *Roi et reine*, que j'admire depuis longtemps. En plus d'un Barbara Hepworth et d'un Leon Underwood. Toutefois, j'ai refusé d'acheter un Eric Gill après qu'on m'a dit qu'il avait couché avec ses filles. Cela ne semblait pas gêner Jessica – on ne peut pas rejeter un vrai talent, n'a-t-elle cessé de me rappeler – mais je ne me suis pas laissé faire. Mon dernier achat a été l'illustration de Peter Blake pour la jaquette d'un disque des Beatles que j'ai offerte à Jessica pour la récompenser de son savoir et de sa compétence. Elle savait exactement quelles galeries visiter et elle négociait avec les galeristes comme un marchand ambulant de l'East End. Je ne savais pas si je devais avoir honte ou être fière d'elle. Et je dois reconnaître que je ne savais pas que dépenser de l'argent pouvait être aussi épuisant.

Emma et Giles éclatèrent de rire.

— Tu nous fais tous les deux nous sentir coupables, dit Emma. Il me tarde de voir la collection. Mais où vas-tu la présenter ?

— Je crois avoir trouvé à Trumpington la maison idéale qui possède assez d'espaces pour accrocher toutes les peintures et un jardin assez grand pour que les statues soient bien mises en valeur. Par conséquent, à l'avenir, ce sera à moi de vous inviter à venir passer le week-end. Je n'ai pas encore signé le contrat mais j'ai envoyé Sebastian chez les malheureux agents immobiliers et je l'ai laissé convenir d'un prix. Bien que je ne puisse pas croire qu'il se débrouillera mieux que Jessica... Elle est persuadée que ma collection d'œuvres d'art constituera

un investissement plus rentable que les actions et les obliga-
tions qu'on ne peut pas suspendre à un mur, comme elle l'a
rappelé à son père. Il a tenté de lui expliquer la différence entre
apprécier quelque chose et en apprécier la valeur, mais il n'y
est pas parvenu.

— Bravo ! s'exclama Emma. J'espère qu'il restera pour moi
quelques Monet, parce que j'avais moi aussi l'intention de
demander l'avis de Jessica. Même si, à dire vrai, je n'ai toujours
pas décidé à quoi je vais employer ma part de manne tombée
du ciel. J'ai rencontré trois fois Hakim Bishara et Sebastian,
mais je ne suis pas près de prendre une décision. Ayant perdu
une présidence, je me suis concentrée sur la nouvelle salve de
réformes du gouvernement concernant la Sécu et sur les conséquences qu'elles vont entraîner pour l'hôpital royal.

— Ce projet de loi ne verra jamais le jour si Margaret
Thatcher gagne les élections, déclara Giles.

— Dieu t'entende ! dit Emma. Mais j'ai quand même le
devoir de préparer mes collègues du conseil aux conséquences
qu'entraînerait le retour au pouvoir des travaillistes. Je n'ai pas
l'intention de laisser à mon successeur, quel qu'il – ou qu'elle –
soit, le soin de ramasser les morceaux.

Elle se tut avant d'ajouter :

— D'autres points ?

Giles sortit de dessous la table deux magnifiques maquettes
du *Buckingham* et du *Balmoral*, ainsi qu'une bouteille de champagne.

— Très chère Emma, déclara-t-il, Grace et moi nous te
serons éternellement redevables. Sans tes qualités de chef, sans
ton dévouement et ton sens des responsabilités, nous ne joui-
rions pas de la situation privilégiée qui est la nôtre aujourd'hui.
Nous serons à jamais tes débiteurs.

Giles remplit à ras bord de champagne trois verres à eau,
mais Emma ne pouvait quitter des yeux les maquettes des deux
bateaux.

— Merci, dit-elle, comme ils levaient tous les trois leurs
verres. Mais j'avoue que j'ai constamment pris grand plaisir à ce
travail, et la fonction de présidente me manque déjà. J'ai aussi
une surprise pour vous. La Cunard m'a demandé de faire partie

du conseil d'administration et j'aimerais donc moi aussi porter un toast, dit-elle en se mettant sur pied et en levant son verre.

— À Joshua Barrington, dit-elle, qui a fondé la compagnie maritime Barrington en 1839 et qui avait fait un bénéfice de trente-trois livres, quatre shillings et deux pence, la première année de sa présidence, mais promis davantage à l'avenir à ses actionnaires.

Giles et Grace levèrent leur verre.

— À Joshua Barrington !

— Peut-être le moment est-il venu, dit Giles, de fêter la récente naissance de mon petit-neveu, qui, espère Sebastian, lui succédera à la présidence de la banque Farthings.

— Serait-ce se montrer trop optimiste, demanda Grace, de souhaiter que Jake puisse envisager d'embrasser une carrière plus utile que celle de banquier ?

5

— Votre informateur est-il vraiment fiable ?

— Sans conteste. Et il a pris note de ce qu'il a entendu par hasard. Mot pour mot.

— Je ne peux pas prétendre, présidente, reconnut la surveillante générale, que je n'avais jamais entendu ce genre de rumeurs. Mais il n'y avait pas la moindre preuve. La seule infirmière qui a déposé officiellement une plainte a démissionné une semaine plus tard.

— Quelles sont nos options ? s'enquit Emma.

— Que savez-vous de l'infirmière, à part ce qu'on apprend dans la conversation qui a été entendue ?

— Je peux vous dire que la supposée agression a eu lieu dans la lingerie, au troisième étage.

— Cela peut réduire le nombre à une demi-douzaine d'infirmières.

— Et qu'elle a accompagné le Dr Hands dans sa tournée le matin même.

— Quand cela s'est-il passé ?

— Hier.

— Par conséquent, cela réduit le nombre à deux ou trois infirmières, tout au plus.

— Et qu'il s'agit d'une Antillaise.

— Ah, fit la surveillante. Je me suis demandé pourquoi Beverley avait un œil au beurre noir... Je le sais à présent. Mais il faudrait qu'elle se plaigne officiellement pour qu'on puisse envisager de faire une enquête de moralité.

— Ça prendrait combien de temps ?

— Entre six et neuf mois. Et même alors, comme il est clair qu'il n'y avait aucun témoin, l'enquête n'a guère de chance d'aboutir.

— Par conséquent, on revient à la case départ et le Dr Hands peut continuer à s'amuser sans que nous puissions intervenir.

— Je le crains, présidente, à moins que...

— Félicitations pour le succès de l'OPA, dit Margaret Thatcher lorsque Emma répondit au téléphone. Même si j'imagine que cela n'a pas dû être une décision facile à prendre.

— J'étais partagée, reconnut Emma. Mais le conseil d'administration, ma famille et tous nos experts m'ont conseillé d'accepter l'offre de la Cunard.

— Alors, comment occupez-vous votre temps maintenant que vous n'êtes plus présidente de la Barrington ?

— Il reste encore quelques mois avant que je cède la présidence de l'hôpital royal. Mais, le Parlement n'ayant pas voté la confiance au gouvernement hier soir, j'ai le sentiment que je vais passer la majeure partie de mon temps à parcourir le Sud-Ouest de long en large afin de tout faire pour que vous vous installiez au 10 Downing Street.

— Je préférerais que vous parcouriez le pays entier dans ce but.

— Je ne suis pas sûre de comprendre.

— Si vous allumez votre poste de télévision, vous verrez que la voiture du Premier ministre le conduit au palais de Buckingham pour voir la reine. M. Callaghan va lui demander l'autorisation de prolonger la session du Parlement afin qu'il puisse convoquer des élections législatives.

— Une date a-t-elle été fixée ?

— Le mardi 3 mai. Et je veux que vous attaquiez votre frère de front.

— Qu'avez-vous à l'esprit ?

— Comme vous le savez sans doute, il est, une fois de plus, chargé de la campagne du Parti travailliste dans les circonscriptions disputées. Ce sont ces cinquante ou soixante circonscriptions clés qui vont déterminer le résultat des élections. Je pense que vous seriez la personne idéale pour effectuer le même travail pour le Parti conservateur.

— Mais Giles possède une très grande expérience des campagnes électorales. C'est un homme politique émérite...

— Et personne ne le connaît mieux que vous.

— Il doit y avoir une douzaine, voire plus, de personnes beaucoup plus qualifiées que moi pour assumer une telle responsabilité.

— Vous êtes mon premier choix. Et je devine que votre frère ne sera pas enchanté d'apprendre l'identité de la personne qu'il va devoir affronter.

Il y eut un long silence avant que Mme Thatcher n'ajoute :

— Venez à Londres pour rencontrer Peter Thorneycroft, le président du parti. Il a déjà tout organisé et il ne manque plus qu'un coordonnateur pour mettre au pas les présidents des sections locales de ces circonscriptions disputées.

Cette fois-ci, Emma n'hésita pas.

— Quand est-ce que je commence ? fit-elle.

— Demain matin, à 10 heures, au bureau central, répondit la chef de l'opposition.

— Vous avez demandé à me voir, présidente.

— C'est exact. Et je ne vais pas y aller par quatre chemins, poursuivit-elle, avant même que Hands ait eu le temps de s'asseoir. J'ai reçu plusieurs plaintes de la part d'infirmières à propos de votre comportement immoral.

— Plusieurs ? fit Hands qui s'installa sur son siège, l'air détendu.

— Cette année, la surveillante générale a recueilli plusieurs témoignages et elle m'a priée de diligenter une enquête officielle.

— À votre guise. Vous constaterez que rien ne colle et je serai complètement innocenté.

— Rien ne colle ? Voilà un malheureux choix de mots, à mon avis, docteur Hands. Sauf, bien sûr...

— Un mot de plus, lady Clifton, et je vais donner l'ordre à mes avocats de déposer une plainte pour diffamation.

— J'en doute. Comme vous, j'ai pris soin qu'il n'y ait aucun témoin, et même si j'accepte que vous puissiez être totalement innocenté, j'ai l'intention de m'assurer que votre réputation en pâtisse et que vous ne retrouviez plus le moindre poste dans ce pays. Je suggère donc...

— Vous me menacez ? C'est votre réputation qui risque d'en pâtir ! Une fois qu'on constatera que l'enquête a constitué une perte de temps et d'argent ! Juste au moment où l'hôpital royal de Bristol a été à nouveau sélectionné pour briguer le titre d'hôpital de l'année.

— En effet. J'y ai songé. Jusque-là, ça a toujours été votre parole contre celle d'une jeune infirmière. Là a été votre force. Mais cette fois-ci, vous n'allez pas avoir affaire à une jeune femme apeurée mais à la présidente de l'hôpital. Et oui, je suis disposée à mettre ma réputation en jeu pour détruire la vôtre.

— Vous bluffez. Il vous reste moins d'une année et vous ne souhaiterez sûrement pas qu'on ne se souvienne de vous que pour ça.

— Vous vous trompez à nouveau, docteur Hands. Une fois que j'aurai montré votre vrai visage, je devine que vos confrères et les seize infirmières qui ont fourni des témoignages écrits (Emma tapota un épais dossier placé sur le bureau devant elle qui n'était, en fait, que le rapport d'un expert en bâtiments) ne seront que trop reconnaissants que je sois intervenue. Et vous aurez du mal à trouver un poste dans un petit État africain.

Cette fois-ci, le médecin hésita avant de répondre.

— Je prends le risque. Je suis persuadé que vous n'avez pas assez de preuves pour lancer une enquête.

Emma se pencha alors en avant, composa un numéro extérieur et mit le haut-parleur. Quelques instants plus tard, ils entendirent tous les deux :

— Rédateur en chef.

— Bonjour, Reg. Emma Clifton à l'appareil.

— Lequel de mes journalistes voulez-vous qu'on pende aujourd'hui, Emma ?

— Pas l'un de vos journalistes, cette fois-ci. L'un de mes médecins.

— Précisez.

— Je suis sur le point de lancer une enquête sur le comportement de l'un des médecins de l'hôpital et j'ai pensé que vous aimeriez être mis au courant avant que l'un des journaux nationaux s'empare de l'affaire.

— C'est fort aimable à vous, Emma.

Hands se mit à lui faire signe fébrilement.

— Mais si l'affaire doit paraître dans la dernière édition, il va falloir que j'envoie immédiatement un journaliste à l'hôpital.

— J'ai un rendez-vous à 11 heures, dit Emma, en jetant un coup d'œil à son agenda. Mais je vous rappelle dans quelques instants si je peux le modifier.

Après avoir raccroché, elle aperçut des gouttes de sueur sur le front de Hands.

— Si vous souhaitez que j'annule mon rendez-vous avec le journaliste du *Bristol Evening News*, dit-elle en tapotant à nouveau le dossier, vous devez quitter les lieux avant midi. Autrement, je vous conseille d'acheter la dernière édition du jour dans laquelle vous découvrirez ce que je pense des médecins de votre espèce. N'oubliez pas de rester près de votre téléphone, car il m'est avis qu'on souhaitera entendre votre version des faits.

Le médecin se leva en chancelant et quitta la pièce sans un mot de plus. Une fois que la porte fut refermée, Emma redécrocha l'appareil et recomposa le numéro qu'elle avait promis de rappeler.

— Merci, dit-elle, lorsqu'on lui répondit.

— Tout le plaisir est pour moi, dit Harry. À quelle heure rentres-tu pour dîner ?

— Si tu dois passer le mois prochain à Londres, dit Harry après avoir appris la nouvelle, où penses-tu habiter ?

— Chez Giles. De cette façon, je pourrai surveiller ses moindres mouvements.

— Et lui, les tiens. Mais je ne le vois pas accepter ce charmant petit arrangement.

— On ne va pas lui demander son avis. Tu as à l'évidence oublié que je suis propriétaire foncière à perpétuité du 23 Smith Square. Par conséquent, si quelqu'un cherche un logement temporaire, ce sera Giles, pas moi.

GILES BARRINGTON

1979-1981

6

— Voulez-vous connaître les mauvaises nouvelles ? s'enquit Giles en entrant à grands pas dans le bureau de Griff Haskins, avant de s'affaler sur le siège en face d'un homme qui allumait sa quatrième cigarette de la matinée.

— Tony Benn[1] a été retrouvé soûl dans un bordel ?

— Pire. Ma sœur dirige pour les conservateurs la campagne des sièges disputés.

Le directeur de campagne chevronné s'effondra dans son fauteuil et resta un moment silencieux.

— Voilà un redoutable adversaire, finit-il par déclarer. Et dire que je lui ai appris tout ce qu'elle sait ! Notamment comment se battre pour gagner un siège.

— Il y a pire. Elle va habiter avec moi à Smith Square pendant toute la durée de la campagne.

— Eh bien, jetez-la dehors ! lança Griff d'un ton apparemment sincère.

— Impossible. Elle est propriétaire de la maison. J'ai toujours été son locataire.

Cela réduisit Griff quelques instants au silence, mais il reprit rapidement ses esprits.

---

1. Anthony Wedgwood Benn, vicomte Stansgate (1925-2014). Député travailliste pendant quarante-sept ans, plusieurs fois ministre. Après avoir été plutôt modéré, il devint l'incarnation de la gauche radicale du Parti travailliste.

— Il faudra tirer parti de la situation, dit-il. Si Karin peut découvrir le matin quel est son programme de la journée, on la devancera constamment.

— Très bonne idée. Sauf que je ne sais pas exactement de quel côté est ma femme.

— Alors, jetez-la dehors.

— Je ne pense pas que cela ferait voter les femmes pour moi.

— Donc, il nous faudra compter sur Markham. Lui demander d'écouter les conversations téléphoniques et d'ouvrir le courrier de votre épouse, si nécessaire.

— Markham vote pour les conservateurs. Depuis toujours.

— Y a-t-il quelqu'un chez vous qui soutienne les travaillistes ?

— Silvina, ma femme de ménage. Mais elle ne parle pas très bien anglais et je ne suis pas sûr qu'elle ait le droit de vote.

— Vous allez donc devoir garder l'œil ouvert, parce que je veux connaître l'emploi du temps de votre sœur quotidiennement et minute par minute. Je veux savoir à quelles circonscriptions elle compte s'attaquer, quel tory de premier plan s'apprête à rendre visite à ces circonscriptions, et tout autre renseignement que vous pourrez glaner.

— Mais elle aura tout autant envie de connaître mon emploi du temps !

— Alors il faudra lui refiler de faux renseignements.

— Elle comprendra le manège dès le deuxième jour.

— C'est possible, mais n'oubliez pas que vous avez beaucoup plus d'expérience qu'elle en matière de campagne électorale. L'apprentissage sera ardu et elle va devoir fortement s'appuyer sur mon homologue conservateur.

— Vous le connaissez ?

— C'est John Lacy. Je le connais mieux que mon frère. Je suis Caïn et lui Abel depuis plus de trente ans.

Il écrasa sa cigarette avant d'en allumer une autre.

— La première fois que je l'ai rencontré, c'était en 1945... Attlee contre Churchill... Et depuis, il lèche ses blessures comme un rottweiler.

— Inspirons-nous de Clem Attlee et faisons-lui ce qu'il a fait à Churchill.

— C'est probablement sa dernière élection, dit Griff presque comme s'il se parlait à lui-même.

— La nôtre également, si nous perdons.

— Si vous habitez dans la même maison que votre frère, dit Lacy, il faut que nous en profitions.

Regardant son chef d'état-major assis de l'autre côté de son bureau, Emma se dit qu'elle comprenait vite le fonctionnement de son esprit. Lacy devait mesurer un mètre soixante-huit environ et, bien qu'il n'ait jamais pratiqué le moindre sport, à part la lutte contre le Parti travailliste, il était mince comme un fil. Il considérait que le sommeil était un luxe qu'il ne pouvait pas se permettre, ne croyait pas aux pauses-déjeuner, n'avait jamais ni bu ni fumé et n'abandonnait le parti que le dimanche matin pour adorer le seul être qu'il jugeait supérieur à son chef. Ses rares cheveux gris le faisaient paraître plus vieux que son âge et ses yeux perçants ne vous quittaient jamais.

— À quoi pensez-vous ? fit Emma.

— Dès le départ de votre frère, le matin, il faut que je sache dans quelles circonscriptions il a l'intention de se rendre et quels hommes politiques travaillistes de premier plan seront à ses côtés, afin que nos militants les attendent lorsqu'ils descendront du train.

— Tactique un peu sournoise, non ?

— Soyez sûre, lady Clifton...

— Emma.

— Emma. Nous n'essayons pas de gagner un concours de cuisine à la fête du village, mais des élections législatives. L'enjeu ne pourrait pas être plus gros. Nous devons considérer tout socialiste comme un ennemi parce qu'il s'agit d'une guerre totale. Notre travail consiste à ce que dans quatre semaines il n'en reste plus aucun sur pied, votre frère y compris.

— Cela risque de me prendre un certain temps pour m'y habituer.

— Vous disposez de vingt-quatre heures pour vous mettre dans le bain. Et n'oubliez pas que votre frère est le meilleur et Griff Haskins, le pire des hommes, ce qui fait d'eux un redoutable tandem.

— Bon. Par où commencer ?

Lacy se leva de son bureau et se dirigea vers un grand tableau accroché au mur.

— Voici les soixante-deux sièges qu'on doit remporter si on espère former le prochain gouvernement, déclara-t-il, avant même qu'Emma ne l'ait rejoint. Pour changer de couleur chacun a besoin que seulement quatre pour cent des voix basculent, voire moins. Si les deux principaux partis remportent trente et un de ces sièges, poursuivit-il en donnant une chiquenaude au graphique, on aboutira à un Parlement sans majorité. Si l'un ou l'autre obtient dix sièges de plus, il aura une majorité de vingt sièges à la Chambre. Voilà pourquoi notre travail est si important.

— Et les six cents autres sièges ?

— La plupart sont déjà acquis bien avant qu'on ouvre la première urne. Il y aura, naturellement, une ou deux surprises – il y en a toujours –, mais nous n'avons pas le temps d'essayer de déterminer où elles risquent de se produire. Nous devons nous concentrer sur les soixante-deux sièges disputés et nous efforcer de faire en sorte qu'ils envoient tous un député conservateur au Parlement.

Emma regarda plus attentivement la longue liste des sièges, en commençant par le plus susceptible de basculer... Basildon, travailliste, majorité de vingt-deux voix, basculement nécessaire : zéro virgule un pour cent.

— Si nous ne gagnons pas ces élections, dit Lacy, nous devrons subir cinq années de plus de gouvernement travailliste. (Son doigt se dirigea prestement vers le bas du tableau.) À Gravesend, on a besoin de quatre virgule un pour cent. S'il y avait un basculement de cette amplitude dans tout le pays, cela garantirait aux conservateurs une majorité de trente sièges.

— Que représentent les sept petites cases à côté de chaque circonscription ?

— Il faut qu'elles soient toutes remplies avant le jour du vote.

Emma lut les appellations : candidat, basculement requis, agent, président, chauffeur, circonscription adoptée, TAP.

— Il y a trois sièges qui n'ont toujours pas de candidat, dit Emma qui regardait la liste d'un air incrédule.

— Ils en auront un à la fin de la semaine... Car autrement ces circonscriptions pourraient élire un député travailliste sans qu'il y ait eu un adversaire. Et il n'est pas question de laisser faire ça.

— Et si on ne trouve pas de candidat satisfaisant en si peu de temps ?

— On trouvera quelqu'un, dit Lacy. Même si c'est l'idiot du village. Et nous en avons déjà un ou deux qui siègent sur nos bancs, certains dans des circonscriptions acquises d'avance.

Elle éclata de rire et son regard se porta sur l'appellation « Circonscription adoptée ».

— Une circonscription acquise d'avance va adopter une circonscription voisine disputée, expliqua Lacy, et lui offrira l'aide d'un agent électoral expérimenté, des démarcheurs, voire de l'argent, si nécessaire. Nous possédons un fonds de réserve assez bien garni pour fournir dix mille livres au débotté à toute circonscription susceptible de basculer.

— En effet. Je l'ai constaté aux dernières élections quand j'étais à la manœuvre dans la région du Sud-Ouest. Mais j'ai aussi vu que certaines circonscriptions étaient plus coopératives que d'autres.

— Et vous le remarquerez dans tout le pays. Présidents du cru qui croient savoir mener une campagne mieux que nous, trésoriers qui préféreraient perdre une élection que de donner un seul penny de leur compte courant, députés qui arguent qu'ils risquent de perdre leur siège, alors qu'ils jouissent d'une majorité de vingt mille voix. Chaque fois que nous rencontrerons ce genre de problème, ce sera à vous d'appeler le président de la circonscription pour le résoudre. Notamment parce qu'ils n'écouteront pas un agent électoral, même chevronné, surtout que tout le monde sait que vous avez l'oreille de maman.

— De maman ?

— Désolé. C'est le petit nom donné à la chef par les agents. Elle sourit.

— Et « TAP » ? s'enquit-elle en posant un doigt sur la dernière ligne.

— TAP signifie « tout autre problème », et il y en aura plusieurs tous les jours. Mais je vais essayer de faire en sorte que vous n'ayez à traiter que les problèmes vraiment ardus, parce que la plupart du temps vous battrez la campagne pendant que je serai ici, sur la base des opérations.

— Y a-t-il de bonnes nouvelles ? demanda Emma, tout en continuant à étudier le graphique.

— Oui. On peut être certain que nos adversaires font face exactement aux mêmes problèmes, et bénissons le ciel de ne pas avoir une case « Syndicats »... Il paraît, poursuivit-il en se tournant vers sa patronne, que vous connaissez bien les méthodes de Griff Haskins, le bras droit de votre frère. Je le côtoie depuis des années, mais, en fait, je ne sais rien de lui. Alors, c'est quel genre de collaborateur ?

— Absolument impitoyable. Il n'accorde jamais à personne le bénéfice du doute. Il travaille jusqu'à pas d'heure et pour lui tous les tories sont des créatures du diable.

— Mais nous savons tous les deux qu'il a un gros point faible.

— C'est vrai. Mais il ne boit jamais pendant une campagne. En fait, il ne boit pas une seule goutte d'alcool tant que le dernier bulletin de vote n'a pas été mis dans l'urne du dernier bureau de vote de la dernière circonscription. Et alors, quel que soit le résultat, il prend une cuite.

— Je vois que le dernier sondage donne aux travaillistes une avance de deux pour cent, dit Karin en levant les yeux de son journal.

— Pas de politique au petit-déjeuner, s'il te plaît, dit Giles. Et surtout pas en présence d'Emma.

Karin fit un sourire à sa belle-sœur, assise en face d'elle.

— As-tu remarqué que ton ex-épouse fait à nouveau la une des journaux ? s'enquit Emma.

— Qu'est-ce qu'elle a encore fait ?

— Apparemment, lady Virginia va retirer l'honorable Freddie de son chic collège écossais. Parce qu'elle est une fois de plus fauchée, suggère William Hickey dans sa chronique mondaine.

— Je ne te voyais pas comme une lectrice de l'*Express*, dit Giles.

— Soixante-treize pour cent de ses lecteurs soutiennent Margaret Thatcher, répondit Emma. Voilà pourquoi je ne prends pas la peine de lire le *Mirror*.

Lorsque le téléphone sonna, Giles quitta prestement la table et, au lieu de décrocher le combiné posé sur le buffet, il sortit dans le couloir et referma la porte fermement derrière lui.

— Où va-t-il aujourd'hui ? chuchota Emma.

— J'invoque le cinquième amendement, répondit Karin. Mais j'accepte de te dire que le chauffeur doit le conduire à Paddington.

— Reading : trois virgule sept pour cent ; Bath : deux virgule neuf ; docks de Bristol : un virgule six ; Exeter : deux virgule sept ; et Truro...

— Ce ne peut pas être Truro. Il ne pourrait pas être de retour à temps pour la réunion à Transport House[1], ce soir, à 20 heures.

Elle se tut au moment où, chargé d'un nouveau pot de café, Markham, entrait dans la pièce.

— À qui mon frère parlait-il au téléphone ? s'enquit négligemment Emma.

— À M. Denis Healey[2].

— Ah oui. Et ils vont à... ?

— Reading, milady, répondit le majordome en servant une tasse de café à Emma.

— Vous auriez fait un bon espion, dit Emma.

— Merci, milady, dit Markham, avant de débarrasser les assiettes et de quitter la pièce.

— Comment sais-tu qu'il n'en est pas un ? chuchota Karin.

---

1. À l'époque, siège du Parti travailliste et de l'un des plus importants syndicats du Royaume-Uni, le Transport and General Workers' Union. Transport House était sur Smith Square, où, dans le roman, se trouve la résidence londonienne de Giles et Emma. L'office central du Parti conservateur (Conservative Central Office) se trouvait alors également sur Smith Square.
2. Homme politique britannique travailliste (1917-2015), plusieurs fois ministre et chef de l'opposition à partir de 1980, sous le gouvernement de Margaret Thatcher.

7

Si on avait demandé à Emma de raconter ce qui s'était passé pendant les vingt-huit jours suivants, elle les aurait décrits comme un long épisode flou. Elle sautait dans une voiture à 6 heures, puis la journée se déroulait sans le moindre répit jusqu'au moment où elle s'endormait, le lendemain, vers 1 heure du matin, en général dans le compartiment vide d'un train ou à l'arrière d'un avion.

Giles avait plus ou moins le même programme : circonscriptions différentes, mais moyens de transport similaires et mêmes horaires. Loin de pouvoir constamment s'espionner l'un l'autre, ils ne se croisaient que rarement.

Jour après jour, les sondages montraient que le Parti travailliste possédait deux points d'avance, et John Lacy avertit Emma que, pendant la dernière semaine de n'importe quelle campagne, l'électorat avait tendance à se rapprocher du gouvernement en fonction. Ce n'était pas ce que ressentait Emma au cours de ses démarchages dans les rues, mais peut-être les électeurs étaient-ils simplement polis lorsqu'ils apercevaient sa rosette bleue et qu'elle leur demandait s'ils allaient voter pour le Parti conservateur ? Chaque fois qu'au cours de ses voyages dans le pays on interrogeait Mme Thatcher sur les sondages elle répondait invariablement : « Ce sont les votes virtuels d'électeurs virtuels. Le 3 mai, seules des personnes réelles se rendront aux urnes. »

Bien qu'elle et Mme Thatcher n'aient eu qu'une seule conversation durant les vingt-huit jours de la campagne, Emma finit par se dire que soit Mme Thatcher, chef du Parti conservateur, croyait fermement à la victoire, soit elle était une excellente comédienne !

— Il y a deux facteurs que les sondages ne peuvent prendre en compte, expliqua-t-elle à Emma. Le nombre d'électeurs qui n'osent pas annoncer qu'ils vont voter pour une femme en tant que Premier ministre et le nombre d'épouses qui n'avouent pas à leur mari que, pour la première fois, elles vont voter pour les conservateurs.

Le dernier jour de la campagne, Giles et Emma se trouvaient dans la circonscription des docks de Bristol, et lorsque sonnèrent 22 heures et que le dernier bulletin fut déposé dans l'urne, aucun des deux n'était capable de prédire le résultat final. S'ils rentrèrent tous les deux précipitamment à Londres en train, ils ne partagèrent pas le même compartiment.

John Lacy avait dit à Emma que les dirigeants des deux partis débarqueraient dans leurs quartiers généraux – Central Office pour les conservateurs et Transport House pour les travaillistes, sentinelles politiques postées à des coins opposés de Smith Square – pour attendre les résultats.

— Dès 2 heures du matin, lui avait expliqué Lacy, la tendance sera claire et on saura sans doute qui formera le prochain gouvernement. À 4 heures, l'un des deux bâtiments sera illuminé et la célébration de la victoire se poursuivra jusqu'à l'aube.

— Et dans l'autre bâtiment ?

— Les lumières s'éteindront vers 3 heures, et les perdants repartiront chez eux en cherchant le bouc émissaire et en se préparant à siéger dans l'opposition.

— À votre avis, quel sera le résultat ? avait demandé Emma au directeur de campagne, la veille du scrutin.

— Je laisse les prédictions aux bookmakers et aux jobards, avait répliqué Lacy. Mais, quel que soit le résultat, ç'a été un privilège de travailler avec la Boadicée[1] de Bristol.

Dès que le train s'arrêta à Paddington, Emma sauta sur le quai et prit le premier taxi disponible. De retour à Smith Square, elle fut soulagée de constater que Giles n'était pas encore là, mais que Harry l'attendait. Elle s'empressa de prendre une douche, se changea, puis ils se dirigèrent tous les deux vers l'autre côté de la place.

Elle fut étonnée de voir le nombre de personnes qui la reconnaissaient, certains allant même jusqu'à l'applaudir, tandis que,

---

1. Reine des Icènes (dans le Norfolk actuel, en Grande-Bretagne) au Ier siècle. Elle déclencha une sanglante révolte contre les Romains en 60 et, vaincue, elle s'empoisonna.

l'air renfrognés, d'autres la fixaient en silence. Puis des hourras fusèrent et, se retournant, elle vit son frère sortir d'une voiture et saluer les supporters de son parti, avant de disparaître dans Transport House.

Emma entra à nouveau dans un bâtiment qu'elle ne connaissait que trop depuis un mois. Elle fut accueillie par plusieurs importants apparatchiks qu'elle avait rencontrés durant la campagne dans tout le pays. Dans toutes les pièces des gens entouraient les postes de télévision : supporters, militants, personnel du siège du parti attendant les premiers résultats. Pas le moindre homme politique en vue. Ils avaient tous regagné leur circonscription pour savoir s'ils allaient conserver leur siège.

Les résultats de Croydon Central furent annoncés à 1 h 23 : basculement de un virgule huit pour cent en faveur des conservateurs. Résultats salués par des hourras modérés, car tout le monde savait que cela indiquait un Parlement sans majorité, avec le retour de Jim Callaghan au palais à qui l'on demanderait de former un gouvernement.

À 1 h 43, les hourras furent plus nourris lorsque les conservateurs remportèrent la circonscription de Basildon. À en croire le graphique d'Emma, cela suggérait que les conservateurs obtiendraient une trentaine de sièges de majorité. Ensuite, les résultats tombèrent à verse, et il dut y avoir un recomptage dans la circonscription des docks de Bristol.

Lorsque, un peu après 3 heures, venant de sa circonscription de Finchley, Mme Thatcher arriva en voiture, les lumières commençaient déjà à s'éteindre à Transport House. Au moment où elle entra dans Central Office, les sceptiques devinrent soudain des supporters de longue date, tandis qu'il tardait aux compagnons de la première heure de faire partie de son premier gouvernement.

Le chef de l'opposition s'arrêta au milieu de l'escalier et prononça une brève allocution. Emma fut touchée que son nom figure parmi les personnes remerciées. Après avoir serré plusieurs mains, Mme Thatcher quitta le bâtiment quelques minutes plus tard en expliquant qu'elle allait avoir une journée très chargée. Va-t-elle même se coucher ? se demanda Emma.

Un peu après 4 heures, Emma passa pour la dernière fois au bureau de John Lacy, qui était en train d'inscrire les résultats sur le tableau.

— Quel est votre pronostic ? s'enquit-elle en observant une mer de cases bleues.

— Il me semble qu'on aura une majorité de plus de quarante sièges. Plus qu'assez pour gouverner durant les cinq prochaines années.

— Et nos soixante-deux sièges disputés ?

— Nous les avons tous gagnés, sauf trois. Mais ils en sont à leur troisième recomptage dans la circonscription des docks de Bristol. Alors, ce sera peut-être seulement deux.

— Je pense qu'on peut l'accorder à Giles, chuchota Emma.

— J'ai toujours su que vous étiez une conservatrice au cœur tendre. Même si vous cachez bien votre jeu !

Elle pensa à son frère et à ce que devait être son état d'esprit.

— Bonne nuit, John, dit-elle. Et merci pour tout. À dans cinq ans, ajouta-t-elle avant de sortir de l'immeuble et de retraverser la place pour rentrer chez elle, bien décidée à revenir dans le monde réel.

Quand elle se réveilla quelques heures plus tard, elle trouva Harry assis près d'elle sur le lit, une tasse de thé à la main.

— Vas-tu te joindre à nous pour le petit-déjeuner, ma chérie, maintenant que tu as fini ton boulot ?

Elle bâilla et s'étira.

— Ce n'est pas une mauvaise idée, Harry Clifton, parce qu'il est grand temps que je me remette au travail.

— Alors, quel est le programme de la journée ?

— Il me faut rentrer à Bristol, le plus vite possible. J'ai rendez-vous à 15 heures avec le nouveau président de l'hôpital pour discuter des priorités de l'année prochaine.

— Es-tu contente du choix de ton successeur ?

— Il n'aurait pu être meilleur. Simon Dawkins est un administrateur hors pair et c'était un loyal second. Je pense donc que la passation de pouvoir se fera en souplesse.

— Je vais te laisser t'habiller, dit Harry, avant de donner la tasse de thé à sa femme puis de descendre rejoindre Giles à la table du petit-déjeuner.

Giles était assis au bout de la table au milieu des journaux du matin, qui n'étaient pas d'une lecture agréable. Il sourit pour la première fois de la journée lorsque son beau-frère entra dans la pièce.

— Comment te sens-tu ? s'enquit Harry en posant une main consolatrice sur l'épaule de son plus vieil ami.

— J'ai connu de meilleurs matins, reconnut Giles en écartant les journaux. Mais je ne peux guère me plaindre. J'ai été secrétaire d'État pendant neuf des quatorze dernières années et je dois toujours avoir une chance de retrouver un portefeuille dans cinq ans, parce que je ne peux pas croire que cette femme va se maintenir longtemps.

Les deux hommes se levèrent quand Emma entra.

— Félicitations, sœurette, dit Giles. Tu as été une excellente adversaire qui a mérité sa victoire.

— Merci, Giles, dit-elle en étreignant son frère, pour la première fois depuis vingt-huit jours. Alors, quel est ton programme aujourd'hui ? demanda-t-elle en s'asseyant à côté de lui.

— Ce matin, il me faudra remettre le sceau de ma charge afin que cette femme, déclara-t-il en pointant brusquement son doigt sur la première page du *Daily Express*, puisse former son premier et, j'espère, dernier gouvernement. La Thatcher doit se rendre au palais à 10 heures, pour baiser des mains, avant d'être conduite triomphalement à Downing Street. Tu pourras regarder ça à la télévision, mais j'espère que tu ne m'en voudras pas si je ne me joins pas à toi.

Lorsque Emma eut fini de faire les bagages, Harry plaça les valises près de la porte d'entrée, avant de la rejoindre dans le salon où il la trouva, sans étonnement aucun, les yeux rivés sur la télévision. Elle ne leva même pas la tête lorsqu'il entra dans la pièce.

Trois Jaguar noires sortaient du palais de Buckingham. La foule massée sur le trottoir devant les grilles saluait de la main et applaudissait le convoi qui roulait sur le Mall en direction de Whitehall. Robin Day commentait l'événement.

« La Première ministre passera la matinée à choisir les membres de son gouvernement. Lord Carington devrait être nommé secrétaire d'État aux Affaires étrangères, Geoffrey Howe, chancelier de l'Échiquier et Leon Brittan, secrétaire d'État à l'Intérieur. Quant aux autres portefeuilles, nous devrons attendre pour connaître le nom des nouveaux titulaires. Je ne pense pas qu'il y ait beaucoup de surprises, même si vous pouvez être sûrs et certains que plusieurs hommes politiques attendront fébrilement près de leur téléphone, dans l'espoir de recevoir un appel du 10 Downing Street », ajouta-t-il, alors que les trois voitures arrivaient lentement devant la résidence des Premiers ministres.

Au moment où la Première ministre descendait de voiture, de nouveaux hourras fusèrent. Elle prononça une brève allocution dans laquelle elle cita saint François d'Assise, avant de disparaître dans le numéro 10.

— On a intérêt à y aller, dit Harry, si on ne veut pas rater le train.

Emma passa l'après-midi avec Simon Dawkins, son successeur à l'hôpital royal de Bristol, puis vida son bureau pour la deuxième fois ce jour-là. Elle entassa sur le siège arrière et dans le coffre de sa voiture tous les effets personnels qu'elle avait accumulés durant la dernière décennie. Puis, sans jeter un seul coup d'œil en arrière, roulant doucement, elle quitta l'hôpital. Elle pensait avec plaisir au dîner qu'elle allait partager avec Harry au manoir ainsi qu'au moment où, pour la première fois depuis des semaines, elle poserait la tête sur l'oreiller avant minuit dans l'espoir de dormir plus de quatre heures.

Elle était en train de prendre un petit-déjeuner tardif, en peignoir, lorsque le téléphone sonna.

Harry décrocha l'appareil qui se trouvait sur le buffet et écouta quelques instants, avant de mettre la main sur le micro et de chuchoter :

— C'est le 10 Downing Street.

Emma se leva d'un bond et saisit l'appareil, sûre que Mme Thatcher se trouvait au bout du fil.

— Ici le numéro 10, dit une voix d'un ton officiel. La Première ministre aimerait savoir si vous pouvez passer la voir à 12 h 30.

— Oui, bien sûr, répondit Emma sans réfléchir.

— Quand ? demanda Harry comme elle raccrochait.

— 12 h 30, au 10 Downing Street.

— Tu as intérêt à t'habiller à toute allure pendant que j'amène la voiture. Il va falloir se dépêcher si tu espères attraper le train de 10 h 10.

Elle grimpa l'escalier quatre à quatre et mit plus de temps qu'elle l'avait cru à choisir ses vêtements. Un simple tailleur bleu marine et un chemisier blanc en soie l'emportèrent.

— Tu es magnifique ! lança Harry tout en roulant à toute vitesse dans l'allée centrale, avant de franchir la grille, soulagé d'avoir évité la circulation de l'heure de pointe.

Il s'arrêta devant la gare Temple Meads un peu après 10 heures.

— Appelle-moi dès que tu l'auras vue, cria-t-il à la silhouette qui s'éloignait, sans être sûr qu'Emma l'avait entendu.

Tandis que le train s'ébranlait, elle ne put s'empêcher de penser que, si Margaret avait seulement souhaité la remercier, elle aurait pu le faire par téléphone. Elle parcourut les journaux du matin qui étaient pleins de photos de la Première ministre et de renseignements sur les principales nominations. La première réunion du gouvernement restreint devait se tenir ce matin-là, à 10 heures. Elle consulta sa montre : 10 h 15.

Elle fut parmi les premiers passagers à descendre du train et elle courut sans s'arrêter vers la station de taxis. Lorsqu'elle atteignit la tête de la file d'attente et lança au chauffeur : « Au 10 Downing Street et je dois y être pour 12 h 30 », il la regarda, l'air de dire : « Vous vous fichez de moi ? »

Lorsque le véhicule s'engagea dans l'avenue Whitehall et s'arrêta au bas de Downing Street, un policier jeta un coup d'œil à l'arrière, sourit et salua. Le taxi roula lentement jusqu'à la porte du 10 et lorsque Emma sortit son porte-monnaie, le chauffeur lui dit :

— C'est gratuit, m'dame. J'ai voté tory, alors c'est moi qui régale. Et, au fait : bonne chance !

Avant qu'elle ait pu frapper, la porte du 10 s'ouvrit toute grande. Elle entra dans le vestibule où l'attendait une jeune femme.

— Bonjour, lady Clifton. Je m'appelle Alison et je suis l'une des secrétaires personnelles de la Première ministre. Je sais qu'elle vous attend avec impatience.

Emma la suivit en silence jusqu'au premier étage. Elles s'arrêtèrent devant une porte. La secrétaire frappa, ouvrit la porte, avant de s'écarter. Lorsque Emma entra dans la pièce Mme Thatcher était au téléphone.

— Nous reprendrons cette conversation plus tard, Willy, et je te ferai part de ma décision, dit la Première ministre avant de reposer l'appareil. Emma, poursuivit-elle en se levant de son bureau, c'est très aimable à vous de revenir à Londres aussi rapidement. J'avais supposé que vous seriez toujours en ville.

— Ce n'est pas un problème, madame la Première ministre.

— Je veux d'abord vous féliciter d'avoir gagné cinquante-neuf des soixante-deux sièges visés. Quel triomphe ! Même si je devine que votre frère va vous taquiner à propos de notre échec aux docks de Bristol.

— Ce sera pour la prochaine fois, madame la Première ministre.

— Mais on risque d'attendre cinq ans et on a beaucoup à faire entre-temps. C'est la raison pour laquelle je voulais vous voir. Vous savez sans doute que j'ai proposé à Patrick Jenkin le portefeuille de la Santé et il aura, bien sûr, besoin d'un secrétaire d'État à la Chambre des lords pour y faire passer le nouveau projet de loi sur la santé avant qu'il soit définitivement adopté. Et je ne connais personne de plus qualifié que vous pour accomplir cette tâche. Vous avez une immense expérience en matière de Sécurité sociale et vos années passées à la tête d'une entreprise cotée en Bourse font de vous la candidate idéale pour occuper ce poste. J'espère, par conséquent, que vous êtes disposée à participer au gouvernement en tant que pairesse à vie.

Emma resta sans voix.

— L'une des choses vraiment merveilleuses chez vous, Emma, c'est cela. Il ne vous était même pas venu à l'idée que c'était la raison pour laquelle je désirais vous voir. La moitié de mes ministres ont considéré que le poste leur était dû, tandis que les autres ne pouvaient cacher leur déception. Je suppose que vous êtes la seule à être sincèrement étonnée.

Emma hocha la tête inconsciemment.

— Alors permettez-moi de vous indiquer ce qui va se passer à présent. Lorsque vous quitterez les lieux, vous trouverez une voiture qui vous conduira à Alexander Fleming House[1] où vous attend le secrétaire d'État à la Santé pour vous expliquer en détail vos diverses responsabilités. Il désire notamment vous parler de la nouvelle loi sur la Sécurité sociale, que j'aimerais faire adopter le plus tôt possible par les deux chambres, de préférence en moins d'un an. Écoutez Patrick Jenkin... C'est un homme politique avisé, tout comme le secrétaire général du ministère. Je vous recommande également de demander conseil à votre frère. C'est non seulement un bon secrétaire d'État mais personne ne connaît mieux que lui le fonctionnement de la Chambre des lords.

— Mais il appartient à l'autre bord.

— Ça ne marche pas tout à fait comme ça à la Chambre des lords, comme vous vous en rendrez bientôt compte. Dans l'autre Chambre, ils sont beaucoup plus civilisés et ils ne cherchent pas seulement à marquer politiquement des points. Et mon dernier conseil, c'est que vous vous assuriez de prendre plaisir à cette tâche.

— Je suis flattée que vous ayez pensé à moi, madame la Première ministre. Et force m'est de reconnaître que je redoute un peu de relever le défi.

— Vous n'avez rien à craindre. Vous avez été mon premier choix pour ce poste. Une dernière chose, Emma... Vous faites partie d'une poignée d'amis qui vont, j'espère, continuer à m'appeler Margaret. Parce que je n'occuperai pas toujours ce poste.

— Merci, madame la Première ministre.

Emma se leva et serra la main de sa nouvelle patronne. Lorsqu'elle sortit de la pièce, elle trouva Alison dans le couloir.

---

1. Ensemble de bâtiments construits au début des années 1960 par Erno Goldfinger, architecte d'origine hongroise, et situé à Southwark, sur la rive sud de la Tamise. C'est dans ces bâtiments portant le nom du découvreur de la pénicilline que se trouvait à l'époque le département de la Santé, avant de quitter les lieux au début des années 1990. Aujourd'hui, ces bâtiments sont devenus résidentiels et s'appellent Metro Central Heights.

— Félicitations, madame la secrétaire d'État. Une voiture vous attend pour vous conduire à votre ministère.

Comme elles redescendaient au rez-de-chaussée et passaient devant les photos des précédents Premiers ministres, Emma s'efforça de digérer ce qui venait de se passer. Juste au moment où elle atteignait le vestibule, la porte d'entrée s'ouvrit ; un jeune homme entra et fut conduit à l'étage par une autre secrétaire. Quel poste va-t-on offrir à Norman ? se demanda-t-elle.

— Si vous voulez bien me suivre, dit Alison en ouvrant une porte latérale qui donnait dans une petite pièce où se trouvaient un bureau et un téléphone.

Emma fut déconcertée jusqu'à ce que la secrétaire referme la porte et ajoute :

— La Première ministre a pensé que vous souhaiteriez appeler votre mari avant de prendre votre nouveau poste.

8

Giles passa la matinée à transporter ses documents, ses dossiers et ses effets personnels d'un bout du couloir à l'autre. Il quitta un bureau spacieux, bien meublé et donnant sur Parliament Square, à quelques pas seulement de la Chambre, ainsi que tout un personnel dévoué dont le seul but était de satisfaire ses moindres désirs.

Puis, il s'installa dans un bureau exigu géré par une seule secrétaire et d'où il était censé effectuer le même travail mais dans l'opposition. Sa chute était à la fois brusque et douloureuse. Il ne pouvait plus compter sur un ensemble de fonctionnaires pour le conseiller, organiser son emploi du temps et rédiger ses discours. À présent, ces mêmes fonctionnaires servaient un autre maître, qui représentait un autre parti, afin que le fonctionnement du gouvernement se poursuive sans heurt. Telle est la démocratie.

Le téléphone sonna. Lorsqu'il répondit, il trouva le chef de l'opposition à l'autre bout du fil.

— Giles, je préside la réunion du cabinet fantôme, lundi matin, à 10 heures, dans mon nouveau bureau aux Communes. J'espère que vous pourrez y assister.

Ne pouvant plus désormais demander à une secrétaire personnelle de convoquer les membres du gouvernement au 10 Downing Street, pour la première fois depuis des années, Jim Callaghan passait lui-même ses coups de fil.

Dire que les collègues de Giles paraissaient complètement sonnés au moment où, le lundi suivant, ils s'assirent autour de la table serait un euphémisme. Ils avaient tous envisagé la possibilité que la dame les batte, mais pas avec une aussi importante majorité.

Jim Callaghan présidait la réunion après avoir griffonné en hâte, au dos d'une enveloppe, l'ordre du jour, dactylographié ensuite par une secrétaire, et qu'il distribuait maintenant aux collègues réchappés du massacre électoral. Ceux qui étaient assis autour de la table n'avaient qu'une seule question en tête : quand Jim allait-il démissionner comme chef du Parti travailliste ? C'était le premier point à l'ordre du jour. Il laisserait la place à un nouveau chef, dit-il à ses collègues, dès qu'ils seraient retombés sur leurs pieds, pieds qui, pendant les prochaines années, ne feraient guère plus que longer le couloir des « nons » pour voter contre le gouvernement. Tout cela pour ne jamais l'emporter...

À l'issue de la réunion, Giles fit quelque chose qu'il n'avait pas fait depuis des années : il rentra chez lui à pied. Pas de voiture officielle. Bill allait lui manquer... Il lui envoya un mot de remerciement puis rejoignit Karin pour le déjeuner.

— Est-ce que ç'a été atroce ? fit-elle quand il entra dans la cuisine.

— On avait l'impression d'assister à une veillée funèbre, parce que nous savons tous qu'on ne pourra rien faire pendant au moins quatre ans. Et j'aurais alors soixante-trois ans, lui rappela-t-il. Nul doute que le nouveau chef du parti, quel qu'il soit, aura alors son propre candidat pour me remplacer.

— Sauf si tu soutiens l'homme qui deviendra le nouveau chef. Et, dans ce cas, tu auras toujours une place à la table d'honneur.

— À mon avis, Denis Healey est le seul candidat crédible pour ce poste. Et je suis à peu près certain que le parti va le soutenir.

— Qui risque de se présenter contre lui ? s'enquit Karin en lui servant un verre de vin.

— Les syndicats vont soutenir Michael Foot, mais la plupart des députés se rendront compte qu'à cause de ses opinions d'extrême gauche le parti n'aurait aucune chance de gagner les prochaines élections législatives.

Il vida son verre d'un trait.

— Mais, puisque nous n'avons pas besoin de nous soucier de cette éventualité avant un certain temps, parlons donc de quelque chose de plus agréable... Par exemple, de l'endroit où tu aimerais passer tes prochaines vacances d'été.

— Nous devons discuter d'un autre sujet avant de parler des vacances, dit Karin tout en écrasant des pommes de terre. Les électeurs t'ont peut-être remercié mais je connais quelqu'un qui a toujours besoin de ton aide.

— De qui s'agit-il ?

— Emma a téléphoné ce matin. Elle espère que tu seras disposé à la conseiller dans son nouveau travail.

— Son nouveau travail ?

— Personne ne t'en a parlé ? Elle a été nommée secrétaire d'État à la Santé et elle va te rejoindre à la Chambre des lords.

Elle guetta sa réaction.

— Notre mère aurait été drôlement fière !

Tels furent les premiers mots de Giles.

— Voilà au moins un effet bénéfique de cette élection. Je vais, sans aucun doute, poursuivit-il, lui indiquer les pièges à éviter, les membres de la Chambre à écouter, ceux auxquels ne pas prêter attention et la façon de gagner la confiance de la Chambre. Ce n'est pas facile, même quand tout va bien, continua-t-il en prenant déjà sa tâche au sérieux. Je vais l'appeler dès qu'on aura fini de déjeuner pour lui proposer de visiter le palais de Westminster pendant que le Parlement n'est pas en session.

— Et si nous allions passer les vacances en Écosse, cette année ? Nous pourrions inviter Harry et Emma à se joindre à nous. Ce serait la première fois depuis des années que tu ne serais pas constamment interrompu par des fonctionnaires sous prétexte qu'il y a une crise ou par des journalistes disant : « Désolé de vous déranger pendant vos vacances, monsieur le ministre, mais...

— Excellente idée. Lorsque Emma sera présentée à la Chambre des lords en octobre, ses nouveaux collègues auront l'impression qu'elle y a déjà passé une décennie.

— Et il y a une autre chose dont nous devons discuter maintenant que tu disposes de beaucoup plus de temps, reprit Karin en posant une assiette de ragoût devant Giles.

— Tu as tout à fait raison, ma chérie, dit Giles en saisissant sa fourchette et son couteau. Mais, cette fois-ci, faisons plus que d'en parler... Passons à l'action.

Lord Goodman se leva lentement derrière son bureau lorsque sa secrétaire entra avec une éventuelle cliente.

— Quel plaisir de vous rencontrer enfin, madame Grant, dit l'éminent avocat en lui serrant la main. Asseyez-vous, je vous prie, ajouta-t-il en l'accompagnant vers un confortable fauteuil.

— Est-il vrai que vous étiez l'avocat du Premier ministre ? demanda Ellie May, une fois assise.

— Oui, en effet. À présent je ne suis l'avocat de M. Wilson qu'à titre privé.

— Et avez-vous eu le temps de lire la lettre et les documents que je viens de vous envoyer ? s'enquit Ellie May, parfaitement consciente que les propos préliminaires seraient comptés au même prix que les avis juridiques.

— De bout en bout, répondit Me Goodman en tapotant un dossier posé sur le bureau devant lui. Dommage que votre mari ne m'ait pas demandé conseil lors de ce malheureux événement. Car alors je lui aurais recommandé de mettre cette lady au pied du mur.

— Nous aurions beaucoup moins besoin d'avocats, lord Goodman, si nous avions tous le don de prémonition. Quoi qu'il en soit, pensez-vous que lady Virginia puisse être poursuivie en justice ?

— Absolument, madame. Si M. et Mme Morton acceptent de signer une déclaration écrite sous serment confirmant que l'honorable Freddie Fenwick est leur fils et que lady Virginia le savait au moment de la naissance de l'enfant.

— Il vous suffira de placer le document adéquat devant eux, lord Goodman, et ils le signeront. Une fois cela fait, Cyrus peut-il réclamer la somme totale qu'il a déboursée au fil des ans au profit de cet escroc ?

— Jusqu'au dernier penny. En plus des intérêts et autres frais indiqués par le tribunal... Sans parler de mes honoraires, naturellement.

— Par conséquent, vous me conseillez de faire un procès à cette crapule ? demanda Ellie May en se penchant en avant.

— À une condition, répondit Goodman en arquant un sourcil.

— Les avocats évoquent toujours une condition, au cas où ils perdraient le procès. Alors, je vous écoute.

— Ce ne serait guère utile d'assigner lady Virginia en justice pour réclamer une somme aussi énorme si elle ne possède aucun bien de valeur. Un journal, poursuivit-il en ouvrant un épais dossier, affirme qu'elle retire le jeune Freddie de son collège privé sélect parce qu'elle ne peut plus payer la pension.

— Mais, selon des sources sûres, elle possède sur Onslow Square un hôtel particulier dont s'occupe une demi-douzaine de domestiques.

— Plus maintenant. Elle a vendu la maison il y a plusieurs mois et congédié tout son personnel.

Il ouvrit un autre dossier et consulta quelques coupures de journaux avant de les passer à sa cliente.

— Cela vous fait-il changer d'avis ? demanda-t-elle lorsqu'elle en eut terminé la lecture.

— Non. Mais je recommanderais qu'on lui envoie d'abord une lettre la mettant en demeure de rembourser la somme entière et lui accordant un délai de trente jours pour y répondre. Je ne crois guère qu'elle refusera de chercher un accord, de crainte d'être déclarée en faillite, voire de risquer d'être arrêtée pour escroquerie.

— Et si elle n'accepte pas ? J'ai le pressentiment qu'elle va se défiler...

— Vous devrez alors décider si vous souhaitez l'assigner en justice, quoiqu'il soit très probable que vous ne récupérerez pas le moindre penny. Et dans ce cas, vous devrez payer les dépens, qui ne seront pas maigres.

Il se tut, avant d'ajouter :

— L'un dans l'autre, je vous recommanderais la prudence. Naturellement, la décision vous appartient. Mais je répète, madame Grant, que vous risquez de dépenser une très forte somme, sans être sûre de récupérer un seul penny.

— Si cette canaille se retrouve complètement fauchée, humiliée et menacée d'une peine de prison, la dépense aura été amplement justifiée.

Harry et Emma se joignirent à Giles et Karin pour passer quinze jours en Écosse à Mulgelrie Castle, la maison de famille du grand-père maternel de Giles et Emma. Chaque fois que le téléphone sonnait, c'était presque toujours pour Emma et, lorsque des dossiers officiels arrivaient, Giles dut prendre le pli pour ne pas être tenté de les ouvrir.

Son frère put conseiller la toute nouvelle secrétaire d'État sur la manière de traiter les fonctionnaires, qui semblaient avoir oublié qu'elle était en vacances, et les journalistes politiques qui, au mois d'août, cherchaient désespérément un sujet. Chaque fois qu'ils se promenaient sur la lande de chasse à la grouse, Giles répondait aux innombrables questions de sa sœur, partageant avec elle ses années d'expérience de ministre siégeant à la Chambre haute, si bien que, lorsqu'elle revint à Londres, Emma avait plutôt le sentiment d'avoir suivi plusieurs séminaires de mastère sur le fonctionnement du gouvernement que de s'être reposée.

Après le départ de Harry et d'Emma, Giles et Karin restèrent deux semaines de plus. Giles avait quelque chose d'autre à faire avant d'assister au congrès du parti à Brighton.

— Merci d'avoir accepté de me recevoir, Archie.

— Tout le plaisir est pour moi, répondit le dixième comte de Fenwick. Je n'oublierai jamais votre obligeance lorsque j'ai succédé à mon père à la Chambre haute et que j'ai prononcé mon premier discours.

— Qui a été très bien accueilli. Bien que vous ayez attaqué le gouvernement.

— Et j'ai l'intention de critiquer tout autant les conservateurs, si leur politique agricole est aussi archaïque que la vôtre. Mais dites-moi, Giles, à quoi dois-je cet honneur ? Vous ne m'avez jamais donné l'impression d'être un homme ayant du temps à perdre.

— J'avoue, répondit Giles alors qu'Archie lui tendait un grand verre de whisky, que je cherche des renseignements sur une affaire familiale.

— Vos recherches ne concerneraient-elles pas, par hasard, votre ex-épouse ?

— En plein dans le mille ! J'espérais que vous me feriez part des derniers agissements de votre sœur. Je vous expliquerai ensuite pourquoi.

— J'aimerais pouvoir vous renseigner, mais je ne peux pas faire semblant d'être très proche d'elle. La seule chose dont je suis sûr et certain, c'est qu'elle est complètement fauchée, une fois de plus, quoique j'aie respecté les termes du testament de mon père et que je continue à lui verser une allocation mensuelle. Mais cela ne suffira pas – et de loin – à régler ses problèmes actuels.

Giles avala une petite gorgée de whisky.

— L'un de ces problèmes serait-il l'honorable Freddie Fenwick ?

Archie ne répondit pas tout de suite.

— Nous sommes sûrs d'au moins une chose, finit-il par répondre, c'est que Freddie n'est pas le fils de Virginia et, ce qui est peut-être plus intéressant, mon père devait le savoir bien avant qu'il ne lègue à ma sœur qu'une seule chose.

— La bouteille de Maker's Mark ?

— En effet. Cela m'avait intrigué un bon moment, jusqu'à ce que je reçoive la visite d'une certaine Mme Ellie May Grant, de Baton Rouge, en Louisiane, qui m'a indiqué que c'était la marque de whisky favorite de Cyrus, son mari. Elle m'a alors expliqué très précisément ce qui s'était passé lors du séjour londonien de son époux, au cours duquel il a eu la malchance de rencontrer Virginia. Mais je ne sais toujours pas comment elle a réussi à s'en tirer si longtemps.

— Eh bien, permettez-moi de compléter le récit grâce à l'honorable Hayden Rankin, gouverneur de la Louisiane et vieil ami de Cyrus T. Grant III. Apparemment, alors que Cyrus effectuait son premier – et dernier – séjour à Londres, Virginia a méticuleusement organisé une arnaque destinée à le persuader qu'il lui avait demandé sa main, malgré le fait qu'il projetait d'épouser quelqu'un d'autre... Ellie May, en fait. Ensuite, elle a fait croire à ce benêt qu'elle était enceinte de ses œuvres. C'est à peu près tout ce que je sais.

— Je peux apporter un petit complément d'information... Mme Grant m'a indiqué qu'elle venait d'engager l'ancien majordome de Virginia et sa femme, les dénommés M. Morton et Mme Morton, lesquels ont signé une déclaration sous serment confirmant que Freddie est leur enfant. Voilà pourquoi l'allocation mensuelle accordée à Virginia par Cyrus a soudain cessé d'être versée.

— Pas étonnant alors qu'elle n'ait plus un sou. Freddie sait-il que les Morton sont ses parents ?

— Non. Il n'a jamais posé la question et je ne le lui ai jamais dit. Il est clairement persuadé que ses parents l'ont abandonné. Et ce n'est pas tout... Mme Grant vient de demander à lord Goodman de la représenter afin de tenter de récupérer jusqu'au dernier penny donné par Cyrus. Et, ayant eu le plaisir de rencontrer la redoutable Ellie May Grant, je peux vous assurer que ma sœur a enfin rencontré une adversaire digne d'elle.

— Mais comment Virginia peut-elle...

La porte s'ouvrit à la volée et Giles fut interrompu par l'entrée en trombe d'un jeune garçon.

— Ne t'ai-je pas appris à frapper, Freddie ? Surtout lorsque j'ai une visite.

— Pardon, monsieur, répondit Freddie, avant de faire volte-face.

— Avant que tu t'en ailles, dit Archie, j'aimerais te présenter un grand homme politique.

Freddie se retourna.

— Voici lord Barrington, qui, tout récemment encore, était président de la Chambre des lords.

— Comment allez-vous, monsieur ? dit Freddie en lui tendant la main.

Il fixa Giles un bon bout de temps, avant de poursuivre :

— N'êtes-vous pas l'homme qui était marié à ma mère ?

— Oui, en effet. Et je suis enchanté de faire enfin votre connaissance.

— Mais vous n'êtes pas mon père, n'est-ce pas ? s'enquit Freddie, après un nouveau long silence.

— Non.

Freddie eut l'air déçu.

— Mon oncle dit que vous êtes un grand homme politique, mais n'est-ce pas également vrai que vous étiez jadis un grand joueur de cricket ?

— Je n'ai jamais été un grand joueur, répondit Giles pour essayer d'alléger l'atmosphère. Et, de toute façon, c'était il y a longtemps.

— Mais vous avez marqué une centaine[1] à Lord's ?

---

1. Score individuel supérieur à 100 points atteint par un batteur au cours d'une seule manche.

— Certains considèrent encore que c'est mon plus grand exploit.

— Un jour, moi aussi je marquerai une centaine à Lord's, dit Freddie.

— J'espère pouvoir être présent ce jour-là.

— Vous pourriez venir me voir à la batte dimanche prochain. C'est le derby local. Le château contre le village et je vais marquer le point décisif.

— Freddie, je ne pense pas...

— Malheureusement, je dois être à Brighton pour le congrès du Parti travailliste, dit Giles.

Freddie parut déçu.

— Bien que je doive reconnaître, poursuivit Giles, que je préférerais vous regarder jouer au cricket qu'écouter les interminables discours des chefs syndicalistes qui diront exactement la même chose que l'année dernière.

— Vous jouez toujours au cricket, monsieur ?

— Seulement lorsque les Lords jouent contre les Communes et que personne ne remarque à quel point j'ai perdu la forme.

— D'après mon moniteur de cricket, la forme physique est éphémère, mais la classe demeure.

— C'est possible, dit Giles. Mais j'approche des soixante. Et il s'agit de mon âge, pas de mon score.

— W. G. Grace a joué pour l'Angleterre à plus de cinquante ans, monsieur. Aussi peut-être serez-vous disposé à venir jouer pour nous un de ces jours ?

— Freddie, n'oublie pas que lord Barrington est très occupé.

— Mais pas trop occupé pour refuser une aussi flatteuse proposition, dit Giles.

— Merci, monsieur, dit Freddie. Je vais vous envoyer le calendrier. Il faut que je vous quitte maintenant. Je dois travailler sur l'ordre de passage des batteurs avec M. Lawrie, notre majordome, qui est également capitaine de l'équipe du château.

Freddie fila avant que Giles ait le temps de poser une autre question.

— Désolé, dit Archie, lorsque la porte se fut refermée. Mais Freddie ne semble pas se rappeler que les autres ont peut-être leur propre vie.

— Habite-t-il avec vous ici ?

91

— Seulement pendant les vacances, ce qui n'est pas idéal, hélas, car maintenant que mes filles ont grandi et qu'elles ont quitté la maison, il n'a guère de compagnie. La maison la plus proche est à environ trois kilomètres d'ici et il n'y a pas d'enfants. Mais bien que Virginia ait abandonné le pauvre garçon, il ne représente pas un fardeau financier, car mon père a laissé à Freddie la distillerie Glen Fenwick qui produit un revenu annuel de près de cent mille livres et dont il va hériter à son vingt-cinquième anniversaire. C'est d'ailleurs ce que vous êtes en train de boire, poursuivit Archie en remplissant le verre de Giles. Mais j'ai été récemment averti par mes avocats que Virginia a jeté son dévolu sur la distillerie et qu'elle cherche à savoir auprès de conseillers si elle peut faire annuler le testament de mon père.

— Elle n'en serait pas à son coup d'essai en la matière, dit Giles.

9

— Tu as le trac ?

— Oui, reconnut Emma. Cela me rappelle mon premier jour de classe, ajouta-t-elle en ajustant sa tenue officielle.

— Il n'y a rien à redouter, dit Giles. Considère-toi simplement comme une chrétienne qui s'apprête à entrer dans le Colisée à l'époque de Dioclétien, tandis que plusieurs centaines de lions affamés attendent impatiemment leur premier repas depuis des semaines.

— Cela ne me remonte guère le moral, dit Emma, au moment où deux huissiers en habits de cour ouvrirent toutes grandes les portes ouest pour permettre aux trois pairs d'entrer dans la Chambre.

La baronne Clifton de Chew Magna, comté du Somerset, entra pour la première fois dans la Chambre. À sa droite, portant lui aussi une longue robe rouge et un tricorne, se trouvait lord Belstead, président de la Chambre des lords. À sa gauche, lord Barrington, des docks de Bristol, ancien président de la Chambre haute. Dans la longue histoire des Lords, c'était la première fois qu'un nouveau membre était parrainé par les chefs des deux principaux partis.

Au moment où Emma foula le sol de la Chambre, mille yeux se fixèrent sur elle, depuis les deux côtés. Ses deux accompagnateurs et elle ôtèrent leur tricorne et inclinèrent le buste pour saluer leurs pairs. Puis, continuant leur chemin, ils passèrent devant les *crossbenches*, les bancs du milieu occupés par les nombreux députés non inscrits à un parti politique, souvent appelés « les tout-puissants ». Ils peuvent en effet décider du sort d'un projet de loi contesté, une fois qu'ils ont décidé quel couloir emprunter pour voter. Giles le lui avait expliqué.

Ils longèrent le banc du gouvernement jusqu'à ce que lord Belstead atteigne la *despatch box* – la tribune. Le « clerc de la table[1] » fit un chaleureux sourire à la nouvelle pairesse et lui remit un carton sur lequel était inscrit le serment d'allégeance à la Couronne.

Emma fixa les mots qu'elle avait répétés le matin dans son bain, puis au cours du petit-déjeuner, ensuite dans la voiture la conduisant au palais de Westminster et, finalement, pendant qu'on l'« équipait » dans la salle de Robe. Mais soudain il ne s'agissait plus d'une répétition.

« Moi, Emma Elizabeth Clifton, jure au nom du Dieu tout-puissant que je serai loyale et que je ferai allégeance à Sa Majesté la reine, à ses descendants et successeurs, selon la loi, avec l'aide de Dieu. »

Le clerc de la table tourna la page d'un grand manuscrit en parchemin afin que le nouveau membre puisse ajouter son nom au *test roll*[2]. Il lui tendit un stylo qu'elle refusa poliment pour utiliser celui que lui avait offert son grand-père, lord Harvey, le jour de son baptême, près de soixante ans auparavant.

Une fois qu'elle eut apposé sa signature sur le *test roll*, elle leva les yeux vers la « galerie des distingués visiteurs » et vit Harry, Karin, Sebastian, Samantha, Grace et Jessica lui sourire avec une évidente fierté. Elle leur rendit leur sourire et, lorsqu'elle abaissa le regard, elle aperçut une dame de la Chambre des communes qui se tenait à la barre de la Chambre[3]. La Première ministre inclina légèrement la tête et Emma lui rendit son salut.

La baronne Clifton suivit son frère le long du premier banc, passa devant le *Woolsack*[4] sur lequel étaient assis les lords

---

1. Sorte de greffier en chef de la Chambre des lords, en « habit de cour », assis à la « table » (= bureau du greffier) durant les séances. Il est chargé de faire respecter la procédure, de préparer tous les documents officiels et le compte rendu des séances, de signer tous les documents juridiques, de rapporter les projets de loi à la Chambre des communes, et d'obtenir le *Royal consent* (la validation royale).
2. Livre en parchemin que les nouveaux membres de la Chambre des lords signent au moment de prêter serment.
3. Les membres de la Chambre des communes ne peuvent entrer dans la Chambre des lords et doivent rester à l'entrée, à la « barre » de la Chambre.
4. Littéralement : « Sac de laine ». Large coussin rouge rempli de laine sur lequel s'asseyent les lords juristes (*law lords*), membres compétents

juristes et atteignit le siège du président. Le clerc de la Chambre fit un pas en avant et présenta la nouvelle pairesse au président.

— Bienvenue à la Chambre, lady Clifton, dit celui-ci en lui serrant chaleureusement la main.

Ces paroles furent suivies par des vivats en provenance de tous les côtés de la Chambre, les autres pairs souhaitant eux aussi la bienvenue au nouveau membre.

Giles fit ensuite passer sa sœur devant le trône, sur les marches duquel étaient assis plusieurs membres qui lui sourirent tandis qu'elle continuait son chemin et sortait par la porte est pour entrer dans la « Chambre du prince[1] ». Dès qu'ils eurent quitté la Chambre, Emma enleva son tricorne et poussa un profond soupir de soulagement.

— Il me semble que tu as plu aux lions, dit Giles, en se baissant pour embrasser sa sœur sur les deux joues... Même si j'ai vu un ou deux de mes collègues se lécher les babines en pensant à ton premier discours à la tribune.

— Ne vous fiez pas à votre frère, intervint Belstead. Il sera l'un de ceux-là lorsque vous devrez affronter l'opposition.

— Mais pas avant que tu aies prononcé ta première allocution, sœurette. Après, tu seras une proie idéale.

— Et que fait-on maintenant ? s'enquit Emma.

— On prend le thé en famille sur la terrasse, lui rappela Giles.

— Et dès que vous serez libre, dit Belstead, puis-je suggérer que vous rentriez discrètement dans la Chambre et que vous occupiez votre place au bout du premier banc ? Pendant les jours suivants, je vous conseillerais d'observer le fonctionnement de la Chambre. Habituez-vous à nos mœurs et à nos traditions étranges, avant d'envisager de prononcer votre première allocution.

— C'est le seul de tes discours que les membres ne songeront même pas à interrompre et, quel que soit celui qui te succédera à la tribune, il te louera comme si tu étais Cicéron.

---

pour effectuer les tâches juridiques de la Chambre. Le lord chancelier, président de la Chambre, s'assied sur un plus petit *Woolsack*.
1. Petite antichambre utilisée par les lords et décorée de portraits de souverains de la dynastie des Tudors.

— Et que passera-t-il ensuite ?

— Il faut, répondit Belstead, que vous vous prépariez à répondre, en tant que secrétaire d'État à la Santé, aux premières questions. Et n'oubliez pas que plusieurs membres éminents de la profession médicale seront présents.

— On ne prendra plus de gants, dit Giles. Et ne crois pas pouvoir compter sur l'amour fraternel, même de la part de ton frère. Les sourires bienveillants et les « vivat, vivat » ne proviendront que de ton côté de la Chambre.

— Et vous ne pourrez pas toujours compter sur eux, dit Belstead avec un sourire ironique.

— Quoi qu'il en soit, sœurette, bienvenue à la Chambre. J'avoue rougir de fierté lorsque l'un de mes collègues pairs dit : « Savez-vous que c'est la sœur de lord Barrington ? »

— Merci, Giles, dit Emma. J'attends avec impatience le jour où l'un de mes collègues pairs demandera : « Savez-vous que c'est le frère de lady Clifton ? »

Toc, toc, toc. Karin fut la première à se réveiller. Elle se retourna, pensant qu'elle devait rêver.

Toc, toc, toc. Un peu plus fort.

Elle fut soudain tout à fait réveillée. Elle sortit lentement du lit et, pour ne pas déranger Giles, gagna la fenêtre sur la pointe des pieds. Toc, toc, toc. Encore plus fort.

— Est-ce que c'est ce que je crois, demanda une voix endormie ?

— Je ne vais pas tarder à le savoir, dit Karin en tirant le rideau pour regarder sur le trottoir. Dieu du ciel ! s'écria-t-elle, avant de sortir de la chambre sans que Giles ait eu le temps de demander ce qui se passait.

Elle dévala l'escalier et s'empressa de déverrouiller la porte d'entrée. Sur le seuil, un garçonnet frissonnait, recroquevillé sur lui-même.

— Entre, chuchota-t-elle.

Il sembla hésiter à bouger avant qu'elle passe un bras autour de ses épaules et poursuive :

— Je ne sais pas ce que tu en penses, Freddie, mais, moi, je boirais volontiers une tasse de chocolat chaud. Entre donc et on va voir si on trouve quelque chose.

Il lui prit la main et ils traversèrent le vestibule. Ils entrèrent dans la cuisine juste au moment où Giles apparaissait sur le palier.

— Assieds-toi, Freddie, dit Karin en versant du lait dans une casserole, tandis que Giles les rejoignait. Comment es-tu venu jusqu'ici ? demanda-t-elle d'un ton désinvolte.

— J'ai pris le train à Édimbourg, mais je ne me suis pas rendu compte à quel point il était tard quand je suis arrivé à Londres. Je suis resté assis devant la porte pendant plus d'une heure, expliqua-t-il. Je ne voulais pas vous réveiller, mais il commençait à faire plutôt froid.

— As-tu dit au directeur de ton collège ou à lord Fenwick que tu venais nous voir ? s'enquit Giles, comme Karin ouvrait une boîte de biscuits.

— Non. J'ai quitté la chapelle en catimini pendant les prières, avoua-t-il.

Karin posa une grande tasse de chocolat chaud et une assiette de sablés sur la table devant ce visiteur inattendu.

— As-tu dit à quelqu'un, ne serait-ce qu'à un ami, que tu avais l'intention de venir nous voir ?

— Je n'ai pas beaucoup d'amis, reconnut Freddie, tout en buvant son chocolat à petites gorgées... S'il vous plaît, ne me dites pas qu'il faut que je retourne là-bas, ajouta-t-il en levant les yeux vers Giles, qui ne sut que répondre.

— On verra ça demain matin, dit Karin. Bois ton chocolat et ensuite je te conduirai à la chambre d'amis pour que tu puisses dormir un peu.

— Merci, lady Barrington, dit Freddie.

Il termina son chocolat.

— Je suis vraiment désolé. Je ne voulais pas vous déranger.

— Tu ne nous déranges pas. Mais à présent, il faut que tu ailles te coucher.

Elle lui reprit la main et ils sortirent de la cuisine.

— Bonne nuit, lord Barrington, lança Freddie d'un ton bien plus joyeux.

Giles brancha la bouilloire et prit une théière sur l'étagère au-dessus de lui. En attendant que l'eau bouille, il décrocha le téléphone, appela les renseignements et demanda le numéro du collège écossais de Freddie. Après l'avoir noté, il vérifia qu'il avait bien le numéro de téléphone personnel d'Archie dans son carnet d'adresses. 7 heures serait une heure raisonnable, se dit-il, pour les contacter tous les deux. La bouilloire sifflait lorsque Karin revint.

— Il s'est endormi dès qu'il a posé la tête sur l'oreiller, le pauvre petit.

Giles lui servit une tasse de thé.

— Tu étais très calme et rassurante, lui dit-il. Franchement, je ne savais pas très bien que dire ni que faire.

— Comment aurais-tu pu le savoir ? Personne n'a jamais frappé à ta porte en pleine nuit.

Lorsque la baronne Clifton de Chew Magna se leva pour prononcer son premier discours à la Chambre des lords, la Chambre, pleine à craquer, se tut. Levant les yeux vers la galerie des distingués visiteurs, Emma aperçut Harry, Sebastian, Samantha et Grace qui lui souriaient. Jessica n'était pas là... Où pouvait-elle bien être ? Elle se tourna vers le premier banc où était assis, les bras croisés, le chef de l'opposition à la Chambre des lords. Il lui fit un clin d'œil.

— Vos Seigneuries, commença-t-elle, d'une voix tremblante. Vous devez être étonnées de voir cette toute nouvelle secrétaire d'État s'adresser à vous depuis la tribune. Mais je peux vous assurer que je suis la première surprise.

Des rires fusèrent des deux côtés de la Chambre, ce qui l'aida à se détendre.

— Il y a quelque cinquante ans, poursuivit-elle, lord Harvey, de Gloucester, siégeait sur ces bancs et aujourd'hui lord Barrington, des docks de Bristol, siège de l'autre côté de la Chambre en tant que chef de l'opposition. Et devant vous se tient, indigne de cet honneur, leur petite-fille et sœur.

» La Première ministre m'a offert la possibilité de poursuivre mon travail dans le domaine de la santé, pas, cette fois-ci, comme membre du conseil d'administration, puis vice-présidente et ensuite présidente d'un grand hôpital, mais en tant que secrétaire d'État. Et j'aimerais que les membres de la Chambre soient assurés que j'ai l'intention d'accomplir mes tâches de secrétaire d'État avec le même sérieux et la même rigueur que je me suis efforcée de montrer dans toutes mes fonctions, tant officielles que privées.

» La Sécurité sociale, Vos Seigneuries, se trouve à la croisée des chemins, même si je sais exactement dans quelle direction je souhaite la conduire. En moi, vous trouverez un défenseur zélé des chirurgiens, des médecins, du personnel infirmier, et, surtout, des patients. Si je jette un regard circulaire sur cette salle, j'aperçois un ou deux d'entre vous qui risquent d'avoir besoin de la Sécurité sociale dans un futur assez proche.

Elle avait jugé un peu risquée la phrase ajoutée par son frère, mais Giles lui avait assuré que Leurs Seigneuries, contrairement à la reine Victoria, seraient « amusés ». Il avait raison. Ils éclatèrent de rire tandis qu'elle souriait au chef de l'opposition.

— Et dans ce but, Vos Seigneuries, reprit-elle, je continuerai à me battre contre la bureaucratie envahissante, la peur de l'innovation et l'emploi de conseillers spéciaux surpayés et surestimés qui n'ont jamais manié un scalpel ni vidé un bassin hygiénique.

La Chambre l'acclama bruyamment.

— Tout aussi important, reprit Emma en baissant la voix, je n'oublierai jamais les sages paroles de mon grand-père, lord Harvey, lorsqu'enfant j'eus le culot de lui demander à quoi servait la Chambre des lords. À servir le pays, a-t-il répondu, et à tenir en bride les chenapans de la Chambre des communes.

Des hourras fusèrent des deux côtés de la Chambre.

— Ainsi donc, je puis assurer à Vos Seigneuries, conclut Emma, que telle sera toujours ma devise chaque fois que j'aurai une décision à prendre de la part du gouvernement que je sers. Et, finalement, permettez-moi de remercier la Chambre de sa bonté et de son indulgence envers une femme qui est doulou-reusement consciente de ne pas être digne de se tenir à la même tribune que son grand-père et son frère.

Elle s'assit. Les lords applaudirent longuement ou agitèrent l'ordre du jour. Les membres de la Chambre qui s'étaient demandé d'où sortait cette femme étaient à présent tout à fait persuadés que Margaret Thatcher avait fait le bon choix. Une fois le calme revenu, lord Barrington se leva du premier banc de l'opposition, posa sur sa sœur un regard bienveillant, puis prononça, sans notes, son allocution. Emma se demanda si elle serait jamais capable de faire ça.

— Vos Seigneuries, commença-t-il, si j'éprouve une fierté fraternelle aujourd'hui, j'espère seulement que la Chambre sera indulgente. Lorsque, enfants, la secrétaire d'État et moi nous nous disputions, je gagnais toujours, mais c'était uniquement parce que j'étais plus grand et plus fort. Ce fut notre mère qui signala que, lorsque nous serions grands tous les deux, je découvrirais que j'avais gagné la bataille mais pas le débat.

L'opposition rit tandis que les lords assis sur les bancs du gouvernement lançaient : « Vivat, vivat ! »

— Mais permettez-moi d'avertir ma noble sœur, reprit Giles, d'un ton sérieux cette fois-ci, que ce moment de triomphe risque de se révéler éphémère. Lorsque le gouvernement présentera son nouveau projet de loi sur la santé, elle ne pourra pas s'attendre à jouir de la même indulgence de la part de ce côté de la Chambre. Nous analyserons minutieusement chaque ligne, chaque phrase. Et il n'est pas nécessaire que je rappelle à la noble baronne que c'est le Parti travailliste, dirigé alors par Clement Attlee, qui a fondé la Sécurité sociale britannique et pas cette bande de parvenus conservateurs qui siègent temporairement sur le banc du gouvernement.

L'opposition acclama son chef.

— Aussi suis-je heureux, poursuivit Giles, de féliciter ma noble sœur pour son remarquable premier discours, mais je lui conseille de savourer ce moment parce que la prochaine fois où elle se tiendra à la tribune, ce côté de la Chambre l'attendra au tournant. Et je peux lui assurer que la noble baronne ne pourra plus compter sur l'aide de son frère. Cette fois-là, il lui faudra gagner et la bataille et le débat.

Les lords assis sur les bancs de l'opposition semblaient attendre la confrontation avec impatience.

Emma sourit. Combien de membres présents croiraient-ils que le même noble lord qui, à présent, pointait un doigt sur elle était pour beaucoup dans l'allocution de sa sœur ? Il avait même assisté à la répétition, la veille, dans la cuisine de Smith Square. Quel dommage que leur mère n'ait pas suivi depuis la galerie des visiteurs leur nouvelle querelle...

M. Sutcliffe, le directeur du collège Grangemouth, fut reconnaissant à lady Barrington d'avoir raccompagné en Écosse le jeune garçon. Lorsque Freddie eut regagné à contrecœur sa résidence, le directeur demanda à Karin s'il pouvait lui parler en privé. Ayant promis à Giles d'essayer de découvrir le motif de la fuite de Freddie, elle accepta immédiatement.

Dès qu'ils furent installés dans son bureau, le directeur s'empressa d'évoquer le sujet qu'ils avaient tous les deux à l'esprit.

— Je suis assez content que votre mari ne soit pas avec vous, lady Barrington, commença-t-il, parce que cela me permettra d'être plus franc en ce qui concerne Freddie. Je crains que le garçonnet ne se soit jamais adapté ici et que sa mère soit responsable de cet état de fait.

— Si vous parlez de lady Virginia, je suis sûre que vous savez qu'elle n'est pas sa mère.

— C'est ce que j'avais plus ou moins deviné. Ce qui expliquerait qu'elle ne soit jamais venue le voir depuis l'arrivée ici de Freddie.

— Et elle ne viendra jamais. Parce que ça ne lui rapporte rien.

— Par ailleurs, même si lord Fenwick fait tout son possible pour l'aider, il n'est pas le père du garçon. Et il semble que la situation ait empiré lorsque Freddie a rencontré votre mari pour la première fois.

— Mais je croyais que cela s'était plutôt bien passé.

— C'est ce qu'a également pensé Freddie. Pendant plusieurs jours, il n'a parlé que de ça. En fait, après son retour au collège au début du trimestre, il avait changé. Il n'était plus obsédé par les constantes moqueries des autres élèves à propos de sa mère car il était désormais inspiré par l'homme qu'il aurait voulu pour père. À partir de ce jour-là, il a parcouru attentivement les journaux, à la recherche de la moindre allusion à lord Barrington. Quand votre mari a appelé pour dire que Freddie était chez lui à Londres, je ne peux pas dire que cela m'a surpris.

— C'est étrange. Savez-vous que Giles lui a écrit pour lui souhaiter bonne chance pour le match de cricket entre le château et le village et lui demander de lui faire part du résultat ? Mais il n'a pas reçu de réponse.

— Il portait constamment la lettre sur lui, mais, malheureusement, il a fait un score individuel nul et son équipe a

101

été battue à plate couture. Voilà peut-être pourquoi il n'a pas répondu.

— Quelle tristesse ! Je peux vous assurer que Giles fait encore davantage de scores nuls qu'il ne marque de centaines sur le terrain et hors du terrain.

— Mais Freddie ne peut pas le savoir. La seule personne avec qui il a essayé d'entrer en contact, c'était lady Virginia. Et voyez où ça l'a mené.

— Puis-je faire quelque chose pour l'aider ? Car j'en serais ravie.

— En effet, lady Barrington.

Le directeur se tut un instant, avant de reprendre :

— Je sais que vous venez de temps en temps en Écosse et je me demandais si vous pourriez envisager de le prendre parfois pour une permission de sortie d'un week-end ?

— Pourquoi seulement pour un week-end ? Si Archie Fenwick est d'accord, il pourrait également venir avec nous à Mulgelrie pendant les grandes vacances.

— Je dois avouer que l'idée est de lord Fenwick. Il m'a parlé de la rencontre fortuite avec votre mari.

— Était-ce vraiment une rencontre fortuite ?

Le directeur ne répondit pas, se contentant de dire :

— À votre avis, quelle sera la réaction de lord Barrington à ma demande ?

— Je vais vous révéler un petit secret... Il a déjà choisi les vingt-deux mètres où installer un filet de cricket[1].

— Alors vous pouvez dire à votre mari qu'il est probable que Freddie sera le plus jeune élève à jamais jouer pour la première équipe du collège.

— Giles sera ravi. Mais puis-je faire une petite requête, monsieur le directeur ?

— Bien sûr, lady Barrington.

— J'aimerais faire part à Freddie de notre décision avant de retourner à Londres.

---

1. Pour délimiter dans le parc du château le *pitch* (la zone de tir) où s'entraîner, qui fait environ vingt-deux mètres de long sur trois de large.

10

Lorsque James Callaghan prononça son dernier discours comme chef du Parti travailliste au congrès annuel, à Blackpool, Giles était tout à fait conscient que, s'il ne soutenait pas le bon candidat, c'en serait fini de sa carrière politique.

Lorsque quatre anciens ministres siégeant aux Communes se présentèrent, il savait pertinemment qu'il n'y avait que deux candidats sérieux. À droite, se tenait Denis Healey qui avait été chancelier de l'Échiquier dans les gouvernements de Callaghan et de Harold Wilson et qui, comme Giles, avait été décoré pendant la Seconde Guerre mondiale. À gauche, Michael Foot, peut-être le meilleur orateur de la Chambre des communes depuis la mort de Winston Churchill. Même si sa carrière ministérielle ne pouvait pas être comparée à celle de Healey, il était soutenu par la plupart des puissants syndicats dont quatre-vingt-dix adhérents siégeaient à la Chambre.

Si, dix ans plus tôt, Giles avait décidé de se présenter à l'élection partielle des docks de Bristol, au lieu d'accepter la proposition de Harold Wilson de siéger à la Chambre haute, lui aussi aurait pu être un prétendant sérieux à la direction du parti. Il essaya de chasser de son esprit cette pensée. Toutefois, il reconnaissait qu'en politique tout repose sur le *timing*, le pressentiment de l'opportunité, et qu'il y avait au moins une douzaine de ses contemporains qui pouvaient également imaginer un scénario crédible dans lequel ils auraient dirigé le parti avant de se retrouver peu après locataire du 10 Downing Street.

À son avis, il n'y avait qu'un seul candidat qui avait des chances de battre Mme Thatcher aux prochaines élections législatives et il espérait bien que la majorité de ses collègues députés avaient eux aussi abouti à cette conclusion. Ayant servi comme membre du gouvernement ou dans l'opposition pendant plus de trente ans, il savait qu'en politique on ne compte que lorsqu'on siège sur les bancs du gouvernement, alors que les années passées dans l'opposition ne servent à rien, sauf lorsque l'on gagne, de temps en temps, une victoire imprévisible.

Le choix du chef du parti serait effectué par les deux cent soixante-neuf députés travaillistes. Voilà pourquoi, depuis que Callaghan avait annoncé sa démission, Giles quittait rarement le travail avant l'extinction des feux, chaque soir, après le dernier vote. La journée, il passait des heures entières à arpenter les couloirs pour vanter les mérites de son candidat et passait ses soirées au Annie's Bar[1] à offrir des pintes de bière aux députés hésitants pour les persuader que les conservateurs priaient le ciel pour qu'ils élisent Michael Foot plutôt que Denis Healey.

Les prières des tories furent exaucées quand au second tour Foot battit Healey par cent trente-neuf voix contre cent vingt-neuf. Certains des collègues députés de Giles reconnurent ouvertement qu'ils étaient tout à fait satisfaits de siéger un certain temps dans l'opposition du moment que le nouveau chef partageait leur idéologie de gauche.

Le lendemain, au petit-déjeuner, Emma dit à Giles que, lorsqu'elle avait appris la nouvelle, Margaret Thatcher avait débouché une bouteille de champagne et porté un toast aux cent trente-neuf travaillistes grâce à qui elle était sûre de demeurer au 10 Downing Street pour un certain temps.

Dans les deux partis, il existe de longue date une tradition selon laquelle, après le choix d'un nouveau chef, tous les députés siégeant sur le premier banc présentent leur démission puis attendent d'être invités à rejoindre la nouvelle équipe. Après avoir rédigé sa lettre de démission, Giles ne perdit pas son temps à attendre vainement qu'on lui propose un ministère fantôme car il savait que le coup de téléphone ne viendrait jamais. Le lundi suivant, il reçut un bref mot manuscrit du nouveau chef qui le remerciait des services qu'il avait long-temps rendus au parti.

Le lendemain, il quitta le bureau du chef de l'opposition à la Chambre des lords, au premier étage, pour laisser la place à son tout nouveau successeur. Seul dans son bureau encore plus exigu et sans fenêtres quelque part au sous-sol, il s'efforça

1. À l'époque, célèbre bar de la Chambre des communes.

d'accepter que sa carrière de membre du gouvernement, en exercice ou fantôme, était terminée et que ce qui l'attendait, c'était une interminable traversée du désert sur les derniers bancs de la Chambre haute. Au dîner, il rappela à Karin que dix votes seulement avaient scellé son sort.

— Cinq, en fait, dit-elle.

SEBASTIAN CLIFTON

1981

11

— Je suis désolé.

— C'est tout ce que tu as à dire ? s'exclama Jessica en le fusillant du regard.

Sebastian entoura d'un bras les épaules de sa fille.

— Je te promets, répondit-il, de revenir à temps pour vous inviter au restaurant ta mère et toi pour fêter l'événement.

— Je me rappelle la dernière fois que tu as fait cette promesse. Tu as ensuite pris l'avion pour l'étranger. Encore que cette fois-là, c'était pour soutenir un innocent et non pas un escroc.

— Comme Desmond Mellor ne peut recevoir de visites que le samedi après-midi entre 14 et 15 heures, je n'ai guère eu le choix.

— Tu aurais pu lui dire d'aller se faire voir.

— Je te promets d'être de retour pour 17 heures... 18 heures, au plus tard. Et, puisque c'est ton anniversaire, tu peux choisir le restaurant.

— Et, entre-temps, je suis censée servir de baby-sitter à Jake, et quand maman reviendra, je vais devoir lui expliquer pourquoi tu n'es pas là. Il y a des façons plus passionnantes de passer le jour de son anniversaire.

— Je te revaudrai ça, dit Sebastian. Je te le promets.

— N'oublie surtout pas, papa, que c'est un escroc.

Tandis qu'il affrontait la circulation chargée de la fin de matinée pour sortir de Londres, Sebastian ne pouvait s'empêcher de penser que sa fille avait raison. Non seulement ce voyage allait probablement constituer une perte de temps, mais sans doute n'aurait-il jamais dû avoir le moindre rapport avec ce type.

Il aurait dû être en train d'emmener Jessica déjeuner au Ponte Vecchio pour fêter son seizième anniversaire, au lieu de se diriger vers une prison du Kent pour rendre visite à un homme qu'il détestait. Mais il savait que s'il ne cherchait pas à connaître la raison pour laquelle Desmond Mellor avait insisté pour le voir de toute urgence, il se poserait à jamais la question. Une seule chose était certaine : Jessica allait exiger de savoir en détail pourquoi ce fichu type lui avait demandé une entrevue.

Il restait encore une quinzaine de kilomètres à parcourir quand Sebastian aperçut les premiers panneaux signalant la direction de Ford Open. Le mot « prison » n'était pas indiqué pour ne pas indisposer les habitants de la région. À la barrière, un gardien sortit du petit kiosque pour lui demander son identité. Après que le nom de Clifton eut été coché, la barrière fut levée et on lui indiqua un petit terrain vague qui, le samedi, servait de parking.

Sa voiture garée, Sebastian gagna la réception où un autre gardien lui demanda à nouveau son nom. Cette fois-ci, il dut présenter une pièce d'identité. Il montra son permis de conduire et on lui enjoignit de déposer dans un casier tous ses objets de valeur, y compris son portefeuille, sa montre, son alliance et quelques pièces. Le gardien de service lui précisa d'un ton ferme qu'il lui était absolument interdit d'apporter de l'argent liquide dans le parloir, avant de désigner un panneau fixé au mur qui prévenait les visiteurs que toute personne détenant des espèces à l'intérieur des locaux encourait une peine de six mois de prison.

— Puis-je vous demander, monsieur, s'enquit le gardien, si c'est la première fois que vous venez voir un prisonnier ?

— Non.

— Vous devez donc connaître le système des bons, au cas où votre ami voudrait une tasse de thé ou un sandwich.

Ce n'est pas mon ami, eut envie de dire Sebastian en donnant un billet d'une livre en échange de dix bons.

— On vous remboursera la différence, à votre retour.

Sebastian le remercia, referma le casier et mit la clé et les bons dans sa poche. Lorsqu'il entra dans la salle d'attente, un autre gardien lui tendit un petit disque portant le numéro 18.

— Attendez que votre numéro soit appelé, expliqua le gardien.

Sebastian s'assit sur un siège recouvert de plastique dans une pièce pleine de gens qui semblaient considérer que cela faisait simplement partie de leur quotidien. Jetant un regard circulaire, il vit des épouses, des petites amies, des parents – et même des enfants jouant dans l'aire de jeux – qui n'avaient rien en commun, à part le fait qu'ils avaient tous un parent, un ami, un amant sous les verrous. Il soupçonna qu'il était le seul à venir voir quelqu'un qui ne lui était pas sympathique.

« Numéros 1 à 5 ! » lança le haut-parleur. Plusieurs des habitués se levèrent d'un bond et quittèrent vivement la pièce, à l'évidence pour ne pas perdre une seule minute de l'heure qui leur était impartie. L'un d'eux laissa un exemplaire du *Daily Mail* et Sebastian le feuilleta pour passer le temps. Il y avait d'innombrables photos du prince Charles et de lady Diana Spencer en train de bavarder à une garden-party dans le Norfolk. Diana paraissait extrêmement heureuse, tandis que le prince avait l'air d'inaugurer une centrale électrique.

« Numéros 6 à 10 », grésilla le haut-parleur. Un autre groupe sortit rapidement de la salle d'attente. Sebastian tourna la page. Margaret Thatcher promettait de légiférer sur les grèves sauvages. Michael Foot décrivait ces mesures comme draconiennes et indiquait que la politique de la Première ministre était destinée à fournir des postes aux vieux copains et non pas du travail aux petits jeunes.

« Numéros 11 à 15. »

Sebastian regarda la pendule sur le mur : 14 h 12. À ce rythme, il aurait de la chance s'il pouvait passer plus de quarante minutes avec Mellor, même s'il se doutait que celui-ci avait bien préparé son baratin et qu'il ne perdrait pas de temps. Il passa à la dernière page du *Mail* où se trouvait une vieille photo de Mohamed Ali en train de pointer son doigt sur des journalistes en disant : « Je vole comme le papillon, pique comme l'abeille, [les poings de George] ne peuvent pas toucher ce que ses yeux

111

ne voient pas[1]. » Qui lui invente ces formules ? se demanda Sebastian. Ou bien l'ancien champion était-il tout simplement brillant ?

« Numéros 16 à 20. »

Sebastian se leva lentement et se joignit à un groupe d'une douzaine de visiteurs, déjà sur les talons d'un gardien qui s'enfonçait dans les entrailles de la prison. Ils furent arrêtés et fouillés avant d'entrer dans le parloir.

Sebastian se retrouva dans une grande salle carrée meublée de dizaines de petites tables, entourées chacune de quatre chaises, une rouge et trois bleues. Il parcourut la pièce du regard mais ne repéra Mellor que lorsque celui-ci leva la main. Il avait tellement grossi que Sebastian eut du mal à le reconnaître. Avant même que Sebastian ait eu le temps de s'asseoir, Mellor désigna la cantine à l'autre bout de la salle.

— Pourriez-vous aller me chercher une tasse de thé et un Kit Kat ? demanda-t-il.

Sebastian se joignit à une petite file d'attente au comptoir, où il échangea la plus grande partie de ses bons contre deux tasses de thé et deux Kit Kat. Quand il revint à la table, il posa une tasse et les deux biscuits enrobés de chocolat devant son vieil adversaire.

— Alors, pourquoi souhaitiez-vous me voir ? s'enquit-il, sautant les préliminaires.

— C'est une longue histoire, mais rien ne vous surprendra.

Mellor but une petite gorgée et, tout en parlant, déchira l'emballage d'un Kit Kat.

— Lorsque la police a découvert que Sloane et moi étions responsables de l'arrestation de votre ami Hakim Bishara, Sloane est devenu témoin de la Couronne et a fait de moi un bouc émissaire. J'ai été condamné à deux ans de prison pour entrave à l'exercice de la justice et lui s'en est tiré indemne. Le comble, c'est qu'une fois que j'ai été derrière les barreaux il a réussi à prendre le contrôle de Mellor Travel, prétendant être la seule personne à pouvoir sauver la compagnie pendant que le président était sous les verrous, et les actionnaires l'ont cru.

---

1. Mohamed Ali est célèbre pour ses formules percutantes. Il a prononcé celle-ci en 1974, avant son combat contre George Foreman.

— Mais, en tant qu'actionnaire majoritaire, vous devez toujours pouvoir tout contrôler, non ?

— Pas s'il s'agit d'une compagnie cotée en Bourse, comme vous avez dû le découvrir lorsque Bishara a été bouclé. Ils ne m'envoient même pas le procès-verbal des réunions du conseil. Mais Sloane ne se rend pas compte que j'ai quelqu'un au conseil qui me renseigne parfaitement.

— Jim Knowles ?

— Non. Ce salaud m'a laissé choir dès que j'ai été arrêté et il a même proposé que Sloane soit le président. En échange, Knowles est devenu son adjoint avec un salaire mirobolant.

— Petit arrangement entre amis, dit Sebastian. Vous avez dû consulter un juriste...

— Le meilleur. Mais ils ont pris soin de ne pas enfreindre la loi. Alors je ne pouvais pas faire grand-chose. Mais vous, vous pouvez.

Sebastian but une petite gorgée de thé tandis que Mellor déchirait le papier du deuxième Kit Kat.

— À quoi songez-vous ? s'enquit Sebastian.

— Comme vous l'avez indiqué, monsieur Clifton, je suis toujours l'actionnaire majoritaire de Mellor Travel, mais je devine que, lorsque je sortirai d'ici, ces actions n'auront pas même la valeur du papier sur lequel elles sont inscrites. Mais si je vous les vendais une livre...

— Quel est le piège ?

— Il n'y en a aucun, même si nous avons eu nos différends par le passé. Mon seul but est la vengeance... Je veux qu'Adrian Sloane et Jim Knowles soient éliminés du conseil et que la compagnie soit correctement gérée. Et je ne vois pas qui serait plus compétent pour ce boulot.

— Et qu'attendez-vous en échange ?

Il se tut et, regardant Mellor droit dans les yeux, ajouta :

— Quand vous sortirez de prison.

Une sonnerie retentit pour les prévenir qu'il ne leur restait que dix minutes.

— Ce n'est pas demain la veille, à mon avis, répondit Mellor en rompant l'un des biscuits au chocolat. Je dois à présent faire face à une nouvelle accusation que vous ne connaissez pas.

Sebastian n'insista pas. Le temps pressait et, avant de réfléchir à la proposition de Mellor, il y avait plusieurs autres réponses dont il avait besoin.

— Mais vous serez libéré tôt ou tard, répliqua-t-il.

— À ce moment-là, je compte qu'on me rende tout mon portefeuille de cinquante et un pour cent d'actions de Mellor Travel, également pour une livre.

— Alors où est l'intérêt pour la Farthings ?

— Vous pouvez pour le moment nommer le président, le conseil d'administration et diriger la compagnie. La Farthings peut aussi prendre un joli acompte pour ses services, tout en recevant vingt pour cent des bénéfices annuels de Mellor Travel, ce qui, vous en serez d'accord, est plus que correct. Vous aurez, en outre, le plaisir de virer Sloane de la présidence pour la deuxième fois. Tout ce que je demande en échange, c'est de recevoir une copie du procès-verbal après chaque conseil d'administration et d'avoir une entrevue avec vous une fois par trimestre.

La sonnerie retentit une deuxième fois. Cinq minutes.

— Je vais y réfléchir et je vous appellerai dès que j'aurai pris une décision.

— Vous ne pouvez pas m'appeler, monsieur Clifton. Les prisonniers ne peuvent pas recevoir d'appels. Je vous téléphonerai à la banque vendredi matin, à 10 heures. Ce qui devrait vous donner amplement le temps de prendre une décision.

La sonnerie retentit une troisième fois.

Jessica jeta un coup d'œil à la pendule lorsque son père entra dans le vestibule et suspendit son manteau.

— Tu es arrivé juste à temps, dit-elle en l'embrassant sur la joue sans chaleur.

— Alors, où voulez-vous aller dîner, ma jeune dame ? fit Sebastian avec un large sourire.

— Au Harry's Bar.

— À Londres ou à Venise ? s'enquit-il alors qu'ils entraient dans le salon.

— À Londres, cette fois-ci.

— Je ne pense pas pouvoir obtenir une table si tardivement.

— J'ai déjà réservé.

— Évidemment... Y a-t-il autre chose que je devrais savoir ? demanda-t-il en se servant un bon verre de whisky.

— Ce n'est pas ce que tu devrais savoir, le sermonna Jessica. C'est ce que tu as oublié.

— Non. Tu te trompes, répliqua Sebastian en tirant, tel un magicien, un cadeau de sa poche intérieure.

— C'est ce que je crois ? fit Jessica en souriant pour la première fois.

— En tout cas, c'est ce à quoi tu fais allusion depuis plusieurs semaines.

Elle se jeta au cou de son père.

— Merci, papa, dit-elle en déchirant le papier, avant d'ouvrir un mince étui.

— Ai-je regagné ta faveur ? s'enquit Sebastian, tandis que Jessica attachait la montre Andy Warhol Swatch à son poignet.

— Seulement si tu t'es souvenu du cadeau de maman ?

— Mais ce n'est pas son anniversaire. Pas avant deux mois, en tout cas.

— Je le sais bien, papa. Mais demain, c'est votre anniversaire de mariage, au cas où tu l'aurais oublié.

— Juste ciel ! Je l'avais oublié, en effet.

— Heureusement que ce n'était pas mon cas, dit-elle en désignant sur la table une boîte joliment enveloppée et à laquelle était attachée une carte.

— Qu'y a-t-il à l'intérieur ?

— Une paire de souliers Rayne que maman avait remarqués à King's Road, la semaine dernière, mais qu'elle trouvait un peu trop chers. Tu n'as plus qu'à signer la carte.

Ils entendirent s'ouvrir la porte d'entrée et Sebastian s'empressa de griffonner sur la carte :

Année inoubliable. Avec tout mon amour, Seb.

— Comment as-tu fait pour les payer ? chuchota Sebastian en rangeant le stylo dans sa poche.

— Avec ta carte de crédit, bien sûr.

— Que Dieu protège ton mari ! fit Sebastian, au moment où Samantha les rejoignait.

— Regarde ce que papa m'a donné pour mon anniversaire ! s'écria Jessica en tendant son bras.

— Quel joli cadeau ! fit Samantha en admirant la montre *Campbell's Soup*.

— Et j'ai aussi quelque chose pour toi, ma chérie, dit Sebastian en prenant la boîte sur la table, en espérant que l'encre avait eu le temps de sécher. Bon anniversaire de mariage ! ajouta-t-il, avant de la prendre dans ses bras.

Samantha regarda par-dessus l'épaule de son mari et fit un clin d'œil à sa fille.

Pour la troisième fois de la semaine, Arnold Hardcastle rejoignit Hakim et Sebastian dans le bureau du président.

— Avez-vous eu le temps de réfléchir à la proposition de Mellor ? s'enquit Hakim, comme le conseiller juridique de la banque s'asseyait en face d'eux.

— Absolument, répondit Arnold. Et il ne fait aucun doute que c'est une honnête proposition. Mais ce qui m'intrigue, c'est pourquoi c'est précisément à vous que Mellor cède sa compagnie.

— Parce qu'il déteste Adrian Sloane encore plus que nous ? suggéra Sebastian. N'oubliez pas que c'est à cause de Sloane qu'il n'a pas réussi à s'emparer de la banque.

— Mais ce n'est pas la seule banque de la City, dit Arnold.

— Mais aucune ne connaît aussi bien que nous le *modus operandi* de Sloane, répliqua Hakim. Avez-vous pris contact avec les avocats de Mellor pour voir s'ils pensent que cette proposition est solide ?

— Elle est tout à fait solide. Bien que le premier associé du cabinet avoue être aussi déconcerté que nous. Je pense qu'il a bien résumé l'affaire en suggérant qu'il s'agit peut-être de l'application de l'adage : « Entre deux maux, il faut choisir le moindre. »

— Quand Mellor a-t-il des chances d'être libéré ? s'enquit Sebastian.

— Ce n'est peut-être pas demain la veille, répondit Arnold. Car il est poursuivi pour d'autres délits.

— D'autres délits ? demanda Hakim.

— Utilisation de fausse monnaie. En plus d'une accusation d'incitation à commettre un délit.

— Je n'arrive pas à croire que Mellor puisse faire quelque chose d'aussi stupide, surtout alors qu'il est déjà derrière les barreaux.

— Lorsqu'on est enfermé dans une cellule de prison toute la journée, expliqua Arnold, je crains qu'on finisse par avoir l'esprit un peu embrouillé. Surtout si on n'a qu'une pensée en tête : comment se venger de la personne qui nous a envoyé là.

— Je dois reconnaître, dit Hakim, que si je ne vous avais pas eu tous les deux comme anges gardiens lorsque j'étais en prison, Dieu seul sait ce que j'aurais pu manigancer.

— Je ne suis toujours pas convaincu, dit Sebastian. C'est bien trop facile. N'oubliez pas que Mellor est un faux-jeton.

— Alors, peut-être devrions-nous laisser tomber l'affaire, dit Arnold.

— Et laisser Sloane continuer à tirer parti de sa position et à s'enrichir de minute en minute ? leur rappela Sebastian.

— Bien vu, dit Hakim. Et même si je ne crois pas être rancunier, je ne serais pas ennuyé de voir Sloane enfin mis à bas. Mais peut-être que Sebastian et moi prenons-nous trop personnellement cette affaire, au lieu de l'évaluer objectivement. Que nous conseillez-vous, Arnold ?

— Il ne fait aucun doute qu'en temps normal ce serait une bonne affaire pour la banque, mais, après votre expérience avec Mellor, peut-être serait-il sage que j'informe le comité d'éthique de la Banque d'Angleterre que nous envisageons d'effectuer une opération commerciale avec quelqu'un qui est en prison. S'il n'émet aucune objection, nous n'avons aucune raison de ne pas accepter son verdict.

— En effet. Deux précautions valent mieux qu'une, renchérit Hakim. Faites donc ça, Arnold, et dites-moi ce qu'il en est dès que vous aurez eu l'avis du comité.

— Vous n'oubliez pas, bien sûr, intervint Sebastian, que Mellor va me téléphoner vendredi matin, à 10 heures.

— Assurez-vous seulement qu'il ne vous appelle pas en PCV, dit Hakim.

Ils étaient assis à l'autre bout du comptoir pour être sûrs de ne pas être entendus.

— Quand on y pense, dit Knowles, c'est étonnant que vous soyez devenu président d'une compagnie de voyages. Après tout, je ne vous ai jamais vu prendre de vacances.

— Je n'aime guère les étrangers, répondit Sloane. On ne peut pas leur faire confiance.

Le barman remplit à nouveau son verre de gin.

— De toute façon, je ne sais pas nager, et ça ne m'amuse pas de demeurer allongé sur une plage à me faire griller. Je préfère rester en Angleterre, partir à la chasse pendant quelques jours ou faire tout seul une randonnée dans les collines. Remarquez que je ne crois pas rester encore très longtemps dans ce domaine.

— Devrais-je savoir pourquoi ?

— J'ai reçu une ou deux offres de rachat de Mellor Travel qui nous permettraient à tous les deux de prendre notre retraite.

— Mais puisque Mellor possède toujours cinquante et un pour cent de la compagnie, c'est lui qui serait le principal bénéficiaire de l'opération.

— Je n'ai pas l'intention de vendre l'entreprise. Seulement les biens. La vente des biens constitue le nouveau jeu à la City, et lorsque Mellor se rendra compte de ce qu'on manigance, il ne lui restera plus de compagnie à présider, seulement une coquille vide.

— Mais lorsqu'il sortira de prison...

— Je serai parti depuis longtemps et j'habiterai dans un pays qui n'a pas d'accord d'extradition avec la Grande-Bretagne.

— Et moi ? C'est moi qui paierai les pots cassés.

— Non, non. Vous aurez déjà démissionné du conseil d'administration en guise de protestation. Mais pas avant qu'une grosse somme n'ait été déposée en Suisse, sur votre compte en banque.

— Combien de temps va-t-il vous falloir pour boucler l'affaire ?

— Je ne suis pas pressé. Notre président absentéiste n'est pas près d'être libéré. Et lorsqu'il sortira, notre pension de retraite devrait déjà être en place.

— Il paraît que la compagnie Thomas Cook pourrait faire une OPA sur la compagnie.

— Pas tant que je serai président, affirma Sloane.

— Il y a un certain M. Mellor sur la ligne numéro 1, annonça Rachel, consciente qu'elle interrompait la réunion de Sebastian avec le directeur du service du change.

Sebastian jeta un coup d'œil à sa montre... 10 heures.

— Ça ne te dérange pas si je prends cet appel ? demanda-t-il en plaçant une main sur le microphone.

— Pas du tout. Vas-y ! répondit Victor Kaufman, sachant parfaitement qui était en ligne.

— Passez-le-moi, Rachel... Bonjour, monsieur Mellor. Sebastian Clifton à l'appareil.

— Avez-vous pris une décision, monsieur Clifton ?

— Oui. Et je peux vous assurer que la Farthings a étudié très sérieusement votre offre. Toutefois, après de longs débats, le conseil d'administration a décidé que ce n'était pas le genre de commerce dont la banque souhaitait s'occuper. Voilà donc pourquoi...

La communication fut coupée.

12

Desmond Mellor était couché sur un mince matelas de crin depuis de longues heures, la tête posée sur un oreiller dur. Le regard fixé au plafond, il s'efforçait de réfléchir à ce qu'il devrait faire maintenant que Clifton avait rejeté sa proposition. La pensée qu'Adrian Sloane l'arnaquait et, dans le même temps, détruisait son entreprise accroissait sa paranoïa.

La porte de la cellule s'ouvrit brusquement et, bien qu'il ne fût qu'à un pas de lui, un gardien hurla : « Promenade ! » Tous les après-midis, au même moment, les prisonniers pouvaient sortir de leur cellule pour faire une promenade d'une heure dans la cour, se dégourdir les jambes et retrouver leurs copains afin de préparer leur prochain coup avant leur libération.

En général, Mellor recherchait la compagnie des délinquants primaires qui n'avaient pas envie de rechuter à leur sortie. Cela l'amusait, alors qu'il tournait en rond dans la cour, d'avoir buté, littéralement, contre un ancien élève du collège d'Eton (marijuana) et un diplômé de Cambridge (escroquerie). Mais ce n'est pas ce genre de prisonnier qu'il cherchait ce jour-là. Il savait déjà avec qui il voulait s'entretenir discrètement.

Il avait déjà effectué deux tours complets de la cour lorsqu'il aperçut Nash qui marchait tout seul, quelques pas devant lui. Il est vrai que rares étaient les prisonniers qui voulaient passer leur heure d'exercice en compagnie d'un tueur à gages qui risquait de rester toute sa vie en taule et qui ne semblait pas vraiment redouter de demeurer quelques jours à l'isolement pour avoir tabassé un prisonnier qui l'avait énervé. Sa dernière malheureuse victime était un serveur de la cantine qui, ne lui ayant pas donné une assez grosse portion de frites, s'était retrouvé avec la main plaquée sur le réchaud.

Mellor fit un troisième tour pour répéter mentalement son scénario soigneusement préparé avant de rattraper Nash, quoique le bref salut « Va te faire foutre ! » faillît lui faire changer d'avis. S'il n'avait pas été désespéré, Mellor se serait empressé de passer son chemin.

— J'ai besoin de conseils.

— T'as qu'à prendre un avocat.

— Un avocat ne servirait à rien pour ce que j'ai en tête.

Nash le regarda de plus près.

— T'as intérêt à ce que ce soit du sérieux. Parce que si t'es un sale mouchard, tu vas passer le reste de ta peine à l'hosto de la taule. Je suis assez clair ?

— Plus que clair, répondit Mellor, qui comprit soudain ce que voulait dire « un dur de dur ».

Mais il était trop tard pour faire machine arrière.

— Simple hypothèse...

— Alors, c'est quoi, merde ?

— Combien prend un tueur à gages ?

— Si t'es un indic des flics, je te buterai moi-même pour rien.

— Je suis un homme d'affaires.

Même si son cœur battait toujours la chamade, il n'avait plus peur.

— Et j'ai besoin des services d'un pro.

Nash se tourna vers lui et le regarda droit dans les yeux.

— Ça dépend de ce que tu demandes. Comme toutes les entreprises bien gérées, nos prix dépendent du service rendu, ajouta-t-il avec un mince sourire qui révéla trois dents. Si tu veux juste fiche la frousse à quelqu'un, bras cassé, jambe cassée, ça te coûtera mille livres. Deux mille s'il a des relations, et beaucoup plus s'il a des gardes du corps.

— Il n'a guère de relations qui comptent, ni de gardes du corps.

— Ça facilite les choses. Alors, qu'est-ce que tu veux ?

— Je veux que tu trucides ce type, répondit Mellor à voix basse.

Pour la première fois, Nash eut l'air intéressé.

— Mais on ne doit pas pouvoir remonter jusqu'à moi, précisa Mellor.

— Pour qui tu me prends ? Un foutu amateur ?

— Si tu es si fort, répliqua Mellor, au péril de sa vie, comment se fait-il que tu aies atterri ici ?

Il faut toujours brutaliser une brute, lui avait appris son vieux, et il était sur le point de vérifier si c'était un bon conseil.

122

— D'accord, d'accord, répondit Nash. Mais ça va pas être donné. Les matons me quittent jamais des yeux. Ils lisent mes lettres avant moi et ils écoutent mes conversations téléphoniques, grogna-t-il. Même si j'ai trouvé une façon d'éviter ça. La seule possibilité, c'est que j'arrange le truc pendant une visite. Même si les caméras de surveillance sont tout le temps braquées sur moi et qu'à présent ils ont un foutu expert qui sait lire sur les lèvres et qui suit tout ce que je dis.

— Tu veux dire que c'est impossible ?

— Non. Cher. Et ça va pas se faire demain matin.

— Et ça coûtera combien ?

— Dix mille d'acompte. Et dix de plus, le jour de l'enterrement.

Mellor fut étonné par la faible valeur d'une vie humaine, même s'il n'avait guère envie de penser aux conséquences s'il ne payait pas le solde.

— Maintenant, fous le camp ! lui enjoignit Nash d'un ton ferme. Autrement, les matons vont soupçonner quelque chose. Si tu relaces tes groles avant de sortir de la cour, je saurai que t'es sérieux. Sinon, ne m'embête plus.

Mellor hâta le pas et rejoignit un pickpocket qui pouvait subtiliser une montre en un tour de main. C'était un jeu à l'intérieur, un métier, à l'extérieur. Johnny le Rusé pouvait gagner cent mille livres par an, somme nette d'impôts, et il écopait rarement d'une peine de plus de six mois.

La sirène retentit pour avertir les prisonniers qu'il était temps de regagner leurs cellules. Mellor mit un genou à terre et relaça sa chaussure.

Lady Virginia détestait se rendre à Belmarsh, prison de haute sécurité, qui n'avait rien à voir avec celle de Ford Open, prison ouverte, où, dans une ambiance plus détendue, on buvait du thé et mangeait des biscuits, le samedi après-midi. Mais Mellor ayant été accusé d'un deuxième délit plus grave, on l'avait expédié du jardin de l'Angleterre à Hellmarsh[1], comme l'appelaient les récidivistes.

---

1. Soit « Marais de l'enfer », tandis que Belmarsh pourrait se traduire par « Beau marais ». « Le jardin de l'Angleterre » désigne le Kent, à cause de ses nombreux vergers et champs de houblon.

Elle avait en particulier horreur d'être fouillée – comment cette gardienne masculine pouvait-elle imaginer qu'elle puisse cacher de la drogue dans ces endroits insensés ? – et d'attendre tandis qu'on ouvrait et refermait les diverses grilles avant d'être autorisée à faire quelques mètres de plus. En outre, le tintamarre ne cessait pas un seul instant, comme si une demi-douzaine d'orchestres de rock avaient été enfermés ensemble. Lorsqu'enfin on la faisait entrer dans une grande salle sans fenêtres, aux murs blancs, et qu'elle levait les yeux, elle voyait plusieurs gardiens en train de regarder les visiteurs depuis un balcon circulaire surplombant, tandis que les caméras de surveillance n'arrêtaient pas de se déplacer. Mais le pire, c'est qu'elle devait non seulement côtoyer le milieu des travailleurs mais également celui des voyous.

Toutefois, la perspective de pouvoir gagner un peu d'argent aidait certainement à supporter l'humiliation, même si Mellor ne pourrait pas lui permettre de résoudre son dernier problème.

Ce matin-là, elle avait reçu une lettre du premier associé de Goodman Derrick, délicatement rédigée. Il demandait poliment, mais fermement, qu'on lui envoie dans les trente jours la somme de deux millions de livres obtenue frauduleusement. Autrement, il serait contraint de l'assigner en justice au nom de son client.

Virginia n'avait pas deux mille livres, alors ne parlons pas de deux millions... Elle avait immédiatement appelé son avoué pour qu'il prenne rendez-vous pour elle avec sir Edward Makepeace, avocat de la Couronne, dans l'espoir qu'il puisse trouver une solution, mais elle n'était pas optimiste. L'heure était peut-être venue d'accepter l'invitation d'un cousin éloigné et de lui rendre visite dans son ranch argentin. Il lui rappelait son offre tous les ans lorsqu'il venait à Cowdray Park[1], accompagné par un troupeau de poneys et un essaim de beaux garçons, les deux groupes changeant chaque année. Aux yeux de Virginia, il n'y avait rien de pire que de devoir passer plusieurs années dans un ranch argentin, à part passer plusieurs années dans un endroit comme celui-ci.

_____

1. Vaste propriété située dans les collines des South Downs, comprenant, entre autres, un club de golf.

Elle gara sa Morris Minor entre une Rolls-Royce et une Austin A40, avant de se diriger vers l'accueil.

Mellor était assis tout seul au parloir, attendant l'arrivée de Virginia, tandis que les précieuses minutes s'écoulaient inexorablement. Elle n'était jamais à l'heure, mais n'ayant pas d'autres visiteurs, il ne pouvait pas se plaindre.

Il parcourut la salle du regard et ses yeux s'arrêtèrent sur Nash, assis en face d'une blonde décolorée, dont les lèvres étaient couvertes d'une épaisse couche de rouge et qui portait un tee-shirt blanc – sans soutien-gorge – et une minijupe en cuir noir. Le fait que Mellor la trouvait à son goût indiquait le degré de son désespoir.

Mellor les regarda attentivement, à l'instar de plusieurs gardiens accoudés au balcon en surplomb. Nash et sa visiteuse ne semblaient pas se parler mais il comprit ensuite que ce n'était pas parce que leurs lèvres ne bougeaient pas qu'ils ne communiquaient pas. La plupart des gens auraient supposé qu'ils étaient mari et femme, mais, Nash étant gay, il ne devait s'agir que d'une question d'affaires. Et Mellor savait de quelles affaires ils discutaient.

Il leva les yeux au moment où Virginia apparut à sa table, avec une tasse de thé et un biscuit chocolaté. Il se rappela que Sebastian Clifton lui avait apporté deux biscuits.

— Vous avez des nouvelles à propos de la date de votre procès ? demanda Virginia en s'asseyant face à lui.

— J'ai conclu un marché, répondit-il. J'ai accepté de plaider coupable en échange d'une peine plus légère : encore quatre années à tirer. Soit six en tout. Je peux sortir dans trois ans. Libération anticipée pour bonne conduite.

— Vous n'aurez donc pas à attendre très longtemps, dit Virginia, essayant d'avoir l'air optimiste.

— Assez longtemps pour que Sloane saigne mon entreprise à blanc. Lorsque je sortirai, il ne me restera que l'enseigne au-dessus de la porte d'entrée.

— Puis-je être utile à quelque chose ?

— Oui. En effet. C'est la raison pour laquelle je souhaitais vous voir. Il me faut dix mille livres sur-le-champ. La succession de ma mère a enfin été réglée, et bien qu'elle m'ait tout légué, elle ne possédait qu'une seule chose de valeur : sa maison mitoyenne à Salford. L'agent immobilier du coin a réussi à la vendre douze mille livres, et je lui ai demandé de rédiger le chèque à votre ordre. Il faut que quelqu'un aille le chercher le plus tôt possible.

— J'irai mardi à Salford, dit Virginia, car elle avait un rendez-vous encore plus important lundi matin. Mais que voulez-vous que je fasse de l'argent ?

Il attendit que la caméra soit passée au-dessus de sa tête, avant de répondre.

— Il faut que vous remettiez dix mille livres en espèces à quelqu'un avec qui je suis associé. Vous pourrez garder le reste.

— Comment vais-je le reconnaître ?

— *La* reconnaître. Regardez à ma gauche, et vous verrez une blonde en train de parler à un type qui a l'air d'un boxeur poids lourd.

Jetant un coup d'œil à droite, elle ne put rater les deux personnages qui auraient pu être des figurants de la série télévisée policière *Regan*.

— Vous la voyez ? reprit Mellor.

Virginia opina du chef.

— Vous aurez rendez-vous avec elle au musée des Sciences. Elle attendra à côté de la fusée de Stephenson[1], au rez-de-chaussée. Je vous téléphonerai pour vous donner tous les renseignements dès que je les aurai.

Ce serait la première fois que Virginia irait au musée des Sciences.

---

1. L'une des premières locomotives à vapeur, construite en 1829.

13

— Tout d'abord, permettez-moi de vous rappeler, lady Virginia, que la relation entre un avocat et son client est sacrée et que, par conséquent, tout ce que vous me dites au sujet de cette affaire ne doit pas sortir et ne sortira pas de ce cabinet. Cependant, il est tout aussi important, poursuivit sir Edward Makepeace, que vous sachiez une chose : si vous n'êtes pas d'une absolue franchise avec moi, je ne pourrai vous conseiller de mon mieux.

Déclaration bien tournée, se dit Virginia, en s'appuyant au dossier de son siège et en se préparant à ce qu'on lui pose toute une série de questions auxquelles elle n'avait guère envie de répondre.

— Ma première question est toute simple : Êtes-vous la mère de l'honorable Frederick Archibald Iain Bruce Fenwick ?

— Non.

— Les parents de cet enfant sont-ils, comme il est indiqué dans la lettre de Goodman Derrick, les dénommés M. et Mme Morton, votre ancien majordome et son épouse ?

— Oui.

— Par conséquent, le règlement après accord et les allocations mensuelles reçus de M. Cyrus T. Grant III ont été... indûment versés ?

— Tout à fait.

— La demande de M. Grant, continua sir Edward en vérifiant la somme indiquée dans la lettre de lord Goodman, de deux millions de livres, est donc à la fois justifiée et raisonnable ?

— J'en ai bien peur, en effet.

— Vu ces précisions, lady Virginia, je suis obligé de vous poser une question. Possédez-vous deux millions de livres pour payer M. Grant, lui évitant ainsi d'avoir à vous assigner en justice, ce qui, inévitablement, ferait beaucoup de bruit ?

— Non, je ne les ai pas, sir Edward. Voilà précisément pourquoi je suis venue vous demander conseil. Je voulais savoir s'il me reste d'autres options.

— Pouvez-vous payer une assez forte somme afin que je tente de parvenir à un accord ?

— C'est hors de question, sir Edward. Je n'ai pas deux mille livres. Alors ne parlons pas de deux millions...

— Je vous remercie d'avoir répondu sincèrement à toutes mes questions, lady Virginia. Mais, vu les circonstances, il serait inutile que j'essaye de gagner du temps et de retarder la procédure... Lord Goodman est malin comme un singe et il devinera clairement ce que je manigance. Vous seriez, en outre, condamnée aux dépens, ce qui ne ferait qu'aggraver votre situation. Et le juge délivrerait une ordonnance vous obligeant à payer en premier tous les frais judiciaires.

— Alors, que me conseillez-vous ?

— Malheureusement, madame, il ne nous reste que deux possibilités. Je peux m'en remettre à la partie adverse, ce qui, à mon avis, n'a aucune chance de l'émouvoir...

— Et la seconde option ?

— Vous pouvez vous déclarer en faillite. Ce qui ferait comprendre à la partie adverse que vous assigner en justice pour récupérer deux millions de livres constituerait une perte complète de temps et d'argent. À moins que M. Grant ne cherche qu'à vous humilier publiquement.

Mᵉ Makepeace se tut, dans l'attente de la réponse de sa cliente.

— Je vous remercie de vos conseils, sir Edward, finit-elle par dire. J'ai besoin d'un peu de temps pour prendre une décision. Je suis certaine que vous comprendrez.

— Naturellement, milady. Toutefois, ce ne serait pas professionnel de ma part d'omettre de vous rappeler que la lettre de Goodman est datée du 13 mars. Si nous ne répondons pas avant le 13 avril, vous pouvez être sûre que la partie adverse n'hésitera pas à mettre sa menace à exécution.

— Puis-je vous poser une dernière question, sir Edward ?

— Bien sûr.

— Est-il vrai que l'avis d'assignation en justice doit être remis à la personne qui fait l'objet du procès ?

— C'est vrai, lady Virginia, sauf si vous me demandez de la recevoir à votre place.

Le lendemain matin, tandis que le train roulait vers le nord, Virginia réfléchissait aux conseils de son avocat. Au moment où le train entra dans la gare de Salford, elle avait déjà décidé de dépenser une partie des douze mille livres qu'elle était sur le point de toucher pour acheter un billet simple pour Buenos Aires.

Lorsque le taxi la déposa devant l'agence immobilière, ses pensées se tournèrent vers la tâche à effectuer présentement et la somme d'argent qu'elle pourrait accumuler avant son départ pour l'Argentine. Quelques instants après avoir donné son nom au réceptionniste, elle fut introduite sans aucune surprise dans le bureau du premier associé.

Un homme qui avait clairement revêtu son plus beau costume pour l'occasion se leva d'un bond et se présenta. Ron Wilks attendit qu'elle ait pris place avant de se rasseoir derrière son bureau. Sans un mot de plus, il ouvrit un dossier posé devant lui, en tira un chèque de onze mille quatre cents livres qu'il lui tendit. Elle le plia, le rangea dans son sac à main, et elle s'apprêtait à repartir quand elle comprit que M. Wilks avait autre chose à lui dire.

— Au cours de la brève conversation téléphonique que j'ai pu avoir avec M. Mellor, dit-il en essayant de ne pas avoir l'air gêné, il ne m'a pas indiqué ce que je devais faire du mobilier et des autres affaires de sa mère, qui ont été enlevés de la maison et mis au garde-meubles.

— Ont-ils quelque valeur ?

— Un brocanteur du coin a offert quatre cents livres pour le tout.

— Je vais les prendre.

L'agent immobilier ouvrit son carnet de chèques.

— Ce chèque doit-il être également rédigé à l'ordre de lady Virginia Fenwick ?

— Oui.

— Naturellement, cela ne comprend pas les tableaux, ajouta Wilks en lui tendant le chèque.

— Les tableaux ?

— Apparemment, la mère de M. Mellor collectionnait, depuis plusieurs années, les œuvres d'un peintre local, et un marchand de Londres m'a récemment contacté pour m'indiquer qu'il souhaiterait les acquérir. Un certain M. Kalman, de la galerie Crane Kalman.

— Comme c'est intéressant ! fit Virginia en notant le nom, tout en se demandant si elle avait encore le temps de le contacter.

Sur le chemin du retour à King's Cross, elle réfléchit à son emploi du temps des jours prochains. Il lui fallait d'abord vendre les quelques objets de valeur qui étaient encore sa propriété, puis se rendre à Heathrow, avant qu'aucun de ses créditeurs ne s'aperçoive qu'elle s'était fait la malle, pour citer son ami Bofie Bridgwater. Quant à Desmond Mellor, lorsqu'il finirait par sortir de prison, elle serait le cadet de ses soucis, et elle était sûre qu'il ne la poursuivrait pas à l'autre bout du monde pour quelques milliers de livres.

Elle était reconnaissante à sir Edward pour ses conseils. Après tout, on aurait du mal à lui remettre un avis d'assignation en justice si on ne savait pas où elle se trouvait. Pour tromper tout le monde, elle avait déjà annoncé à Bofie qu'elle allait passer quelques semaines dans le midi de la France. Elle ne pensa pas un seul instant à ce qu'il adviendrait de Freddie. Après tout, ce n'était pas son enfant.

Peu après avoir regagné son appartement, elle fut ravie de recevoir un coup de fil de son cousin éloigné, lequel lui confirma qu'un chauffeur l'attendrait à l'aéroport pour la conduire à son domaine campagnard. Elle apprécia les mots « chauffeur » et « domaine ».

Après avoir encaissé les chèques de Mellor, vidé son compte en banque et acheté un billet simple pour Buenos Aires, elle prépara ses bagages. Une longue tâche. Ayant rapidement découvert le nombre élevé d'effets personnels, notamment les souliers, dont elle ne pourrait se passer, elle se résolut à acheter une grande valise de plus. En général, un petit saut chez Harrods résolvait la plupart de ses problèmes, et ce jour-là ne fut pas une exception. Ayant réussi à trouver une malle dont un côté était légèrement cabossé, elle accepta d'en débarrasser le magasin à moitié prix. Le jeune vendeur n'avait pas remarqué la bosse auparavant.

— Il faut à tout prix que vous la livriez ce matin chez moi, à Chelsea, dit-elle au malheureux vendeur.

Au moment où elle sortit sur Brompton Road, un portier en veste verte ouvrit la porte et porta la main à la visière de sa casquette.

— Un taxi, madame ? fit-il.

Elle s'apprêtait à répondre par l'affirmative lorsque son regard se posa sur une galerie d'art de l'autre côté de l'avenue. Crane Kalman... Pourquoi ce nom me dit-il quelque chose ? se demanda-t-elle avant de se souvenir.

— Non, merci, répondit-elle.

Elle traversa Brompton Road en levant une main gantée pour arrêter la circulation. Pourrait-elle gagner deux ou trois cents livres de plus en cédant les vieux tableaux de Mme Mellor ? Une clochette tintinnabula au moment où elle entra dans la galerie, et un petit homme aux cheveux raides et fournis accourut à sa rencontre.

— Que puis-je faire pour vous, madame ? s'enquit-il, incapable de cacher son accent d'Europe centrale.

— Je reviens de Salford, et...

— Ah oui, vous devez être lady Virginia Fenwick. M. Wilks a téléphoné pour m'indiquer que vous pourriez passer si vous souhaitiez vendre la collection de peintures de Mme Mellor.

— Combien en proposez-vous ? s'enquit Virginia, qui n'avait pas de temps à perdre.

— Au fil des ans, répondit M. Kalman qui, lui, ne semblait pas du tout pressé, Mme Mellor a acquis onze huiles et vingt-trois dessins. Peut-être ne saviez-vous pas qu'elle était une amie proche du peintre ? Et j'ai des raisons de croire...

— Combien ? répéta Virginia.

— Cent quatre-vingts me paraît un prix raisonnable.

— Deux cents, et topez là !

Kalma hésita un instant avant de dire :

— Je serais d'accord, milady, et j'irais même jusqu'à deux cent trente si vous pouviez m'indiquer où se trouve le tableau manquant.

— Le tableau manquant ?

— J'ai l'inventaire de toutes les œuvres que le peintre a vendues ou données à Mme Mellor, mais j'ai été incapable de retrouver le *Domaine industriel de l'allée du moulin* dont elle a fait cadeau à son fils, et je me demandais si vous saviez où il se trouve.

Elle savait exactement où il se trouvait mais elle n'avait pas le temps de se rendre à Bristol dans le bureau de Mellor pour le décrocher. Toutefois, il suffisait de passer un coup de téléphone à sa secrétaire pour que celle-ci l'expédie immédiatement à la galerie.

— J'accepte votre offre de deux cent trente et je vais m'assurer que le tableau vous soit livré dans les jours qui viennent.

— Merci, milady, dit Kalman qui regagna sa table de travail, rédigea un chèque et le lui remit.

Elle le plia, le rangea dans son sac à ma main et gratifia le galeriste d'un sourire charmeur, avant de gagner la porte et de ressortir sur Brompton Road où elle héla un taxi.

— Coutts, sur le Strand, dit-elle au chauffeur.

Elle se demandait comment elle allait passer sa dernière soirée londonienne – Bofie avait suggéré Annabel's – lorsque le taxi s'arrêta devant la banque.

— Attendez-moi là, dit-elle. Ça ne devrait pas prendre beaucoup de temps.

Elle entra dans le vestibule, se précipita vers l'un des caissiers et lui tendit le chèque par-dessus le comptoir.

— Je souhaiterais encaisser ce chèque.

— Bien sûr, madame, dit le caissier avant de pousser un « Ah » d'étonnement. Je suppose que vous souhaitez déposer toute la somme sur votre compte ?

— Non, je veux des espèces, répondit Virginia. En billets de cinq livres, de préférence.

— Je ne pense pas que ce soit possible, bégaya le caissier.

— Pourquoi pas ?

— Je n'ai pas deux cent trente mille livres en espèces, milady.

— Elle est disposée à faire une proposition ? dit Ellie May. Mais je croyais qu'elle n'avait plus un sou ?

— C'est ce que je croyais, moi aussi, reconnut lord Goodman. Je sais de source sûre qu'elle a été déshéritée par son père et que pour tout revenu elle a une modeste allocation mensuelle que lui verse son frère.

— Elle propose combien ?

— Un million de livres versé en dix mensualités égales durant les dix prochaines années.

— Mais elle a volé deux millions à mon mari ! s'écria Ellie May. Qu'elle aille se faire voir !

— Je comprends votre réaction, madame Grant, mais lorsque j'ai reçu la lettre, j'ai décidé d'avoir un entretien privé avec sir Edward Makepeace, avocat de la Couronne, qui représente la famille Fenwick depuis de nombreuses années. Il a clairement expliqué que cette proposition est absolument définitive et, pour le citer : « Il n'y a aucune marge de manœuvre. » Il a ajouté que, si vous décliniez cette offre, il a reçu l'instruction de recevoir l'assignation en justice au nom de lady Virginia.

— Il bluffe.

— Je peux vous assurer, madame Grant, que sir Edward n'est pas du genre à bluffer.

— Alors, que suggérez-vous ?

— Je comprends parfaitement que vous souhaitiez être complètement remboursée. Toutefois, si nous empruntions cette voie, cela risquerait de prendre plusieurs années pour aboutir à un accord. Et, comme nous le savons, à présent, lady Virginia a assez d'argent pour régler ses frais judiciaires, si bien qu'il se pourrait que vous ne vous retrouviez guère plus avancée avec, en plus, de lourds frais de justice à payer. Je ne suis pas persuadé qu'elle paiera de sa propre poche. Je pense que c'est son frère, le dixième comte, qui va la tirer d'affaire. Cependant, même lord Fenwick a ses limites... Et puis, reprit Me Goodman après un instant d'hésitation, nous devons tenir compte de tous les autres aspects du dossier.

— Par exemple ?

— Si l'affaire passait au tribunal, lady Virginia serait ruinée et risquerait même de se retrouver en prison.

— Rien ne me plairait davantage.

— Et la réputation de votre mari en souffrirait.

— Comme serait-ce possible alors que c'est une innocente victime ?

— À l'évidence, madame Grant, vous n'avez pas eu à souffrir de la presse britannique quand elle est déchaînée.

— Je ne sais pas de quoi vous parlez.

— Alors, permettez-moi de vous assurer que l'affaire serait relatée à satiété dans les tabloïds et que la réputation de votre mari risquerait d'être atrocement souillée. Les journaux le décriraient comme un crétin, comme un pauvre couillon.

— Ce qui est la pure vérité, renchérit Ellie May avec mépris.

— C'est possible, madame Grant. Mais est-ce là quelque chose que vous souhaitez partager avec le monde entier ?

— Quelle est l'autre solution ?

— Après mûre réflexion, j'ai pensé que vous devriez conclure un accord, même si vous le trouvez peu satisfaisant. Acceptez l'offre d'un million de livres, rentrez aux États-Unis et oubliez cette désagréable expérience. Je suggérerais cependant que vous mettiez une condition : si lady Virginia omettait un seul des dix paiements annuels, elle devrait alors régler toute la somme.

Lord Goodman attendit la réaction d'Ellie May, qui resta silencieuse.

— Mais vous êtes la cliente et j'obéirai à vos instructions, quelles qu'elles soient.

— Feu mon grand-père écossais, Duncan Campbell, avait coutume de dire : « Mieux vaut un dollar à la banque, petiote, que la promesse d'une fortune. »

— Était-il avocat, par hasard ?

— Voilà une sacrée bonne proposition, dit Knowles.

— Peut-être un peu trop bonne, dit Sloane.

— Que voulez-vous dire ?

— Comme vous le savez, Jim, je suis de nature soupçonneuse. Mellor a beau être derrière les barreaux, cela ne veut pas dire qu'il reste allongé toute la journée sur sa couche à s'apitoyer sur son sort. N'oubliez pas qu'à Belmarsh se trouvent certains des plus grands criminels du pays, et ils ne seront que trop heureux de conseiller un homme qu'ils croient riche.

— Mais comme lui, ils sont tous sous les verrous.

— C'est vrai. Mais il a déjà essayé de me coincer une fois et il a failli réussir son coup.

— Le dénommé Sorkin envoie son jet privé pour nous emmener passer le week-end sur son yacht au cap Ferrat. Que vous faut-il de plus ?

. — J'ai horreur des avions et je me méfie des gens qui possèdent des yachts. En outre, à la City, personne n'a jamais rencontré Conrad Sorkin.

— Je pourrais toujours y aller seul.

— C'est hors de question. On va y aller ensemble. Mais si j'ai, ne serait-ce qu'un instant, le sentiment que Sorkin n'est pas ce qu'il prétend être, on rentrera sur le vol suivant, et pas à bord de son jet privé.

Lorsque Virginia reçut une lettre de son avocat confirmant que Mme Ellie May Grant avait accepté son offre, elle ne sut comment réagir. Après tout, avec deux cent trente mille livres en caisse, elle pourrait mener une vie assez confortable à se balader dans toute l'Europe et séjourner chez des amis. Mais elle avoua à Bofie que Londres lui manquerait – Ascot, Wimbledon, Glyndebourne, la garden-party royale, les concerts-promenades, Annabel's et Harry's Bar –, surtout lorsque tous ses copains continentaux auraient repris le chemin de Londres pour la saison.

Bien qu'elle ait déposé le chèque à la banque Coutts, elle reconnaissait que si elle honorait l'accord, l'argent serait épuisé en deux ans. Ne ferait-elle pas alors que repousser l'inévitable voyage en Argentine ? Mais, d'autre part, il se pouvait que quelque chose d'autre survienne entre-temps et elle avait encore jusqu'au 13 avril pour prendre une décision définitive.

Après avoir changé plusieurs fois d'avis, c'est à contrecœur que, le 13 avril, elle remit à son avocat le premier versement de cent mille livres et paya ses petites dettes, emprunts, ainsi que ses frais judiciaires, ce qui lui laissa cent quatorze mille livres sur son compte courant. Son frère continuait à lui verser une allocation mensuelle de deux mille livres, alors qu'elle se montait à quatre mille livres avant qu'elle abandonne Freddie. Elle n'avait pas lu ce qui était écrit en petits caractères dans le testament de son père... Et si Archie apprenait qu'elle avait reçu cette somme inespérée, elle devinait qu'il ne lui verserait plus un seul penny.

Le lendemain matin, elle retourna à Coutts et encaissa un chèque de dix mille livres. Elle plaça l'argent dans un sac du grand magasin Swan & Edgar, comme le lui avait demandé

Mellor, ressortit sur le Strand et héla un taxi. Elle n'avait aucune idée de l'adresse du musée des Sciences mais elle était sûre que le chauffeur la connaîtrait. Vingt minutes plus tard, elle fut déposée devant un magnifique bâtiment victorien sur Exhibition Road.

Elle entra dans le musée et se dirigea vers le bureau des renseignements où une jeune femme lui indiqua comment trouver la fusée de Stephenson. Elle traversa à grands pas la salle de l'Énergie, la galerie de l'Espace, puis entra dans la salle de la Construction du monde moderne sans jeter le moindre coup d'œil aux objets uniques qui l'entouraient.

Elle aperçut la blonde décolorée qui se tenait à côté d'une vieille locomotive à vapeur qu'entourait un groupe d'enfants. Les deux femmes n'échangèrent ni un mot ni un regard. Virginia se contenta de placer le sac par terre, à côté d'elle, avant de faire demi-tour et de quitter le musée aussi rapidement qu'elle y était entrée.

Dix minutes plus tard, elle était assise au Harry's Bar et dégustait un martini dry. Un beau jeune homme assis tout seul au comptoir lui sourit. Elle lui rendit son sourire.

Lorsqu'elle se rendit à Belmarsh, le dimanche suivant, elle fut soulagée de découvrir que Mellor ne savait même pas que sa mère possédait une collection de tableaux et qu'il n'avait, à l'évidence, jamais entendu parler du peintre L. S. Lowry. Il avait versé à la vieille dame une petite allocation mensuelle, mais reconnut que cela faisait plusieurs années qu'il ne s'était pas rendu à Salford.

— J'ai vendu ses divers effets pour quatre cents livres, lui raconta Virginia. Que voulez-vous que je fasse de l'argent ?

— Considérez ça comme une prime. J'ai appris ce matin que la remise des fonds s'était passée sans encombre, ce dont je vous suis reconnaissant.

Il jeta un coup d'œil vers Nash qui avait son entretien mensuel avec la blonde décolorée, à l'autre bout du parloir. Ils ne regardèrent pas une seule fois dans sa direction.

14

Adrian Sloane reconnut qu'il pourrait facilement s'habituer à se rendre sur la Côte d'Azur en Learjet. Jim Knowles partageait son avis. Une jeune hôtesse de l'air, qui ne semblait pas savoir grand-chose sur la sécurité aérienne, leur servit une autre coupe de champagne.

— Ne relâchez pas votre attention, ne serait-ce qu'un instant, dit Sloane en refusant le champagne. Nous ne savons toujours pas ce que Sorkin attend de nous.

— Qu'est-ce que ça peut bien nous faire, du moment que le prix est correct ?

Comme l'avion roulait vers le terminal de l'aéroport Nice-Côte d'Azur, Sloane aperçut par le hublot une Bentley Continental qui les attendait sur le tarmac. Ils s'installèrent sur le siège arrière... Ni vérification des passeports, ni file d'attente, ni contrôle de douane. Il était clair que Conrad Sorkin savait à qui distribuer les pots-de-vin.

Des yachts étincelants étaient amarrés bord à bord dans le port. Un seul avait son propre bassin, et c'est devant celui-là que la Bentley s'arrêta. Un matelot élégamment vêtu ouvrit la portière arrière, tandis que deux autres sortaient les bagages du coffre. Au moment où Sloane gravissait la large passerelle, il remarqua à l'arrière du yacht un pavillon panaméen qui flottait doucement dans la brise. Lorsqu'ils mirent le pied sur le pont, un officier en uniforme blanc les salua et se présenta comme le chef de cabine.

— Bienvenue à bord ! lança-t-il en un anglais haché. Je vais vous montrer vos cabines. Le dîner sera servi à 20 heures sur le pont supérieur, mais n'hésitez pas à m'appeler si vous désirez quelque chose avant.

La première chose que Sloane remarqua en entrant dans sa cabine de luxe, ce fut une mallette noire posée au milieu du grand lit. Ayant délicatement fait jouer le déclic, il découvrit, soigneusement empilées, d'innombrables liasses de billets de cinquante livres. Il s'assit au bout du lit et les compta lentement. Vingt mille livres... Était-ce un acompte d'un pour cent sur la somme proposée ? Il referma la mallette et la glissa sous le lit.

Il sortit de la cabine et entra dans celle d'à côté sans frapper. Knowles était en train de compter son argent.

— Combien ? s'enquit Sloane.

— Dix mille.

Seulement un demi pour cent. Sloane sourit. Sorkin avait fait son travail de recherche et déjà deviné lequel des deux signerait l'accord.

Il retourna dans sa cabine, se déshabilla, prit une douche, puis s'allongea sur le lit et ferma les yeux. Il ne fit aucun cas de la bouteille de champagne dans le seau à glace sur la table de nuit. Il fallait qu'il se concentre. Après tout, c'était peut-être l'affaire qui non seulement déciderait de l'heure de sa retraite mais du montant de sa pension.

À 19 h 55, un léger coup fut frappé à la porte. Il se regarda dans la glace, redressa son nœud papillon, puis alla ouvrir. Un maître d'hôtel l'attendait dans la coursive.

— M. Sorkin espère que M. Knowles et vous vous joindrez à lui pour prendre l'apéritif, dit-il, avant de les précéder dans un vaste escalier.

Leur hôte les attendait sur le pont supérieur pour leur souhaiter la bienvenue. Après s'être présenté, il leur proposa une coupe de champagne. Conrad Sorkin ne ressemblait pas du tout à l'homme qu'avait imaginé Sloane... Grand, élégant, il avait l'air à la fois détendu et sûr de lui que donnent la réussite sociale ou la bonne éducation. Il parlait avec un léger accent sud-africain et mit rapidement à l'aise ses invités. Quel âge peut-il bien avoir ? se demanda Sloane. Cinquante, cinquante-cinq ans ? Ayant posé délicatement plusieurs questions, il apprit que Sorkin était né à Cape Town et qu'il avait étudié à l'université américaine de Stanford. Cependant, le petit buste en bronze de Napoléon posé sur le buffet derrière lui révélait peut-être un point faible.

— Où habitez-vous à présent ? demanda Sloane, en faisant pivoter sa coupe de champagne.

— Sur ce bateau. Il possède tout ce dont j'ai besoin et, avantage supplémentaire, cela m'évite de payer des impôts.

— Ça ne vous limite pas un peu ? s'enquit Knowles.

— Non. C'est tout le contraire, en fait. Je jouis du meilleur du monde, littéralement. Je peux me rendre dans tous les ports de mon choix, et, du moment que je n'y reste pas plus de trente jours, les autorités ne s'intéressent pas à moi. Et je pense qu'il est juste de dire que ce bateau possède tout ce que peut offrir une grande ville, y compris un chef que j'ai volé au Savoy. À ce sujet, messieurs, si nous allions dîner ?

Sloane s'installa à droite de son hôte. Il entendit le moteur vrombir.

— J'ai demandé au capitaine, dit Sorkin, de faire lentement le tour de la baie. Vous verrez ainsi à quel point les lumières du port de Nice constituent une extraordinaire toile de fond.

Un serveur remplit leurs verres de vin blanc, tandis qu'un autre posait une assiette de gravlax devant eux.

Sorkin expliqua avec fierté que le carrelet et le steak d'Angus avaient été achetés l'après-midi à Grimsby et à Aberdeen, quelques heures seulement avant qu'ils montent à bord de son jet. Sloane dut reconnaître qu'il avait l'impression d'être en train de dîner dans l'un des meilleurs restaurants londoniens, et la qualité du vin était telle qu'il avait envie qu'on remplisse constamment son verre. Toutefois, il se contenta de deux verres, en attendant que Sorkin indique le motif de son invitation.

Une fois le dernier plat débarrassé et qu'on eut proposé du brandy, du porto et des cigares, le personnel se retira discrètement.

— Et si on parlait affaires ? fit Sorkin, après avoir allumé son cigare et tiré deux bouffées.

Sloane avala une petite gorgée de porto tandis que Knowles se servait un brandy.

— Selon moi, commença Sorkin, vous dirigez à présent une compagnie qui possède quelques biens de grande qualité et, quoique M. Mellor détienne toujours cinquante et un pour cent des actions, tant qu'il est en prison, il ne peut participer aux décisions du conseil d'administration.

— Je vois que vous avez fait vos devoirs, dit Sloane, avant de tirer sur son cigare. Mais lesquels de ces biens vous intéresse en particulier, monsieur Sorkin ?

— Conrad, je vous prie. Permettez-moi de préciser que je n'ai nullement l'intention d'acquérir Mellor Travel. Toutefois, la compagnie possède quarante-deux agences de voyages bien situées dans les centres-ville de tout le Royaume-Uni. En théorie, ces boutiques valent collectivement moins de deux millions de livres, mais, si on les mettait individuellement sur le marché, j'estime qu'elles rapporteraient, en réalité, six, voire sept millions...

— Mais, l'interrompit Sloane, si nous vendions ce qui a le plus de valeur, Mellor Travel ne deviendrait plus qu'une coquille vide, incapable de mener à bien son principal commerce. Je suis sûr que vous savez que la compagnie Thomas Cook nous a déjà offert deux millions de livres pour l'entreprise et qu'elle nous a assuré qu'elle ne mettrait aucun employé à la porte et qu'elle ne vendrait aucun des biens.

— Et ces deux millions seront versés à une compagnie qui sera dirigée par la Cook jusqu'à ce que Desmond Mellor sorte de prison. Si bien que tout ce que vous pourrez espérer tous les deux, c'est une correcte indemnité de licenciement. Voilà pourquoi je suis disposé à vous faire la même offre que la Cook, avec une petite différence... Mes deux millions seront déposés dans la banque de votre choix, dans la ville de votre choix.

— Mais la Banque d'Angleterre... commença Sloane.

— Adrian, la Banque d'Angleterre est, en effet, une très puissante institution, mais je peux citer vingt-trois pays où elle ne possède aucune juridiction ni même d'accords bilatéraux. Il vous suffira de convaincre votre conseil d'accepter mon offre plutôt que celle de la Cook. La compagnie n'ayant que cinq administrateurs et l'un d'entre eux ne pouvant assister aux réunions du conseil, cela ne devrait pas être trop difficile à obtenir bien avant la libération de M. Mellor. Libération qui, je crois comprendre, n'est pas imminente.

— Vous êtes bien renseigné, dit Sloane.

— Disons que nous avons des contacts dans tous les lieux qui comptent et des renseignements de première main qui me permettent de devancer mes concurrents.

— Si j'acceptais vos conditions, dit Sloane, les espèces que j'ai trouvées dans ma chambre constituent-elles un acompte d'un pour cent sur les deux millions que vous offrez ?

Knowles fronça les sourcils.

— Certainement pas, répliqua Sorkin. Considérez-les seulement comme ma carte de visite prouvant mes références.

Sloane vida son verre de porto et attendit qu'il soit à nouveau plein pour réagir.

— Nous avons une réunion du conseil dans deux semaines, Conrad, et soyez assuré que mes collègues administrateurs et moi-même prendrons votre offre très au sérieux.

Se détendant pour la première fois, ce soir-là, le président de Mellor Travel s'appuya au dossier de son siège. Il se permit d'apprécier le porto, persuadé qu'il avait pris la mesure de Sorkin et qu'on pouvait considérer les deux millions comme une première enchère. S'il connaissait déjà la somme qu'il allait demander, il attendrait le petit-déjeuner pour faire le prochain pas.

Knowles avait l'air déçu, conscient que Sloane attendait qu'on lui offre un montant plus élevé. Il avait commis la même erreur lorsque Hakim Bishara avait fait une offre pour la Farthings, et ils avaient perdu l'affaire. Il n'allait pas tomber deux fois de suite dans le même piège. Après tout, il considérait que l'offre de Sorkin était largement suffisante, et il était inutile d'être gourmand. C'était la plus grande faiblesse de Sloane.

— Je crois que je vais aller me coucher, reprit Sloane en se levant lentement, car il avait le sentiment qu'on ne pouvait rien obtenir de plus ce soir-là. Bonne nuit, Conrad. La nuit porte conseil. Peut-être pourrons-nous poursuivre cette discussion demain matin.

— Ce sera avec plaisir, dit Sorkin, tandis que Sloane gagnait la porte d'un pas chancelant.

Knowles ne chercha pas à le suivre, ce qui agaça Sloane, mais il n'en dit rien.

Il dut s'accrocher à la rampe pour descendre l'escalier. Il fut soulagé de voir que le chef de cabine l'attendait sur le pont inférieur car il n'était pas sûr de pouvoir retrouver son chemin. Peut-être n'aurait-il pas dû boire autant de porto après de si bons vins… Mais quand lui offrirait-on à nouveau un troisième – ou bien était-ce un quatrième ? – verre de Taylor's 24 ?

Il tituba au moment où son pied atteignit la dernière marche. Le chef de cabine s'empressa de lui porter secours et de placer délicatement un bras autour de ses épaules. Sloane bascula vers le bastingage et se pencha par-dessus, espérant ne pas vomir, car il savait qu'on mettrait Sorkin au courant. Après avoir respiré l'air pur, il se sentit un peu mieux. Si seulement je pouvais regagner ma cabine et m'allonger, se disait-il, au moment où deux bras costauds lui entouraient la taille et, d'un seul mouvement harmonieux, le soulevaient dans les airs. Se retournant pour tenter de protester, il vit le chef de cabine lui sourire puis le pousser cavalièrement par-dessus bord.

Quelques instants plus tard, Sorkin apparut aux côtés du chef de cabine. Ils restèrent tous les deux silencieux tandis que le président de Mellor Travel disparaissait pour la troisième fois sous les flots.

— Comment avez-vous appris qu'il ne savait pas nager ?

— Renseignement fourni par quelqu'un qui occupait naguère votre poste… répondit Sorkin. Vous trouverez vos vingt mille livres dans la cabine de Sloane, sous le lit.

Nash se pencha en avant et laça l'une de ses chaussures, signe que Mellor devait le rejoindre.

Mellor fit deux tours de cour de plus, avant de s'arrêter à sa hauteur. Il ne fallait pas que les matons soupçonnent quelque chose.

— Le boulot est fait. Inutile d'envoyer des fleurs à son enterrement.

— Pourquoi pas ?

— Il a été immergé.

Ils firent quelques mètres de plus, puis Nash ajouta :

— Nous avons tenu notre promesse, à toi maintenant d'honorer la tienne.

— Pas de problème, dit Mellor, tout en espérant que Nash ne se rendrait pas compte qu'il suait à grosses gouttes.

Quinze jours plus tôt, il avait appelé l'agent immobilier à Bristol et appris que son ancien appartement sur Broad Street n'avait pas encore été vendu. Le marché n'était pas facile, avait expliqué M. Carter, mais si Mellor baissait le prix, il était persuadé qu'on pourrait le vendre. Mellor avait suivi ce conseil et une offre avait été faite, mais l'acheteur ne voulait pas signer avant d'avoir vu le rapport de l'expert, qui ne devait être prêt que dans deux semaines.

En tout cas, le problème Sloane était réglé. Il allait écrire à Knowles pour lui demander de venir le voir dès que possible. Nul doute qu'il se montrerait plus compréhensif maintenant que Sloane n'était plus là pour mener le bal.

Quelques mètres de plus et, espérant qu'il parlait avec assurance, il demanda :

— Où et quand ?

— Jeudi prochain. Je te fournirai les détails dimanche, après la visite de Tracie. Assure-toi seulement que la gentille lady Virginia n'oublie pas d'apporter son sac Swan & Edgar.

Mellor resta en arrière et rejoignit Johnny le Rusé, qui était toujours aussi joyeux. Il est vrai qu'il ne lui restait que dix-neuf jours à purger.

15

— J'imagine que vous n'avez pas dix mille livres à me prêter ?
fit Mellor.

Virginia se demanda s'il plaisantait jusqu'au moment où elle
vit son regard désespéré.

— J'ai un problème passager de liquidités, reprit-il. Et qui
peut être résolu si on m'accorde un peu plus de temps. Mais
j'ai besoin de dix mille livres d'urgence, poursuivit-il en jetant
un coup d'œil à Nash, en pleine conversation de l'autre côté
du parloir avec sa seule et unique visiteuse. De toute urgence,
insista-t-il.

Virginia pensa aux cent quatorze mille livres qu'elle avait
toujours sur son compte en banque et lui fit un charmant
sourire.

— Mais personne ne sait mieux que vous, Desmond, que
je suis pauvre comme Job. Mon frère me verse une allocation
de deux mille livres par mois, ce qui me permet tout juste de
joindre les deux bouts, et la seule rentrée d'argent que j'ai eue
récemment, c'est la petite somme que j'ai reçue après la vente
de la maison de votre mère. Je suppose que je pourrais vous
donner mille livres maintenant et peut-être mille de plus dans
un mois.

— C'est très aimable à vous, Virginia, mais ce sera trop tard.

— Avez-vous des biens que vous pourriez mettre en nantissement (terme qui lui était familier pour l'avoir entendu dans
la bouche du directeur de sa banque chaque fois qu'elle était
à découvert) ?

— Le règlement du divorce a accordé, entre autres, notre
maison de campagne à mon ex-femme. J'ai mis en vente mon
appartement de Bristol. Il vaut environ vingt mille livres et,
bien que quelqu'un ait fait une offre, le contrat de vente n'a
pas encore été signé.

— Et Adrian Sloane ? Après tout, ce ne serait pas grand-chose
pour lui.

— Ce n'est plus possible, répondit Mellor, sans donner d'explication.

— Et Jim Knowles ?

— Je suppose que Jim accepterait de m'aider, répondit Mellor après quelques instants de réflexion, si je mettais l'appartement en nantissement et si ça lui rapportait quelque chose.

— Quoi, par exemple ?

— La présidence de la compagnie, de l'argent, tout ce qu'il souhaite.

— Je vais prendre contact avec lui dès que je rentrerai chez moi pour voir s'il veut bien vous aider.

— Merci, Virginia. Et, bien sûr, il y aura quelque chose pour vous.

Il regarda à nouveau Nash de l'autre côté de la salle qui, Mellor le savait, recevait les instructions concernant l'endroit où devait être effectué le deuxième paiement. Jamais deux fois au même endroit et jamais par la même personne, lui avait déjà expliqué Nash.

— Mais j'ai toujours besoin des dix mille livres avant jeudi, reprit Mellor en regardant Virginia à nouveau. Et vous n'avez aucune idée de quelles pourraient être les conséquences en cas d'échec.

— Tous les combien avez-vous le droit de téléphoner ?

— Une fois par semaine. Mais je n'ai que trois minutes. Et n'oubliez pas que les matons écoutent le moindre mot.

— Appelez-moi, mardi après-midi, vers 17 heures. À ce moment-là, je devrais déjà avoir vu Knowles. Et je ferai tout ce qui est en mon pouvoir pour le convaincre.

— Tout est prêt pour jeudi, dit Nash, lorsque Mellor le rejoignit dans la cour.

— Où et quand ? s'enquit Mellor, peu désireux de reconnaître qu'il n'avait pas l'argent.

— Trafalgar Square, entre les fontaines, midi.

— C'est noté.

— Ce sera la même dame au sac ?

— Oui, répondit Mellor, tout en espérant que non seulement Virginia aurait l'argent, mais qu'elle accepterait, une nouvelle fois, de jouer les intermédiaires.

Nash le regarda de plus près.

— J'espère, dit-il, que tu as bien réfléchi aux conséquences si tu n'effectuais pas le deuxième paiement.

— Pas de problème, répondit Mellor, qui ne pensait pratiquement qu'à ça depuis une semaine.

Il resta en arrière et marcha seul, priant le ciel, espérant que Virginia avait persuadé Knowles de lui prêter les dix mille livres. Il consulta sa montre. Dans cinq heures il aurait la réponse.

— Jim Knowles, annonça une voix à l'autre bout du fil.

— Jim. Virginia Fenwick à l'appareil.

— Virginia, comment allez-vous ? Voilà bien longtemps...

— Trop longtemps. Mais je vais tout de suite me faire pardonner.

— Qu'avez-vous en tête ?

— J'ai une petite proposition à vous faire qui a, je crois, des chances de vous intéresser. Seriez-vous libre pour déjeuner avec moi, par hasard ?

Virginia était assise à côté du téléphone, mardi, à 17 heures, tout à fait consciente qu'elle n'avait que trois minutes pour réciter son texte soigneusement préparé. Elle avait noté trois points clés pour s'assurer de ne pas oublier quelque chose d'important. Lorsque le téléphone sonna, elle décrocha immédiatement.

— 7784.

— Bonjour, ma chérie, c'est Priscilla. J'ai eu envie de te passer un coup de fil pour voir si tu étais libre pour déjeuner jeudi ?

— Pas maintenant, répondit Virginia en lui raccrochant au nez.

Le téléphone sonna à nouveau quelques secondes plus tard.

— 7784, répéta-t-elle.

— Ici Desmond. Avez-vous pu... commença-t-il, souhaitant, à l'évidence, ne pas perdre une seule seconde.

Elle consulta son premier point.

— Oui. Knowles a accepté de vous prêter dix mille livres avec l'appartement de Bristol en nantissement.

— Grand Dieu, merci ! s'écria Mellor en poussant un profond soupir de soulagement qu'elle entendit clairement.

— Mais si vous ne le remboursez pas intégralement dans les trente jours, il exigera un nantissement supplémentaire.

— Quoi, par exemple ?

— Toutes vos actions de Mellor Travel.

— Mais elles valent environ un million et demi.

— C'est à prendre ou à laisser, si je me rappelle bien ses paroles.

Mellor se tut un bref instant, conscient que ses trois minutes s'écoulaient très vite.

— Je n'ai guère le choix. Dites à ce salaud que j'accepte ses conditions et que je le rembourserai dès que l'appartement sera vendu.

— Je vais immédiatement relayer le message, mais il ne lâchera l'argent que lorsqu'il verra votre signature sur le document indiquant que les actions lui appartiendront si vous ne le remboursez pas dans les trente jours.

— Mais comment puis-je le signer à temps ? demanda Mellor, d'un ton à nouveau désespéré.

— Ne vous en faites pas. Ses avocats ont déjà préparé toute la paperasse et un homme l'apportera à la prison dans la soirée. Arrangez-vous seulement pour que quelqu'un le guette.

— Mettez sur l'enveloppe le nom de M. Graves. On peut lui faire confiance, c'est le gardien-chef de mon étage et il m'a déjà rendu deux ou trois services. S'il est bien de garde ce soir, je pourrai renvoyer le document par retour du courrier.

Elle nota le nom, puis consulta à nouveau sa liste.

— Où et quand dois-je livrer l'argent ?

— Jeudi, midi, Trafalgar Square. Votre contact se tiendra entre les fontaines. Assurez-vous seulement de ne pas être en retard.

— Ce sera la même femme ?

— Non. Cherchez un homme chauve, entre deux âges, vêtu d'un blazer bleu marine et d'un jean.

Virginia prit de nouvelles notes.

— Vous êtes un trésor. Je vous suis redevable.

— Puis-je faire autre chose pour vous ?

— Non. Mais je vais vous envoyer une lettre que je voudrais que...

La communication fut coupée.

M. Graves raccrocha le combiné de son bureau et attendit les instructions.

— Vous devez vous assurer d'être de service ce soir lorsque le document arrivera à la porte de la prison.

— Pas de problème. Rares sont les gardiens qui se portent volontaires pour le service de nuit.

— Et assurez-vous que Mellor signe l'accord, il faut que vous en soyez témoin.

— Et qu'est-ce que je fais ensuite ?

— Prenez le document avec vous quand vous aurez terminé votre service et portez-le à l'adresse que Mellor aura inscrite sur l'enveloppe. Et n'oubliez pas que vous avez une tâche de plus à effectuer avant d'être payé.

Graves se renfrogna.

— Vous avez intérêt à regagner votre cellule avant qu'on remarque que vous êtes absent, dit le gardien-chef pour tenter de rétablir son autorité.

— À vos ordres, dit Nash, avant de sortir prestement du bureau et de regagner sa cellule.

Lorsque Virginia se réveilla le lendemain matin, elle trouva une grande enveloppe sur le paillasson. Elle ne voulait pas savoir qui l'avait apportée, ni quand. Elle consulta sa montre : 9 h 14. Knowles ne devait venir chercher l'enveloppe qu'à 10 heures, ce qui lui donnait pas mal de temps.

Elle déchira l'enveloppe pour l'ouvrir et en tira le document, passant rapidement à la dernière page pour vérifier que Mellor avait bien signé. Elle sourit quand elle vit que M. Graves, l'ami de Mellor, avait servi de témoin. Elle remit le contrat dans l'enveloppe, quitta son petit appartement de Chelsea et se dirigea vers une boutique de Pimlico qu'elle avait repérée la veille.

Le jeune homme derrière le comptoir fit deux photocopies du document qu'il fit payer deux livres, plus vingt pence pour une grande enveloppe en papier kraft. Vingt minutes plus tard, elle était de retour chez elle et lisait le journal du matin quand un coup fut frappé à la porte.

Knowles l'embrassa sur les deux joues comme s'ils étaient de vieux amis, mais, dès qu'ils eurent échangé une enveloppe kraft contre une autre, il repartit immédiatement. Virginia rentra dans le salon, déchira la nouvelle enveloppe pour l'ouvrir et compta l'argent. Quinze mille, comme convenu. Ce n'était pas mal pour le travail d'une matinée. Tout ce qu'elle avait à faire à présent, c'était décider si elle allait apporter ou non les dix mille livres à l'homme chauve en blazer et jean qui l'attendrait à Trafalgar Square.

Quand elle arriva à la banque, elle alla tout droit au bureau du directeur. M. Leigh se leva dès qu'elle entra dans la pièce. Sans un mot, elle tira d'un sac Swan & Edgar cinq paquets sous cellophane et la photocopie d'un document de trois pages qu'elle posa sur son bureau.

— Déposez sur mon compte, je vous prie, les cinq mille livres, et rangez ce document avec mes papiers personnels.

M. Leigh inclina légèrement le buste et il s'apprêtait à demander... Mais elle avait déjà quitté la pièce.

Elle sortit sur le Strand et se dirigea lentement vers Trafalgar Square. Elle avait décidé de faire ce que lui avait demandé Mellor, surtout parce qu'elle se rappelait qu'il avait évoqué des conséquences extrêmement graves s'il ne payait pas, et elle ne voulait pas que sa seule autre source de revenus ait des ennuis.

Elle s'arrêta devant l'église St Martin-in-the-Fields et, agrippant fermement son sac Swan & Edgar, elle attendit que le feu passe au rouge avant de traverser la rue. Un vol de pigeons effrayés prit son envol au moment où elle arriva sur la place et se dirigea vers les fontaines.

Un enfant faisait des bonds dans l'eau alors que sa mère le suppliait d'en sortir. Juste derrière eux se trouvait un homme chauve vêtu d'une chemise à col ouvert, d'un blazer bleu marine et d'un jean, qui ne la quittait pas des yeux. Elle marcha vers lui et lui tendit le sac. Il ne regarda même pas à l'intérieur, se contentant de lui tourner le dos et de disparaître parmi la foule des touristes.

Virginia poussa un soupir de soulagement. L'opération s'était déroulée sans encombre et elle pensait déjà avec plaisir au déjeuner avec Priscilla. Elle se dirigea vers la National Gallery et héla un taxi, tandis que l'homme chauve continuait son chemin en sens opposé. Il ne pouvait rater la Bentley gris argent garée devant la Maison de l'Afrique du Sud. Au moment où il s'approcha de la voiture, une vitre fumée descendit en bourdonnant et une main apparut. L'homme remit le sac Swan & Edgar et attendit.

Conrad Sorkin vérifia les dix paquets sous cellophane avant d'en rendre un au messager.

— Merci, monsieur Graves. Dites à M. Nash, je vous prie, que lady Virginia n'est pas venue au rendez-vous.

16

Six hommes étaient assis les uns en face des autres, prêts pour la bataille, même si, en vérité, ils étaient tous dans le même camp. Trois représentaient la Farthings Kaufman et les trois autres la compagnie Thomas Cook, l'un des plus anciens clients de la banque.

Hakim Bishara, président de la Farthings Kaufman, était assis d'un côté de la table, Sebastian Clifton, son directeur général, à sa droite, et Arnold Hardcastle, l'avocat maison, à sa gauche. En face de Hakim, se trouvait Ray Brook, président de la Cook. Il avait à sa droite Brian Dawson, le directeur général de la compagnie, et, à sa gauche, Naynesh Desai, son conseiller juridique.

— Permettez-moi de commencer cette réunion en vous souhaitant la bienvenue à tous, dit Hakim. Puis-je ajouter que nous sommes absolument ravis de représenter la Cook dans sa tentative d'OPA sur Mellor Travel Ltd ? Malheureusement, ce ne sera sans doute pas une OPA par consentement mutuel. En fait, il est plus probable que ce soit une guerre totale et une guerre sanglante, par-dessus le marché. Mais laissez-moi vous assurer, messieurs, que nous allons réussir. À présent, je vais demander à Sebastian Clifton, qui travaille sur le projet depuis plusieurs semaines, de nous indiquer où nous en sommes.

— Merci, président, dit Sebastian en ouvrant un épais dossier posé devant lui. Pour commencer, permettez-moi de résumer notre position actuelle. Voilà un certain temps déjà que la Cook a déclaré son intention d'acquérir Mellor Travel qui possède un certain nombre de biens susceptibles d'apporter une valeur ajoutée à son commerce. Notamment les quarante-deux boutiques situées dans les centres-ville, certaines dans des lieux où la Cook n'est pas présente, ou bien où sa boutique actuelle n'est pas aussi bien située que celle de son concurrent. La Mellor possède également d'excellents employés, fort bien formés, même si depuis un an certains d'entre eux ont pensé qu'ils avaient intérêt à quitter l'entreprise...

— Deux ou trois pour nous rejoindre, l'interrompit Brook.

— Peut-être le moment est-il venu de citer le nom de l'empêcheur de tourner en rond, poursuivit Sebastian. Autrement dit, M. Desmond Mellor, lequel, bien qu'il ne soit plus président de la compagnie, possède toujours cinquante et un pour cent des actions. Par conséquent, une OPA serait quasiment impossible sans sa bénédiction.

— Je crois comprendre que vous avez déjà eu affaire à M. Mellor, dit Dawson en ôtant ses lunettes. Comment sont vos rapports avec lui à l'heure actuelle ?

— Il me semble qu'ils ne pourraient guère être pires, reconnut Sebastian. À l'époque où ma mère en était la présidente, nous siégions tous les deux au conseil d'administration de la compagnie maritime Barrington. Non seulement Mellor a tenté de faire virer ma mère du conseil, mais, n'ayant pas réussi, il a essayé d'acquérir l'entreprise en utilisant des procédés qui furent jugés inacceptables par la commission de l'OPA. Ma mère a gagné la partie et a continué à diriger la Barrington pendant plusieurs années encore, jusqu'au moment où la compagnie a été achetée par la Cunard.

— J'avais invité votre mère à faire partie de notre conseil, dit Brook. Mais, hélas, Margaret Thatcher avait un atout maître.

— Je n'étais pas au courant, dit Sebastian.

— Mais vous vous souvenez, sans doute, que, lorsque la Barrington a lancé le *Buckingham* et, plus tard, le *Balmoral*, Mme Clifton a choisi Cook comme agence de réservation. Nous n'avons jamais eu de meilleur associé, même si j'ai dû m'habituer à ce qu'elle m'appelle à 6 heures du matin ou à 22 heures.

— Vous aussi ? fit Sebastian avec un large sourire. Toutefois, je dois vous avouer quelque chose... Avant que vous nous contactiez à propos de cette OPA, à sa demande, j'ai rendu visite à M. Mellor en prison.

Jessica aurait adoré croquer, à ce moment-là, la mine des trois hommes assis en face de son père.

— Qui pis est, ce jour-là, M. Mellor m'a proposé de me vendre cinquante et un pour cent de la compagnie pour une livre.

— Que voulait-il en échange ? s'enquit Brook.

— Qu'à sa sortie de prison nous lui rendions les cinquante et un pour cent. Également pour une livre.

— Ce n'est guère une proposition alléchante, dit Dawson. Quoique ça ait pu alors être tentant.

— Mais pas assez, intervint Hakim, si on est dans ce cas obligés de côtoyer des gredins comme Sloane et Knowles, qui, à mon avis, devraient être enfermés dans la même cellule que Mellor.

— Cette remarque ne doit pas figurer au procès-verbal, déclara Arnold d'un ton ferme. Elle ne représente pas le point de vue de la banque.

— Je suis d'accord avec vous, Hakim, dit Brook. Je n'ai rencontré Adrian Sloane qu'une seule fois, et ça m'a amplement suffi. Toutefois, permettez-moi de vous demander, monsieur Clifton, si vous pensez qu'il y ait une chance que Mellor envisage de refaire cette proposition ?

— Cela semble improbable. Mais je suis disposé à faire une tentative, du moment qu'il accepte de me recevoir.

— Eh bien, dit Dawson, cherchons à savoir le plus tôt possible si l'offre tient toujours.

— Mais même si Mellor acceptait de vous voir, dit Arnold, je dois vous avertir que les rouages de l'administration tournent encore plus lentement dans le service pénitentiaire qu'à Whitehall.

— Mais je me rappelle, dit Hakim, que Sebastian et vous étiez venus me rendre visite à Belmarsh au pied levé.

— Il s'agissait de visites juridiques, répondit Arnold, lesquelles ne sont pas sujettes aux habituelles restrictions des prisons... N'oubliez pas que vous étiez mon client.

— Par conséquent, si Mellor était d'accord pour que vous le représentiez, dit Hakim, cela nous permettrait de court-circuiter la bureaucratie.

— Mais pour quelle raison envisagerait-il cette possibilité ? s'enquit Dawson.

— Parce que Barry Hammond, un détective privé employé par la Farthings, expliqua Sebastian, a découvert que c'est Sloane qui a fait de Mellor un bouc émissaire. Voilà pourquoi Mellor s'est retrouvé derrière les barreaux. Et, une fois qu'il a été écarté, Sloane, avec le concours de son ami Knowles, s'est autoproclamé président de Mellor Travel, qui depuis ce jour n'a ni déclaré de bénéfices ni distribué des dividendes. C'est pourquoi il se peut que Mellor soit assez désespéré pour considérer qu'entre deux maux il faut choisir le moindre.

— Et qu'avez-vous réussi à découvrir sur nos autres rivaux ? demanda Brook.

— Ils sont encore pires, répondit Sebastian. Sorkin International n'est pas une compagnie facile à contacter. Son siège social se trouve à Panama et, bien qu'elle ait un numéro de téléphone, personne ne décroche jamais.

— Conrad Sorkin est-il lui-même basé à Panama ?

— Non. Il passe le plus clair de son temps à bord d'un yacht qui navigue constamment. En fait, il y a sept pays où il est en ce moment *persona non grata*... Malheureusement, le Royaume-Uni n'est pas l'un d'eux. Quoi qu'il en soit, il semble avoir recours à des avocats véreux, à des compagnies fictives, et il utilise même des noms d'emprunt pour avoir une longueur d'avance sur la loi.

— C'est l'associé idéal pour Sloane et Knowles, suggéra Brook.

— Tout à fait d'accord, dit Sebastian. Et, comme vous le savez, Sorkin a récemment égalé notre enchère de deux millions pour acquérir Mellor Travel. Cependant, je crois qu'il ne faut pas s'attendre à être traité en égal.

— Mais Sorkin ne peut certainement pas lancer une OPA en bonne et due forme sans l'appui de Mellor, affirma l'avocat de la Cook.

— Il n'en a pas besoin, dit Hakim, parce que nous ne sommes pas persuadés que ce soit là son but, comme Seb va vous l'expliquer.

— Je suis à peu près sûr que ce n'est pas la compagnie qui intéresse Sorkin, dit Sebastian, mais seulement les quarante-deux boutiques et bureaux, qui valent théoriquement un peu moins de deux millions de livres, alors que mon expert foncier les a évalués à plus de cinq millions.

— Voilà donc ce qu'il manigance, dit Dawson.

— Je pense qu'il vendra allègrement les biens sans consulter Mellor, dit Arnold, et sans même avoir peur d'enfreindre la loi, parce que je devine que M. Sorkin aura disparu dans la nature bien avant d'être rattrapé par la police.

— Pouvons-nous faire quelque chose pour l'arrêter ? demanda Brook.

— Oui, répondit Sebastian. Nous emparer des cinquante et un pour cent de Mellor et virer Sloane.

Lorsqu'une lettre atterrit sur le paillasson de Virginia, le lendemain matin, elle reconnut l'écriture. Elle l'ouvrit et trouva à l'intérieur une autre enveloppe portant le nom de Mlle Kelly Mellor, sans adresse, mais sur laquelle était griffonné le mot suivant :

> *S'il vous plaît, assurez-vous que cela parvienne à Kelly. C'est très important.*
> *Desmond*

Elle s'empressa de déchirer pour l'ouvrir la deuxième enveloppe et se mit à lire la lettre que Desmond avait écrite à sa fille.

Ma chère Kelly...

Sebastian s'apprêtait à entrer dans l'ascenseur lorsque Arnold Hardcastle accourut vers lui dans le couloir.

— N'avez-vous pas une femme et une famille qui vous attendent à la maison ?

— Il y a une bonne nouvelle, dit Arnold, ignorant la remarque. Mellor a non seulement accepté de nous voir, mais il veut que la réunion ait lieu le plus tôt possible.

— Parfait. Hakim sera enchanté.

— J'ai déjà parlé au directeur de la prison et il a accepté qu'une réunion juridique se tienne dans la prison demain, à midi.

— Hakim voudra y assister.

— Qu'à Dieu ne plaise ! s'écria Arnold. Il finirait sans doute par l'étrangler, et qui pourrait lui en vouloir ? Non. C'est vous qui devez représenter la Farthings. Après tout, c'est vous qu'il a demandé à voir lorsqu'il a fait sa première proposition. Je suggérerais également que Ray Brook soit présent afin que Mellor comprenne qu'il s'agit d'une offre sérieuse. Discussion entre deux présidents. Cela l'impressionnera.

— C'est une bonne idée.

— Avez-vous quelque chose de prévu pour demain matin ?

— Si c'est le cas, répondit Sebastian, en ouvrant son agenda, c'est sur le point d'être annulé.

Virginia contacta la mère de Kelly, mais celle-ci ne fut pas du tout coopérative. Elle pensait sans doute que Virginia était la petite copine de Mellor. Elle lui apprit néanmoins que la dernière fois qu'elle avait eu des nouvelles de sa fille, celle-ci se trouvait quelque part à Chicago. Depuis, reconnut-elle, elle avait perdu tout contact.

Le lendemain matin, à 11 heures, Sebastian, Arnold et Ray Brook montèrent à l'arrière d'un taxi, et Sebastian demanda au chauffeur de les emmener à la maison d'arrêt Belmarsh. Cela ne sembla guère l'enchanter.

— Il a peu de chances de prendre un client pour le retour, expliqua Arnold.

— Pourquoi partons-nous si tôt ? s'enquit Brook.

— Vous comprendrez lorsque nous y arriverons, répondit Arnold.

En route, ils discutèrent de la tactique à employer et tombèrent d'accord sur le fait qu'il fallait avant tout mettre Mellor à l'aise et lui donner le sentiment qu'ils étaient de son côté.

— Mentionnez constamment les noms de Sloane et de Knowles, dit Sebastian, parce que je suis sûr qu'il préfère faire affaire avec nous qu'avec eux.

— Je ne pense pas qu'il aurait accepté de nous voir, dit Brook, comme le taxi quittait la ville et se dirigeait vers l'est, si nous n'avions aucune chance.

Lorsque le taxi s'arrêta devant le large et imposant portail vert de la maison d'arrêt, chacun d'entre eux connaissait son rôle. Arnold devait ouvrir la discussion et s'efforcer de convaincre

Mellor qu'il fallait les suivre, eux. Puis, lorsque Sebastian sentirait que c'était le bon moment, il lui ferait une offre d'un million cinq pour ses actions. Brook confirmerait que l'argent serait viré sur son compte dès qu'il signerait le document relatif à la cession et que, en prime, Sloane et Knowles seraient remerciés avant la fin de la journée. Sebastian commençait à avoir davantage confiance.

Lorsqu'ils entrèrent tous les trois dans la prison, on les accompagna jusqu'au corps de garde, où ils furent méticuleusement fouillés. Le canif porte-clés de Brook fut immédiatement confisqué. Le président de la Cook avait beau avoir visité presque tous les pays du monde, il était clair qu'il n'était jamais entré dans une maison d'arrêt. Ils laissèrent tous leurs objets de valeur, ainsi que leurs ceintures, au sergent à l'accueil, puis, accompagnés de deux autres gardiens, ils traversèrent la cour pour gagner le bloc A.

Ils franchirent plusieurs portes barrées qu'on ouvrait avant de les refermer derrière eux, puis arrivèrent à une salle d'entretien au premier étage. La pendule accrochée au mur indiquait 11 h 55. Brook n'avait plus besoin de demander pourquoi ils étaient partis de si bonne heure.

L'un des gardiens de service ouvrit la porte pour permettre aux trois hommes d'entrer dans une pièce rectangulaire aux murs de verre. Bien qu'on les y ait laissés seuls, deux gardiens se postèrent à l'extérieur pour les observer. Ils étaient chargés de s'assurer que personne ne refile de la drogue, des armes ou de l'argent au prisonnier. Rien ne plaisait davantage aux matons que d'arrêter un avocat.

Les trois visiteurs s'assirent autour d'une petite table carrée placée au centre de la pièce, laissant une chaise inoccupée pour Mellor. Arnold ouvrit un porte-documents et en sortit un dossier, d'où il tira un certificat de cession d'actions, ainsi qu'un contrat de trois pages, dont il vérifia une fois de plus les termes, avant de le poser sur la table. Si tout se déroulait comme prévu, quand ils quitteraient la prison, une heure plus tard, deux signatures figureraient au bas de la page.

Sebastian n'arrêtait pas de consulter la pendule murale, conscient qu'on ne leur accorderait qu'une heure pour conclure le marché et signer tous les documents juridiques nécessaires.

À l'instant où la petite aiguille atteignit 12, un homme portant une chemise rayée, un nœud papillon vert et une veste en tweed entra dans la pièce. Arnold se leva immédiatement.

— Bonjour, monsieur le directeur, dit-il.

— Bonjour, monsieur Hardcastle. Je regrette de devoir vous informer que cette réunion ne pourra pas avoir lieu.

— Pourquoi donc ? demanda Sebastian en se levant d'un bond.

— Lorsque le gardien en charge de la section a ouvert la cellule à 6 heures du matin, il a découvert que le lit avait été relevé et que Mellor s'était pendu en utilisant un drap comme nœud coulant.

Sebastian s'effondra sur sa chaise.

Le directeur se tut pour permettre aux trois hommes de digérer la nouvelle, avant d'ajouter d'un ton neutre :

— Hélas, les suicides ne sont que trop fréquents à Belmarsh.

Lorsque Virginia lut l'entrefilet annonçant le suicide de Mellor, à la page 11 de l'*Evening Standard,* sa première pensée fut qu'une autre source de revenus s'était tarie. Puis elle en eut une deuxième.

17

— C'est si rare désormais d'avoir toute la famille réunie pour le week-end, dit Emma, alors qu'ils entraient dans le salon après le dîner.

— Et nous savons tous à qui la faute, dit Sebastian. J'espère seulement que le boulot t'amuse toujours.

— « Amuser » n'est pas le mot exact, mais pas un jour ne passe sans que je pense que j'ai énormément de chance qu'une rencontre inopinée avec Margaret Thatcher ait complètement bousculé le cours de ma vie.

— Travailler pour la Première ministre, c'est comment ? s'enquit Samantha en se servant une tasse de café.

— En réalité, je ne la vois pas très souvent, mais chaque fois que je la vois, elle semble savoir exactement ce que j'ai fait.

— Et qu'as-tu fait ? demanda Sebastian en rejoignant sa femme sur le canapé.

— Le nouveau projet de loi sur la Sécurité sociale va sous peu quitter la Chambre des communes pour venir aux Lords. Ce sera à moi de le faire examiner par la Chambre haute, point par point, avant de le renvoyer aux Communes, sans, je l'espère, que l'opposition ne lui ait apporté trop d'amendements.

— Ça ne sera pas facile, dit Grace, vu que Giles essaye constamment de te faire des crocs-en-jambe. Même si je devine que tu vas le coller sur les détails.

— C'est possible. Mais c'est l'un des meilleurs débatteurs des deux chambres, bien qu'il ait été relégué sur les bancs de derrière.

— A-t-il abandonné toute idée de refaire partie du gouvernement fantôme ? demanda Samantha.

— Je crains que oui. Parce que Michael Foot n'a pas dû apprécier ses trop franches déclarations sur l'incident de la parka.

— Arriver en parka au Cénotaphe, à la commémoration de l'armistice[1], témoigne d'un certain manque de jugeote politique, suggéra Sebastian.

— Dommage que Giles n'ait pas su tenir sa langue à ce propos, dit Grace, comme Emma lui tendait une tasse de café.

— Si le premier banc y perd, reprit Sebastian, nous, nous avons gagné au change. Depuis que Giles siège au conseil d'administration de la Farthings, il nous a ouvert des portes dont nous n'avions pas la clé.

— Sa présence au conseil d'administration d'une banque de la City, voilà autre chose qui n'a pas dû beaucoup plaire à Michael Foot, dit Emma. Je ne pense pas que vous le reverrez sur le premier banc avant que le Parti travailliste ait un nouveau chef.

— Et peut-être même pas alors, dit Sebastian. J'ai peur que la prochaine génération considère Giles plus ou moins comme un dinosaure et, pour, citer Trotski, le jette dans les poubelles de l'histoire.

— Il serait difficile de faire entrer un dinosaure dans une poubelle, dit Harry, installé dans un fauteuil de coin sur lequel personne d'autre n'aurait songé à s'asseoir.

Le reste de la famille éclata de rire.

— La politique, ça suffit, dit Emma. J'aimerais savoir, poursuivit-elle en se tournant vers Samantha, ce que fait Jessica et pourquoi elle ne passe pas le week-end avec nous ?

— Je crois qu'elle a un petit ami, expliqua Sam.

— Elle n'est pas un peu jeune pour ça ? demanda Harry.

— Elle a seize ans, bientôt vingt, rappela Sebastian à son père.

— Vous avez rencontré le jeune homme ? s'enquit Emma.

— Non. En fait, nous ne sommes même pas censés connaître son existence, dit Sam. Mais, alors que je rangeais sa chambre, l'autre jour, je n'ai pas pu éviter de voir un dessin représentant un beau jeune homme, accroché au mur, à côté de son lit, à l'endroit où se trouvait jusque-là un poster de Duran Duran.

---

1. *Remembrance Sunday*, le dimanche du souvenir. Commémoration de l'armistice de 1918, le deuxième dimanche du mois de novembre. Le Cénotaphe est le monument aux morts des deux guerres mondiales. Il se trouve sur Whitehall.

— Ma fille me manque toujours, dit Harry d'un ton mélancolique.

— Il y a des fois où je serais ravi de te donner la mienne, dit Sebastian. La semaine dernière, je l'ai interceptée alors qu'elle tentait de quitter discrètement la maison en minijupe, talons aiguilles et avec du rouge à lèvres rose. Je l'ai envoyée se changer et enlever le rouge à lèvres. Elle s'est enfermée dans sa chambre et elle ne m'a pas adressé la parole depuis.

— Que savez-vous du jeune homme ? demanda Harry.

— On croit qu'il s'appelle Steve. Et nous savons que c'est le capitaine de l'équipe de football de l'école, dit Sam. Je suppose donc que Jessica patiente dans une longue file d'attente.

— Je ne crois pas que Jessica soit du genre à faire la queue.

— Et mon autre petit-enfant ? s'enquit Emma.

— Jake arrive maintenant à marcher sans tomber, répondit Sam. Il passe le plus clair de son temps à se diriger vers la sortie la plus proche, et, franchement, il ne me donne pas une minute de répit. J'ai mis, pour le moment, en suspens l'idée de retravailler, car je ne supporte pas l'idée de le confier à une nounou.

— Je t'admire, dit Emma. Il m'arrive de me demander si je n'aurais pas dû faire la même chose.

— Tout à fait d'accord, renchérit Sebastian, en s'appuyant sur la cheminée en marbre. Je suis l'exemple classique de quelqu'un qui a mal tourné parce que son éducation a été négligée.

— *Gee Officer Krupke*[1] ! s'écria Harry.

— Je ne savais pas que tu aimais les comédies musicales, papa, dit Sebastian.

— J'ai emmené ta mère voir *West Side Story* au Bristol Old Vic pour notre anniversaire de mariage. Et si tu ne l'as pas vue, tu devrais y aller.

— Je l'ai vue, dit Sebastian. Et il y a un moment. La Farthings Kaufman est le principal bailleur de fonds du spectacle.

---

1. « Oh, sergent Krupke ! » Célèbre chanson de Leonard Bernstein de *West Side Story*, dans laquelle les jeunes de la bande des Jets indiquent au sergent Krupke qu'ils ne sont pas par nature des délinquants mais qu'ils n'ont pas reçu une bonne éducation et que leur milieu familial laisse à désirer... Mère droguée, père ivrogne, frère qui porte une jupe, sœur à moustache, etc.

— Je ne savais pas que tu produisais des spectacles, dit Harry. Et, je n'ai, en tout cas, pas vu la moindre allusion à ce sujet dans ton dernier rapport financier.

— J'ai investi un demi-million de l'argent de nos clients dans le spectacle, mais j'ai pensé que cela représentait un trop grand risque pour la famille, même si j'ai moi-même un peu participé.

— On a donc raté une occasion, dit Grace.

— *Mea culpa.* Votre capital vous a rapporté sept virgule neuf pour cent cette année, tandis que mes autres clients ont obtenu huit virgule quatre pour cent. *West Side Story* s'est révélée être un *blockbuster*, pour citer le producteur américain, qui continue à m'envoyer un chèque tous les trimestres.

— Peut-être vas-tu nous faire investir dans ton prochain spectacle ? dit Emma.

— Il n'y aura pas de prochain spectacle, maman. Il n'a pas fallu faire beaucoup de recherches pour constater que j'avais eu la chance des débutants. Sept spectacles du West End sur dix font perdre tout leur argent aux investisseurs. Un sur dix rentre tout juste dans ses frais, ou fait un assez bon bénéfice, et seulement un sur cent double sa mise, et ce sont généralement ceux dans lesquels on ne peut pas investir. Aussi ai-je décidé de quitter le show business tant que je suis gagnant.

— D'après Aaron Guinzburg, le prochain grand succès sera un spectacle appelé *La Petite Boutique des horreurs*[1], dit Harry.

— La Farthings ne va pas investir dans un spectacle d'horreur, affirma Sebastian.

— Pourquoi pas ? fit Emma. Après tout, vous avez essayé d'investir dans Mellor Travel.

— Je continue à essayer, reconnut Sebastian.

— Alors, dans quoi as-tu investi ?

— ICI[2], Royal Dutch Shell, British Aiways et dans la Cunard. Le seul risque que j'ai pris en votre nom, c'est l'achat de quelques actions dans une toute nouvelle compagnie d'autobus appelée Stagecoach, et tu seras contente d'apprendre que l'un des fondateurs est une fondatrice.

---

1. *Little Shop of Horrors* (1982). Comédie musicale américaine de Howard Ashman.
2. Imperial Chemical Industries.

— Et ç'a déjà bien rapporté, dit Harry.

— J'envisage également de prendre une assez importante participation dans Thomas Cook, mais seulement si on réussit à acquérir Mellor Travel.

— Je n'ai jamais beaucoup aimé Mellor, avoua Emma. Mais je l'ai quand même plaint quand j'ai appris qu'il s'était suicidé.

— Barry Hammond n'est pas persuadé qu'il s'agisse d'un suicide.

— Moi non plus, dit Harry. Si William Warwick s'occupait de l'affaire, il ferait remarquer qu'il y a trop de coïncidences.

— Par exemple ? demanda Sebastian, qui était toujours fasciné par la façon dont fonctionnait le cerveau de son père.

— Tout d'abord, Mellor est trouvé pendu dans sa cellule alors qu'on se bagarre pour s'emparer de son entreprise, tandis qu'Adrian Sloane, le président de la compagnie, disparaît dans la nature.

— Je n'étais pas au courant, dit Emma.

— Tu avais des occupations plus importantes, dit Harry, que la lecture du *Bristol Evening Post*. Et, à vrai dire, je n'aurais pas appris ce qui était arrivé à Mellor si les feuilles de chou locales n'avaient pas été obsédées par l'affaire... « Suicide d'un chef d'entreprise de Bristol dans une prison de haute sécurité ». Voilà une manchette typique. Et chaque fois qu'on demande au président de Mellor Travel de faire une déclaration au nom de la compagnie, tout ce qu'on obtient c'est qu'« il n'est pas disponible pour faire un commentaire ». Plus curieux encore : Jim Knowles, présenté comme le président par intérim, s'efforce constamment de rassurer les actionnaires inquiets que les affaires continuent normalement et qu'il annoncera, dans un futur proche, des nouvelles tout à fait intéressantes. Trois improbables coïncidences, et nul doute que William Warwick veuille partir à la recherche d'Adrian Sloane, au cas où l'homme pourrait éclaircir le mystère de la mort de Mellor.

— Mais le directeur de Belmarsh était sûr qu'il s'agissait d'un suicide, dit Sebastian.

— C'est ce que disent toujours les directeurs de prison chaque fois qu'une mort se produit sur leur territoire, expliqua Harry. C'est tellement moins gênant qu'un meurtre, lequel entraînerait une enquête du ministère de l'Intérieur qui risque de mettre jusqu'à une année pour aboutir à des résultats. Non, il manque quelque chose dans cette affaire, bien que je n'aie pas encore découvert le fin mot de l'histoire.

— Pas quelque chose, dit Sebastian. Quelqu'un. Le dénommé Conrad Sorkin.

— Qui est-ce ? s'enquit Grace.

— Un homme d'affaires international louche qui, jusque-là, me semblait-il, travaillait avec Sloane.

— Sorkin dirige-t-il une compagnie de voyages ? demanda Emma. Si c'est le cas, je n'ai jamais eu affaire à lui.

— Non. Sorkin ne s'intéresse pas à Mellor Travel. Il veut juste s'emparer des boutiques et des bureaux que possède l'entreprise afin de faire un rapide bénéfice.

— C'est une pièce du puzzle que je ne connaissais pas, dit Harry. Mais cela peut expliquer une autre coïncidence qui me turlupine : le rôle joué dans cette affaire par un certain Alan Carter.

Fascinés, tous les présents fixèrent Harry en silence pour ne pas interrompre le conteur.

— Alan Carter est un agent immobilier local qui jusque-là n'a joué qu'un rôle mineur dans toute cette saga. Mais à mon avis, son témoignage pourrait être fondamental.

Il se servit une autre tasse de café et en but une petite gorgée, avant de poursuivre :

— Jusque-là on ne lui a accordé, épisodiquement, qu'un entrefilet dans le *Bristol Evening News*. Par exemple, lorsqu'il a indiqué au journaliste chargé des affaires criminelles du journal que l'appartement de Mellor à Bristol était à vendre. Je pensais qu'il le lui avait dit seulement pour faire gratuitement de la publicité à son agence et obtenir un meilleur prix pour le bien de son client. Il n'y a pas de mal à ça. Mais c'est sa deuxième déclaration, prononcée quelques jours après le décès de Mellor, qui m'a particulièrement intrigué.

— Continue, continue ! lança Sebastian.

— Il a déclaré à la presse, sans la moindre explication, que l'appartement de Mellor avait été vendu, mais que son client lui avait demandé de garder une partie de l'argent de la vente en dépôt fiduciaire. Ce que j'aimerais savoir, c'est quel pourcentage on lui a demandé de garder et pourquoi il n'a pas envoyé toute la somme à l'exécuteur testamentaire de Mellor en le laissant décider qui devait hériter cet argent.

— Penses-tu que Carter travaille le samedi matin ? s'enquit Sebastian.

— Dans une agence immobilière, c'est toujours la matinée la plus chargée. Mais ce n'est pas la question que tu aurais dû me poser, Seb.

— Tu rends les gens fous, parfois, intervint Emma.

— Ça, c'est bien vrai, renchérit Sebastian.

— Alors, quelle question Seb aurait-il dû poser ? demanda Grace.

— Qui est le parent le plus proche de Mellor ?

À 8 h 55, le lendemain matin, Sebastian était posté devant Hudson & Jones. Trois employés étaient déjà assis à leurs bureaux en attendant leurs premiers clients.

Une fois la porte ouverte, on pouvait voir, nettement imprimé sur l'un des petits cartons, le nom de M. Alan Carter. Sebastian s'assit en face d'un jeune homme vêtu d'un costume à fines rayures, d'une chemise blanche et d'une cravate de soie verte. Il adressa à Sebastian un sourire accueillant.

— Êtes-vous acheteur, vendeur, ou les deux, monsieur… ?

— Clifton.

— Seriez-vous, par hasard, un parent de lady Clifton ?

— C'est ma mère.

— Eh bien, j'espère que vous la saluerez de ma part.

— Vous la connaissez ?

— Seulement comme présidente de l'hôpital royal de Bristol. Ma femme a eu un cancer du sein et elles se sont rencontrées une fois, un jour où votre mère effectuait sa visite hebdomadaire des chambres.

— Le mercredi matin, de 10 heures à midi. Elle disait que cela lui donnait l'occasion de connaître la véritable opinion des patients et du personnel.

— Et je peux vous dire autre chose. Lorsque mon fils a été renversé à vélo et qu'il s'est tordu la cheville, elle était là à nouveau, cette fois-ci aux urgences pour observer tout ce qui s'y passait.

— Ce devait être un vendredi après-midi, entre 16 et 18 heures.

— Cela ne m'a pas surpris. Mais ce qui m'a étonné, c'est qu'elle se soit approchée de ma femme pour lui parler et qu'elle se soit même souvenue de son nom. Alors, dites-moi ce que vous voulez, monsieur Clifton, parce que je suis votre homme.

— Je crains de ne souhaiter ni acheter ni vendre, monsieur Carter, mais obtenir un renseignement.

— Si je peux vous aider, je le ferai avec plaisir.

— La banque que je représente s'occupe en ce moment d'une OPA sur Mellor Travel et mon attention a été attirée par une déclaration que vous avez faite à la presse locale à propos de la vente de l'appartement de M. Desmond Mellor, sur Broad Street.

— Par laquelle de mes nombreuses déclarations ? s'enquit Carter qui, à l'évidence, était ravi qu'on s'intéresse à lui.

— Vous avez indiqué à un journaliste de l'*Evening News* que vous aviez gardé une partie de la somme correspondant à la vente de l'appartement, au lieu de remettre la somme entière à l'exécuteur testamentaire de M. Mellor. Déclaration qui a déconcerté mon père.

— Quel homme intelligent que votre père ! Ce qu'on ne peut guère dire du journaliste qui aurait dû chercher à en savoir plus.

— Eh bien, moi, j'aimerais en savoir plus.

— Et si je vous apporte mon concours, est-ce que ça rapportera quelque chose à votre mère ?

— Oui. Indirectement. Si ma banque réussit à acquérir Mellor Travel, mes parents bénéficieront de la transaction parce que c'est moi qui gère leur portefeuille d'actions.

— Afin que l'un des deux puisse continuer à écrire, tandis que l'autre dirige les services de la Sécurité sociale.

— Quelque chose comme ça.

— Entre vous et moi, chuchota Carter en prenant un air de connivence, dès le début, j'ai trouvé l'affaire bizarre. Un client qui ne peut vous téléphoner qu'une fois par semaine et qui ne dispose que de trois minutes parce qu'il appelle d'une maison d'arrêt, cela constituait en soi un défi.

— Oui. Je veux bien le croire.

— Remarquez que ses premières instructions étaient plutôt claires. Il souhaitait que l'appartement soit mis en vente et que la transaction soit bouclée en moins de trente jours.

Sebastian sortit son chéquier d'une poche intérieure et écrivit au dos : « trente jours ».

— Il a appelé une semaine plus tard pour faire une seconde requête qui m'a déconcerté, parce que j'avais cru comprendre qu'il était riche.

Sebastian garda son stylo en suspens.

— Il m'a demandé si je pouvais lui accorder un prêt à court terme de dix mille livres à déduire du produit de la vente du bien, car il avait besoin d'argent liquide de toute urgence. Je lui expliquais que la politique de l'agence ne l'autorisait pas lorsque la ligne a été coupée.

Sebastian inscrivit « dix mille livres » et souligna la somme.

— Quinze jours plus tard, reprit Carter, j'ai pu lui annoncer que j'avais trouvé un acheteur pour l'appartement, qui avait déposé dix pour cent du prix demandé chez son notaire mais qui ne verserait le reste qu'après avoir vu le rapport de l'expert foncier. M. Mellor m'a alors demandé quelque chose d'encore plus étrange.

Sebastian continuait de boire les paroles de Carter.

— Une fois la vente conclue, je devais remettre les dix mille livres à l'une de ses amies de Londres, mais pas avant qu'elle ait présenté un document juridique signé par lui-même, avec un certain M. Graves pour témoin, et daté du 12 mai 1981.

Sebastian inscrivit « dix mille livres, doc juridique signé par Mellor/Graves », ainsi que la date.

— Quel que soit le montant de la somme restante, poursuivit Carter, après avoir déduit nos honoraires, l'argent devait être déposé sur son compte personnel à la West, sur Queen Street.

Sebastian ajouta « NatWest Queen Street », à sa liste de plus en plus longue.

— J'ai finalement réussi à vendre l'appartement, mais seulement après que nous avons baissé considérablement le prix. Une fois la transaction conclue, j'ai suivi à la lettre les instructions de M. Mellor.

— Possédez-vous toujours le document ? s'enquit Sebastian, qui sentait son cœur cogner dans sa poitrine.

— Non. Mais une dame a téléphoné à l'agence et, quand je lui ai confirmé que je gardais dix mille livres en dépôt fiduciaire, elle a eu l'air très intéressée, jusqu'au moment où je lui ai précisé que je ne pourrais débloquer l'argent que lorsqu'elle présenterait le document signé par M. Mellor. Elle m'a demandé si une photocopie suffirait, mais je lui ai répondu que je devais voir le document original avant d'accepter de débloquer les dix mille livres.

— Qu'a-t-elle répondu ?

— Franchement, elle est sortie de ses gonds et elle s'est mise à me menacer. Elle a affirmé que j'aurais affaire à son avoué si je ne donnais pas l'argent. Mais j'ai tenu bon, monsieur Clifton, et je n'ai plus eu de ses nouvelles.

— Vous avez eu tout à fait raison.

— Je suis heureux que vous soyez d'accord, monsieur Clifton, parce que, quelques jours plus tard, une chose extrêmement bizarre s'est produite.

Sebastian arqua un sourcil.

— Un homme d'affaires du coin est venu un jour, en fin d'après-midi, alors qu'on était sur le point de fermer et m'a présenté le document original. Aussi n'ai-je eu d'autre choix que de lui remettre l'argent.

Sebastian inscrivit « homme d'affaires ». Il était à présent obligé d'être d'accord avec son père : Carter possédait plusieurs pièces du puzzle. Toutefois, il lui fallait poser encore une question.

— Le nom de cette femme ?

— Non, monsieur Clifton, répondit M. Carter, après une brève hésitation. Je crois avoir été déjà très loin. Mais je peux vous dire que, comme votre mère, il s'agissait d'une lady, mais pas tout à fait comme votre mère, en fait, car je doute qu'elle se souviendrait de mon nom.

Sebastian inscrivit le mot « lady » au dos de son carnet de chèques, avant de se lever.

— Merci, dit-il, en serrant la main de M. Carter. Vous m'avez énormément aidé et je vais transmettre à ma mère vos aimables remarques.

— C'était avec plaisir. Je regrette seulement de ne pouvoir vous donner le nom de la lady.

— Ne vous en faites pas. Mais si, par hasard, lady Virginia essaie de vous joindre, rappelez-moi à son bon souvenir.

18

Sebastian posa son chéquier sur la table devant lui. S'il était clair que Hakim Bishara, Arnold Hardcastle et Giles Barrington étaient intrigués, ils ne dirent rien.

— Je viens de passer le week-end chez mes parents, dans le Somerset, commença Sebastian, et j'ai découvert que mon père s'est énormément intéressé à la mort de Desmond Mellor. Tout comme Barry Hammond, il n'est pas convaincu qu'il s'agit d'un suicide. Une fois qu'on accepte cette possibilité, on a le choix entre plusieurs options.

Les trois hommes assis autour de la table écoutaient attentivement.

— Mon père m'a conseillé de rendre visite à l'agent immobilier du coin et de parler à l'homme qui avait vendu l'appartement de Mellor à Bristol.

Il consulta la longue liste des points fondamentaux qu'il avait notés au dos de son chéquier au cours de son entretien avec Carter. Vingt minutes plus tard, il avait expliqué à son attentif auditoire pourquoi il pensait que la lady en question était lady Virginia Fenwick et que l'homme d'affaires local n'était autre que Jim Knowles.

— Mais comment ces deux-là ont-ils pu se rencontrer ? s'enquit Giles. Ils ne fréquentent guère les mêmes milieux.

— Mellor doit constituer le lien, suggéra Arnold.

— Et l'argent, ajouta Hakim. Parce que cette femme ne perdrait pas son temps avec l'un ou l'autre si cela ne lui rapportait rien.

— Mais cela n'explique toujours pas pourquoi Mellor avait besoin de dix mille livres de toute urgence, dit Giles. Après tout, il était très riche.

— En actions et en biens immobiliers, dit Hakim, mais pas forcément en argent liquide.

— Voilà deux jours que j'essaye de percer ce mystère, reprit Sebastian. Mais, bien sûr, c'est mon père qui a imaginé le scénario le plus probable. Pour comprendre pourquoi Mellor avait besoin de cette somme en espèces, de toute urgence, il pense qu'il faut regarder à l'intérieur de la prison. Il se demande aussi si la mystérieuse disparition d'Adrian Sloane a quelque chose à voir avec cette histoire.

— Peut-être Mellor était-il menacé ? suggéra Arnold. Ce n'est pas inhabituel quand on croit qu'un prisonnier est riche.

— C'est possible, dit Hakim. Mais s'il avait besoin d'un prêt de dix mille livres, de toute urgence, il lui fallait donner quelque chose en nantissement.

— Son appartement de Bristol, par exemple, dit Arnold.

— Mais il n'a pas été vendu à temps pour résoudre son problème de liquidités. Alors, il a dû trouver autre chose.

— Ses actions de Mellor Travel, peut-être ? suggéra Giles.

— Cela ne semble guère probable, répondit Hakim. Elles valent au moins un million et demi, et il n'avait besoin que de dix mille livres.

— Tout dépend de l'intensité de son désespoir, dit Giles.

— C'est la raison pour laquelle je suis persuadé qu'il était menacé par un autre prisonnier, dit Arnold.

— Mais pourquoi demanderait-il à Virginia de l'aider, s'enquit Giles, alors que c'était elle qui avait besoin de lui financièrement, et non le contraire ?

— Elle a dû servir d'intermédiaire, dit Sebastian. Et mon père suggère que c'est comme ça que Knowles est entré dans la danse.

— Et lorsqu'il a compris qu'il pouvait acquérir cinquante et un pour cent de Mellor Travel si Mellor n'était plus là pour verser les dix mille livres dans les trente jours...

— Voilà pourquoi mon père est persuadé qu'il ne s'agit pas d'un suicide, mais d'un assassinat, expliqua Sebastian.

— Jim Knowles est peut-être un sale type, dit Arnold, mais j'ai du mal à croire qu'il puisse se rendre complice d'un meurtre.

— Je devine que c'est là que Sorkin entre en scène, dit Sebastian.

— Et, en me fondant sur mon expérience, ajouta Arnold, je peux apporter un élément supplémentaire. En général, les tueurs à gages demandent environ dix mille livres, et il doit bien y en avoir un ou deux à Belmarsh.

Un long silence s'ensuivit, qu'interrompit Hakim.

— Par conséquent, une fois que Sorkin se serait emparé des actions, si Mellor n'était plus de ce monde, la compagnie tomberait toute cuite entre ses mains. Et nous n'avons aucune chance de tirer quoi que ce soit de Knowles ou de Sloane.

— C'est un autre mystère. Voilà plus d'un mois qu'on n'a pas entendu parler de Sloane. Je ne peux pas croire qu'il ait pris la poudre d'escampette quelques jours seulement avant d'avoir une chance de toucher le gros lot.

— Tout à fait d'accord, dit Hakim. Toutefois, je devine qu'il y a quelqu'un d'autre qui pourrait sans doute répondre à toutes nos questions.

— Lady Virginia Fenwick, dit Sebastian. Nous n'avons plus qu'à choisir la personne qui va la contacter.

— On pourrait toujours tirer à la courte paille.

— Ce n'est pas nécessaire, dit Hakim. Il n'y a qu'une seule personne qui peut réussir, ajouta-t-il en se tournant vers Giles avec un grand sourire.

— Mais voilà près de trente ans que je ne lui ai pas parlé, protesta Giles. Et il n'y a aucune raison de croire qu'elle acceptera de me voir.

— Sauf si tu pouvais lui offrir quelque chose d'irrésistible, dit Sebastian. Après tout, nous savons que Mellor était prêt à payer dix mille livres pour récupérer le document, alors, tu n'auras qu'à découvrir combien elle demande pour t'en remettre une copie.

— Et comment savons-nous qu'elle en possède une ? s'enquit Arnold.

— C'est un autre renseignement que M. Carter m'a aimablement communiqué, répondit Sebastian.

— Ce qui pose la question de savoir qui possède l'original, fit remarquer Hakim.

— C'est Knowles, répondit Sebastian sans hésiter. N'oubliez pas que c'est lui qui a reçu les dix mille livres des mains de Carter.

— Mais au nom de qui ? demanda Arnold.

— On tourne en rond, dit Hakim. Mais je suis sûr que lady Virginia pourrait nous indiquer la bonne direction, ajouta-t-il en regardant à nouveau Giles avec un large sourire.

Giles passa un bon bout de temps à essayer d'élaborer une stratégie pour contacter Virginia. Une lettre serait synonyme de perte de temps, sachant d'expérience qu'il se passait souvent plusieurs jours avant qu'elle ouvre son courrier. Et même si elle l'ouvrait, il était extrêmement peu probable qu'elle prenne la peine de répondre à une lettre venant de lui. La dernière fois qu'il lui avait téléphoné, elle avait raccroché avant qu'il ait eu le temps de prononcer une deuxième phrase. Et s'il apparaissait sur le seuil de son appartement à l'improviste, il risquait de recevoir une gifle ou qu'elle lui claque la porte au nez. Ce fut Karin qui trouva la solution.

— Cette femme ne s'intéresse qu'à une seule chose, lui dit-elle. Il te faudra lui graisser la patte.

Le lendemain matin, un coursier DHL Express apporta à l'appartement de Virginia, à Chelsea, un pli sur lequel était inscrit « Urgent et personnel », et il ne repartit que lorsqu'elle eut signé le reçu. Elle téléphona à Giles dans l'heure qui suivit.

— C'est une plaisanterie, ou quoi ? demanda-t-elle.

— Pas du tout. Je voulais seulement être sûr de retenir ton attention.

— Eh bien, tu as réussi. Alors, que dois-je faire pour que tu signes le chèque ?

— Me fournir une copie du document que M. Carter voulait voir avant d'accepter de remettre les dix mille livres.

Un long silence s'ensuivit.

— Dix mille livres ne suffiront pas, finit-elle par dire, parce que je sais parfaitement pourquoi tu veux t'en emparer.

— Combien ?

— Vingt mille.

— On m'a autorisé à monter jusqu'à quinze, dit Giles, espérant que le ton était convaincant.

Nouveau long silence.

— Dès que je recevrai un chèque de quinze mille livres, je t'enverrai une photocopie du document.

— Pas question, Virginia. Je te remettrai le chèque quand tu me donneras une photocopie du document.

Elle se tut à nouveau, avant de dire :

— Où et quand ?

Juste après 14 h 45, le lendemain après-midi, Giles poussa la porte à tambour du Ritz. Il se dirigea immédiatement vers le Palm Court et choisit une table d'où il pourrait voir entrer Virginia.

Pour passer le temps, il feuilleta l'*Evening Standard*, mais se surprit à lever constamment la tête et à consulter plusieurs fois sa montre. S'il savait qu'elle ne serait pas à l'heure, surtout après qu'il l'eut provoquée, il était également persuadé qu'elle ne serait pas trop en retard, car la banque Coutts fermait à 17 heures et qu'elle voudrait y déposer le chèque avant de rentrer chez elle.

Quand elle entra dans le salon de thé à 15 h 11, il retint son souffle. Personne n'aurait pu deviner que cette femme élégante avait plus de soixante ans. En fait, lorsqu'elle se dirigea lentement vers son ex-mari, plusieurs hommes reluquèrent « la pépé la plus chic du troquet », pour citer Bogart.

Il se leva pour l'accueillir. Comme il se penchait en avant pour l'embrasser sur les deux joues, le léger parfum de gardénia lui fit revivre maints souvenirs.

— Ça fait trop longtemps, mon chéri, ronronna Virginia en s'installant en face de lui.

Et après un très bref instant, elle ajouta :

— Et tu as beaucoup grossi.

Le charme était rompu et cela rappela tout de suite à Giles pourquoi elle ne lui manquait pas.

— Et si on en terminait tout de suite avec les affaires ? poursuivit-elle en ouvrant son sac à main et en en sortant une enveloppe. Je vais te donner ce pour quoi tu es venu mais pas avant que tu ne m'aies remis mon chèque.

— Je tiens à voir le document avant de te remettre l'argent.

— Il va falloir que tu me fasses confiance, mon chéri.

Giles réprima un sourire.

— Parce que si je te laisse le lire, tu risques de penser que tu n'as plus besoin de me rémunérer.

Giles ne put trouver de faille dans son raisonnement.

— Tu pourrais peut-être accepter un compromis, suggéra-t-il. Montre-moi la dernière page du document portant la signature de Mellor et la date et je te montrerai le chèque.

Elle réfléchit un instant avant de répondre :

— Je veux d'abord voir l'argent.

Il sortit un chèque de quinze mille livres d'une poche intérieure et le lui montra.

— Tu ne l'as pas signé.

— Je le ferai dès que je verrai la signature de Mellor.

Elle décacheta lentement l'enveloppe, en tira un mince document juridique et passa à la troisième page. Se penchant en avant, Giles examina la signature de Mellor avec pour témoin un certain M. Colin Graves, gardien-chef de maison d'arrêt, et daté du 12 mai 1981.

Il plaça le chèque sur la table, le signa et le poussa vers Virginia. Elle hésita un bref instant, puis avec un sourire espiègle, elle remit le document dans l'enveloppe et la tendit à Giles. Il la rangea dans sa serviette, avant de déclarer :

— Si tu n'en as qu'une photocopie, qui possède l'original ?

— Ce renseignement te coûtera cinq mille livres de plus.

Il rédigea un deuxième chèque et le lui remit.

— Mais c'est seulement un chèque de mille livres, protesta-t-elle.

— Parce que je crois déjà savoir qui c'est. La seule énigme, c'est la façon dont il s'en est emparé.

— Dis-moi comment il s'appelle, et si tu te trompes, je déchirerai ce chèque et tu pourras en rédiger un autre de cinq mille.

— Jim Knowles l'a reçu de Carter, au nom de Conrad Sorkin.

Le deuxième chèque rejoignit le premier dans le sac à main de Virginia, et, malgré l'insistance de Giles, il était clair qu'elle ne lui révélerait pas comment Sorkin s'était emparé de l'original. Surtout parce que, comme Giles, elle devinait que Desmond ne s'était pas suicidé et qu'elle ne voulait pas être impliquée dans cette affaire.

— Du thé ? suggéra Giles, tout en espérant qu'elle déclinerait l'offre afin qu'il puisse retourner à la banque où les trois autres l'attendaient.

— Quelle bonne idée ! fit-elle. Comme au temps jadis.

Il fit signe à un serveur et commanda du thé pour deux, mais pas de gâteaux. Il se demandait de quoi ils allaient pouvoir parler lorsque Virginia résolut le problème.

— Je crois détenir autre chose que tu aimerais peut-être avoir, reprit-elle avec le même sourire espiègle.

Il ne s'attendait pas à ça. Il s'appuya au dossier de son siège, s'efforçant d'avoir l'air détendu en attendant de découvrir si elle s'amusait seulement à ses dépens ou si elle avait réellement quelque chose d'intéressant à offrir.

Le serveur reparut à leurs côtés et posa au milieu de la table une théière et un assortiment de sandwichs minces comme une feuille de papier à cigarette.

Virginia prit la théière.

— Je joue la maîtresse de maison ? Du lait mais pas de sucre, si j'ai bonne mémoire.

— Oui, merci.

Elle leur servit à chacun une tasse de thé. Il bouillait d'impatience tandis qu'elle ajoutait un soupçon de lait et deux morceaux de sucre avant de reprendre la parole.

— Quel dommage que le coroner ait déclaré que ce pauvre Desmond était décédé *ab intestat*.

Elle but une petite gorgée de thé.

— Earl grey, déclara-t-elle. Il sera difficile de prouver le contraire avant le 12 juin, date à laquelle la compagnie va tomber si commodément entre les mains de ce sympathique M. Sorkin. Et pour la modique somme de dix mille livres, il aura droit à cinquante et un pour cent de Mellor Travel, entreprise qui, selon mes estimations, vaut au moins un million et demi. Et peut-être davantage.

— Le conseil d'administration de la Farthings a déjà étudié ce problème, ainsi que la question de savoir qui sera considéré par le tribunal comme le parent le plus proche de Mellor. Arnold Hardcastle a conclu qu'avec deux ex-épouses, une fille avec qui il a perdu le contact et deux beaux-enfants, la seule bataille juridique risque de durer plusieurs années.

— Tout à fait d'accord, dit Virginia en buvant une nouvelle petite gorgée de thé. Sauf, bien sûr, si quelqu'un tombait sur un testament.

177

Giles fixa sur elle un regard incrédule comme elle rouvrait son sac et en tirait une mince enveloppe en papier kraft, qu'elle brandit pour qu'il la voie. Il regarda, rédigée en une belle écriture moulée, la mention suivante : *Testament et dernières volontés de Desmond Mellor.* Et la date : 12 mai 1981.

— Combien ? s'enquit Giles.

19

Sebastian descendit de l'avion et suivit les autres passagers qui se dirigeaient vers le terminal le plus fréquenté du monde. N'ayant qu'un sac de voyage, il se rendit directement à la douane. Un policier tamponna son passeport et lui dit en souriant :

— Bienvenue aux États-Unis, monsieur Clifton.

Il sortit du terminal et se joignit à une longue file d'attente pour prendre un taxi. Il avait déjà décidé qu'il irait directement à la dernière adresse connue de Kelly Mellor dans le South Side de Chicago. Celle-ci lui avait été fournie par Virginia, mais pas avant qu'elle eût tiré de Giles cinq mille livres supplémentaires. Si Kelly était là, le président de la Farthings considérait que tout cet argent avait été dépensé à bon escient, car il voulait que l'héritière de Desmond Mellor revienne en Angleterre le plus tôt possible. Il fallait que tout soit au point pour la réunion capitale du conseil d'administration, laquelle devait se tenir dix jours plus tard. On y déciderait qui de Thomas Cook ou de Sorkin International acquerrait Mellor Travel, et il se pouvait que Kelly Mellor constitue le facteur décisif.

Il monta à l'arrière d'un taxi jaune et tendit l'adresse au chauffeur. Celui-ci regarda Sebastian de plus près. Il ne se rendait dans ce quartier qu'une fois par mois environ et c'était une fois de trop.

Sebastian s'appuya au dossier du siège et revit ce qui s'était passé durant les dernières vingt-quatre heures. Giles était revenu à la banque juste après 17 heures, muni non seulement d'une photocopie du document juridique montrant que Mellor avait failli perdre cinquante et un pour cent de sa compagnie au profit de Sorkin pour la modique somme de dix mille livres, mais aussi, en prime, de la seule lettre que Mellor ait jamais écrite à sa fille, fournie par Virginia. Acquise, sans aucun doute, après qu'elle eut menacé Giles de brûler la lettre sous ses yeux s'il ne payait pas, car, en bas, à droite, le bord de la lettre légèrement roussi suggérait que Giles n'avait cessé de marchander que lorsqu'elle avait gratté l'allumette. « Il nous faudra agir vite, avait dit Hakim. Il ne nous reste que onze jours avant le prochain conseil d'administration de Mellor Travel, au cours duquel sera choisi le repreneur de la compagnie. »

Cette fois-ci, c'est à Sebastian que le président avait confié la tâche ingrate de prendre l'avion pour Chicago et de ramener à Londres la seule personne qui pourrait empêcher Sorkin de s'emparer de Mellor Travel, même s'il existait un plan B.

Sebastian avait pris à Heathrow le premier vol disponible pour Chicago, et, au moment où l'avion atterrit à O'Hare, il pensait avoir envisagé tous les scénarios possibles, sauf un. N'ayant aucun moyen de la contacter pour la prévenir de sa venue, il ne pouvait, en fait, être sûr que la fille de Mellor habitait au 1532 Taft Road, même s'il était certain que, si elle était là, ce qu'il avait à lui offrir lui donnerait l'impression d'avoir gagné le gros lot.

Alors qu'ils s'engageaient dans Taft Road, il jeta un coup d'œil par la vitre et comprit tout de suite pourquoi ce n'était pas un quartier que les taxis choisiraient pour tourner la nuit à la recherche de clients... Des rangées et rangées de maisons en bois délabrées, n'ayant reçu aucune couche de peinture depuis des lustres, se succédaient. Aucun habitant n'avait pris la peine de mettre un verrou ; il faut dire qu'il n'y avait sûrement rien d'intéressant à voler.

Lorsque le taxi le déposa devant le 1532, son optimisme se renforça. Nul doute qu'un million et demi changerait à jamais la vie de Kelly Mellor. Il consulta sa montre. Il était 18 heures passées. Son seul espoir à présent, c'était qu'elle soit chez elle. Le chauffeur de taxi avait redémarré en trombe avant même que Sebastian ait pu lui donner un pourboire.

Sebastian avança dans la courte allée aménagée entre deux pelouses galeuses que même le plus imaginatif des agents immobiliers n'aurait pu décrire comme un jardin. Il frappa à la porte, recula d'un pas et attendit. Quelques instants plus tard, la porte fut ouverte par une personne qui ne pouvait être Kelly Mellor car elle avait l'air d'avoir cinq ou six ans, tout au plus.

— Bonjour. Je m'appelle Sebastian. Et toi ?

— Qui ça intéresse ? lança une grosse voix bourrue.

Sebastian tourna son regard vers un homme trapu et très musclé qui émergea de l'ombre. Il était vêtu d'un tee-shirt crasseux, sur lequel était inscrit « Marciano's », et d'un jean qu'il semblait porter depuis un mois. Un serpent tatoué sinuait le long de chacun des deux bras musculeux.

— Je m'appelle Sebastian Clifton. Kelly Mellor est-elle là ?

— Vous êtes des impôts ?

— Non, répondit Sebastian, étouffant un rire.

— Ou de ce foutu service de la protection de l'enfance ?

— Non.

Ayant remarqué un bleu pâlissant sur le bras de la fillette, Sebastian n'avait plus envie de rire.

— Je viens d'Angleterre pour annoncer le décès de son père à Kelly et lui indiquer qu'il lui a légué une certaine somme d'argent.

— Combien ?

— Je n'ai le droit de révéler le contenu du testament qu'au parent le plus proche de M. Mellor.

— Si c'est une sorte d'arnaque, dit l'homme en serrant le poing, ça, ça va atterrir en plein sur ta jolie gueule.

Sebastian ne réagit pas. Sans un mot de plus, l'homme pivota sur ses talons.

— Suivez-moi, lança-t-il.

Ce fut d'abord l'odeur qui suffoqua Sebastian lorsqu'il pénétra à l'intérieur de la maison... Des plateaux de restauration rapide à moitié pleins, des mégots et des cannettes de bière vides jonchaient une petite pièce meublée de deux chaises dépareillées, d'un divan et d'un magnétoscope dernière génération. Il ne s'assit pas, se contentant de sourire à la fillette qui se tenait maintenant dans un coin de la pièce et le dévisageait.

— Kelly ! hurla l'homme sans se retourner et sans quitter Sebastian des yeux.

Quelques instants plus tard, une femme apparut, vêtue d'un peignoir sur lequel était brodée l'inscription *The Majestic Hotel*. Elle avait l'air épuisée, alors que Sebastian savait qu'elle n'avait qu'une vingtaine d'années. Il était, cependant, évident qu'elle était la mère de la fillette et elle avait autre chose en commun avec elle : plusieurs bleus et, dans son cas, un œil poché que ne pouvait dissimuler l'épaisse couche de fard.

— Ce type dit que ton vieux a clamsé et qu'il t'a laissé du pognon. Mais il veut pas me dire combien.

Sebastian remarqua que le poing droit était toujours serré. Il voyait que Kelly avait trop peur pour parler. Elle n'arrêtait pas de regarder vers la porte, comme si elle essayait de lui dire qu'il devait s'en aller le plus vite possible.

— Combien ? répéta l'homme.

— Cinquante mille dollars, répondit Sebastian, qui avait décidé qu'un million cinq cent mille livres n'aurait pas été une somme crédible et qu'il n'aurait jamais pu se débarrasser de cet homme.

— Cinquante mille ? Aboulez le fric !

— Ce n'est pas aussi facile que ça.

— Si c'est une entourloupe, vous allez regretter d'être jamais descendu de l'avion.

Sebastian s'étonna de ne pas avoir peur. Tant que cette brute croyait avoir une chance d'empocher facilement de l'argent, Sebastian était sûr d'avoir le dessus.

— Il ne s'agit pas d'une entourloupe, dit Sebastian d'un ton calme. Mais, étant donné qu'il s'agit d'une très grosse somme, avant qu'on puisse lui remettre son héritage, Kelly va devoir m'accompagner en Angleterre pour signer des documents juridiques.

En réalité, Sebastian avait tous les documents nécessaires dans son sac de voyage, au cas où Kelly ne voudrait pas rentrer en Angleterre. C'était le plan B. Il n'avait besoin que d'une signature et d'un témoin, et ensuite il aurait pu lui donner un chèque de banque pour la totalité de la somme, en échange des cinquante et un pour cent de Mellor Travel. Mais, maintenant qu'il avait rencontré son compagnon, les choses n'allaient pas du tout se passer ainsi. Il avait abandonné les plans A, B, voire C, et à présent son esprit carburait.

— Elle va nulle part sans moi, déclara l'homme.

— Ça ne me gêne pas, dit Sebastian. Mais vous devrez payer votre billet d'avion pour Londres.

— Je crois pas un foutu mot de ce que vous racontez, dit l'homme en saisissant un couteau à viande et en se dirigeant vers Sebastian.

Sebastian eut peur pour la première fois. Mais il tint bon et décida même de prendre des risques.

— Ça m'est égal, dit-il en regardant Kelly droit dans les yeux. Si elle ne veut pas l'argent, la somme sera immédiatement versée à sa sœur cadette... Maureen, précisa-t-il après un moment d'hésitation et sans quitter Kelly des yeux un seul instant.

— Je savais pas que t'avais une frangine, dit l'homme en pivotant sur lui-même pour foudroyer Kelly du regard.

Sebastian lui fit un léger, quasiment imperceptible, signe de tête.

— Je ne l'ai pas vue depuis des lustres, Richie, répondit-elle. Je ne savais même pas qu'elle était toujours vivante.

Ces paroles lui suffirent.

— Maureen est bien en vie, dit Sebastian. Et elle espère que Kelly ne rentrera pas en Angleterre.

— Eh bien, elle se trompe, dit Richie. Assurez-vous seulement que cette chienne revienne avec mon argent, dit-il en serrant le bras de la fillette tellement fort qu'elle fondit en larmes. Autrement, elle reverra plus Cindy. Alors, qu'est-ce qu'il faut faire maintenant ?

— Mon avion repart pour Londres demain matin à 10 heures. Je pourrai donc venir chercher Kelly vers 8 heures.

— Cinq cents dollars aideraient à me convaincre que vous allez revenir, dit Richie en brandissant le couteau devant Sebastian.

— Je n'ai pas cette somme sur moi, dit Sebastian, en sortant son portefeuille. Mais je peux vous donner tout ce que j'ai.

Il lui donna trois cent quarante-cinq dollars qui disparurent immédiatement dans la poche arrière du jean de Richie.

— Je viendrai vous chercher demain matin, à 8 heures, dit Sebastian.

Kelly hocha la tête en silence. Sebastian sourit à la fillette et partit sans dire au revoir.

De retour dans la rue, il entama la longue marche vers son hôtel situé en centre-ville, conscient qu'il allait devoir attendre un bon bout de temps avant de voir un taxi. Il jura. Si seulement il avait su que Kelly avait une fille...

183

Il se réveilla à 2 heures du matin ; 8 heures, à Londres. Il avait beau fermer les yeux, il savait qu'il ne retrouverait pas le sommeil. Son horloge biologique fonctionnait et il était tout à fait éveillé sur un autre continent. Quoi qu'il en soit, son esprit était en effervescence. Comment Kelly Mellor avait-elle échoué dans un tel milieu et avec un homme de cet acabit ? Ce devait être à cause de l'enfant.

Lorsque 3 heures sonnèrent dans une église voisine, il téléphona à Hakim à la banque pour lui raconter en détail sa rencontre avec Richie, Kelly et Cindy.

— C'est triste qu'elle soit obligée de rentrer à Chicago pour retrouver sa fille.

Tels furent les premiers mots de Hakim.

— Aucune mère n'accepterait de laisser son enfant avec un pareil monstre, dit Sebastian. En fait, je ne suis même pas sûr qu'elle n'ait pas entre-temps changé d'avis. Il se peut qu'elle ne veuille plus la laisser.

— Pensez-vous que, si vous lui donniez mille dollars en espèces, il laisserait la petite partir avec sa mère ?

— Je ne le pense pas. Mais vingt-cinq mille pourraient le décider.

— Je vous laisse choisir le plan C. Mais assurez-vous d'avoir mille dollars sur vous, au cas où, ajouta Hakim avant de raccrocher.

Sebastian prit une longue douche chaude, se rasa, s'habilla, puis descendit petit-déjeuner avec les autres lève-tôt. Au vu du menu, il se rendit compte qu'il avait oublié la quantité de nourriture que peut avaler un Américain le matin. Il déclina poliment l'offre de gaufres avec du sirop d'érable, d'œufs sur le plat, de saucisses, de bacon et de croquettes de pommes de terre, préférant un bol de muesli et un œuf à la coque.

Il quitta l'hôtel peu après 7 h 30. Le portier héla un taxi, et, cette fois aussi, le chauffeur eut l'air étonné lorsque Sebastian lui indiqua l'adresse.

— Je vais chercher quelqu'un, expliqua Sebastian. Et ensuite nous devons nous rendre à O'Hare.

Le chauffeur s'arrêta devant le 1532 Taft Road quelques minutes avant l'heure prévue et, ayant jeté un coup d'œil à la maison, il n'éteignit pas le moteur. Afin de ne pas énerver Richie outre mesure, Sebastian décida de ne pas bouger jusqu'à quelques minutes avant 8 heures. Mais il n'avait pas remarqué deux paires d'yeux qui regardaient à travers la fenêtre, et, un bref instant plus tard, une porte s'ouvrit sans bruit et la fillette accourut vers lui. Sa mère referma la porte en silence, puis se mit, elle aussi, à courir.

Sebastian se pencha vers la portière et l'ouvrit rapidement pour qu'elles puissent grimper prestement à côté de lui. Kelly la referma.

— Démarrez ! cria-t-elle, sans quitter une seconde la porte de la maison des yeux. Pour l'amour de Dieu, démarrez !

Le chauffeur s'exécuta sans demander son reste.

Ce n'est que quand le véhicule eut tourné au coin de la rue et pris la direction de l'aéroport, que Kelly poussa un profond soupir de soulagement mais sans lâcher sa fille. Elle mit un certain temps à se remettre suffisamment pour dire :

— Richie n'est revenu qu'à 2 heures du matin et il était si soûl qu'il avait du mal à se tenir debout. Il s'est affalé sur le lit et s'est endormi sur-le-champ. Il ne va sans doute pas se réveiller avant midi.

— À ce moment-là, vous et Cindy serez au milieu de l'océan Atlantique.

— Et, il y a quelque chose de sûr, monsieur Clifton, nous ne reviendrons pas ici, déclara-t-elle en continuant à serrer sa fille contre elle. Il me tarde de revoir Bristol. Cinquante mille dollars suffiront amplement à m'acheter un petit chez-moi, à trouver du travail et à inscrire Cindy dans une école correcte.

— Il ne s'agit pas de cinquante mille dollars, dit Sebastian d'un ton calme.

Kelly eut l'air inquiète, son expression indiquant qu'elle craignait de devoir rentrer bredouille au 1532 Taft Road. Sebastian prit dans sa serviette une enveloppe portant le nom de Mlle Kelly Mellor et la lui tendit.

Elle la déchira pour l'ouvrir et en tira une lettre. Au fur et à mesure qu'elle la lisait, elle écarquillait de plus en plus les yeux, incrédule.

Maison d'arrêt de Belmarsh
Londres
12 mai 1981

Ma chère Kelly,

C'est la première lettre que je t'écris et je crains que ce soit la dernière. La pensée de la mort m'a enfin permis de retrouver mes esprits. Il est beaucoup trop tard pour que je rattrape des années d'atroce indignité en tant que père. Mais permets-moi au moins de faire que tu mènes une meilleure vie que moi.

Dans ce but, j'ai décidé de te laisser tous mes biens terrestres dans l'espoir qu'avec le temps tu puisses me pardonner. Je suis le premier à reconnaître que je n'ai pas eu une vie exemplaire, loin de là, mais au moins ce tout petit geste me permettra de quitter ce monde avec le sentiment que, pour une fois, j'ai fait quelque chose de bien. Si tu as des enfants, Kelly, assure-toi de leur donner les possibilités que je ne t'ai jamais données.

Bien à toi,

Desmond Mellor (AZ2178)
Colin Graves, gardien-chef, témoin

PS. Peut-être vas-tu trouver étrange qu'écrivant à ma fille je signe de mon nom entier et qu'un gardien de prison m'ait servi de témoin. C'est simplement pour indiquer que cette lettre doit être considérée comme mon testament.

La lettre tomba sur le plancher du taxi mais seulement parce que Kelly s'était évanouie.

20

— Le conseil doit choisir aujourd'hui, commença le président, la personne qui fera entrer Mellor Travel dans le xxie siècle. Deux compagnies hautement respectées, Sorkin International et Thomas Cook, ont toutes les deux proposé deux millions de livres pour acquérir l'entreprise, mais c'est à nous de décider laquelle des deux répond le mieux à nos besoins actuels. Je dois à présent préciser que j'ai écrit à M. Sorkin et à M. Brook de Thomas Cook pour les inviter à s'exprimer devant le conseil, afin que nous puissions évaluer les mérites de leurs propositions respectives. M. Brook n'a pas jugé bon de répondre à mon invitation. Prenez cela comme bon vous semble, souligna Knowles.

Il se garda de signaler que s'il avait signé la lettre adressée à Brook une semaine plus tôt, il ne l'avait postée que la veille.

— M. Sorkin a non seulement répondu par retour du courrier, mais il a bousculé son emploi du temps chargé pour venir nous voir aujourd'hui et, pour prouver la solidité de ses intentions, a déposé, ce matin même, deux millions de livres à notre banque, poursuivit-il.

Knowles sourit, mais il est vrai qu'on lui avait déjà promis qu'un million supplémentaire serait versé sur son compte à numéro genevois, chez Pieter & Cie, somme qui pourrait être touchée dès que Conrad Sorkin prendrait le contrôle de la compagnie. Mais — et cela Knowles l'ignorait — Sorkin n'avait pas la moindre intention de payer deux millions pour reprendre l'entreprise. Dans quelques heures, il posséderait cinquante et un pour cent de Mellor Travel et tous les membres présents du conseil d'administration auraient perdu leur emploi, Knowles y compris. Et celui-ci pourrait toujours attendre son million.

— Par conséquent, continua Knowles, j'aimerais maintenant inviter M. Sorkin à s'adresser au conseil, afin qu'il puisse vous indiquer la façon dont il voit l'avenir de Mellor Travel si nous acceptons son offre de reprise.

Vêtu d'un costume gris anthracite bien coupé, d'une chemise blanche et d'une cravate aux raies jaunes et cramoisies du MCC[1] qu'il n'avait pas le droit de porter, Sorkin se leva de sa place, à l'autre bout de la table.

— Président, permettez-moi d'abord de vous parler un peu de la philosophie de ma compagnie. En tout premier lieu, Sorkin International croit en ses employés et, par conséquent, elle se doit avant tout de se consacrer à ses équipes, depuis la dame qui prépare et sert le thé jusqu'au directeur général. Je crois par-dessus tout à la loyauté et la continuité du service, et je peux assurer au conseil qu'aucun employé actuel de Mellor Travel ne doit craindre d'être remercié. Je me considère comme le simple protecteur de la compagnie qui œuvre sans désemparer pour le bien des actionnaires. Permettez-moi donc de vous assurer dès à présent que, si Sorkin International a la chance de reprendre Mellor Travel, vous pouvez vous attendre à un rapide accroissement du personnel, car, loin d'en réduire le nombre, j'ai l'intention de recruter davantage d'employés et, tôt ou tard, j'espère que ce sera Mellor Travel qui fera une offre pour reprendre la Thomas Cook, au lieu que ce soit le contraire. Cela va, naturellement, requérir un gros investissement, ce à quoi je m'engage avec joie devant le conseil. Mais, après les déplorables événements de ces derniers mois, ma compagnie aura besoin d'une main ferme et solide à la barre. Pour détourner la formule d'Oscar Wilde : « Perdre un président est malheureux, mais en perdre deux... »

Knowles fut ravi de voir sourire un ou deux membres du conseil.

— Ainsi, poursuivit Sorkin, il me paraît important de témoigner ma confiance non seulement à votre président mais également à tout le conseil. Permettez-moi donc d'affirmer clairement : si aujourd'hui ma compagnie est choisie pour reprendre Mellor Travel, j'inviterai Jim Knowles à conserver la présidence et je demanderai à chacun d'entre vous, sans exception, de rester au conseil.

---

1. Célèbre club de cricket de Londres, le Marylebone Cricket Club – MCC – est l'organisme de gestion de l'équipe nationale anglaise de cricket.

Cette fois-ci, un seul membre du conseil ne sourit pas.

— Travaillons de concert pour remettre rapidement d'aplomb cette entreprise, avant d'avoir le plaisir de la faire croître, afin que Mellor International fasse l'envie des agences de voyages du monde entier. Permettez-moi de terminer en disant que j'espère que vous me considérerez comme la personne idoine pour faire entrer la compagnie dans le prochain siècle.

Il se rassit sous les « Vivat ! » et l'un des administrateurs alla jusqu'à lui tapoter le dos.

— Messieurs, dit Knowles. Puisque le président de la Thomas Cook n'est pas venu, peut-être devrions-nous passer au choix du repreneur de Mellor Travel... Sorkin International ou Thomas Cook ? Je vais à présent demander au secrétaire de la compagnie de procéder au vote.

M. Arkwright se leva lentement et déclara :

— Que les membres du conseil d'administration qui souhaitent voter en faveur de Sorkin International veuillent bien se lever...

La porte s'ouvrit à la volée et trois hommes et une femme entrèrent dans la salle.

— Que signifie cette intrusion ? demanda Knowles, en se mettant sur pied d'un bond. Il s'agit d'une réunion privée, d'un conseil d'administration, et vous n'avez aucun droit d'être là.

Arnold Hardcastle prit le premier la parole.

— Je crains que vous découvriez que nous en avons parfaitement le droit, répliqua-t-il. Vous n'êtes pas sans savoir, monsieur Knowles, que je suis l'avocat de la Farthings Kaufman, et je suis accompagné aujourd'hui de M. Sebastian Clifton, le directeur général de la banque, et de M. Ray Brook, le président de Thomas Cook, qui a reçu, ce matin même, une invitation à assister à cette réunion.

— Et la jeune dame ? s'enquit Knowles, sans chercher à cacher son ironie. Qui l'a invitée ?

— Elle n'a pas reçu d'invitation, répondit Hardcastle. Mais je vais laisser Mlle Mellor expliquer au conseil pourquoi elle est là.

Knowles s'affala sur son siège, comme s'il avait été mis K.-O. par un boxeur poids lourd.

Sebastian fit un sourire rassurant à Kelly. Pendant toute la semaine, il avait passé des heures entières à préparer sa protégée.

Elle s'était révélée une élève douée. Elle était désormais bien vêtue et son œil avait retrouvé une couleur acceptable. La jeune femme affichait à présent la confiance en soi d'une personne consciente de son nouveau pouvoir en tant qu'actionnaire majoritaire de Mellor Travel. Rares étaient ceux qui auraient reconnu en elle la femme que Sebastian avait rencontrée pour la première fois à Chicago, seulement quelques jours plus tôt.

Il avait rapidement découvert qu'elle était très intelligente, et, une fois libérée des fers du 1532 Taft Road, elle avait tout de suite compris ce que signifiait le fait de détenir cinquante et un pour cent de la compagnie de son père. Le jour de la réunion du conseil, elle était fin prête pour jouer son rôle dans l'opération de récupération de ses droits.

L'air pas du tout intimidé, Conrad Sorkin se leva de son siège. Sebastian se doutait, il est vrai, qu'il s'était trouvé dans des situations plus délicates par le passé. Il regardait Kelly droit dans les yeux comme s'il la défiait d'ouvrir la bouche.

— Monsieur Sorkin, lui dit-elle avec un chaleureux sourire. Je m'appelle Kelly Mellor et je suis la fille de feu Desmond Kevin Mellor, qui dans son testament m'a légué tous ses biens.

— Mademoiselle Mellor, rétorqua Sorkin, je dois vous faire remarquer que je possède toujours cinquante et un pour cent des actions de la compagnie, que j'ai achetées tout à fait légalement à votre père.

— Même si c'était vrai, monsieur Sorkin, répliqua Kelly sans avoir besoin que Sebastian lui souffle la réponse, si je vous remboursais vos dix mille livres aujourd'hui, avant la clôture du marché des affaires, ces actions me reviendraient automatiquement.

Hardcastle s'avança, ouvrit sa serviette et en tira le passeport de sa cliente, le testament de Mellor et une traite bancaire de dix mille livres. Il les plaça sur la table, devant Sorkin, qui ne leur prêta aucune attention.

— Avant la clôture du marché des affaires, si vous me permettez de reprendre votre formule, mademoiselle Mellor, dit Sorkin. Et, comme les banques ferment dans douze minutes, dit-il, en consultant sa montre, il me semble que votre chèque ne saurait être encaissé avant lundi matin et, à ce moment-là, le contrat sera nul et non avenu. C'est donc moi, et non vous, qui serai propriétaire de Mellor Travel.

— Si vous prenez la peine de regarder plus attentivement, intervint opportunément Arnold, vous constaterez que ce n'est pas un chèque que nous présentons, mais une traite bancaire, autrement dit, l'équivalent de billets de banque, ce qui permet à Mlle Mellor, en tant qu'héritière de son père, de réclamer son légitime héritage.

Deux ou trois membres du conseil avaient clairement l'air mal à l'aise.

— À l'évidence, maître Hardcastle, rétorqua immédiatement Sorkin, vous ignorez que j'ai déjà reçu l'approbation du conseil pour reprendre la compagnie, comme M. Knowles va vous le confirmer.

— Est-ce la vérité ? s'enquit Sebastian en se tournant vers le président.

Knowles jeta un coup d'œil anxieux à Sorkin.

— Oui. Nous avons déjà voté, et Sorkin International a pris le contrôle de Mellor Travel.

— Peut-être le moment est-il venu que vous partiez, monsieur Clifton, dit Sorkin. Avant que vous ne vous ridiculisiez davantage.

Sebastian s'apprêtait à protester mais il savait que, si le conseil avait voté en faveur de Sorkin International comme repreneur de l'entreprise, il serait contraint d'accepter cette décision. Et, même si Kelly possédait toujours cinquante et un pour cent des actions, une fois que Sorkin en aurait vendu les biens immobiliers, elles n'auraient plus aucune valeur.

Arnold rangeait ses dossiers dans sa serviette lorsqu'une voix solitaire déclara :

— On n'a pas encore voté.

Tous se tournèrent vers l'un des administrateurs qui n'avait rien dit jusque-là.

Sebastian se rappela que, la fois où il lui avait rendu visite en prison, Mellor lui avait dit qu'il lui restait un ami au conseil.

— Nous nous apprêtions à voter, poursuivit Andy Dobbs, lorsque vous êtes arrivés. Et je peux vous assurer, monsieur Clifton, que j'aurais peut-être été le seul, mais que j'aurais soutenu l'offre de Thomas Cook.

— Moi aussi, dit un autre administrateur.

Knowles jeta un regard circulaire autour de la table, à la recherche d'un soutien, mais il était clair que même ses affidés, soigneusement choisis, l'abandonnaient.

— Merci, messieurs, dit Sebastian. Peut-être l'heure est-elle venue de vous retirer, monsieur Sorkin. Ou voulez-vous que je mette ça au vote ?

— Foutez-moi le camp, sale petit bêcheur ! s'écria Sorkin. On ne me menace pas aussi facilement.

— Je ne menaçais personne, dit Sebastian. Au contraire, j'essayais de vous aider. Vous n'êtes pas sans savoir que nous sommes le 12 juin, ce qui signifie que vous résidez dans ce pays depuis vingt-neuf jours. Par conséquent, si vous n'avez pas quitté nos rivages ce soir avant minuit, vous serez soumis à l'impôt britannique, ce que, j'en suis quasiment sûr, vous souhaiterez éviter.

— Vous ne me faites pas peur, Clifton. Mes avocats seront amplement capables de s'occuper d'un foutriquet comme vous.

— C'est possible. Mais vous auriez intérêt à les prévenir que j'ai cru de mon devoir d'informer le service des impôts de votre présence à Bristol. Aussi ne soyez pas étonné si la police monte à bord de votre yacht une minute après minuit et le saisisse.

— Elle n'oserait pas.

— Je ne crois pas que ce soit un risque que vous voudrez courir, car Scotland Yard a ouvert une enquête sur la mort douteuse de Desmond Mellor, tandis que les autorités françaises, qui viennent de récupérer un corps échoué près d'un rivage niçois qui leur paraît être celui d'Adrian Sloane, ont lancé un mandat d'arrêt contre vous.

— Elles ne pourront remonter jusqu'à moi.

— C'est possible. Mais j'ai le sentiment que M. Knowles souhaitera coopérer avec Interpol. En tout cas, s'il ne veut pas passer le restant de sa vie dans la même cellule que vous.

Pâlissant visiblement, Knowles s'affala sur sa chaise.

— Je craindrais pour ma vie si j'étais vous, Clifton, dit Sorkin.

— C'est idiot de proférer une telle menace devant un si grand nombre de témoins, dit Sebastian. D'autant plus que l'un d'entre eux est un avocat de la Couronne qui, vous pouvez le constater, prend note de tous vos propos.

Sorkin fixa Arnold Hardcastle et se tut.

— Franchement, reprit Sebastian, je pense qu'il est temps pour vous, à l'instar de Napoléon, votre héros, de faire une retraite précipitée.

Les deux hommes continuèrent à se regarder droit dans les yeux, jusqu'au moment où Sorkin jeta le contrat sur la table et prit la traite bancaire. Il s'apprêtait à quitter la salle lorsque Kelly s'avança une nouvelle fois et dit :

— Avant que vous partiez, monsieur Sorkin, puis-je vous demander combien vous m'offririez pour mes cinquante et un pour cent de Mellor Travel ?

Tous se tournèrent pour faire face à la nouvelle dirigeante de la compagnie, et Sebastian ne put cacher sa surprise. Cela ne faisait pas partie du scénario soigneusement mis au point. Kelly fixait Sorkin, dans l'attente de sa réponse.

— Je serais disposé à payer vos actions trois millions de livres, répondit calmement Sorkin, conscient qu'il pourrait encore réaliser un beau bénéfice, à présent que Knowles ne toucherait pas son million.

Elle sembla étudier sa proposition avant de dire finalement :

— Je vous remercie de votre offre, monsieur Sorkin. Mais, l'un dans l'autre, je crois que je préfère traiter avec la Farthings Kaufman.

Sebastian lui sourit et poussa un soupir de soulagement.

— Et, comme vous devez vous trouver hors des eaux territoriales avant minuit, monsieur Sorkin, je ne vais pas vous retenir plus longtemps.

— Salope ! lança Sorkin au moment où il passa devant elle en sortant de la salle.

Le sourire de Kelly indiquait que l'insulte la flattait.

Knowles attendit que Sorkin eût claqué la porte derrière lui pour dire :

— Nous étions sur le point de voter, mademoiselle Kelly. Puis-je donc demander au secrétaire de la compagnie de…

— Ce ne sera plus nécessaire, répondit Kelly en prenant l'accord laissé par Sorkin sur la table. Puisque je suis désormais l'actionnaire majoritaire, je déciderai moi-même de l'avenir de la compagnie.

Excellente formulation, pensa Sebastian. Je n'aurais pu faire mieux, moi-même.

— En tant que nouvelle propriétaire, ma première décision est de vous renvoyer, ainsi que tous les autres membres du conseil. Je vous prie tous, par conséquent, de quitter immédiatement la salle.

Sebastian ne put réprimer un sourire au moment où Knowles et les autres administrateurs ramassaient leurs documents et quittaient docilement la pièce.

— Bravo ! fit-il, une fois que fut sorti le dernier membre du conseil.

— Merci, monsieur Clifton, dit Kelly. Et permettez-moi de dire à quel point je vous suis reconnaissante pour tout ce que vous et votre équipe de la Farthings Kaufman avez fait pour rendre cela possible.

— Tout le plaisir était pour moi.

— M. Sorkin ayant été disposé à m'offrir trois millions pour mes actions, poursuivit-elle, je dois à présent demander si Thomas Cook est prêt à me proposer la même somme ?

Elle venait de tourner une nouvelle page du scénario que Sebastian n'avait pas lu. Avant qu'il puisse répondre, Ray Brook gloussa et répondit :

— Marché conclu, ma jeune dame.

— Merci, dit Kelly.

S'adressant au conseiller juridique de la banque, elle ajouta :

— Je vous laisse préparer les documents, maître Hardcastle. Et prévenez-moi dès que vous recevrez les trois millions.

— Je suppose que le signal du départ vient de nous être donné, dit le président de la Cook, incapable de réprimer un sourire.

Sur ce, les trois hommes quittèrent la salle et refermèrent la porte derrière eux. Kelly resta quelques instants assise au bout de la table avant de décrocher le téléphone placé devant elle et de composer le numéro qu'elle avait appelé tous les matins depuis quinze jours.

Dès qu'elle entendit la voix familière, elle déclara :

— Tout s'est passé comme prévu, Virginia.

LADY VIRGINIA FENWICK

1981-1982

21

— Je ne sais vraiment pas comment vous remercier, dit Kelly. Si vous ne m'aviez pas écrit pour m'annoncer la venue de M. Clifton, je n'aurais jamais su qu'il n'était pas du tout un ami de mon père.

— C'était la moindre des choses, dit Virginia.

— Et ces innombrables appels en PCV ont dû vous coûter une fortune...

— J'ai pensé qu'il était important que vous connaissiez la vérité sur la Farthings et sur la façon dont Sebastian Clifton avait traité votre père par le passé.

— Mais il a toujours paru si gentil.

— Cela vous étonne-t-il, alors qu'un si grand nombre de millions était en jeu ? Rappelez-vous que sa priorité a toujours été la Thomas Cook, pas vous.

— Et quelle brillante idée de votre part de chercher à savoir la somme que Sorkin était disposé à payer pour mes actions et ensuite pousser Thomas Cook à m'en offrir autant.

— Votre père était non seulement un ami proche mais il m'a énormément appris sur les affaires, au fil des ans.

— Mais vous n'étiez pas obligée de me prêter vingt mille livres avant que le marché soit conclu.

— J'ai pensé que ça vous dépannerait en attendant.

— Plus que ça. Beaucoup plus. Il faut que je vous rende ce que je vous dois, jusqu'au dernier penny.

— Rien ne presse, dit Virginia qui avait toujours plus de deux cent mille livres sur son compte courant et qui attendait avec impatience une nouvelle manne tombée du ciel. Mais surtout, ma chère Kelly, comment votre petite Cindy s'adapte-t-elle à sa nouvelle vie ?

— Je ne l'ai jamais vue plus heureuse. Elle adore sa nouvelle école et elle a déjà plusieurs amies.

— Je vous envie. J'ai toujours voulu avoir un enfant, mais c'est trop tard maintenant. Peut-être me permettrez-vous d'être une grand-mère d'honneur ?

— Je ne vois pas qui pourrait mieux que vous guider Cindy pendant ses années de construction, dit Kelly.

Elle hésita quelques instants avant d'ajouter :

— Mais je dois discuter de quelque chose d'autre avec vous, Virginia, qui me met un peu mal à l'aise.

— Rien ne doit vous ennuyer avec moi, très chère. Au contraire. Je ne pourrai jamais remercier votre père pour toutes les bontés qu'il m'a accordées au fil des années.

— Et je dois à présent vous remercier pour votre bonté, parce que je sais que vous et mon père étiez non seulement des amis proches, mais également des associés d'affaires... Je dois, par conséquent, vous poser une question embarrassante.

Elle hésita à nouveau, et Virginia ne vint pas à sa rescousse, cette fois-ci.

— Quel pourcentage vous donnait-il, une fois un marché conclu ?

Question à laquelle Virginia s'était soigneusement préparée.

— Desmond était un homme généreux, répondit-elle. Et il me donnait toujours vingt-cinq mille livres comme honoraires, dix pour cent de la somme correspondant à l'accord final, plus les frais encourus à son service. Mais il n'est pas nécessaire que vous...

— Si. Absolument. Je tiens à ce que vous conserviez le même traitement, et vous serez entièrement payée dès que le marché sera conclu avec Thomas Cook.

— Rien ne presse, ma chère. Votre amitié m'est bien plus précieuse.

Cinq semaines plus tard, Kelly reçut de la Thomas Cook un chèque de trois millions de livres, et elle envoya immédiatement un chèque de trois cent quarante-cinq mille livres pour rembourser l'emprunt, régler les honoraires de Virginia, ainsi que les dix pour cent des trois millions.

Virginia ne réclama pas ses frais. Après tout, elle n'avait pas beaucoup investi pour retrouver sa proie. Quelques appels téléphoniques et, une fois Kelly de retour en Angleterre, deux repas au restaurant où personne ne risquait de les reconnaître. La seule véritable dépense avait été le recrutement d'un détective privé à Chicago pour rechercher la Kelly Mellor disparue. Enfin, pour être exact, il avait d'abord trouvé Cindy Mellor dans son école, où il avait remis deux lettres à sa mère, au moment où elle était venue chercher sa fille. Une fois qu'elle eut lu les deux lettres, Kelly passa, cet après-midi-là, un appel en PCV d'une cabine téléphonique. Par conséquent, lorsque Giles contacta Virginia, elle savait pertinemment ce qu'il voulait.

La facture du détective, qui se montait à deux mille dollars, avait été amplement couverte par la Farthings en échange d'une photocopie du testament de Desmond Mellor et de l'adresse qui les conduirait à son parent le plus proche. En outre, Sebastian Clifton lui évita également de payer le voyage à Chicago et de ramener Kelly en Angleterre pour la préparer à son entrevue avec Sorkin, alors qu'il fut obligé de payer le double pour les cinquante et un pour cent de la compagnie détenus par Kelly. Sûre que celle-ci allait désormais remplacer son père comme source de revenus, Virginia décida qu'elle pouvait, pour une fois, se montrer magnanime à propos des frais.

— Voyons si je comprends bien ce que vous proposez, lady Virginia, dit sir Edward Makepeace. Vous voulez que je contacte les avocats de Cyrus T. Grant pour suggérer qu'au lieu de verser cent mille livres par an durant les neuf prochaines années, vous seriez disposée à mettre un terme au litige en payant cinq cent mille livres, en une seule fois.

— Pour mettre un terme définitif au litige, en effet.

— Je vais contacter lord Goodman et je vous ferai savoir ce qu'il pense de votre proposition.

Cyrus T. Grant III mit un mois à accepter de régler définitivement le litige avec Virginia pour la somme de cinq cent
mille dollars, et seulement après avoir été constamment hous-
pillé par Ellie May.

— Comme le disait mon grand-père, lui rappela-t-elle,
« Mieux vaut un dollar à la banque que la promesse d'une
fortune ».

Un mois passa avant que Virginia reçoive une note de deux
mille trois cents livres de la part de sir Edward Makepeace. Ne
sachant pas quand elle aurait à nouveau besoin de ses services,
elle la régla sur-le-champ.

L'une des rares lettres qu'elle avait daigné ouvrir pendant
les semaines suivantes émanait de la Coutts. Elle l'informait
que son compte courant était toujours créditeur de quarante
et une mille livres. Desmond Mellor lui rapportait beaucoup
plus mort que vivant.

Lorsqu'on retarda les pendules d'une heure et que les tempé-
ratures commencèrent à chuter, ses pensées se tournèrent vers
ses vacances d'hiver. Elle avait du mal à se décider entre une
villa sur la Côte d'Azur et la suite royale du Sandy Lane Hotel
à la Barbade. Peut-être allait-elle laisser choisir le jeune homme
qu'elle venait de rencontrer chez Annabel's ? Elle était en train
de penser à Alberto lorsqu'elle ouvrit une autre lettre qui chassa
instantanément de son esprit toute idée de vacances. Une fois
remise du choc, elle chercha le numéro du directeur de la
banque et prit rendez-vous pour le lendemain avec M. Leigh.

— Cent quatre-vingt-cinq mille livres ? protesta-t-elle.
— C'est exact, milady, répondit M. Leigh après avoir pris
connaissance de l'avis des impôts.
— Mais comment est-ce possible ?
— Vous connaissez, je suppose, l'existence de l'impôt sur
les plus-values, milady ?
— J'en connais l'existence, soit. Mais nous n'avons jamais
été présentés.
— Eh bien, je crains que cela ne tarde pas, parce que l'ins-
pecteur des impôts réclame trente pour cent des deux cent

trente mille livres du bénéfice que vous avez réalisé sur la vente des Lowry, ainsi que sur les trois cent mille livres de commission et sur les vingt-cinq mille livres d'honoraires que vous avez perçues après la reprise réussie de Mellor Travel.

— Mais l'inspecteur des impôts se rend-il compte que je ne possède pas cent quatre-vingt-cinq mille livres ? J'ai donné presque tout pour régler ma dette envers Cyrus.

— Vos problèmes personnels laissent de marbre l'inspecteur des impôts, fit inutilement remarquer M. Leigh. Il ne se soucie que de vos revenus et non pas de la manière dont vous les dépensez.

— Que se passera-t-il si je ne réponds pas à sa lettre ?

— Si vous ne répondez pas dans les trente jours, il vous réclamera des intérêts de plus en plus lourds jusqu'à ce que vous payiez.

— Et si ça m'est impossible ?

— Il vous assignera en justice, vous déclarera en faillite et confisquera tous vos biens.

— Qui aurait cru, dit Virginia, que l'inspecteur des impôts serait finalement une pire crapule qu'Ellie May Grant ?

Virginia savait qu'elle ne pouvait compter que sur une seule personne pour résoudre son problème avec le fisc. Et même si cela faisait plusieurs mois qu'elle avait perdu le contact avec elle – « Surcharge de travail », allait-elle expliquer –, elle pensait qu'il ne serait pas difficile de persuader Kelly d'investir deux cent mille livres dans une affaire qui ne pouvait échouer.

Après son entrevue avec M. Leigh, une fois rentrée chez elle, elle passa un certain temps à chercher la lettre que Kelly lui avait envoyée quelques semaines plus tôt et à laquelle elle avait eu tort de ne pas répondre. Voilà une bonne raison, se dit-elle en regardant l'adresse en en-tête, de me rendre à l'improviste à Little Gables, Lodge Lane, Nailsea, dans les environs de Bristol.

Le lendemain, elle se leva, inhabituellement, aux aurores. En vérité, elle n'avait pas fermé l'œil de la nuit. Elle partit en direction du sud-ouest un peu après 9 heures, utilisant le long trajet en voiture pour répéter son discours : une possibilité d'investissement inespérée, qui n'arrive qu'une fois dans une vie et que Kelly serait bête de ne pas saisir.

Elle passa devant un panneau indiquant la direction de Nailsea un peu avant midi et fit halte pour demander à un monsieur âgé le chemin de Lodge Lane. Comme elle s'arrêtait devant The Little Gables, elle eut un coup au cœur en apercevant, planté sur la pelouse, un écriteau portant la mention « À vendre »... Kelly devait déménager pour habiter dans une plus grande maison. Elle avança dans l'allée et frappa à la porte, qui, quelques instants plus tard, fut ouverte par un jeune homme qui lui fit un sourire de bienvenue.

— Madame Campion ? fit-il.

— Non. Je ne suis pas Mme Campion. Je suis lady Virginia Fenwick.

— Veuillez m'excuser, lady Fenwick.

— Je ne suis pas non plus lady Fenwick. Je suis la fille d'un comte, pas l'épouse d'un pair non héréditaire. Vous pouvez m'appelez lady Virginia.

— Bien sûr, dit-il, avant de s'excuser une deuxième fois. En quoi puis-je vous aider, lady Virginia ?

— En commençant par me dire qui vous êtes.

— Je m'appelle Neil Osborne et je suis l'agent immobilier chargé de la vente de cette propriété. Seriez-vous intéressée par la maison ?

— Sûrement pas ! Je rends simplement visite à ma vieille amie Kelly Mellor. Habite-t-elle toujours ici ?

— Non. Elle a déménagé peu après nous avoir demandé de remettre la maison en vente.

— A-t-elle emménagé dans les parages ?

— À Perth.

— En Écosse ?

— Non. En Australie.

Cette réponse réduisit un instant Virginia au silence, ce qui permit au jeune homme de prononcer en entier une deuxième phrase.

— Tout ce que je peux vous dire, lady Virginia, c'est que Kelly nous a demandé d'envoyer l'argent de la vente à un compte joint à Perth.

— Un compte joint ?

— Oui. Je n'ai rencontré Barry qu'une seule fois, juste après leurs fiançailles. Il avait l'air d'un garçon plutôt sympathique... Êtes-vous M. et Mme Campion ? demanda-t-il en regardant par-dessus l'épaule de Virginia un jeune couple qui avançait dans l'allée.

Lorsqu'elle reçut un deuxième courrier de l'inspecteur des impôts, elle comprit qu'il n'y avait plus qu'une personne à laquelle elle pouvait s'adresser. Mais ce n'était pas quelqu'un à qui elle pourrait faire miroiter un investissement cent pour cent garanti.

Elle choisit un week-end où l'honorable Freddie Fenwick restait au collège et où sa belle-sœur, femme qui n'avait jamais beaucoup plu à Virginia et qui le lui rendait sans doute bien, allait voir une tante âgée à Dumfries.

Elle ne voyagea pas en wagon-lit, appellation abusive à son avis, car elle n'arrivait jamais à dormir plus d'une heure tandis que la voiture circulait à grand fracas. Elle préféra prendre un train de jour pour l'Écosse, ce qui lui donnerait amplement le temps de réfléchir à son plan et de se préparer à toute question gênante que son frère risquait de poser. Lorsqu'elle l'avait appelé pour lui annoncer qu'elle avait besoin de ses conseils et qu'il fallait qu'elle le voie de toute urgence, elle savait qu'il considérerait le terme « conseils » comme un abus de langage. C'est vrai que cent quatre-vingt-cinq mille livres pouvaient passer pour une somme un peu raide, à moins qu'il ne soit prêt à soutenir sa demande...

Archie envoya la voiture – si on peut appeler « voiture » une Vauxhall familiale de 1975 complètement déglinguée – la chercher lorsqu'elle arriva à la gare Waverley d'Édimbourg. Le chauffeur conduisit milady au château Fenwick, en compagnie seulement des odeurs de labradors et de cartouches brûlées, sans qu'elle lui adresse une seule fois la parole.

Tandis qu'il accompagnait lady Virginia à la chambre d'amis, le majordome l'informa que milord était parti à la chasse mais qu'on l'attendait pour le dîner. Elle prit son temps pour défaire ses valises – opération qui, du vivant de son père, eût été effectuée par une femme de chambre –, avant de se prélasser dans un bain chaud qu'elle dut faire couler elle-même. Après s'être habillée pour le dîner, elle aiguisa ses ongles en prévision de l'entretien.

Le dîner se déroula sans encombre. Ils ne parlèrent de rien d'important jusqu'au moment où, le café servi, les domestiques se retirèrent.

— Je me doute que tu n'es pas venue jusqu'ici simplement pour prendre des nouvelles de la famille, déclara Archie, après s'être servi un brandy. Alors donne-moi la véritable raison de ta visite.

Elle reposa sa tasse de café et prit une profonde inspiration.

— Je pense sérieusement, déclara-t-elle, contester le testament de père.

Lorsqu'elle eut lancé cette première salve, soigneusement préparée, l'expression de son frère indiqua clairement qu'il s'y attendait.

— Sur quelles bases ? s'enquit-il posément.

— Au motif que père avait promis de me léguer la distillerie Glen Fenwick, ainsi que ses profits annuels qui se montent à cent mille livres environ, ce qui m'aurait permis de vivre confortablement le reste de mes jours.

— Mais tu sais pertinemment, Virginia, que père a légué la distillerie à Freddie, ton fils que tu as abandonné voilà plusieurs années en me laissant la responsabilité de l'élever.

— Il n'est pas mon fils, comme tu le sais parfaitement. Il n'est que le rejeton de mon ancien majordome et de sa femme. Par conséquent, il n'a absolument aucun droit sur les biens de père.

Virginia fixa son frère pour découvrir sa réaction à cette bombe. Or, cette fois-ci encore, aucun tressaillement de surprise ne lui fit le moins du monde froncer les sourcils.

Il se pencha en avant pour caresser Wellington qui dormait à côté de lui.

— Non seulement suis-je parfaitement conscient que Freddie n'est pas ton fils, mais cela m'a été incontestablement confirmé par Mme Ellie May Grant, lors de sa visite. Elle m'a raconté par le menu l'entourloupe que tu avais concoctée au cours du séjour de son fiancé au Ritz, voilà plusieurs années.

— Pourquoi cette femme a-t-elle voulu te rencontrer ? demanda Virginia, quelque peu déconcertée.

— Pour savoir si j'acceptais de rembourser l'argent que tu avais extorqué à son mari pendant la dernière décennie.

— Tu aurais pu lui offrir les revenus produits par la distillerie jusqu'à épuisement de la dette, ce qui aurait résolu tous mes problèmes.

— Tu n'es pas sans savoir, Virginia, qu'ils ne m'appartiennent pas. Père a légué la distillerie à Freddie et le testament stipule que c'est moi qui dois la gérer jusqu'à ses vingt-cinq ans, âge auquel elle lui reviendra automatiquement.

— Mais à présent que tu sais que Freddie n'est pas mon fils, cela change tout. Tu sais bien que dans un précédent testament, que nous avons tous les deux vu, père me léguait la distillerie.

— Mais il a ensuite changé d'avis. Et ce n'est qu'après que Mme Grant m'a indiqué la marque du whisky favori de son mari que j'ai compris pourquoi père ne t'avait légué, en tout et pour tout, qu'une bouteille de Maker's Mark. Cela semble bien suggérer que lui aussi savait que Freddie n'était pas ton fils.

— J'ai reçu un avis d'imposition de cent quatre-vingt-cinq mille livres, lâcha Virginia, somme que je suis incapable de payer.

— Désolé de l'apprendre. Mais, d'après mon expérience, l'inspecteur des impôts ne réclame cent quatre-vingt-cinq mille livres que si la personne concernée a reçu une plus-value de...

Il hésita un instant avant de poursuivre :

— ... un demi-million environ.

— Que j'ai dépensé jusqu'au dernier penny pour rembourser Cyrus, comme il l'a exigé. Et maintenant il ne me reste plus rien.

— Eh bien, Virginia, je ne possède sûrement pas une telle somme, même si j'étais disposé à t'aider. Le moindre penny que je gagne est réinvesti dans le domaine, lequel, entre parenthèses, est tout juste rentré dans ses fonds cette année. Et, comme tu le vois, on ne mène pas grand train. En fait, si je dois continuer à faire des coupes sombres, ton allocation mensuelle sera la première victime. L'ironie de l'histoire, c'est que Freddie a été mieux servi que nous dans le testament de père.

— Mais tout changerait si seulement je pouvais m'emparer de la distillerie, dit Virginia en se penchant en avant, un regard plein d'espoir fixé sur son frère. Si tu me soutenais, Archie, je serais prête a partager équitablement les revenus avec toi.

— C'est hors de question, Virginia. Tel était le souhait de père, et il m'a chargé par testament de m'assurer que soient exécutées ses dernières volontés. Et c'est bien ce que je compte faire.

— Mais nul doute que la voix du sang prévaut sur...

— Sur la parole donnée ? Non, Virginia. Et je te préviens : si tu oses contester le testament de père et que l'affaire passe en justice, je n'hésiterais pas à soutenir la cause de Freddie, car ce n'est rien de plus que ce que père aurait attendu de moi.

Durant son voyage de retour, Virginia parvint à la conclusion qu'une fois de plus elle allait devoir contacter en Argentine son cousin éloigné... Et d'ici peu.

Le lendemain matin, elle reçut de l'inspecteur des impôts un dernier rappel qu'elle chiffonna et jeta dans la corbeille à papier la plus proche. L'après-midi, elle envisageait à contrecœur d'acheter un billet d'avion pour Buenos Aires en classe économique et avait même commencé à faire ses valises tout en pensant à ce qui lui manquerait dans son exil... Notamment Annabel's, son amie Priscilla, Bofie, et même le *Daily Mail*. Elle doutait assez que le *Buenos Aires Herald* présentât tout à fait le même intérêt.

Elle se tourna vers Nigel Dempster[1] pour découvrir ce que faisaient ses amis. La photo d'une femme qu'elle n'aimait guère illustrait sa chronique, même si la nouvelle de sa mort ne lui fit ni chaud ni froid.

C'est avec une grande tristesse, écrivait Dempster, *que j'ai appris la mort de Lavinia, duchesse de Hertford, dont la beauté, le charme et l'esprit faisaient l'admiration de tous.*

Tel n'est pas le portrait que tu brossais d'elle de son vivant, pensa Virginia.

---

1. Nigel Dempster (1941-2007) était un chroniqueur mondain très contesté. Ami de la princesse Margaret, il travailla, entre autres, pour le *Daily Mail*.

LE DESTIN D'UN HOMME

Elle va beaucoup manquer à ses nombreux amis...
Qui se comptaient sur les doigts d'une main. Mais, comme elle était extrêmement riche et puissante, tout le monde lui avait toujours fait des courbettes.
Les obsèques auront lieu à l'abbaye St Albans, en présence de la princesse Margaret, l'une des plus anciennes amies de la duchesse. Elle laisse un fils, lord Clarence, deux filles, lady Alice et lady Camilla, et un mari aimant, le treizième duc de Hertford. Les obsèques auront lieu le...

Virginia ouvrit son agenda, inscrivit la date et défit ses valises.

22

Personne n'aurait pu deviner que Virginia était fauchée en la voyant entrer dans l'abbaye St Albans, ce matin-là. Elle portait une robe en soie noire, une broche de perles que lui avait léguée sa grand-mère et un sac à main Hermès noir qu'elle n'avait pas encore réglé.

Lorsqu'elle entra par la porte ouest quelques minutes avant le début de l'office, l'abbaye était déjà pleine. Souhaitant éviter de passer inaperçue en étant reléguée à une place à l'arrière, elle parcourait du regard la masse des fidèles quand elle remarqua un homme élégant, de haute taille, en queue-de-pie et portant une verge de bedeau. Elle lui fit un chaleureux sourire, mais il était clair qu'il ne savait pas qui elle était.

— Je suis lady Virginia Fenwick, chuchota-t-elle, une amie proche de la famille.

— Bien sûr, milady, suivez-moi, je vous prie.

Elle le suivit dans l'allée centrale, dépassant des rangées de personnes. Elle fut ravie que le bedeau lui trouve une place au cinquième rang, juste derrière la famille, ce qui s'accordait à merveille avec la première partie de sa stratégie. Tout en faisant semblant d'étudier le déroulement de l'office, elle lançait des coups d'œil à l'entour pour voir qui était assis près d'elle. Elle reconnut les ducs de Norfolk, de Westminster et de Marlborough, ainsi que plusieurs pairs héréditaires, tous des amis de feu son père. Jetant un coup d'œil en arrière, elle aperçut Bofie Bridgwater, assis plusieurs rangs derrière elle, mais elle ne répondit pas à son salut exagérément révérencieux.

L'orgue commença à jouer pour annoncer l'arrivée des personnalités de premier plan qui furent conduites solennellement le long de l'allée centrale par le premier bedeau : le maire de Hertford précédant le shérif et le lord lieutenant – le représentant de la Couronne dans le comté. Ils furent tous les trois conduits à leur place, au troisième rang, suivis, peu après, par lord Barrington des docks de Bristol, ancien président de la Chambre des lords.

Au moment où Giles arriva à la hauteur de Virginia, elle se détourna. Elle ne voulait pas que son ex-mari sache qu'elle était là ; cela ne faisait pas partie de son plan soigneusement chorégraphié. Il s'installa à sa place réservée, au deuxième rang.

Quelques instants plus tard, toute l'assistance se leva en même temps, au moment où le cercueil, recouvert de lis blancs, entama sa lente progression le long de l'allée centrale, en direction du chœur. Six membres du premier bataillon des Coldstream Guards[1], le régiment dans lequel le duc avait servi en tant que commandant durant la Seconde Guerre mondiale et dont il était à présent colonel honoraire, le portaient sur leurs épaules.

Le treizième duc de Hertford, suivi de son fils et de ses deux filles, marchait derrière le cercueil et s'assit au premier rang, tandis que le cercueil était placé sur un support dans le chœur. L'office fut célébré par l'évêque de Hertford. L'éloge funèbre qu'il prononça rappela aux assistants que la défunte duchesse avait été une véritable sainte, soulignant son inlassable dévouement comme protectrice des institutions pour enfants du Dr Barnardo et comme présidente de la Mothers' Union, l'intitution chrétienne internationale pour la protection de la famille et des enfants. L'évêque termina son panégyrique en présentant ses sincères condoléances au duc et à sa famille, ajoutant enfin qu'il espérait qu'avec l'aide du Tout-Puissant ils parviendraient à surmonter leur chagrin.

Grâce aussi à un petit coup de main de ma part, pensa Virginia.

À l'issue du service, elle se joignit à un groupe choisi d'amis ayant assisté à l'enterrement et réussit à se faire emmener en voiture au château pour se rendre à une réception à laquelle elle n'avait pas été conviée. Une fois sur place, elle fit halte au pied du perron pour admirer le bâtiment jacobéen, comme si elle songeait à l'acheter.

---

1. Le surnom du régiment des Coldstream Guards est « *Lilywhites* », soit « blancs comme des lis », d'où les lis qui recouvrent le cercueil de la duchesse de Hertford.

Si, pendant l'office funèbre et l'enterrement, elle était restée immobile, dès son entrée dans le château, après que le majordome eut crié « Lady Virginia Fenwick ! », elle ne tint plus en place.

— Comme c'est aimable à vous d'avoir pris la peine de venir jusque dans le Hertfordshire, Virginia, dit le duc en se penchant pour l'embrasser sur les deux joues. Je sais que Lavinia aurait apprécié ce geste.

Pour rien au monde n'aurais-je raté cette occasion ! eut-elle envie de s'écrier, mais elle se contenta de dire :

— C'était une dame si douce, si bonne. Elle va nous manquer à tous.

— Comme c'est gentil à vous de dire ça, Virginia, répondit le duc, sans lui lâcher la main. J'espère vraiment que nous allons rester en contact.

N'aie aucune crainte à ce sujet ! pensa-t-elle.

— Rien ne me ferait davantage plaisir, Votre Grâce, dit-elle en lui faisant une légère révérence.

— Sa Grâce, le duc de Westminster, annonça le majordome.

Virginia passa dans la grande salle et, tandis que les élans et les sangliers accrochés aux murs regardaient vers le sol, ses yeux balayaient la pièce, à la recherche des trois personnes qu'il lui fallait rencontrer et de celle qu'elle espérait éviter. Elle déclina plusieurs offres de canapés et de vin, tout à fait consciente qu'elle ne disposait que d'un temps limité et qu'elle avait une tâche précise à effectuer.

Elle s'arrêta pour parler à Miles Norfolk, même s'il n'était qu'un stand de ravitaillement pendant sa progression vers le drapeau à damier. Et puis, elle le vit, appuyé contre la cheminée de style Adam, en train de bavarder avec un homme âgé qu'elle ne reconnut pas. Elle quitta Miles et se mit à dériver dans sa direction, et, dès que le monsieur âgé se tourna pour parler à un autre invité, elle avança, tel un rayon laser, vers sa cible.

— Clarence... Peut-être ne me reconnaissez-vous pas ?

— On ne vous oublie pas facilement, lady Virginia ! lâcha-t-il. Père parle toujours de vous avec beaucoup de chaleur.

211

— Comme c'est gentil de sa part ! s'écria-t-elle. Êtes-vous toujours officier dans les Blues and Royals[1] ?

— En effet. Mais, malheureusement, je vais être envoyé outre-mer sous peu.

— Mais le duc pourra compter sur le soutien de vos sœurs.

— Hélas, non. Camilla est mariée à un éleveur de moutons néo-zélandais. Cinquante mille hectares, vous vous rendez compte ? Ils vont retourner à Christchurch dans quelques jours.

— Quel dommage ! Alice va donc devoir endosser une lourde responsabilité.

— C'est là où le bât blesse. L'Oréal vient de lui offrir un poste de cadre supérieur à New York. Je sais qu'elle pense décliner l'offre, mais père insiste pour qu'elle ne rate pas cette occasion en or.

— C'est typique de votre père. Mais si vous pensez que c'est utile, Clarence, je serais absolument enchantée de venir le voir de temps en temps.

— Cela me soulagerait beaucoup, lady Virginia. Mais je dois vous prévenir que le vieil homme peut se révéler très difficile. J'ai parfois l'impression qu'il a plutôt sept ans que soixante-dix.

— Je relèverai le défi avec plaisir. Je ne peux guère dire que je suis très occupée en ce moment et j'ai toujours apprécié la compagnie de votre père. Peut-être pourrais-je vous envoyer un mot de temps en temps pour vous dire comment il va ?

— C'est fort aimable à vous, lady Virginia. J'espère seulement que vous n'allez pas trouver la charge trop lourde.

— Bel hommage, Clarence, déclara un homme corpulent, qui les avait rejoints. Ta mère aurait été fière.

— Merci, oncle Percy, dit Clarence, tandis que Virginia s'éloignait discrètement pour poursuivre son attaque sur trois fronts.

Le missile changea de direction et fila vers sa deuxième cible.

— Félicitations pour votre nouveau travail, Alice, et je dois dire que je suis d'accord avec votre père. Vous ne devriez pas décliner une offre aussi merveilleuse.

---

1. Créés en 1969, à partir du régiment des Royal Horse Guards, (surnommé « les bleus » à cause de leur tunique bleue) et du régiment des Royal Dragoons.

— C'est très gentil de votre part, dit Alice, sans trop savoir à qui elle avait affaire. Mais je n'ai toujours pas décidé si je vais, oui ou non, l'accepter.

— Mais pourquoi pas, très chère ? Après tout, une telle occasion risque de ne pas se représenter.

— Vous avez sans doute raison. Mais je me sens déjà coupable de laisser papa se débrouiller tout seul.

— Vous ne devriez pas, très chère. Croyez-moi. De toute façon, nous serons plus qu'assez nombreux pour nous assurer qu'il soit très occupé. Alors, allez-y ! Et montrez à ces Amerloques de quel bois nous sommes faits, nous, les British.

— Je sais que c'est ce qu'il veut. Mais je ne supporte pas l'idée de le laisser tout seul si tôt après la mort de notre chère mère.

— Inutile de vous faire du souci à ce sujet, dit Virginia, qui fut ravie de voir Giles présenter ses respects au duc, signe qu'il allait bientôt prendre congé.

Virginia serra chaleureusement Alice dans ses bras puis partit à la recherche de sa dernière proie. Il ne fut pas difficile de repérer une mère, un père et trois petits enfants. Mais cette fois-ci, elle ne fut pas accueillie avec le même enthousiasme.

— Bonjour. Je suis… commença Virginia.

— Je sais très bien qui vous êtes, dit lady Camilla.

Et avant que Virginia ait pu prononcer sa phrase suivante, soigneusement préparée, lady Camilla lui tourna le dos et se mit à bavarder avec une ancienne condisciple, sans chercher à faire participer Virginia à la conversation. Virginia s'empressa de se retirer avant que quelqu'un puisse remarquer l'offense. Deux sur trois n'était pas un mauvais résultat, d'autant plus que l'unique échec habitait à l'autre bout du monde. Ne voyant aucun intérêt à traîner là plus longtemps, elle se dirigea vers le duc pour lui dire adieu… Pour l'instant.

— J'ai passé un excellent moment à reprendre contact avec vos adorables enfants, dit-elle.

Savait-il qu'elle les avait fort peu vus ces vingt dernières années, surtout parce que la défunte duchesse s'était efforcée d'empêcher qu'ils se rencontrent ?

— Et je suis persuadé qu'ils ont été ravis de vous revoir, dit le duc. J'espère également que ce sera mon cas, et très bientôt, ajouta-t-il. Si vous n'avez rien de mieux à faire.

213

— Rien ne pourrait me faire davantage plaisir. J'attends que vous me recontactiez, dit-elle, comme une courte file d'attente commençait à se former derrière elle.

— Mes enfants ne peuvent rester avec moi que quelques jours, chuchota le duc. Une fois qu'ils seront partis, chacun de leur côté, puis-je vous passer un coup de fil ?

— Il me tarde de le recevoir, Perry.

Prénom que seuls la défunte duchesse et les plus vieux amis du duc utilisaient lorsqu'ils s'adressaient à Sa Grâce, le duc de Hertford.

Dès que Camilla eut vu partir Virginia, elle s'empressa d'aller rejoindre son frère.

— T'ai-je vu parler à cette horrible femme, Virginia Fenwick ? lui demanda-t-elle.

— En effet, répondit Clarence. Elle semble plutôt sympathique et elle a promis de veiller sur père après notre départ.

— Ça ne m'étonne pas. S'il y a quelque chose qui pourrait m'empêcher de rentrer en Nouvelle-Zélande, c'est la pensée que cette femme mette la main sur père.

— Mais elle n'aurait pu être plus attentionnée.

— Ne laisse pas cette comédienne émérite te tromper un seul instant.

— Pourquoi lui en veux-tu à ce point, Camilla, alors qu'elle souhaite seulement nous aider ?

— Parce que notre chère mère avait toujours un mot gentil pour tout le monde, et qu'elle en avait deux pour lady Virginia Fenwick : sale intrigante.

— Il me reste combien de temps ? s'enquit Virginia.

— Le service des impôts ne vous accorde que quatre-vingt-dix jours avant d'entamer une action en justice, milady, répondit le directeur de la banque.

— Par conséquent, combien de temps me reste-t-il ? répéta-t-elle.

M. Leigh tourna plusieurs pages de son agenda avant de répondre.

— Le dernier jour pour payer, si vous souhaitez éviter qu'on vous impose des intérêts exorbitants, est le 21 décembre.

— Merci, dit Virginia, avant de quitter le bureau du directeur sans un mot de plus.

Dans combien de temps le duc allait-il l'appeler ? se demandait-elle anxieusement. Car s'il tardait trop, elle passerait Noël à Buenos Aires.

23

Elle n'eut pas à attendre longtemps que le duc l'appelle et l'invite à sortir pour leur premier rendez-vous. C'est bien ainsi, en effet, qu'elle considéra la soirée qu'ils passèrent à Mosimann's. Elle minauda, se montra flatteuse, coquette, le faisant se sentir vingt ans plus jeune, ou, en tout cas, c'est ce qu'il lui déclara lorsqu'il la ramena à son appartement de Chelsea et l'embrassa sur les deux joues. Rien de plus normal pour un premier rendez-vous, pensa Virginia. Elle n'invita pas son galant à prendre le café chez elle pour plusieurs raisons, mais surtout parce qu'il n'aurait pu éviter de remarquer qu'il ne restait plus que les crochets auxquels étaient jadis suspendus des tableaux.

Le duc l'appela le lendemain matin pour lui proposer un deuxième rendez-vous.

— J'ai des billets pour *Noises Off*, avec Paul Eddington, et j'ai pensé qu'on pourrait dîner ensuite.

— C'est très gentil de votre part, Perry. Hélas, ce soir, je dois assister à un gala de charité, dit-elle en fixant une page vide de son agenda. Mais je suis libre jeudi soir.

Ensuite, son carnet de bal ne comporta plus qu'un seul nom.

Elle fut surprise d'aimer à ce point son rôle de dame de compagnie, confidente et amie du duc, et elle s'habitua vite à un style de vie qu'elle avait toujours considéré comme lui revenant de droit. Elle devait toutefois accepter le fait que l'inspecteur des impôts réclamait toujours sa livre de chair, cent quatre-vingt-cinq mille livres de chair pour être exact, et que si elle ne payait pas, cette existence idyllique risquait de s'arrêter aussi brusquement qu'un train heurtant les butoirs.

Elle envisagea de demander à Perry de lui faire un prêt pour régler ses impôts, mais elle sentait que c'était un peu trop tôt, car s'il pensait que c'était la seule raison pour laquelle elle lui avait montré de l'intérêt, nul doute que la relation se termine aussi vite qu'elle avait commencé.

Les semaines suivantes, le duc la couvrit de cadeaux : fleurs, vêtements, et même des bijoux. Mais, même si elle les avait rendus à certains des établissements les plus chics de Bond Street en échange d'espèces sonnantes et trébuchantes, cela aurait à peine allegé sa dette fiscale. De toute façon, le duc finirait tôt ou tard par découvrir ce qu'elle avait fait.

Toutefois, comme un novembre frisquet cédait la place à un décembre glacial, commençant à désespérer, elle se sentit contrainte de révéler la vérité à Perry, quelles que soient les conséquences.

Elle choisit le jour du soixante-dixième anniversaire du duc pour faire ses révélations, pendant le dîner au Gavroche. Elle était fin prête et avait dépensé la majeure partie de son allocation mensuelle pour acheter un cadeau à Perry, bien au-dessus de ses moyens. Cartier avait confectionné une paire de boutons de manchettes en or, sur lesquels étaient gravées les armoiries des Hertford. Il faudrait qu'elle choisisse le bon moment pour les lui offrir, avant de lui expliquer pourquoi elle s'envolerait pour Buenos Aires au début de la nouvelle année.

Au cours du repas, qui se composait surtout de champagne millésimé, le duc devint un peu larmoyant et se mit à évoquer sa peur du « bout du chemin ».

— Ne dites pas de bêtises, Perry, le gourmanda Virginia. Vous avez encore de belles années devant vous avant de devoir penser à des choses aussi déprimantes, surtout si j'ai un rôle à jouer dans cette affaire. Et n'oubliez pas que j'ai promis à vos enfants de veiller sur vous.

— Et vous avez fait plus que tenir votre promesse. En fait, je ne sais pas comment j'aurais pu survivre sans vous, ajouta-t-il en lui saisissant la main.

Elle s'était accoutumée aux petits gestes d'affection du duc, même à ce qu'une main passe sous la table et finisse sur sa cuisse. Ce soir-là, la main resta posée là tandis que le maître d'hôtel débouchait une nouvelle bouteille de champagne. Virginia avait bu très peu ce soir-là ; il lui faudrait avoir les idées claires lorsqu'elle solliciterait la bienveillance du juge. Elle choisit ce moment pour offrir son cadeau d'anniversaire.

Il défit lentement l'emballage puis ouvrit le coffret de cuir.

— Virginia chérie, comme vous êtes gentille ! De ma vie, je n'ai reçu un présent aussi bien choisi.

Il se pencha par-dessus la table et lui posa un délicat baiser sur les lèvres.

— Je suis si heureuse qu'il vous plaise, Perry. Parce qu'il est quasiment impossible de trouver un cadeau pour un homme qui a déjà tout.

— Pas vraiment tout, ma chérie, répliqua-t-il, sans lâcher sa main qu'il serrait fortement.

Elle décida qu'il n'y aurait jamais de meilleur moment pour lui parler de son problème avec l'inspecteur des impôts.

— Perry, je dois vous demander quelque chose.

— Je sais de quoi il s'agit.

Virginia eut l'air surprise.

— Vous alliez me demander : « Chez vous ou chez moi ? »

Elle gloussa comme une petite fille mais sans se déconcentrer, tout en se disant qu'elle devrait peut-être repousser le moment d'évoquer son départ imminent, puisqu'il se pouvait qu'un petit peu plus tard se présente une occasion encore plus propice pour plaider son cas.

Le duc leva l'autre main et, peu après, le maître d'hôtel apparut à ses côtés avec un plateau d'argent sur lequel se trouvait un unique feuillet. Virginia avait pris l'habitude de vérifier soigneusement chaque fois l'addition avant de permettre au duc de rédiger un chèque. Il n'était pas rare qu'un restaurant ajoute un plat supplémentaire, voire une autre bouteille de vin, lorsqu'un client avait un peu trop bu.

Ce fut lorsqu'elle déplia l'addition et qu'elle vit la somme de dix-huit livres cinquante que l'idée lui traversa l'esprit pour la première fois. Mais oserait-elle mettre son idée à exécution ? Elle dut reconnaître qu'une telle aubaine risquait de ne plus se représenter. Elle attendit que le sommelier eût servi au duc un deuxième verre de Taylor's avant de déclarer :

— L'addition est correcte, Perry. Voulez-vous que je rédige le chèque pendant que vous dégustez votre porto ?

— Excellente idée, répondit le duc, tout en sortant son chéquier pour le lui passer. N'oubliez pas d'ajouter un généreux pourboire, dit-il en vidant son verre. Ç'a été une soirée mémorable.

Virginia inscrivit la somme de cent quatre-vingt-cinq mille, ayant supprimé la virgule et ajouté deux zéros. Elle data le chèque du 3 décembre 1982 avant de le placer devant le duc. Il le signa d'une main tremblante juste sous l'endroit où le doigt de Virginia cachait les zéros. Quand il disparut pour aller au petit coin, elle rangea le chèque dans son sac à main, prit son propre chéquier et en fit un nouveau avec le montant correct. Elle le remit au maître d'hôtel juste avant le retour de Perry.

— C'est l'anniversaire du duc, expliqua-t-elle. Alors c'est moi qui régale.

Marco ne fit pas remarquer que, contrairement à ce qu'avait recommandé le duc, elle n'avait pas ajouté de généreux pour-boire.

Une fois qu'ils se furent installés à l'arrière de la Rolls-Royce du duc, il se pencha immédiatement vers elle, la prit dans ses bras et l'embrassa. C'était le baiser d'un homme qui espérait ne pas en rester là.

Lorsque la voiture s'arrêta devant la maison du duc sur Eaton Square, le chauffeur se précipita pour ouvrir la portière arrière, tout en laissant assez de temps à Virginia pour rajuster sa robe, tandis que le duc reboutonnait sa veste. Ce dernier la conduisit ensuite dans la maison, où le majordome les attendait, comme s'il était midi et non pas minuit.

— Bonsoir, Votre Grâce, dit-il, avant de prendre leurs manteaux. Désirez-vous votre brandy et votre cigare habituels ?

— Pas ce soir, Lomax, répondit le duc en prenant Virginia par la main et en lui faisant gravir le grand escalier puis pénétrer dans une pièce où elle n'était jamais entrée auparavant.

La chambre avait environ la taille de son propre appartement. Au milieu, trônait un lit à colonnes ancien en chêne, orné des armoiries de la famille portant la devise : « Toujours vigilant ».

Elle s'apprêtait à faire une remarque sur le Constable accroché au-dessus de la cheminée de style Adam lorsqu'elle sentit qu'on défaisait malhabilement la fermeture Éclair au dos de sa robe. Elle ne chercha pas à empêcher la robe de tomber par terre et, tandis qu'ils se dirigeaient vers le lit en chancelant, elle défit la boucle de ceinture du duc. Elle ne se rappelait plus quand elle avait fait l'amour pour la dernière fois et espérait que c'était également le cas du duc.

Tel un écolier lors de son premier rendez-vous, il la caressait maladroitement, ayant, à l'évidence, besoin qu'elle prenne l'initiative, ce qu'elle fit avec plaisir.

— C'est le meilleur cadeau d'anniversaire que je pouvais espérer recevoir, dit-il, une fois que son cœur eut retrouvé son rythme normal quelque temps plus tard.

— Moi aussi, dit Virginia.

Mais il ne l'entendit pas, parce qu'il s'était endormi.

Lorsqu'elle se réveilla le lendemain matin, elle mit quelques instants à se rappeler où elle était. Elle réfléchit aux conséquences de tout ce qui s'était passé la veille. Elle avait déjà décidé de ne pas déposer le chèque de cent quatre-vingt-cinq mille livres avant le 23 décembre, sûre qu'il ne serait pas encaissé avant Noël, et peut-être même pas avant le nouvel an.

Toutefois, il n'était pas impossible qu'à une étape ou une autre du processus quelqu'un considère de son devoir d'attirer l'attention du duc sur l'importance du montant du chèque. Il était également possible – bien que cela semblât improbable à Virginia – que le chèque fût refusé. Si l'une ou l'autre de ces catastrophes se produisait, elle prendrait la direction de Heathrow et non du château Hertford, parce que alors elle ne serait pas poursuivie par l'inspecteur des impôts mais par le duc « toujours vigilant », et elle devinerait que sa fille Camilla ne serait pas loin derrière lui.

Si le duc avait déjà invité Virginia à passer Noël dans son domaine de Hertford, elle n'avait accepté l'invitation que lorsqu'elle avait appris que Camilla et sa famille ne viendraient pas de Nouvelle-Zélande, car ils trouvaient que deux voyages en Angleterre en un an constituaient une dépense excessive et inutile.

Elle avait régulièrement écrit à Clarence et à Alice pendant les dernières semaines pour les mettre au courant de tout ce que faisait leur père, ou, à tout le moins, pour leur donner sa version des faits. Dans leurs réponses, ils se déclaraient tous les deux ravis qu'elle passe Noël au château Hertford avec eux. L'idée qu'au dernier moment elle risquât d'être forcée de battre rapidement en retraite et de passer le nouvel an à Buenos Aires en compagnie d'un cousin éloigné n'était guère attrayante.

Lorsque le duc finit par se réveiller, lui savait exactement où il se trouvait. Il se retourna, ravi de constater que Virginia était toujours là. Il la prit dans ses bras et lui fit l'amour beaucoup plus longtemps. Elle commençait à se sentir rassurée : cela n'allait pas être qu'une passade d'une nuit.

— Pourquoi ne venez-vous pas habiter avec moi ? s'enquit le duc comme Virginia redressait sa cravate.

— Je ne crois pas que ce serait raisonnable, Perry. Surtout si les enfants résident au château à Noël. Peut-être au début de l'année prochaine, une fois qu'ils seront repartis ?

— Restez au moins avec moi jusqu'à leur arrivée ?

Si elle s'empressa d'accéder à sa requête, consciente qu'on pourrait la chasser d'un moment à l'autre, elle ne laissa jamais qu'un seul lot de vêtements de rechange à Eaton Square. Le matin où Clarence atterrit à Heathrow, elle regagna à contrecœur son petit appartement de Chelsea et se rendit vite compte que si elle regrettait son nouveau train de vie, Perry lui manquait tout autant.

JESSICA CLIFTON

1982-1984

24

— Je m'étonne que tu ne l'aies pas vu venir, papa, dit Jessica, au moment où elle rejoignait son père à la table du petit-déjeuner.

— Contrairement à toi, bien sûr, dit Sebastian.

Jake donna des coups sur sa chaise haute pour réclamer l'attention.

— Et je n'ai pas besoin de ton avis, jeune homme.

— Il se prépare seulement à prendre le relais en tant que président de la Farthings Kaufman.

— J'espérais bien être le prochain président.

— Pas si lady Virginia continue à te devancer.

— Tu sembles oublier, ma jeune dame, que Virginia tenait la corde. Elle allait régulièrement rendre visite en prison à Mellor, et on sait à présent qu'elle avait non seulement lu la lettre qu'il avait écrite à sa fille, mais qu'elle était en contact avec celle-ci longtemps avant que mon avion n'atterrisse à Chicago.

— Mais tu as eu la possibilité de t'emparer de la compagnie pour une livre et tu as décliné l'offre, dit Samantha.

— À l'époque, si j'ai bonne mémoire, tu étais opposée à ce que je rende visite à Mellor en prison et tu avais très clairement exprimé ton désaccord.

— *Touché*[1] ! fit Samantha, en ramassant la cuillère que Jake avait jetée sur le sol de la cuisine.

---

1. En français dans la texte. Ce terme français est employé en escrime.

— Tu aurais dû deviner que si Virginia avait une chance de se faire un peu d'argent, insista Jessica sans tenir compte de l'intervention de sa mère, il fallait se méfier.

— Et puis-je savoir à quel moment tu as tiré ces conclusions ? Pendant un de tes cours d'économie de première, sans doute ?

— Ça n'a pas été nécessaire, intervint Samantha en plaçant un porte-toasts plein sur la table. Voilà six mois qu'elle écoute nos conversations du petit-déjeuner. Elle ne fait qu'en tirer les conclusions. Alors, ne mords pas à l'hameçon, Seb.

— Plus un zeste d'intuition féminine, précisa Jessica.

— De toute façon, au cas où tu ne l'aurais pas remarqué, ma jeune dame, la Thomas Cook a bien acheté Mellor Travel et, malgré tes doutes, les actions continuent à monter.

— Mais elle a dû payer beaucoup plus que tu l'avais projeté à l'origine. Et ce que j'aimerais savoir, poursuivit Jessica, c'est quel pourcentage du supplément s'est retrouvé dans la poche de Virginia.

Sebastian ne le savait pas, même s'il supposait que c'était davantage que ce qu'avait reçu la banque en paiement, mais, écoutant le conseil de Samantha, il s'abstint de mordre à l'hameçon.

— Ce n'est pas mal payé pour une douzaine de visites à un prisonnier.

Tels furent les derniers mots de Jessica, après avoir serré Jake fortement dans ses bras.

Samantha sourit tandis que sa fille quittait la pièce. Juste après la naissance de Jake, elle avait dit à Sebastian qu'elle se demandait anxieusement comment, après avoir été pendant si longtemps le centre de l'attention, Jessica allait réagir à l'arrivée de son petit frère. Mais elle fut vite rassurée, car Jake était immédiatement devenu le centre de la vie de Jessica. Elle était ravie de servir de baby-sitter chaque fois que ses parents voulaient sortir le soir, et, le week-end, elle le promenait dans son landau à St James Park, avant de le coucher. Il déclenchait les roucoulements des vieilles dames, qui ne savaient pas exactement si Jessica était une sœur aînée attentionnée ou une jeune mère célibataire.

Elle s'était vite habituée à son pays adoptif et, après avoir finalement fait entendre raison à ses parents, elle était non seulement ravie de les voir heureux mais également enchantée d'avoir un petit frère. Elle adorait sa nouvelle famille élargie. Papa, tolérant, bon et amusant ; papy, raisonnable, réfléchi et inspirant ; et mamie, que la presse surnommait souvent « la Boadicée de Bristol », ce qui faisait penser à Jessica que Boadicée avait dû être une sacrée bonne femme.

Toutefois, l'adaptation à sa nouvelle école ne s'était pas révélée aussi facile. Certaines filles la traitaient d'« Amerloque », d'autres, moins gentiment, de « sauterelle ». Elle en conclut que la mafia et le Ku Klux Klan combinés auraient pu en apprendre beaucoup sur l'intimidation des élèves du collège pour filles Saint-Paul. À la fin de sa première année, elle n'avait qu'une seule amie proche : Claire Taylor, qui partageait la plupart de ses intérêts, y compris les garçons.

Pendant ses dernières années à Saint-Paul, elle était dans la moyenne de la classe, régulièrement battue par Claire en tout, sauf en dessin, matière où elle restait inatteignable. Alors que la plupart de ses condisciples attendaient anxieusement une place à l'université, personne ne doutait de l'établissement vers lequel Jessica se dirigeait.

Elle confia cependant à son amie que si la Slade lui ouvrait ses portes, elle craignait de découvrir qu'Avril Perkins, qui occupait la deuxième place en dessin, avait raison. Celle-ci avait en effet déclaré, en s'arrangeant pour que Jessica l'entende, que si, dans un petit étang, cette dernière semblait un gros poisson, dans le vaste océan où elle était sur le point d'être jetée, elle sombrerait corps et biens.

Claire lui conseilla de considérer Avril comme la petite vipère qu'elle était mais Jessica passa son dernier trimestre à Saint-Paul à se demander s'il se pouvait qu'Avril eût raison.

Lorsque, le jour de la distribution des prix, la directrice annnonça que Jessica Clifton avait obtenu la prestigieuse bourse Gainsborough pour aller à l'école des Beaux-Arts Slade, Jessica sembla être la seule personne de la salle à être étonnée. En fait, l'admission de Claire à la faculté des lettres de University College la rendit tout aussi heureuse que sa propre victoire.

Toutefois, cela ne lui fit guère plaisir d'apprendre qu'Avril Perkins avait été, elle aussi, admise à la Slade.

— Le président aimerait vous parler, monsieur Clifton.

Sebastian s'arrêta de signer des lettres et, levant les yeux, vit la secrétaire du patron dans l'encadrement de la porte.

— Je le croyais à Copenhague, dit-il.

— Il est revenu, ce matin, par le premier avion, expliqua Angela. Et il a demandé à vous voir dès son arrivée au bureau.

— Ç'a l'air sérieux, dit Sebastian, en arquant un sourcil, mais sans recevoir de réponse.

— Tout ce que je peux vous dire, monsieur Clifton, c'est qu'il a vidé son agenda pour le reste de la matinée.

— Peut-être s'apprête-t-il à me virer ? dit Sebastian, dans l'espoir de faire sortir Angela de sa réserve.

— Je ne le crois pas, parce que ça, ça ne lui prend en général que deux minutes.

— Pas le moindre indice ? chuchota Sebastian comme ils quittaient son bureau et longeaient le corridor.

— Vous n'avez pu éviter de constater que M. Bishara s'est rendu à Copenhague six fois en un mois. C'est tout ce que je peux vous dire. Peut-être êtes-vous sur le point de découvrir pourquoi, ajouta-t-elle avant de frapper à la porte du président.

— A-t-il mis la main sur Lego ou Carlsberg ? demanda Sebastian au moment où Angela ouvrait la porte et s'écartait pour le laisser entrer dans le bureau.

— Bonjour, président, dit Sebastian, l'air de sphinx de Hakim l'empêchant de deviner s'il s'agissait de bonnes ou de mauvaises nouvelles.

— Bonjour, Sebastian.

Premier indice, pensa Sebastian, le président ne l'appelant par son prénom que lorsqu'il allait discuter d'un sujet sérieux.

— Asseyez-vous.

Deuxième indice : l'entretien n'allait pas être bref.

— Sebastian. Je tenais à ce que vous soyez le premier à apprendre que je me suis marié samedi.

Sebastian avait envisagé une demi-douzaine de raisons pour lesquelles le président pouvait souhaiter le voir, mais le mariage n'était pas l'une d'elles. Dire qu'il fut étonné serait un euphé-misme, et il resta coi quelques instants. Hakim s'appuya au dossier de son fauteuil, jouissant du plaisir inhabituel de voir son directeur général réduit au silence.

— Est-ce que je connais la dame en question ? finit-il par demander.

— Non. Mais vous l'avez vue de loin.

Sebastian décida d'entrer dans le jeu.

— À Londres ? s'enquit-il.

— Oui.

— À la City ?

— Oui, répéta Hakim. Mais vous faites fausse route.

— Est-ce une banquière ?

— Non. Une paysagiste.

— Par conséquent, elle a dû travailler sur l'un de nos projets, suggéra Sebastian.

— Oui et non.

— Elle était pour ou contre nous ?

— Ni l'un ni l'autre. Je la décrirais comme neutre mais pas coopérative.

Il y eut autre long silence.

— Dieu du ciel ! s'écria soudain Sebastian. C'est la femme qui a témoigné à votre procès... Madame... Euh... Madame...

— Bergström.

— Mais c'était le témoin à charge clé, et elle n'a vraiment pas aidé notre cause. Je me rappelle que tout le monde a regretté que Me Carman l'ait retrouvée.

— Tout le monde sauf moi. J'ai passé d'interminables nuits en prison à regretter de ne pas lui avoir parlé pendant qu'on était assis l'un à côté de l'autre pendant le vol de retour de Lagos. Alors, quelques jours après ma libération, j'ai pris l'avion pour Copenhague.

— Je ne vous avais jamais considéré comme un sentimental, Hakim, et j'imagine que la plupart de vos collègues de la City seraient d'accord avec moi. Puis-je vous demander ce que M. Bergström a déclaré au sujet de votre projet d'OPA ?

— Je n'aurais jamais pris cet avion s'il y avait eu un M. Bergström. Barry Hammond n'a mis que deux jours pour découvrir que le mari de Kristina était mort d'un infarctus à cinquante-deux ans.

— Ne me dites pas qu'il était banquier...

— Chef du service des prêts à la Banque royale de Copenhague.

— Qui a failli couler il y a deux ans.

— Sous sa gouverne, hélas, dit Hakim d'un ton calme.

— Alors, Mme Bergström...

— Mme Bishara.

— ... va-t-elle venir vivre à Londres ?

— Pas pour le moment. Elle a deux enfants qui sont toujours au lycée et elle ne veut pas que leur vie soit chamboulée. Aussi ai-je dû conclure un marché.

— Ce pour quoi vous êtes généralement très fort.

— Pas lorsqu'il s'agit d'une affaire personnelle. Je vous ai toujours mis en garde à ce sujet. Nous avons l'intention d'habiter Copenhague les deux prochaines années, jusqu'à ce qu'Inge et Aksel aillent à l'université. Ensuite, Kristina a accepté de vivre en Angleterre.

— Entre-temps vous vivrez à bord d'un avion.

— C'est hors de question. Kristina m'a fort clairement indiqué qu'elle refuse que son second mari meure d'un infarctus. Voilà pourquoi j'avais besoin de vous voir, Sebastian. Je souhaite que vous me remplaciez comme président de la banque.

Abasourdi, Sebastian fut pour la deuxième fois réduit à quia, et beaucoup plus longtemps cette fois-ci, ce dont Hakim profita à nouveau.

— J'ai l'intention, reprit-il, de convoquer une réunion du conseil au début de la semaine prochaine afin d'expliquer ma décision aux administrateurs. Je vais proposer que vous deveniez président en exercice et moi président d'honneur de la banque. À vous de choisir votre directeur général.

Si Sebastian n'eut pas à réfléchir longtemps là-dessus, il attendit cependant d'entendre l'avis de Hakim.

— Je suppose que vous souhaiterez que Victor Kaufman vous remplace, dit Hakim. Après tout, c'est l'un de vos plus vieux amis et il possède vingt-cinq pour cent des actions de la banque.

— Cela ne veut pas dire qu'il est capable de diriger les opérations quotidiennes d'un grand établissement financier. Nous gérons une banque, Hakim, pas un club sportif local.

— Cela signifie-t-il que vous avez en tête un autre candidat ?

— John Ashley serait mon premier choix, répondit Sebastian sans hésitation.

— Mais cela ne fait que deux ans qu'il travaille pour nous. Il vient à peine de mettre le pied à l'étrier.

— Mais quel curriculum vitæ ! lui rappela Sebastian. Manchester Grammar School, London School of Economics, bourse prestigieuse de la Harvard Business School. Et n'oublions pas la somme que nous avons dû débourser pour l'appâter et lui faire quitter la Chase Manhattan. Combien de temps va-t-il se passer avant que l'un de nos concurrents lui fasse une offre en or ? Ça ne va guère tarder, à mon avis, surtout si Victor se retrouve directeur général de la Farthings. Non. Si vous voulez que je sois président, Hakim, la nomination de John Ashley comme directeur général constitue la condition *sine qua non*.

— Félicitations, dit Jessica.

— Un président, qu'est-ce que c'est ? demanda Jake.

— Quelqu'un qui dirige tout et tout le monde. Un peu comme une directrice d'école.

— Je n'avais pas considéré ce poste tout à fait de cette façon, reconnut Sebastian, tandis que Samantha éclatait de rire.

Jessica fit le tour de la table et serra son père dans ses bras.

— Félicitations ! répéta-t-elle.

— Hakim semble bien trop jeune pour prendre sa retraite, dit Samantha, tout en coupant la pointe de l'œuf à la coque de Jake.

— Tout à fait d'accord, dit Sebastian. Mais il est tombé amoureux.

— Je ne me rendais pas compte que, si on tombait amoureux alors qu'on était président d'une banque, on devait prendre sa retraite.

— Ce n'est pas obligatoire, s'esclaffa Sebastian. Mais, en général, les banques préfèrent que leur président réside dans le pays, et la dame en question habite Copenhague.

— Pourquoi ne vient-elle pas vivre à Londres ? s'enquit Jessica.

— Kristina Bergström est une paysagiste très renommée, de réputation internationale, mais elle a deux enfants de son premier mariage et elle ne veut pas déménager tant qu'ils sont encore au lycée.

— Mais comment Hakim va-t-il occuper son temps, lui qui a l'énergie de dix hommes ?

— Il a l'intention d'ouvrir une nouvelle succursale de la Farthings à Copenhague et la compagnie de Kristina sera sa première cliente. Elle a déjà accepté d'ouvrir un bureau à Londres, lorsque les enfants ne seront plus au lycée.

— Et, lorsque Hakim reviendra, va-t-il reprendre son poste de président ?

— Non. Il n'aurait pu être plus clair. Le 1ᵉʳ septembre, il deviendra président d'honneur de la Farthings Kaufman, avant que je le remplace, dès l'année prochaine, en tant que président en exercice, John Ashley assumant le poste de directeur général.

— Tu l'as dit à Victor ? demanda Samantha.

— Non. Je préfère attendre que ce soit officiel.

— J'aimerais être une petite souris pendant votre entretien, dit Samantha. As-tu déjà rencontré Mᵐᵉ Bergström ?

— Non, je l'ai seulement vue lorsqu'elle a témoigné au procès de Hakim. Ç'a dû être le coup de foudre.

— Les hommes ont souvent le coup de foudre, déclara Jessica. C'est rarement le cas des femmes.

— Nous te sommes assurément tous les deux reconnaissants, Jessica, de nous faire partager ton immense compétence en matière d'amour, dit Sebastian, comme nous l'avions été de ton expertise en macroéconomie.

— Ce n'est pas moi qui le dis, mais D. H. Lawrence. C'est une citation extraite de *L'Amant de lady Chatterley*, roman que Claire m'a vivement conseillé de lire, même s'il ne figurait pas au programme du cours d'anglais à Saint-Paul.

Sebastian et Samantha échangèrent un regard.

— Peut-être le moment est-il plus ou moins propice, reprit Jessica, pour vous annoncer que j'ai l'intention de déménager…

— Non, non, non, fit Jake.

Alors que Sebastian aurait pu soutenir son fils, il décida de ne pas interrompre sa fille.

— Claire et moi avons trouvé un petit appartement dans une rue tout près de Gower Street, à huit cents mètres seulement de la Slade.

— Cela semble parfait, dit Samantha. Quand comptes-tu nous quitter ?

— Dans une quinzaine de jours. Si tu es d'accord, papa.

— Bien sûr, c'est une bonne idée.

— Non, non, non, répéta Jake en pointant sa cuillère vers Jessica.

— C'est impoli de faire ce geste, Jake, lui dit sa mère.

25

— Aujourd'hui, le cours de dessin d'après nature a été annulé, annonça le professeur Howard.

Un grognement parcourut la salle lorsque le professeur ajouta :

— Une fois de plus, notre modèle ne s'est pas présenté.

Les douze étudiants ramassaient leur matériel quand un jeune homme que Jessica n'avait jamais vu se leva, s'avança jusqu'au milieu de la pièce, se déshabilla et s'installa sur l'estrade. Une salve d'applaudissements se fit entendre et les étudiants de première année retournèrent à leur chevalet et se mirent au travail.

Paulo Reinaldo était le premier homme que Jessica voyait nu, et elle ne le quittait pas des yeux. Il ressemble à un dieu grec, se disait-elle. Bon, disons à un dieu brésilien. À larges traits, elle esquissa un croquis au fusain de son corps, travail de base que ses camarades mettraient beaucoup plus de temps à effectuer et sans aboutir à un aussi bon résultat. Elle se concentra ensuite sur la tête qu'elle dessina plus minutieusement. Longs cheveux bouclés dans lesquels elle avait envie de passer ses mains. Son regard descendit le long du corps et elle aurait alors souhaité être sculptrice. Les pectoraux et les abdominaux saillaient et les jambes étaient celles d'un coureur de marathon. Elle s'efforça de se concentrer quand son professeur regarda par-dessus son épaule.

— Vous l'avez bien saisi, dit-il. Très impressionnant. Mais ne négligez pas les ombres et la perspective, et n'oubliez jamais que moins c'est plus. Avez-vous vu les dessins que Bonnard a faits de sa femme sortant d'une baignoire ?

— Non.

— Vous en trouverez d'excellentes reproductions dans la bibliothèque de l'Académie. Elles prouvent, si besoin était, que pour évaluer la grandeur d'un peintre, il faut étudier ses dessins préparatoires avant même de voir ses chefs-d'œuvre. Au fait, vous le trouvez tout à fait à votre goût, soit, mais tâchez d'éviter que cela saute aux yeux.

Elle ne le revit pas de toute la semaine suivante. Il ne se trouvait jamais à la bibliothèque et ne semblait pas assister aux cours magistraux. Après la mise en garde du professeur Howard, elle n'osa pas poser des questions sur lui aux autres étudiants. Mais chaque fois qu'on mentionnait son nom, elle se taisait et tendait l'oreille.

— C'est le fils d'un industriel brésilien, dit une étudiante de deuxième année. Son père a voulu qu'il vienne à Londres pour améliorer son anglais, entre autres.

— Je crois qu'il a l'intention de rester là pendant deux ans, avant de retourner à Rio pour ouvrir une boîte de nuit, déclara une autre.

— Il n'assiste au cours de dessin figuratif que pour choisir sa prochaine victime, précisa une troisième d'un ton agacé.

— Tu as l'air très au courant, dit Avril Perkins.

— Je parle en connaissance de cause. J'ai couché avec lui une demi-douzaine de fois, avant qu'il me laisse tomber, lâcha négligemment l'étudiante. C'est comme ça qu'il passe la majeure partie de son temps, sauf le soir.

— Et que fait-il, le soir ? s'enquit Jessica, incapable de se retenir plus longtemps.

— Il étudie soigneusement les boîtes de nuit, plutôt que les aquarelles anglaises. Il prétend que c'est la vraie raison de sa venue ici. Mais il m'a assuré qu'il avait l'intention de coucher avec toutes les étudiantes de la Slade avant la fin de sa première année.

Elles éclatèrent toutes de rire, sauf Jessica, qui espérait bien être sa prochaine victime.

Le jeudi suivant, lorsqu'elle arriva pour le cours de dessin, deux autres étudiantes – dont Avril Perkins – étaient déjà assises de chaque côté de Paulo. Jessica s'installa en face de lui, de l'autre côté du demi-cercle d'étudiants. Elle essaya de se concentrer sur le modèle, une femme entre deux âges qui, contrairement à Avril, avait l'air froide et morose.

Le regard de Jessica finit par revenir sur Paulo, qui paraissait n'avoir besoin que d'une main pour dessiner, l'autre étant posée sur la cuisse d'Avril.

Quand, au milieu de la matinée, le professeur Howard suggéra de faire une pause, Jessica attendit qu'Avril ait quitté la salle pour passer le long du demi-cercle de chevalets, faisant semblant d'étudier les œuvres de ses camarades. Celui de Paulo n'était pas mauvais, il était nul. Comment se faisait-il qu'on l'ait admis à la Slade ?

— Pas mal, dit Jessica, tout en continuant à fixer son dessin.

— Absolument d'accord avec toi, dit Paulo. Il est affreux. Et tu le sais très bien, parce que tu es plus douée que nous tous. Sans exception.

Était-il en train de la draguer ou pensait-il vraiment ce qu'il venait de dire ? Peu importait.

— Ça te dirait de sortir boire un verre, ce soir ? demanda-t-il.

— Oui, avec plaisir ! répondit-elle.

Elle regretta immédiatement le « avec plaisir ».

— Je viendrai te chercher vers 22 heures et on pourra aller en boîte.

Elle ne signala pas qu'à cette heure-là elle était normalement au lit avec un livre, et certainement pas de sortie.

Après son dernier cours, elle se précipita chez elle et, sollicitant sans cesse l'avis de Claire, elle passa plus d'une heure à réfléchir à ce qu'elle allait porter pour son rendez-vous « première fois ». Elle finit par choisir une jupe courte en cuir rose, qui appartenait à Claire, un chemisier léopard, des bas résille noirs et des talons aiguilles dorés.

— J'ai l'air d'une grue ! s'écria-t-elle en se regardant dans la glace.

— Crois-moi, répondit Claire, si tu espères enfin coucher, c'est la tenue idéale.

Elle s'inclina devant la plus grande expérience de Claire en ce domaine.

Lorsque Paulo arriva avec trente minutes de retard (ça aussi, c'était à l'évidence à la mode), deux choses survinrent qui prirent Jessica au dépourvu. Pouvait-on à la fois être aussi beau et posséder une Ferrari ?

— Dis-lui que je suis libre demain soir, chuchota Claire, au moment où Jessica et Paulo quittaient l'appartement.

Troisième surprise, Paulo se révéla être un jeune homme charmant et distingué. Il ne se jeta pas sur elle sur-le-champ, comme les autres étudiantes l'avaient annoncé. En fait, il n'aurait pu être plus attentionné. Il alla jusqu'à lui ouvrir la portière et, sur le chemin du West End, il parla de la forte impression que produisait Jessica à la Slade. Elle regrettait déjà de s'être habillée de la sorte et tirait constamment sur sa jupe.

Lorsqu'il laissa sa Ferrari devant Annabel's, un voiturier prit les clés et gara la voiture. Ils descendirent l'escalier pour gagner un night-club à la lumière tamisée, dont Paulo était, à l'évidence, un habitué, puisque le maître d'hôtel s'avança pour l'accueillir en l'appelant par son nom, avant de le conduire à une table d'angle discrète.

Une fois qu'ils eurent choisi deux plats sur le menu le plus long qu'elle ait jamais vu – on aurait dit un livre –, Paulo parut désireux de tout savoir sur elle. Bien qu'elle n'ait pas abordé la question elle-même, il semblait parfaitement savoir qui étaient les grands-parents de Jessica, et il lui dit qu'il gardait précieusement le dernier *William Warwick* pour son long voyage de retour à Rio.

Dès qu'il eut terminé son repas, il alluma une cigarette et lui en offrit une. Jessica refusa mais tira une bouffée de temps en temps sur la sienne. Elle avait un goût différent des cigarettes qu'elle avait fumées jusque-là. Après le café, il la conduisit à la piste de danse bondée où la lumière tamisée céda la place à l'obscurité. Elle s'aperçut vite que, contrairement au dessin, la danse était un art où Paulo excellait, et elle ne tarda pas à remarquer, en outre, que plusieurs femmes ne faisaient plus guère attention à leur cavalier en sa présence. Toutefois, ce ne fut que lorsque Chaka Khan fut remplacée par « Hello », de Lionel Richie, que les mains de Paulo descendirent sous la taille de Jessica. Elle ne chercha pas à résister.

Leur premier baiser fut un peu maladroit, mais, après le deuxième, elle n'avait qu'une envie : rentrer avec lui, même si elle s'était résignée à l'idée qu'elle risquait de ne plus figurer au menu du lendemain soir. Ils ne quittèrent Annabel's qu'un peu après 1 heure du matin, et, dans la voiture, Jessica fut impressionnée par la facilité avec laquelle Paulo conduisait la Ferrari d'une main, tandis que l'autre caressait le bas couvrant sa cuisse. La voiture ne passa jamais en seconde.

Les surprises se succédaient. L'appartement de Knightsbridge était élégamment décoré, plein de tableaux et de meubles anciens qu'elle aurait aimé pouvoir admirer à loisir, s'il ne lui avait saisi la main pour l'entraîner illico presto vers la chambre, où elle fut accueillie par le lit le plus large qu'elle eût jamais vu. Le couvre-lit en soie noire était déjà replié.

Il la prit dans ses bras. Elle découvrit alors un autre de ses dons : l'art de déshabiller une femme tout en l'embrassant.

— Tu es si belle, déclara-t-il, une fois que le chemisier et la jupe eurent été ôtés en un tour de main.

Elle aurait répondu s'il ne s'était pas déjà agenouillé pour l'embrasser à nouveau, non plus sur les lèvres mais sur les cuisses. Ils glissèrent sur le lit et, quand elle rouvrit les yeux, il était déjà nu. Comment avait-il opéré ce tour de passe-passe ? Elle s'allongea, attendant la suite des événements, telle qu'elle lui avait été annoncée par Claire. Quand il la pénétra, elle faillit crier, non de plaisir mais de douleur. Quelques instants plus tard, il se retira, retomba sur son côté du lit et marmonna : « Tu as été merveilleuse », ce qui lui fit se demander si elle pouvait croire tout ce qu'il lui avait chuchoté ce soir-là.

Elle attendait qu'il l'entoure de ses bras et lui raconte d'autres mensonges, mais, lui tournant le dos, il sombra immédiatement dans un profond sommeil. Quand le souffle se fit régulier, elle repoussa le drap, sortit du lit et gagna la salle de bains dont elle n'alluma la lumière qu'après avoir refermé la porte. Elle mit un certain temps à faire sa toilette, remarquant qu'elle portait toujours ses bas noirs. Claire allait sans doute lui expliquer ce que ça signifiait à son retour. Elle rentra dans la chambre. Était-il, en fait, tout éveillé et espérait-il seulement qu'elle retourne chez elle ? Elle ramassa ses vêtements, s'habilla à toute vitesse, sortit discrètement de la chambre et referma la porte sans bruit derrière elle.

Pressée de quitter l'appartement, de peur que Paulo se réveille et compte lui faire à nouveau subir l'atroce épreuve, elle ne s'arrêta même pas pour admirer les tableaux. Elle longea le couloir sur la pointe des pieds et prit l'ascenseur pour gagner le rez-de-chaussée.

— Voulez-vous un taxi, mademoiselle ? s'enquit poliment le portier.

À l'évidence, il n'avait pas l'air surpris de voir une jeune femme court-vêtue apparaître dans le hall à 3 heures du matin.

— Non, merci, répondit-elle, avant de lancer un dernier coup d'œil à la Ferrari, d'ôter ses talons aiguilles et d'entamer la longue marche jusqu'à son petit appartement.

26

Jessica fut extrêmement surprise que Paulo lui propose un deuxième rendez-vous. Elle avait supposé qu'il serait déjà passé à la suivante, mais elle se rappela alors l'étudiante qui avait prétendu avoir couché avec lui une demi-douzaine de fois avant d'être larguée.

Elle dit à Claire qu'elle aimait se promener en Ferrari, dîner chez Annabel's et déguster des champagnes grand cru, allant jusqu'à avouer à son amie qu'elle se plaisait pas mal en la compagnie de Paulo et qu'elle lui était reconnaissante d'avoir résolu son problème de *virgo intacta*, même si l'expérience n'avait pas été des plus plaisante.

— Ça s'améliore au fil du temps, lui assura Claire, et il faut bien reconnaître que nous n'avons pas toutes la chance d'être enivrée par un dieu brésilien avant de perdre notre virginité. Je suis sûre que tu te rappelles mon expérience derrière les vestiaires de l'école avec Brian, le gardien de guichet de l'équipe du deuxième onze. Et ç'aurait pu être plus agréable s'il n'avait pas gardé ses jambières.

Au deuxième rendez-vous, la seule chose qui changea fut le night-club. Annabel's céda la place à Tramp, et Jessica se sentit plus à l'aise au milieu de gens plus jeunes. Elle et Paulo retournèrent à l'appartement de celui-ci vers 2 heures du matin, et, cette fois-ci, elle resta après qu'il se fut endormi.

Quand elle se réveilla, Paulo était en train de l'embrasser délicatement sur les seins et il continua à la tenir dans ses bras longtemps après qu'ils eurent fait l'amour. Lorsqu'elle aperçut la pendule sur la table de nuit, elle s'écria « Au secours ! », bondit hors du lit et courut prendre une douche bien chaude. Paulo se passant apparemment de petits-déjeuners, elle l'embrassa et le laissa au lit. Durant son cours sur les natures mortes, elle se rendit compte qu'elle n'arrivait pas à se concentrer, son esprit revenant sans cesse à Paulo. Était-elle en train de tomber amoureuse ?

Le professeur Howard fronça les sourcils lorsqu'il examina de plus près son dessin représentant un fruitier plein d'oranges. Il alla jusqu'à vérifier que c'était bien Jessica qui se trouvait à cette place. Même si son dessin était bien meilleur que ceux de ses camarades, le maître ne se dérida pas.

Pendant la semaine, elle se rendit dans trois autres night-clubs, où Paulo était chaque fois accueilli en habitué. Au cours des semaines suivantes, elle se mit à avoir envie de fumer les cigarettes favorites de Paulo, qui ne semblaient pas tout à fait ordinaires, et à apprécier les Brandy Alexander qui apparaissaient dès qu'ils avaient vidé leur deuxième bouteille de vin.

Au fil des mois, elle arrivait de plus en plus tard à la Slade, séchant même de temps en temps, puis plusieurs journées d'affilée, les travaux dirigés et les cours magistraux. Elle ne se rendait pas compte qu'elle quittait peu à peu son ancien monde pour entrer dans celui de Paulo.

La première lettre qui arriva vers la fin du trimestre aurait dû être un signal d'alarme, mais Paulo la persuada de n'en faire aucun cas.

— J'en ai reçu trois de ce genre au cours du premier trimestre, expliqua-t-il. Après un certain temps, ils finissent, tout simplement, par cesser de les envoyer.

Elle se dit qu'une fois qu'il se serait lassé d'elle, ce qui ne devrait plus tarder, craignait-elle, puisqu'elle avait déjà dépassé le nombre réglementaire de la demi-douzaine de rendez-vous, elle rentrerait dans le monde réel, quoiqu'elle se fût demandé si c'était encore possible. La liaison pourtant avait bien failli se terminer : après un cours sur l'art de l'aquarelle anglaise, elle s'était rendu compte qu'elle était en train de s'assoupir. Quand elle se réveilla, les autres étudiants quittaient déjà l'amphithéâtre. Elle avait alors décidé de se rendre à l'appartement de Paulo, au lieu de rentrer chez elle.

Elle avait pris un autobus à destination de Knightsbridge, puis avait couru d'une seule traite jusqu'à Lancelot Place. Le portier avait ouvert la porte de l'ascenseur d'une main tout en la saluant de l'autre. Parvenue au quatrième étage, elle avait frappé légèrement à la porte de Paulo qui avait été ouverte par sa servante brésilienne. Elle semblait vouloir dire quelque chose mais Jessica était passée à côté d'elle et avait pris le chemin de la chambre. Elle s'était déshabillée à toute vitesse, abandonnant ses vêtements sur le sol derrière elle, mais lorsqu'elle était entrée dans la chambre, elle s'était figée sur place. Couché dans le lit, Paulo fumait du hasch en compagnie d'Avril Perkins.

Jessica savait qu'elle aurait dû alors pivoter sur ses talons, sortir vivement de la pièce sans se retourner… Mais elle n'avait pu s'empêcher d'avancer lentement vers eux. Paulo lui avait souri quand il l'avait vue grimper sur le lit. Il avait repoussé Avril, pris Jessica dans ses bras et lui avait arraché le seul vêtement qu'il lui restait.

La lettre suivante était signée du directeur et portait, fermement soulignée, la mention « Deuxième avertissement ».

M. Knight indiquait qu'elle avait manqué les six derniers travaux dirigés de dessin et qu'elle avait cessé d'assister aux cours magistraux depuis plus d'un mois. Si les choses continuaient de la sorte, précisait-il, le conseil serait contraint d'envisager l'annulation de sa bourse. Lorsque Paulo brûla la missive, Jessica éclata de rire.

Le trimestre suivant, elle se mit à dormir chez Paulo pendant la journée et à passer la majeure partie de sa vie éveillée à courir les night-clubs avec lui. Les rares fois où ils allaient à la Slade, on ne les reconnaissait guère. Elle s'habitua à ce qu'une ribambelle de filles aillent et viennent la journée, mais elle était la seule à passer la nuit avec lui.

Elle fut obligée de prendre en considération la troisième lettre que lui remit personnellement le professeur Howard, l'une des rares fois où elle se leva assez tôt pour assister à un cours de dessin du matin. Le directeur l'informait qu'elle avait été surprise en train de fumer de la marijuana dans l'enceinte de l'école, que sa bourse lui avait, par conséquent, été retirée et avait été donnée à un autre étudiant. Il ajoutait qu'on lui permettait, pour le moment, de rester à l'école, à condition qu'elle suive les cours et que son travail s'améliore grandement.

Le professeur Howard la prévint que, si elle espérait toujours recevoir son diplôme et être admise à la Royal Academy pour faire un mastère, il faudrait qu'elle soumette au jury un ensemble de travaux, et que le temps pressait.

Lorsqu'elle rentra chez elle, cet après-midi-là, elle ne montra pas la lettre à Claire, qui manquait rarement ses cours et avait un petit ami régulier du nom de Darren qui considérait un repas au Pizza Express comme un véritable festin.

Chaque fois qu'elle rendait visite à ses parents ou à ses grands-parents, visites qui s'espaçaient de plus en plus, elle s'assurait d'être toujours sobrement vêtue et de ne jamais boire ni fumer en leur présence.

Elle ne parlait pas de son amant ni de la double vie qu'elle menait, et elle fut soulagée que Paulo n'ait jamais souhaité rencontrer sa famille. Chaque fois que son père ou sa mère abordait le sujet de la Royal Academy, elle affirmait que le professeur Howard était ravi de ses progrès et qu'il était certain que l'Académie lui offrirait une place l'année suivante.

Au début de sa deuxième année à la Slade, elle menait deux vies séparées, aucune des deux n'appartenant au monde réel. Les choses auraient pu continuer de la sorte si elle n'était pas tombée par hasard sur lady Virginia Fenwick.

Alors qu'elle se tenait au comptoir d'Annabel's, elle se tourna en même temps qu'une dame d'un certain âge qu'elle bouscula, ce qui fit tomber quelques gouttes de champagne sur sa manche.

— Ah les jeunes d'aujourd'hui ! s'écria Virginia, Jessica n'ayant même pas pris la peine de s'excuser.

— Et il n'y a pas que les jeunes, dit le duc. L'un de ces nouveaux pairs non héréditaires que Thatcher vient de nommer a eu le front de m'appeler par mon prénom.

— Où va le monde, Perry ? fit Virginia, comme le maître d'hôtel les conduisait à leur table habituelle. Mario, poursuivit-elle, sauriez-vous par hasard qui est la jeune fille debout au comptoir ?

— Elle s'appelle Jessica Clifton, milady.

— Ah vraiment ? Et le jeune homme qui l'accompagne ?

— M. Paulo Reinaldo, l'un de nos habitués.

Durant les minutes qui suivirent, Virginia ne répondit au duc que par monosyllabes. Elle quittait rarement des yeux une table à l'autre bout de la salle.

Elle finit par se lever, dit au duc qu'elle devait aller au petit coin, prit Mario à l'écart et lui glissa un billet de dix livres. Lady Virginia n'étant pas connue pour sa générosité, Mario supposa qu'il ne s'agissait pas d'un paiement pour services rendus mais pour services à rendre. Lorsque lady Virginia rejoignit le duc et suggéra qu'il était l'heure de rentrer, elle savait tout ce qu'elle devait savoir sur Paulo Reinaldo, et la seule chose qu'il lui fallait savoir sur Jessica Clifton.

Le soir où Paulo emmena Jessica chez Annabel's pour fêter le dix-neuvième anniversaire de la jeune fille, ils ne remarquèrent pas le couple d'un certain âge installé dans un box.

En général, Virginia et le duc s'en allaient vers 23 heures, mais pas ce soir-là. En fait, le duc s'assoupit après le troisième Courvoisier bien qu'il eût suggéré à de nombreuses reprises qu'il était peut-être temps de rentrer.

— Pas encore, mon chéri, ne cessait de répliquer Virginia sans fournir d'explications.

Dès que Paulo demanda l'addition, Virginia sortit du box comme une flèche et, munie d'un numéro de téléphone et du nom d'un policier qui, selon ce qu'on lui avait assuré, serait de service ce soir-là, traversa prestement la salle et gagna une cabine téléphonique placée discrètement dans le couloir. Elle composa lentement le numéro de téléphone et on lui répondit sur-le-champ.

— Commissaire principal Mullins.

— Commissaire principal, ici lady Virginia Fenwick, je souhaite signaler un incident en voiture. Je pense que le conducteur doit être ivre car il a failli heurter notre Rolls-Royce en nous dépassant du mauvais côté.

— Pouvez-vous décrire la voiture, madame ?

— Il s'agit d'une Ferrari jaune, et je suis à peu près certaine que le conducteur n'était pas anglais.

— Vous n'auriez pas par hasard relevé le numéro d'imma-triculation ?

Elle consulta le morceau de papier qu'elle tenait dans la main.

— A786 CLC.

— Et où l'incident s'est-il produit ?

— Mon chauffeur faisait le tour de Berkeley Square lorsque la Ferrari a tourné à droite en direction de Piccadilly et a filé vers Chelsea.

— Merci, madame. Je vais m'en occuper tout de suite.

Elle raccrocha juste au moment où Paulo et Jessica passaient devant elle dans le couloir. Elle demeura dans l'ombre tandis que le jeune couple montait l'escalier et sortait sur Berkeley Square. Un portier en livrée rendit à Paulo ses clés de voiture contre un billet de cinq livres. Paulo s'installa d'un bond sur le siège du conducteur, passa en souplesse la première, avant d'accélérer comme s'il était en pole position à la ligne de départ à Monaco. Il n'avait parcouru qu'une centaine de mètres lorsqu'il aperçut une voiture de police dans son rétroviseur.

— Sème-les ! fit Jessica. C'est seulement une vieille Sierra crevée.

Paulo passa la troisième et se mit à faire du slalom entre les voitures qui avançaient à petite vitesse. Jessica l'encourageait en hurlant des obscénités, jusqu'au moment où elle entendit la sirène. Se retournant, elle vit les voitures s'écarter pour laisser passer celle de la police.

Paulo jeta un coup d'œil à son rétroviseur au moment où le feu passait au rouge. Il le brûla, tourna à droite et, dans sa course le long de Piccadilly, faillit heurter un autobus. Lorsqu'il atteignit Hyde Park Corner, deux voitures de police étaient à ses trousses et, regrettant de l'avoir encouragé, Jessica s'accrochait au tableau de bord.

Il fit le tour de Hyde Park Corner sur les chapeaux de roues, s'engagea dans Brompton Road, brûla un autre feu rouge, avant de voir une troisième voiture de police se diriger vers lui. Il donna un brusque coup de frein, et la voiture dérapa avant de s'arrêter, mais trop tard pour éviter de heurter de plein fouet celle de la police.

Jessica ne passa pas son dix-neuvième anniversaire dans les bras de son amant dans son luxueux appartement de Knightsbridge, mais seule sur un matelas pisseux dans la cellule numéro 3 du commissariat de Savile Row.

27

Le lendemain matin, Samantha fut réveillée un peu avant 7 heures par un coup de téléphone du commissaire principal Mullins. Elle n'eut pas besoin de réveiller Sebastian qui était en train de se raser dans la salle de bains : dès qu'il entendit le ton anxieux de sa femme, il posa son rasoir et rentra précipitamment dans la chambre. Il ne se rappelait pas la dernière fois où il l'avait vue pleurer.

Un peu après 7 h 30, un taxi s'arrêta devant le commissariat de Savile Row. Au moment où Sebastian et Sam en descendirent, ils furent assaillis par les flashes et les questions qu'on leur hurlait, ce qui rappela à Sebastian l'époque du jugement de Hakim à l'Old Bailey. Il ne voyait pas qui avait pu prévenir la presse à cette heure matinale.

— Votre fille se drogue-t-elle ? cria l'un des journalistes.

— C'est elle qui conduisait ? lança un autre.

— A-t-elle participé à une orgie ? demanda un troisième.

Sebastian se rappela la règle d'or de Giles quand on affrontait une bande de journaleux : si on n'a rien à dire, on se tait.

Une fois dans le commissariat, il donna son nom au brigadier de service à l'accueil.

— Emmenez M. et Mme Clifton à la cellule numéro 3, dit le brigadier à un jeune policier, pendant que j'annonce au commissaire principal qu'ils sont arrivés.

Le policier leur fit longer un couloir puis gagner le sous-sol par un escalier raide. Il inséra une grosse clé dans la serrure d'une lourde porte qu'il ouvrit, avant de s'effacer pour leur permettre d'entrer dans la cellule.

Sebastian regarda la jeune fille débraillée recroquevillée au coin du lit, le visage souillé de mascara à force d'avoir pleuré. Il mit quelques instants à reconnaître sa fille. Samantha traversa vivement la cellule, s'assit à côté d'elle et l'entoura de ses bras.

— Tout va bien, ma chérie, dit-elle. Nous sommes tous les deux là.

Bien qu'elle fût dégrisée, un reste d'odeur d'alcool et de marijuana empestait toujours l'haleine de Jessica. Peu après, ils furent rejoints par le policier chargé de l'affaire qui se présenta comme le commissaire principal Mullins et qui leur expliqua pourquoi leur fille avait passé la nuit en garde à vue. Connaissaient-ils un certain Paulo Reinaldo ?

— Non, répondirent-ils ensemble et sans hésitation.

— Votre fille était avec M. Reinaldo quand nous avons arrêté celui-ci, ce matin. Nous l'avons déjà inculpé pour conduite en état d'ivresse et pour avoir été trouvé en possession de quatre-vingt-dix grammes de marijuana.

— Et ma fille, commissaire principal, a-t-elle, elle aussi, été inculpée ? s'enquit Sebastian qui s'efforçait de rester serein.

— Non, monsieur. Elle était ivre, elle aussi, et on suppose qu'elle avait fumé de la marijuana. Elle a également attaqué un policier, mais nous n'allons pas la poursuivre… Cette fois-ci, ajouta-t-il après une brève hésitation.

— Je vous en suis très reconnaissante, dit Samantha.

— Où est le jeune homme ? s'enquit Sebastian.

— Il va passer devant les juges du tribunal de première instance de Bow Street dans la matinée.

— Ma fille est-elle libre de s'en aller, commissaire principal ? s'enquit Samantha d'une voix calme.

— Oui, madame Clifton. Désolé pour la présence de la presse. Quelqu'un a dû les prévenir, mais je peux vous assurer que ce n'est pas nous.

Sebastian prit délicatement Jessica par le bras et la fit quitter la cellule, monter un escalier aux marches très usées, puis sortir du commissariat dans Savile Row, où ils furent à nouveau accueillis par des flashes et des hurlements. Il poussa sa femme et sa fille à l'arrière d'un taxi, referma la portière et dit au chauffeur de démarrer.

Jessica se tassa entre ses parents et ne releva pas la tête, même après que la voiture eut tourné le coin de la rue et que les journalistes furent sortis de leur champ de vision.

Lorsqu'ils arrivèrent chez eux, à Lennox Gardens, ils furent accueillis par un autre groupe de journalistes et de photographes. Les mêmes questions furent posées mais ils n'y répondirent pas davantage. Une fois qu'ils furent bien à l'abri à l'intérieur, Sebastian emmena Jessica dans la salle de séjour et, avant qu'elle ait pu s'asseoir, il exigea la vérité et rien que la vérité.

— Et ne nous épargne pas, parce que je suis certain que nous allons tout à l'heure prendre connaissance du moindre détail sordide dans l'*Evening Standard*.

La jeune fille sûre d'elle-même, qui avait quitté Annabel's après y avoir fêté son anniversaire, avait cédé la place à une gamine de dix-neuf ans en pleurs qui répondait à leurs questions en balbutiant d'une voix tremblante. Une voix que ses parents ne lui connaissaient pas. Entre deux silences gênés, elle raconta comment elle avait rencontré Paulo dont le charme, la distinction et, surtout, reconnut-elle, l'argent coulant à flots l'avaient séduite. Si elle avoua tout à ses parents, elle ne rejeta pas la culpabilité sur son amant, allant jusqu'à leur demander si elle pouvait le voir une dernière fois.

— Dans quel but ? demanda Sebastian.

— Pour dire au revoir... Et pour le remercier, ajouta-t-elle après quelque hésitation.

— Je ne pense pas que ce soit une bonne idée, alors que la presse va le suivre pas à pas en espérant que c'est ce que tu vas faire. Mais si tu lui écris une lettre, je m'assurerai qu'il la reçoive.

— Merci.

— Tu dois reconnaître que tu as trahi notre confiance à tous les deux, Jessie. Il y a quelque chose de sûr, en tout cas : on ne gagnera rien à remuer le passé. Ce qui est fait est fait, et toi seule peux décider ce que tu veux faire de ton avenir.

Elle regarda ses parents, mais resta coite.

— À mon avis, tu as deux possibilités, dit Sebastian. Tu peux soit revenir à la maison et voir s'il est encore possible de réparer les dégâts, soit partir d'ici pour reprendre ton autre mode de vie.

— Je suis absolument désolée, répondit Jessica, le visage ruisselant de larmes. Ce que j'ai fait est impardonnable, je le sais. Je ne veux pas repartir et, si vous me donnez une deuxième chance, je vous promets de tout faire pour me faire pardonner par vous deux.

— Évidemment que nous allons te la donner, dit Samantha. Mais je ne peux pas parler au nom de la Slade.

Sebastian quitta l'appartement deux heures plus tard pour aller chercher la première édition de l'*Evening Standard*. Longtemps avant qu'il ait atteint le marchand de journaux, un gros titre sur une affiche lui sauta aux yeux :

LA PETITE-FILLE DE LA SECRÉTAIRE D'ÉTAT À LA SANTÉ
IMPLIQUÉE DANS UNE AFFAIRE DE DROGUES

Tout en rentrant lentement chez lui, il lut l'article. Il contenait presque tous les détails que Jessie lui avait spontanément fournis un peu plus tôt. La nuit passée dans la cellule d'un commissariat, le champagne, la marijuana, deux bouteilles d'un vin très cher, suivies de deux Brandy Alexander consommés chez Annabel's, à Mayfair. Une course-poursuite entre une Ferrari valant cent mille livres et la police qui s'était terminée par une voiture de police venant en sens inverse emboutie.

Le nom de M. Paulo Reinaldo apparaissait seulement au détour d'une phrase. Le journaliste cherchait davantage à citer la baronne Emma Clifton, secrétaire d'État à la Santé, sir Harry Clifton, auteur à succès et militant en faveur des droits de l'homme, lord Barrington, ancien chef de la Chambre des lords, et Sebastian Clifton, président d'une grande banque, même s'ils dormaient à poings fermés au moment de l'arrestation de Jessica.

Il poussa un profond soupir. Il espérait seulement que sa fille bien-aimée pourrait avec le temps considérer l'affaire comme une expérience et que, non seulement elle s'en remettrait tout à fait, mais qu'elle en ressortirait plus forte. Ce ne fut que lorsqu'il lut le dernier paragraphe qu'il comprit que ce serait impossible.

Virginia acheta elle aussi la première édition de l'*Evening Standard*. Elle se délecta de chaque mot du « reportage exclusif ». Voilà dix livres judicieusement dépensées, se dit-elle. Seule déception : ayant plaidé coupable, Paulo Reinaldo n'avait reçu qu'une amende de cinq cents livres, après avoir assuré au juge qu'il rentrerait au Brésil quelques jours plus tard.

Toutefois, le sourire reparut sur le visage de Virginia quand elle parvint au dernier paragraphe de l'article... M. Gerald

Knight, directeur de l'école des Beaux-Arts Slade, avait indiqué au journaliste qu'il s'était vu contraint de renvoyer de l'école M. Reinaldo et Mlle Jessica Clifton. En ce qui concernait Mlle Clifton, précisait-il, il avait agi à contrecœur car c'était une étudiante particulièrement douée.

— Quel plaisir de vous rencontrer enfin, professeur Barrington ! Je suis l'un de vos plus fervents admirateurs depuis bien longtemps.

— C'est très aimable à vous, sir James. J'ignorais que vous aviez entendu parler de moi.

— Vous avez été le professeur de ma femme Helen quand elle était à Cambridge.

— Pourriez-vous me rappeler son nom de jeune fille, sir James ?

— Helen Prentice. Nous nous sommes rencontrés alors que je faisais mon droit à Trinity College.

— Ah oui, bien sûr. Je me souviens d'Helen. Elle était violon-celle dans l'orchestre du collège. Joue-t-elle toujours ?

— Uniquement le week-end, lorsque personne n'écoute.

Ils rirent tous les deux.

— Eh bien, transmettez-lui mes amitiés.

— Sans aucun doute, professeur Barrington. Mais j'avoue que ni elle ni moi n'avons pu deviner pourquoi vous souhaitiez me voir. À moins que vous lanciez votre célèbre appel de fonds, auquel cas je dois vous rappeler que British Petroleum vient d'augmenter l'allocation annuelle qu'elle accorde au centre de recherches de Newnham College.

Grace sourit.

— Vous ne portez pas la bonne casquette, sir James. Je ne suis pas venue voir le président de la BP mais le président d'honneur de l'école des Beaux-Arts Slade.

— Je suis toujours dans le noir…

— Essayez d'oublier que je suis une Barrington et considérez-moi comme une parente de plusieurs membres de la famille Clifton, notamment Jessica, ma petite-nièce, dont je suis venue plaider la cause.

De chaleureux, détendu, sir James Neville devint sur-le-champ sérieux, renfrogné.

— Même si vous étiez Portia, je crains que votre plaidoirie ne trouve aucun écho, professeur Barrington. Le conseil a voté à l'unanimité le renvoi de la Slade de Mlle Clifton. Lors de son arrestation, elle était non seulement ivre et, sans doute, sous l'influence de drogue, mais elle a, en outre, attaqué un policier durant sa garde à vue. J'ai personnellement jugé qu'elle a eu beaucoup de chance de ne pas être inculpée et même de ne pas être condamnée à une peine de prison.

— Mais c'est bien là le point central, sir James... Elle n'a été ni inculpée ni condamnée.

— Si j'ai bonne mémoire, le jeune homme qui conduisait la voiture a été inculpé, a reçu une lourde amende et a été expulsé du pays.

— C'est un individu plus âgé, beaucoup plus averti, dont Jessica s'était, hélas, entichée.

— C'est possible, professeur Barrington. Mais savez-vous que la bourse de Mlle Clifton lui a été retirée un peu plus tôt, cette année, après qu'elle a été surprise à fumer de la marijuana dans l'enceinte de l'école ?

— En effet, sir James. Elle m'a raconté tout ce qui s'est passé cette année et je peux vous assurer qu'elle regrette profondément ce qu'elle a fait. Mais si vous la reprenez, elle ne trahira pas votre confiance une deuxième fois.

— Qui nous affirme cela sur l'honneur ?

— Moi.

Sir James hésita avant de dire :

— Je crains que ce soit hors de question, professeur Barrington. Mlle Clifton vous a-t-elle également signalé qu'au dernier trimestre elle n'a assisté qu'à trois cours magistraux et à sept travaux dirigés et que durant cette période son travail est passé d'excellent à insuffisant ?

— Oui, elle me l'a dit.

— Et que lorsque son directeur d'études, le professeur Howard, a abordé la question avec elle, elle lui a dit, veuillez excuser mon langage, d'aller se faire foutre ?

— Et vous, vous n'avez jamais utilisé ce genre de langage, sir James ?

— Pas en parlant à mon directeur d'études. Et je doute, professeur Barrington, que votre petite-nièce ait jamais employé ce genre d'expression en votre présence ou devant d'autres membres de votre famille.

— Vous n'avez donc jamais vu un étudiant se rebeller contre ce que vous ou moi considérerions comme un comportement acceptable ? Vous êtes d'ailleurs père d'un fils et de deux filles.

Sir James fut réduit au silence quelques instants, ce qui permit à Grace de poursuivre.

— Au fil des ans, j'ai eu le privilège d'avoir pour étudiantes un grand nombre de jeunes filles brillantes, mais j'en ai rarement connu une possédant le talent de ma petite-nièce.

— Le talent n'est pas une excuse pour enfreindre les règles de l'école alors qu'on exige de tous les autres étudiants qu'ils les respectent, comme le directeur l'a clairement indiqué dans son rapport sur cette malheureuse histoire.

— Dans ce même rapport, sir James, il est dit que le professeur Howard s'est fait l'avocat de Jessica devant le conseil. Et, si j'ai bonne mémoire, il a souligné qu'elle possède un don exceptionnel qui doit être soutenu et non pas annihilé.

— Avant d'aboutir à une décision, le conseil a étudié de très près l'intervention du professeur Howard, et je crains que la publicité donnée à cette affaire ne nous ait pas laissé le choix...

— La publicité donnée à cette affaire n'a rien à voir avec Jessica mais avec ma sœur Emma, mon beau-frère Harry et même avec mon frère, Giles Barrington.

— C'est possible, professeur Barrington, mais le privilège d'être née dans une famille aussi remarquable donne davantage de responsabilités.

— Par conséquent, si elle avait été la fille d'une mère célibataire, abandonnée par le père, votre attitude aurait été tout à fait différente ?

— Je regrette, professeur Barrington, répliqua sir James en se levant de son siège, furieux, mais je ne vois pas l'utilité de prolonger cette discussion. Le conseil a pris sa décision, et je n'ai pas le pouvoir de la casser.

— Cela me gêne de vous corriger, sir James, rétorqua Grace sans bouger, mais, si vous lisez soigneusement les statuts de la Slade, il me semble que vous vous apercevrez que la règle 73b vous y autorise parfaitement.

— Je ne me souviens pas de la règle 73b, dit sir James, en se laissant retomber sur son siège, mais je sens que vous allez m'éclairer sur ce point.

— Le président a le droit, récita calmement Grace, de casser une décision du conseil s'il pense qu'il existe des circonstances atténuantes qui n'ont pas été prises en compte.

— Par exemple ? fit sir James, qui avait du mal à cacher son agacement.

— Peut-être le moment est-il venu de vous rappeler le cas d'un autre étudiant qui ne jouissait pas des mêmes privilèges que Jessica Clifton. Un jeune homme qui, lorsqu'il était étudiant à Cambridge, avait emprunté, sans permission, la moto de son directeur d'études et qui, en pleine nuit, était parti faire une virée en ville. Lorsqu'il a été arrêté par la police pour excès de vitesse, il a prétendu avoir la permission de son directeur d'études.

— Ce n'était qu'une peccadille.

— Et lorsqu'il s'est retrouvé devant le juge, le lendemain matin, il n'a pas été inculpé. On lui a simplement ordonné de rendre la moto à son propriétaire et de lui présenter ses excuses. Et, heureusement pour lui, le jeune homme n'étant pas fils de ministre, l'incident n'a même pas fait l'objet d'un entrefilet dans le *Cambridge Evening News*.

— Ce n'est pas très fair-play de votre part, professeur Barrington.

— Et lorsqu'il a rendu la moto à son directeur d'études en s'excusant, l'étudiant n'a pas été renvoyé, même temporairement. Il faut dire que le directeur était un homme civilisé et tout à fait conscient que l'étudiant était à quelques semaines seulement de son examen final.

— Ça, c'est un coup bas, professeur Barrington.

— Je n'en disconviens pas. Mais je crois qu'il vaut la peine d'être mentionné que le jeune homme en question a été reçu avec mention très bien et qu'il est par la suite devenu président de la BP, puis président du conseil d'administration de l'école des Beaux-Arts Slade et chevalier du royaume.

Sir James baissa la tête.

— Je suis désolée de recourir à ce genre de procédé, sir James, et j'espère que vous me pardonnerez, le jour où dame Jessica

Clifton, ancienne élève de la Royal Academy, sera nommée présidente de cette même Royal Academy.

— Dis-moi, papy, demanda Jessica, t'es-tu jamais complètement ridiculisé ?

— Tu veux dire cette semaine, ou bien la semaine dernière ? s'enquit Harry.

— Je parle sérieusement. Je veux dire quand tu étais jeune.

— C'était il y a si longtemps que je ne m'en souviens pas.

Elle se tut en attendant qu'il réponde à sa question.

— Être arrêté pour meurtre, est-ce que ça compte ? finit-il par dire.

— Mais tu étais innocent, et c'était une terrible erreur.

— Cela n'était pas, apparemment, l'avis du juge, parce qu'il m'a condamné à quatre ans de prison, et, si j'ai bonne mémoire, tu n'as réussi à être incarcérée qu'une seule nuit.

Jessica fronça les sourcils mais resta coite.

— Et il y aussi la fois où, désobéissant aux ordres, j'ai conseillé à un général allemand de déposer les armes et de se rendre, alors que je n'avais à ma disposition qu'un pistolet et un caporal irlandais.

— Et les Américains t'ont décoré pour cette action.

— C'est justement là la question, Jessie. À la guerre, on est souvent salué comme un héros pour avoir commis une action qui vous aurait fait arrêter, voire fusiller, en temps de paix.

— Penses-tu que mon père me pardonnera un jour ?

— Il n'y a aucune raison qu'il ne le fasse pas. Quand il avait ton âge, il a fait quelque chose de bien pire qui a poussé ta mère à le quitter et à retourner aux États-Unis.

— Elle m'a dit qu'ils s'étaient peu à peu éloignés l'un de l'autre.

— C'est vrai, mais elle ne t'a pas dit pourquoi. Et c'est toi qu'ils doivent remercier pour les avoir réconciliés.

— Et moi, qui dois-je remercier ?

— Ta grand-tante Grace, si tu demandes qui t'a permis de retourner à la Slade en septembre.

— Je pensais que c'était toi ou mamie qui étiez intervenus.

— Non. Même si Grace ne me remerciera pas de te l'avoir dit, elle et le professeur Howard ont joint leurs forces. Ce qui prouve que lorsque deux personnes coopèrent, elles peuvent devenir aussi puissantes qu'une armée.

— Comment puis-je les remercier ?

— En leur prouvant qu'ils ont eu raison. Ce qui m'amène à te demander où en est ton travail.

— En toute franchise, je n'en sais rien. Peux-tu jamais être sûr que ton roman est en bonne voie ?

— Non. En fin de compte, je laisse la décision finale aux critiques et aux lecteurs.

— Eh bien, il en sera de même pour moi. Par conséquent, accepterais-tu de me donner franchement ton opinion sur ma dernière œuvre ?

— Je veux bien essayer, répondit Harry, tout en espérant qu'il n'aurait pas à mentir.

— C'est maintenant ou jamais, dit Jessica en lui saisissant la main et en l'entraînant hors de la bibliothèque. Ç'a été gentil à toi de me laisser venir passer l'été ici pour voir si je pouvais recoller les morceaux, ajouta-t-elle tandis qu'ils montaient l'escalier.

— Tu y as réussi ?

— Voilà précisément ce que j'espère que tu me diras, répondit Jessica en ouvrant la porte de l'ancienne salle de jeux, avant de s'écarter.

Harry entra avec précaution, à cause des innombrables dessins préparatoires éparpillés sur le sol, qui étaient loin de lui donner un avant-goût de l'énorme toile posée sur un chevalet au milieu de la pièce. La peinture représentait le manoir qu'il croyait si bien connaître... La pelouse, la roseraie, le lac, le belvédère, les grands chênes qui dirigeaient le regard du spectateur vers l'horizon. Aucune couleur ne ressemblait à la réalité, mais ensemble...

— Alors ? Dis quelque chose, papy ! lança Jessica, incapable de se retenir plus longtemps.

— J'espère seulement que mon dernier livre lui arrivera à la cheville.

28

— Mais c'est une tradition familiale, insista Emma

— On ne peut pas la sauter cette année ? se moqua Sebastian.

— Certainement pas. J'ai promis à ton arrière-grand-père que la famille serait toujours réunie à Noël et qu'à la Saint-Sylvestre chacun ferait part aux autres de ses bonnes résolutions pour la nouvelle année. Alors, qui veut bien commencer aujourd'hui ?

— Mon père était encore pire, déclara Samantha. Il nous forçait à écrire nos bonnes résolutions, et, un an plus tard, nous devions les lire à haute voix pour rappeler à tout le monde nos folles promesses.

— J'ai toujours beaucoup aimé ton père, dit Emma. Alors, pourquoi ne commences-tu pas ?

— L'année prochaine, à cette date, promit Samantha, j'aurai un travail.

— Mais tu as déjà un travail, dit Emma. Tu élèves un futur président de la Farthings Kaufman.

— Ce n'est pas mon avis, dit Sebastian, en regardant son fils, qui faisait atterrir une maquette du Concorde sur le sol. Je pense qu'il a l'intention de devenir pilote d'essai.

— Alors il devra devenir président de la British Airways, dit Emma.

— Peut-être ne voudra-t-il pas devenir président de quoi que ce soit, suggéra Grace.

— Si tu avais le choix, Sam, demanda Harry, quel travail te plairait ?

— J'ai posé ma candidature au centre de recherches du Courtauld Institute. Les horaires sont souples, et maintenant que Jake va à la maternelle, ce serait idéal.

— Je signale aux membres les plus pragmatiques de la famille, dit Sebastian, que le salaire que peut espérer Sam comme chercheuse au Courtauld sera inférieur à celui qu'elle devra verser à une nounou.

— Voilà une redistribution sensée de la richesse, dit Grace. Deux personnes font un travail qui leur plaît et toutes les deux reçoivent leur dû.

— Quelle est ta résolution du jour de l'an, tante Grace ? s'enquit Sebastian.

— J'ai décidé de partir en préretraite et je vais quitter l'université à la fin de l'année.

— Viens nous rejoindre à la Chambre des lords, proposa Giles. Ta sagesse et ton bon sens nous seraient fort utiles.

— Merci. Mais deux Barrington à la Chambre haute suffisent amplement. De toute façon, comme Samantha, je cherche aussi un autre travail.

— Peut-on demander lequel ? s'enquit Harry.

— J'ai postulé dans une *comprehensive school*[1] de la ville dans l'espoir d'aider des adolescentes intelligentes – qui ne l'auraient jamais cru possible – à entrer à Cambridge.

— Pourquoi pas des garçons ? demanda Giles.

— Il y en a déjà assez à Cambridge.

— Tu nous fais tous nous sentir coupables, tante Grace, déclara Sebastian.

— Et toi, que comptes-tu faire cette année, Sebastian ? s'enquit Grace. En plus de gagner de plus en plus d'argent ?

— J'espère que tu as raison. Parce que, pour être franc, c'est ce qu'attendra ma clientèle, dont tu fais partie.

— Bien répondu ! fit Emma.

— À ton tour, maintenant, Jessica, reprit Grace. J'espère que tu as l'intention de faire quelque chose de plus utile que de présider une banque.

Personne n'eut besoin de lui rappeler sa résolution de l'année passée : « Mériter la confiance que m'a faite ma grand-tante et utiliser au mieux la deuxième chance qui m'a été accordée. »

— Je suis décidée à obtenir une bourse pour entrer à la Royal Academy.

— Bravo ! fit Emma.

---

1. Établissement secondaire d'enseignement général et professionnel : *grammar school* + lycée technique. La *grammar school* est l'équivalent du lycée français classique mais les élèves y sont admis après une sélection.

— Ça ne suffit pas, dit Grace. On sait tous que tu vas l'obtenir. Il faut mettre la barre plus haut, ma jeune dame.

Jessica hésita quelques instants, avant de répondre.

— Je vais gagner le prix du Fondateur de l'école.

— C'est mieux, dit Grace. Et nous serons tous là quand tu le recevras.

— À toi, maman, dit Sebastian pour venir à la rescousse de sa fille.

— Je vais m'inscrire à une salle de gymnastique et perdre trois kilos.

— Mais c'était déjà ta résolution de l'année dernière !

— Je le sais, dit Emma. Mais maintenant je dois perdre le double.

— Moi aussi, dit Giles. Mais, contrairement à Emma, moi, j'ai tenu ma promesse de l'année dernière.

— C'est-à-dire ? fit Harry.

— J'avais juré que je siégerais à nouveau au premier rang de la Chambre et qu'on m'offrirait un portefeuille passionnant, à présent que Michael Foot a enfin démissionné et cédé la place à quelqu'un qui veut vraiment habiter au 10 Downing Street, c'est chose faite.

— Quel portefeuille dans le gouvernement fantôme M. Kinnock t'a-t-il offert ? s'enquit Grace.

Giles ne put s'empêcher de faire un large sourire.

— Non ! s'écria Grace. Tu n'oserais pas... Tu as décliné l'offre, n'est-ce pas ?

— Je n'ai pas pu résister à la tentation. Par conséquent, ma résolution du nouvel an est de contrer, de harceler le gouvernement et de lui créer le plus de problèmes possible, en particulier à la secrétaire d'État à la Santé.

— Quel traître ! s'exclama Emma.

— Non, pour être juste, sœurette, je m'attaque aux traîtres.

— Votre temps est terminé, dit Harry en riant. Avant que vous en veniez aux mains. À qui le tour ?

— À Freddie, peut-être ? suggéra Karin.

C'était la première fois que Freddie passait Noël au manoir, et Jessica l'avait dorloté comme une mère son enfant unique, tandis que Jake ne semblait jamais être très loin derrière son nouvel ami.

— Ma résolution du nouvel an, répondit Freddie, sera la même cette année, et toutes les années à venir, jusqu'à ce qu'elle se concrétise.

Ça n'avait peut-être pas été son but, mais il retint l'attention de tous.

— Je vais marquer une centaine à Lord's pour rivaliser avec mon père.

Giles se détourna pour ne pas gêner le jeune garçon.

— Et une fois que tu auras atteint ton but, quel sera le prochain ? s'enquit Harry quand il vit que son plus vieil ami était au bord des larmes.

— Marquer une double centaine, sir Harry, répondit Freddie sans hésitation.

— Et une fois que tu auras atteint ce but, il ne sera pas difficile de deviner ta résolution de l'année suivante, dit Grace.

Tout le monde rit.

— C'est ton tour, à présent, Karin, dit Emma.

— J'ai décidé de courir le marathon de Londres et de lever des fonds pour les immigrés qui veulent aller à l'université.

— Sur quelle distance se court un marathon ? demanda Samantha.

— Un peu plus de vingt-six miles.

— Plutôt toi que moi... Mais je te donnerai cinq livres sterling par mile.

— C'est très généreux de ta part, Sam.

— Moi de même, dit Sebastian.

— Et moi, ajouta Giles.

— Merci, mais le compte n'y est pas, dit Karin en prenant un carnet dans sa poche. Samantha me promet cinq livres par mile et je m'attends à ce que les autres me donnent en proportion de leurs revenus.

— Au secours ! fit Sebastian.

— Je m'adresserai à toi en dernier, dit Karin en souriant à Sebastian avant de consulter sa liste. Grace donne vingt-cinq livres par mile, Emma et Harry, cinquante livres chacun, et Giles, cent livres. Et toi, Sebastian, en tant que président de la banque, j'ai noté que tu donneras mille livres par mile. Cela se monte à, poursuivit-elle en consultant à nouveau son carnet, trente et un mille neuf cent quatre-vingts livres.

— Puis-je faire une requête en tant qu'immigrée du Nouveau Monde qui n'est pas du tout sûre de l'identité de ses parents et qui a, malheureusement, perdu sa bourse d'études ?

Tous s'esclaffèrent.

— Freddie, Jake et moi aimerions tous les trois donner simplement dix livres par mile, poursuivit Jessica.

— Mais cela vous coûterait sept cent quatre-vingts livres, lui dit son père. Alors je dois te demander comment tu as l'intention de régler la note ?

— La banque va demander qu'un portrait de son président soit accroché dans la salle du conseil. Devine à qui elle est sur le point de le commander et quel en sera le prix ?

Harry sourit, ravi que sa petite-fille ait retrouvé son insolence et son humour caustique.

— Ai-je mon mot à dire à ce sujet ? s'enquit Sebastian.

— Sûrement pas, répliqua Jessica. Autrement, à quoi cela servirait-il d'être père ?

— Bravo, Karin ! fit Grace. Nous t'applaudissons tous.

— Un instant, un instant ! dit Sebastian. Il y aura une condition inscrite dans le contrat. À savoir qu'on ne versera pas le moindre penny si Karin abandonne en cours de route.

— C'est de bonne guerre, reconnut Karin. Un grand merci à tous !

— Qui reste-t-il ? demanda Emma.

Tous se tournèrent vers Harry qui ne put s'empêcher de les faire attendre quelques instants.

— Il était une fois une vieille dame remarquable qui, juste avant sa mort, a écrit une lettre à son fils, lui suggérant que le moment était peut-être venu qu'il écrive le roman dont il lui avait si souvent parlé… Eh bien, maman, reprit-il après un bref silence, en levant les yeux vers le ciel, ce moment est venu. Je n'ai plus aucune excuse pour ne pas réaliser ton souhait, puisque je viens de terminer la rédaction du dernier roman de la série *William Warwick*.

— Sauf, bien sûr, si ton malveillant éditeur, suggéra Emma d'un ton vif, offrait à son romancier influençable, un à-valoir encore supérieur auquel il ne pourrait résister.

— Je suis content de pouvoir te répondre que c'est impossible.

— Pourquoi donc ? s'enquit Sebastian.

— Je viens d'envoyer la dernière mouture à Aaron Guinzburg, et il est sur le point de découvrir que j'ai tué William Warwick.

Stupéfaits, ils restèrent tous cois, sauf Giles qui rétorqua :

— Cela n'a pas empêché sir Arthur Conan Doyle de ressusciter Sherlock Holmes, alors que ses fidèles lecteurs pensaient que Moriarty l'avait poussé dans le vide du haut d'une falaise.

— Cette pensée m'a traversé l'esprit, répliqua Harry. Aussi ai-je décidé de clore le livre par l'enterrement de William Warwick. Son épouse et ses enfants se tiennent près du caveau et regardent le cercueil descendre dans la fosse. Si j'ai bonne mémoire, une seule personne a ressuscité des morts.

Même Giles resta sans voix.

— Peux-tu nous dire quelque chose sur ton prochain roman ? s'enquit Karin, qui, comme tous les autres, apprenait la mort de Willam Warwick.

De nouveau, Harry attendit d'avoir l'attention de tous, y compris celle de Jake.

— L'intrigue se déroulera dans l'un des pays satellites de la Russie, sans doute l'Ukraine. Le premier chapitre commencera dans un faubourg de Kiev, où une famille, mère, père et enfant, est en train de dîner.

— Garçon ou fille ? s'enquit Jessica.

— Garçon.

— Quel âge ?

— Je n'ai pas encore décidé. Quinze ans, peut-être seize. La seule chose de sûre, c'est que la famille fête l'anniversaire de l'adolescent. Pendant le repas, qui n'est pas exactement un festin, le lecteur va peu à peu prendre connaissance des difficultés qu'ils doivent affronter sous un régime oppressif, le père, un chef syndical, étant considéré comme un fauteur de troubles, comme un dissident, quelqu'un qui ose défier l'autorité de l'État.

— S'il était né ici, dit Giles, il aurait été le chef de l'opposition.

— Mais dans son pays, poursuivit Harry, il est traité comme un hors-la-loi, comme un criminel de droit commun.

— Que se passe-t-il ensuite ? demanda Jessica.

— L'adolescent est sur le point d'ouvrir son unique cadeau, lorsqu'un camion militaire freine dans un crissement de pneus devant leur maison. Une dizaine de soldats défoncent la porte, traînent le père dans la rue et le fusillent devant sa femme et son fils.

— Tu tues le héros dès le premier chapitre ? s'étonna Emma.

— C'est le fils le sujet de l'histoire, expliqua Grace. Pas le père.

— Et la mère, ajouta Harry. Parce que c'est une femme intelligente et débrouillarde qui a déjà compris que, s'ils ne s'échappent pas du pays, son fils rebelle ne tardera pas à vouloir venger son père et finira, inévitablement, par connaître le même sort.

— Et où est-ce qu'ils partent ? s'enquit Jessica.

— La mère hésite entre les États-Unis et l'Angleterre.

— Comment prennent-ils leur décision ? demanda Karin.

— En jouant à pile ou face.

Les autres membres de la famille continuèrent à fixer le conteur.

— Et quelle est l'intrigue ? demanda Sebastian.

— Nous suivons les aventures de la mère et du fils, chapitre après chapitre. Au premier chapitre, ils gagnent les États-Unis. Au deuxième, l'Angleterre. Ainsi le lecteur aura deux histoires parallèles et très différentes l'une de l'autre qui se déroulent en même temps.

— Dis donc ! fit Jessica. Et qu'est-ce qui se passe après ?

— J'aimerais bien le savoir, répondit Harry. Mais ma résolution du nouvel an, c'est justement de le découvrir.

29

« Deux minutes avant le départ », lança le haut-parleur.

Karin continua à courir sur place, s'efforçant d'entrer dans ce que les coureurs expérimentés appellent « la zone ». Elle avait passé de nombreuses heures à s'entraîner, avait même couru un semi-marathon, mais, sur la ligne de départ, elle se sentit soudain très seule.

« Cinq minutes », reprit la voix du destin.

Karin consulta son chronomètre, cadeau récent de Giles. 0.00. « Rapprochez-vous le plus possible du premier rang, lui avait conseillé Freddie. Pourquoi ajouter inutilement du temps ou de la distance à la course ? » Elle n'avait jamais considéré le marathon comme une course ; elle souhaitait seulement terminer en moins de quatre heures. Et, pour le moment, elle espérait seulement finir la course.

« Une minute », hurla la voix du starter.

Elle se trouvait au onzième rang, mais, puisqu'il y avait environ huit mille coureurs, elle considérait que c'était assez près de la première ligne.

« Dix, neuf, huit, sept, six, cinq, quatre, trois, deux, un ! » lancèrent en chœur tous les coureurs, avant qu'un avertisseur sonore retentisse d'un ton menaçant. Elle appuya sur le bouton de son chronomètre et partit, emportée par une marée de coureurs enthousiastes.

Chaque mile était indiqué par une large ligne bleue traversant la chaussée d'un côté à l'autre et Karin parcourut le premier mile en moins de huit minutes. Lorsqu'elle prit sa vitesse de croisière, elle fut davantage consciente des spectateurs qui se pressaient de chaque côté de la rue, certains encourageant les coureurs, d'autres les applaudissant, tandis que d'autres encore posaient un regard incrédule sur la masse de chair humaine, formée d'êtres de toutes tailles qui passaient devant eux plus ou moins vite.

Son esprit commença à vagabonder. Elle pensa à Giles, qui, l'avait accompagnée en voiture le jour de l'inscription et qui, debout dans le froid, devait attendre quelque part qu'elle apparaisse parmi les concurrents ne faisant pas partie du peloton de tête. Elle revit ensuite sa récente visite à la Chambre des lords pour entendre la secrétaire d'État à la Santé répondre aux questions depuis la tribune. Emma s'était bien débrouillée et, selon Giles, elle avait rapidement trouvé son rythme. Alors que Karin entamait la deuxième moitié de la course, elle espérait avoir trouvé le sien, même si elle était consciente que le vainqueur devait déjà être en train de franchir la ligne d'arrivée.

Giles les avait déjà prévenus qu'il était peu probable que Karin finisse la course en moins de quatre heures. C'est pourquoi tous les membres de la famille s'étaient levés de bonne heure afin d'être sûrs de trouver une place où elle était certaine de les voir. La veille, Freddie s'était agenouillé pour préparer une pancarte qui, espérait-il, ferait rire Karin au moment où elle passerait devant eux.

Une fois revenu à Smith Square, après avoir déposé sa femme devant la tente A-D, à Greenwich Park, il conduisit le petit groupe de supporters à l'arrière du Treasury Building – le ministère des Finances – et trouva une place au premier rang, derrière les barrières dressées sur Parliament Square, en face de la statue de Winston Churchill.

Elle s'approchait à présent de ce que tous les marathoniens appellent « le mur ». Il surgissait en général entre dix-sept et vingt miles environ. Elle avait très souvent entendu parler de la tentation de se convaincre que, si on abandonnait, personne ne s'en apercevrait. Mais tous s'en apercevraient. Il se pouvait qu'ils ne disent rien, mais Sebastian avait clairement indiqué qu'il ne donnerait pas un seul penny si elle ne franchissait pas la ligne d'arrivée. Un accord est un accord, lui avait-il rappelé. Or elle avait le sentiment de courir de moins en moins vite, et cela n'aida pas lorsqu'elle aperçut un peu plus loin un panneau routier indiquant que la vitesse maximale était de trente miles à l'heure !

Mais quelque chose, peut-être la peur de l'échec, la poussa à continuer. Elle fit semblant de ne pas le remarquer lorsqu'elle fut dépassée par une boîte aux lettres et, quelques minutes plus tard, par un chameau. Allez, allez, allez ! se disait-elle. Stop, stop, stop ! insistaient ses jambes. Au moment où elle arriva à la marque des vingt miles, la foule lança de sonores vivats, non pour l'encourager mais pour féliciter une chenille qui la doublait tranquillement.

Lorsqu'elle aperçut au loin la Tour de Londres, elle commença à croire qu'elle avait des chances de gagner son pari. Elle consulta son chrono : trois heures, trente-deux minutes. Pourrait-elle encore finir la course en moins de quatre heures ?

Quand elle sortit de l'Embankment et passa devant Big Ben, de longs et puissants hourras fusèrent. Regardant vers le trottoir, elle vit Giles, Harry et Emma agiter frénétiquement les bras. Jessica n'arrêtait pas de dessiner, tandis que Freddie brandissait une pancarte qui disait : ALLEZ ! JE CROIS QUE VOUS ÊTES TROISIÈME !

Elle réussit tant bien que mal à lever le bras pour les saluer, mais lorsqu'elle s'engagea dans le Mall, elle arrivait à peine à poser un pied devant l'autre. Alors qu'il restait un quart de mile, elle découvrit les tribunes noires de monde des deux côtés de l'avenue, la foule qui poussait des vivats plus sonores que jamais et une équipe de télévision de la BBC qui la filmait tout en allant à reculons plus vite qu'elle courait vers l'avant.

Levant les yeux, elle vit l'horloge numérique au-dessus de la ligne d'arrivée tictaquer impitoyablement. Trois heures, cinquante-sept minutes… Elle s'intéressa soudain aux secondes : trente et une, trente-deux, trente-trois… Au prix d'un dernier effort herculéen, elle essaya d'avancer plus vite. Quand elle finit par franchir la ligne d'arrivée, elle leva les bras en l'air comme une championne olympique. Quelques pas de plus, et elle s'affala par terre.

Peu après, un délégué portant une blouse de la Croix-Rouge s'agenouillait à côté d'elle, une bouteille d'eau dans une main, une cape brillante couleur argent dans l'autre.

— Essayez de marcher, dit-il en lui accrochant une médaille autour du cou.

Elle commença à marcher lentement, très lentement, mais elle fut requinquée à la vue de Freddie qui courait vers elle, les bras ouverts, et de Giles marchant quelques pas derrière lui.

— Félicitations ! cria Freddie, avant même de l'avoir rejointe. Trois heures, cinquante-neuf minutes et onze secondes. Et je suis sûr que vous ferez mieux l'année prochaine.

— Il n'y aura pas d'année prochaine ! s'écria Karin. Même si Sebastian m'offrait un million de livres !

LADY VIRGINIA FENWICK

1983-1986

30

Virginia avait quitté son appartement de Chelsea et s'était réins-
tallée dans l'hôtel particulier du duc dès le lendemain du jour
où le chauffeur avait conduit Clarence et Alice à Heathrow afin
qu'ils repartent chacun de leur côté : l'un s'envolant vers l'est,
l'autre vers l'ouest.

Bien qu'elle fût encore un rien inquiète, elle fut de plus en
plus persuadée d'avoir réussi son coup jusqu'au jour où elle et
le duc se rendirent ensemble à la campagne pour passer un
long week-end au château Hertford.

Alors que le duc était à la chasse, M. Moxton, le régisseur du
domaine, lui avait envoyé un petit mot sollicitant un entretien
privé avec elle.

— Désolé d'aborder ce sujet, dit-il après que Virginia l'eut
convoqué au salon, mais puis-je vous demander si les cent
quatre-vingt-cinq mille livres que vous a données le duc constituent un présent ou un prêt ?

— Est-ce que cela fait une différence ? demanda-t-elle d'un
ton sec.

— Seulement pour les impôts, milady.

— Qu'est-ce qui serait le plus avantageux ? s'enquit-elle
d'une voix plus douce.

— Un prêt, parce que ce serait alors pour vous exempt
d'impôts. Si c'est un don, vous devrez payer environ cent mille
livres d'impôts, répondit Moxton, qu'elle n'avait pas invité à
s'asseoir.

— Et nous ne le souhaitons pas. Mais, dans ce cas, quand serais-je censée rembourser l'emprunt ?

— Disons dans cinq ans ? On pourrait alors, bien sûr, opérer un refinancement.

— Bien sûr.

— Toutefois, dans le cas improbable où Sa Grâce rendrait l'âme avant, vous seriez contrainte de rembourser intégralement le prêt.

— Je vais donc devoir faire tout mon possible pour maintenir Sa Grâce en vie pendant au moins cinq ans.

— Je pense que ce serait parfait pour nous tous, milady, répondit Moxton, qui ne savait trop s'il était censé rire. Puis-je également vous demander s'il est possible qu'il y ait d'autres prêts semblables à l'avenir ?

— Certainement pas, Moxton. C'était exceptionnel, et je sais que le duc préférerait que nous n'en reparlions plus.

— Naturellement, milady. Je vais rédiger les documents indispensables afin que vous les signiez, et alors le tour sera joué.

Au fil des semaines, puis des mois, elle se convainquit que le duc n'était pas au courant de l'accord passé entre elle et Moxton. Même s'il le connaissait, il ne l'évoqua jamais. Quand vint le moment de célébrer le soixante et onzième anniversaire du duc, elle était prête à passer à l'étape suivante.

Si 1983 avait été une année bissextile, le problème aurait pu se résoudre tout seul[1]. Mais ce n'était pas le cas et Virginia refusait d'attendre.

Elle vivait à Eaton Square avec le duc depuis près d'un an. Une fois passée la période de deuil officiel, son but était tout simplement de devenir « Sa Grâce », la duchesse de Hertford. Un seul obstacle entravait sa route, le duc lui-même, qui, paraissant se satisfaire pleinement de la situation présente, n'avait pas une seule fois abordé le sujet du mariage. Il fallait mettre fin à cette incertitude... Mais comment ?

---

1. Une tradition anglaise et irlandaise séculaire permet aux femmes de proposer le mariage à un homme seulement les années bissextiles, voire uniquement le 29 février.

Elle réfléchit aux diverses stratégies envisageables... Quitter Eaton Square pour retourner à Chelsea, privant ainsi Perry de sa compagnie et, plus important, de relations sexuelles – lesquelles n'étaient plus aussi fréquentes que jadis –, et espérer que cela suffirait. Toutefois, n'ayant pour vivre que l'allocation mensuelle de deux mille livres accordée par son frère, elle avait peur de céder bien avant lui. Elle pourrait demander le duc en mariage, mais elle craignait l'humiliation d'être éconduite. Ou bien, elle pouvait simplement le quitter, ce qui n'était même pas envisageable.

Lorsque, au cours d'un déjeuner, elle discuta du problème avec Bofie Bridgwater et Priscilla Bingham, ce fut Bofie qui trouva une solution toute simple pour, immanquablement, forcer le duc à prendre une décision.

— Mais cela risque de se retourner contre moi, dit Virginia. Et je serai alors bien avancée.

— Tu as peut-être raison, reconnut Bofie. Mais, franchement, ma petite, tu n'as plus guère le choix, sauf si tu te contentes de vivre au jour le jour en attendant d'assister aux obsèques du duc, comme une vieille amie.

— Non. Je t'assure que ce n'est pas ce que j'ai en tête. Si je laissais les choses se passer de la sorte, lady Camilla Hertford me tomberait dessus, pistolet à la main, pour exiger que je rembourse intégralement le prêt de cent quatre-vingt-cinq mille livres. Non, si je dois tout risquer sur un coup de dés, il faudra que ça ait lieu avant Noël.

— Pourquoi cette date est-elle si importante ? s'enquit Priscilla.

— Parce que Camilla arrivera de Nouvelle-Zélande. Et elle a déjà écrit à Perry pour l'avertir que si « cette femme » est invitée à séjourner au château, ni elle, ni son mari, ni les petits-enfants de Perry dont il raffole ne prendraient l'avion.

— Elle te déteste à ce point ?

— Encore plus que sa défunte mère, si c'est possible. Par conséquent, si on décide de remédier à la situation, le temps presse.

— Alors, j'ai intérêt à passer ce coup de téléphone, conclut Bofie.

— Le *Daily Mail.*

— Pourriez-vous me mettre en communication avec Nigel Dempster ?

— De la part de qui ?

— Lord Bridgwater.

— Bofie... Ravi de vous entendre, dit la voix qui prit le relais. Quoi de neuf ?

— J'ai reçu un appel de William Hickey, de l'*Express*, Nigel. Bien sûr, j'ai refusé de le mettre au courant.

— Je vous en suis très reconnaissant, Bofie.

— Eh bien, voilà... Si l'histoire doit sortir dans la presse, je préférerais que ce soit dans votre chronique.

— Je suis tout ouïe.

Dempster prit en note tout ce que Bofie avait à lui raconter, quelque peu étonné cependant, ayant toujours décrit lord Bridgwater dans sa chronique comme un « célibataire endurci ». Mais cette exclusivité ne pouvait pas venir de source plus sûre.

Dès que le *Daily Mail* atterrit sur son paillasson le lendemain matin, Virginia se précipita. Ne prêtant pas la moindre attention à la manchette qui demandait « Divorce ? » au-dessus d'une photo de Rod et Alana Stewart, elle passa tout de suite à la chronique mondaine de Dempster et découvrit le gros titre « Mariage ? » au-dessus d'une photo peu flatteuse de lady Virginia Fenwick à Monte-Carlo en compagnie de Bofie.

Quand elle lut la chronique de Dempster, elle regretta d'avoir laissé Bofie agir.

Un ami intime de la famille m'apprend que lord Bridgwater espère très bientôt annoncer ses fiançailles avec lady Virginia Fenwick, seule fille du défunt comte Fenwick. Cela pourra surprendre mes fidèles lecteurs, étant donné que, pas plus tard que la semaine dernière, on a vu lady Virginia au bras du duc de Hertford, à un rallye hippique pour cavaliers amateurs. Suivez bien cette chronique...

Elle relut l'article, craignant que Bofie en eût trop fait, parce qu'il était clair que Dempster n'en croyait pas un mot. Il fallait qu'elle appelle Perry pour lui dire que tout ça, c'était des balivernes. Après tout, chacun ne savait-il pas que Bofie Bridgwater était gay ?

Après plusieurs tasses de thé et davantage de faux départs, elle finit par décrocher le téléphone et composer le numéro de Perry à Eaton Square. La sonnerie retentissait quand on frappa à la porte de Virginia.

— Résidence du duc de Hertford, dit une voix qu'elle reconnut immédiatement à l'autre bout du fil.

— Lomax, ici lady Virginia. Pourrais-je parler au...

On continua à tambouriner contre la porte.

— Je crains que Sa Grâce ne soit pas là, milady, répondit le majordome.

— Savez-vous quand il rentrera ?

— Non, milady. Il est parti en toute hâte ce matin et il n'a pas laissé d'instructions. Voulez-vous que je lui dise que vous avez appelé ?

— Non, merci, répondit Virginia en reposant l'appareil.

Le tambourinement continua, pareil à celui du receveur des loyers quand il sait que le locataire est là.

Imaginant que Perry était parti à la campagne sans elle, pour la première fois depuis plus d'un an, elle gagna la porte dans un état second. Il lui fallait réfléchir, mais elle devait d'abord se débarrasser de cet importun.

Elle l'ouvrit et s'apprêtait à invectiver l'intrus quand elle découvrit Perry, un genou à terre.

— Ne me dites pas que j'arrive trop tard, ma chère, dit-il en levant un regard triste vers elle.

— Bien sûr que non, Perry, mais levez-vous donc !

— Pas avant que vous m'ayez promis de m'épouser.

— Bien sûr que je vous le promets, mon chéri. J'ai déjà dit à Bofie que vous étiez le seul homme de ma vie, mais il s'entête, poursuivit-elle en aidant le duc à se relever.

— J'aimerais ne pas perdre de temps. Il ne me reste plus un long chemin à parcourir. Aussi, chaque seconde est précieuse.

— Je vous comprends très bien, dit Virginia. Mais ne pensez-vous pas que vous devriez en discuter avec vos enfants avant de prendre une décision aussi importante ?

— Certainement pas. Les pères ne requièrent pas la permission de leurs enfants pour se marier. De toute façon, je suis persuadé qu'ils seront enchantés.

Trois semaines plus tard, grâce à une information fournie par un ami de la famille, Nigel Dempster publia une photo exclusive du duc et de la duchesse de Hertford en train de sortir du bureau de l'état civil de Chelsea sous une pluie battante.

Et l'heureux couple, écrivait Dempster, *passera sa lune de miel dans le domaine du duc, près de Cortone. Ils projettent de retourner ensuite au château Hertford pour célébrer les fêtes de Noël en famille.*

31

Noël chez les Hertford fut aussi glacial à l'intérieur du château qu'à l'extérieur. Même Clarence et Alice étaient à l'évidence consternés que leur père se soit marié sans les prévenir, tandis que Camilla ne cachait à personne – famille ou personnel – son avis sur l'usurpatrice.

Chaque fois que Virginia entrait dans une pièce, Camilla en sortait avec son mari, suivis de leurs deux enfants. Toutefois, Virginia possédait un avantage sur le reste de la famille : il y avait une pièce où aucun d'entre eux ne pouvait pénétrer et où elle régnait huit heures sur vingt-quatre.

Si elle travaillait au corps son mari la nuit, la journée, elle concentrait ses efforts sur Clarence et Alice, consciente qu'on ne pouvait retourner Camilla, même si, en ce qui concernait le mari et les enfants, elle n'avait pas complètement abandonné la partie.

Chaque fois qu'un membre de la famille la voyait en compagnie du duc, elle s'assurait de se montrer attentionnée, prévenante, sincèrement dévouée et prête à satisfaire ses moindres désirs. Au bout d'une semaine, l'atmosphère s'était quelque peu dégelée et, à sa grande joie, la veille de Noël, Clarence et Alice les accompagnèrent dans leur promenade matinale dans le domaine. Ils furent surpris de constater que Virginia s'intéressait beaucoup à l'entretien du domaine.

— Après tout, dit-elle à Clarence, nous devons faire en sorte que, lorsque vous quitterez finalement l'armée, vous repreniez une entreprise florissante et non pas un domaine moribond.

— Je devrais alors trouver une épouse aussi consciencieuse que vous, Virginia.

Un dans la poche... Il en reste deux, pensa-t-elle.

Alice fut la deuxième à se rendre. Lorsque, ayant ouvert son cadeau de Noël, elle découvrit *Le Dixième Homme*, le dernier roman de Graham Greene, elle demanda :

— Comment saviez-vous que c'est mon auteur favori ?

— C'est également le mien, répondit Virginia, qui avait lu à la hâte trois romans de l'écrivain après avoir remarqué sur la table de chevet d'Alice un livre de poche manifestement lu et relu. Je ne suis pas surprise de découvrir que nous avons ça en commun, et si *La Fin d'une liaison* est tout à fait excellent, *Rocher de Brighton* reste mon favori.

— Rien d'étonnant à cela, dit Camilla. Après tout, Pinkie Brown[1] et vous vous ressemblez énormément.

Alice fronça les sourcils, mais il était clair que le duc n'avait aucune idée de ce dont ils parlaient. Deux dans la poche ; il en reste une.

Lorsque les petits-enfants ouvrirent leurs cadeaux de Noël, ils hurlèrent de joie. Une montre *Star Strek* pour Tristan et une poupée Barbie pour Kitty, que Virginia avait achetée peu après avoir découvert que Camilla avait refusé d'en envisager l'acquisition, préférant un exemplaire du *Shorter Oxford English Dictionary* et une trousse de couture.

Le présent de Camilla avait été le plus difficile à choisir, jusqu'au moment où Virginia tomba sur une photo la montrant en train de jouer de la flûte dans l'orchestre de son école, et où la cuisinière lui indiqua qu'elle avait entendu lady Camilla dire qu'elle pensait s'y remettre. Il est vrai que le temps libre ne fait guère défaut quand la ville la plus proche se trouve à plus de cent cinquante kilomètres.

Lorsque Camilla ouvrit son cadeau et aperçut l'instrument luisant, elle resta muette. Virginia considéra alors que son allocation mensuelle avait été dépensée à bon escient. Cette impression fut confirmée lorsque Tristan s'approcha d'elle et lui dit avant de l'embrasser :

— Merci, grand-maman.

Dès la fin de la deuxième semaine, Clarence et Alice avaient conclu que leur père avait de la chance d'avoir trouvé une telle perle et, si Camilla n'était pas d'accord, elle ne quittait plus la pièce lorsque Virginia y entrait.

Le jour du départ de la famille, Virginia fit emballer un en-cas et de l'orangeade pour que les enfants les emportent dans l'avion.

---

1. Anti-héros adolescent du roman de Greene. Sociopathe cruel, immoral, démoniaque, il devient chef de bande et meurtrier.

Avant qu'ils montent dans la voiture, tous l'embrassèrent pour lui dire au revoir, sauf Camilla qui lui serra la main. Comme la Rolls-Royce conduite par le chauffeur longeait la longue allée pour gagner Heathrow, Virginia ne cessa d'agiter la main.

— C'est un véritable triomphe pour vous, dit le duc tandis qu'ils retournaient au château. Vous avez été merveilleuse, ma chère, et j'ai le sentiment que même Camilla commençait à s'amadouer.

— Merci, Perry, dit Virginia en glissant son bras sous celui du duc. Mais je comprends Camilla. Après tout, j'éprouverais les mêmes sentiments si quelqu'un essayait de prendre la place de ma mère.

— Vous êtes si bonne, Virginia. Mais je crains que Camilla ait soulevé une question que je dois aborder avec vous sans plus tarder.

Elle se raidit. Comment Camilla avait-elle découvert l'existence de l'emprunt alors qu'elle s'était arrangée pour que Moxton prenne ses vacances de Noël la veille de l'arrivée de la famille et qu'il ne revienne que le lendemain de leur départ ?

— Je regrette de devoir aborder un sujet aussi pénible, poursuivit le duc, mais je ne rajeunis pas et je dois envisager l'avenir, notamment le vôtre, ma petite.

Elle se garda de réagir, ayant déjà réfléchi à la question. En outre, Desmond Mellor lui avait appris que, lorsqu'on espérait conclure un accord, il fallait toujours laisser la partie adverse faire la première proposition.

— Aussi ai-je décidé d'ajouter un codicille à mon testament afin que vous n'ayez aucun souci lorsque je ne serai plus.

— Mon seul souci, dit Virginia, c'est que, lorsque vous ne serez plus, je serai toute seule. Je sais que c'est égoïste de ma part, Perry, mais si j'avais le choix, je mourrais avant vous. Je ne supporte pas l'idée de devoir vivre sans vous, ajouta-t-elle, parvenant même à laisser perler une larme.

— Je n'en crois pas ma chance de vous avoir trouvée, Virginia !

— C'est moi qui ai de la chance, ronronna Virginia.

— Avant que j'appelle mon notaire pour lancer la procédure, je souhaiterais que vous réfléchissiez à ce que je pourrais vous léguer. Naturellement, vous aurez la jouissance de Dower House, le pavillon dans le domaine, et d'une allocation mensuelle de cinq mille livres. Mais si quelque chose d'autre vous plaît, faites-le-moi simplement savoir.

— C'est extrêmement généreux de votre part, Perry. Rien ne me vient à l'esprit pour le moment. Rien qu'un petit souvenir, peut-être, qui me rappelle votre personne.

En vérité, elle avait déjà énormément réfléchi à la question, puisque cela faisait partie intégrante de sa pension de retraite. Il était inutile de lui rappeler que deux héritages lui avaient déjà filé sous le nez, et elle n'avait aucune envie d'en rater un troisième.

Elle devait, cependant, effectuer une recherche plus approfondie avant d'indiquer à Perry quel souvenir elle avait à l'esprit. Si elle savait parfaitement à qui demander des conseils à ce sujet, elle ne pouvait l'inviter au château tant que s'y trouvait le duc. De toute façon, le problème serait résolu lorsque Perry irait à Londres pour participer à la réunion annuelle de son régiment, événement qu'il ne manquait jamais, puisque, en tant que colonel honoraire, c'est lui qui présidait le dîner.

32

Virginia accompagna Perry pour effectuer le court trajet jusqu'à la gare.

— Je regrette de ne pas venir avec vous, dit-elle au moment où ils arrivaient sur le quai.

— Ça n'en vaut guère la peine, ma chère. Je ne passerai qu'une nuit dans la capitale et je serai de retour dès demain après-midi.

— Et je serai alors sur le quai à vous attendre.

— Vous n'y êtes pas obligée, dit-il, au moment où le train entrait en gare.

— Je veux être là à votre retour, déclara-t-elle, alors que le duc montait dans un compartiment de première classe.

— C'est gentil de votre part, ma chérie.

— Au revoir, cria-t-elle, tout en agitant le bras tandis que le train s'ébranlait en direction de Londres.

Quittant la gare en hâte, elle partit à la recherche d'un autre homme.

— Êtes-vous Poltimore ? demanda-t-elle à un jeune homme qui se tenait sur le trottoir, l'air un peu perdu.

Une petite valise à la main, il portait un duffle-coat et ses cheveux blonds lui descendaient presque aux épaules.

— C'est exact, Votre Grâce, répondit-il en inclinant légèrement le buste. Je ne m'attendais pas à ce que vous veniez me chercher en voiture.

— Je vous en prie, répondit-elle, comme le chauffeur ouvrait la portière arrière.

Sur le chemin du retour au château, elle expliqua pourquoi elle avait invité l'historien d'art de Sotheby's pour examiner la collection Hertford.

— Voilà un certain temps que le duc s'inquiète d'avoir négligé quelque objet de grande valeur qui devrait être assuré. Nous possédons un inventaire complet, naturellement, mais mon mari ne s'intéressant guère aux objets de famille, j'ai pensé qu'il serait raisonnable de le mettre à jour. Après tout, nous ne rajeunissons pas, ni l'un ni l'autre.

— J'ai très envie de voir la collection. C'est toujours un peu exceptionnel de découvrir un patrimoine qui n'a jamais été présenté au grand public. Je connais, bien sûr, l'existence du tableau du château Hertford de Constable et du chef-d'œuvre de Turner représentant la place Saint-Marc, mais il me tarde d'examiner les autres trésors en votre possession.

Moi aussi, pensa Virginia, qui se garda d'interrompre les propos enthousiastes du jeune homme.

— Il n'a pas été nécessaire d'effectuer de longues recherches pour apprendre l'histoire de la famille. C'est le troisième duc qui a beaucoup voyagé en Europe au cours du XVIIIe siècle, poursuivit Poltimore, qui a constitué une aussi belle collection.

— Mais il n'a pas pu acheter le Turner et le Constable.

— Non. Ce doit être le septième duc. C'est également lui qui a commandé à Gainsborough le portrait de Catherine, duchesse de Hertford.

— Vous le verrez dans le vestibule, dit Virginia, qui avait déjà étudié l'inventaire en détail, avant de parvenir à la conclusion que le duc n'accepterait jamais de se séparer d'aucun objet de famille.

Elle espérait cependant qu'au cours des trois derniers siècles quelque chose avait pu échapper à l'attention des Hertford.

De retour au château, elle s'empressa de conduire l'expert de Sotheby's à la bibliothèque, où elle lui remit trois épais registres reliés en cuir et intitulés *Collection Hertford*.

— Je vous laisse travailler, monsieur Poltimore. N'hésitez pas à vous promener dans la maison, sachant que votre tâche principale consiste à repérer quelque objet qui nous aurait échappé.

— Je m'y mets sur-le-champ, répondit Poltimore en ouvrant le premier volume.

— Dîner habillé, monsieur Poltimore, lui dit-elle avant de s'éloigner. Et nous dînons à 20 heures précises.

— J'ai pu vérifier la présence de presque tout ce qui figure dans l'inventaire, déclara Poltimore en prenant un verre de xérès à l'apéritif. Et je puis vous confirmer que tout semble parfaitement en ordre. Toutefois, je pense vraiment qu'en ce qui concerne l'assurance l'estimation actuelle est très en dessous de la véritable valeur de la collection.

— Ce n'est guère surprenant, répondit Virginia, car je ne crois pas que beaucoup d'aristocrates pourraient assurer leurs biens pour leur valeur actuelle. Je me rappelle que mon père m'avait dit que, si les tableaux de famille s'étaient retrouvés sur le marché, il aurait été incapable de les acheter. Avez-vous découvert un objet d'une certaine importance qui n'est pas mentionné ?

— Pas pour le moment. Mais je n'ai pas encore eu le temps d'examiner les deux étages supérieurs, ce que je vais faire dès demain matin.

— Ils sont surtout habités par le personnel, dit Virginia en cherchant à dissimuler sa déception. Je ne pense pas que vous y trouverez quelque chose de valeur. Mais jetez-y quand même un coup d'œil. Sait-on jamais.

Le gong résonna et elle conduisit son invité à la salle à manger.

— Où est M. Poltimore, Lomax ? demanda Virginia au majordome, le lendemain matin, lorsqu'elle descendit.

— Il a pris son petit-déjeuner très tôt, Votre Grâce, et la dernière fois que je l'ai vu, il était au dernier étage en train de noter le nom des tableaux accrochés sur le palier.

Après le petit-déjeuner, elle se retira dans la bibliothèque et se mit à étudier à nouveau l'inventaire, à la recherche d'un chef-d'œuvre mineur auquel le duc n'était pas particulièrement attaché et dont il accepterait de se séparer. Malheureusement, quand elle consulta les évaluations révisées de Poltimore, elle comprit que rien ne lui permettrait de continuer à vivre de la façon qu'elle considérait comme digne d'une duchesse. Il lui faudrait donc s'assurer, pour ne pas mourir de faim, qu'on fasse passer son allocation mensuelle de cinq mille à dix mille livres. Son humeur ne s'améliora pas au déjeuner quand Poltimore lui indiqua qu'il n'avait trouvé aucun objet possédant quelque valeur.

— Rien d'étonnant à cela, répliqua Virginia. C'est le quartier des domestiques.

— Je suis cependant tombé sur un dessin de Tiepolo et sur une aquarelle de sir William Russell Flint qui mériteraient d'être ajoutés à l'inventaire.

— Je vous en suis très reconnaissante. J'espère seulement que vous n'avez pas le sentiment d'avoir perdu votre temps.

— Absolument pas, Votre Grâce. Cela a été un très grand plaisir, et si le duc songeait un jour à vendre une pièce de sa collection, nous serions honorés de le représenter.

— Je ne vois pas dans quelles circonstances cela pourrait se produire, mais, le cas échéant, je vous contacterais immédiatement.

— Merci. Avant de repartir, dit-il en consultant sa montre, j'ai encore le temps d'explorer le sous-sol.

— Je crains que vous n'y trouviez rien d'intéressant. À part quelques vieilles casseroles et une cuisinière Aga en fonte d'un autre âge, qu'on aurait dû remplacer, il y a belle lurette, comme je le répète au duc.

Poltimore rit poliment, avant d'avaler sa dernière bouchée de pain perdu.

— La voiture vous attendra à 14 h 40, dit Virginia, pour vous conduire à la gare. Ce qui devrait vous donner largement le temps d'attraper le train de Londres de 15 h 05.

Elle était en train de parler au jardinier de la plantation d'un nouveau parterre de fuchsias lorsque, levant la tête, elle aperçut Poltimore courir vers elle. Elle attendit qu'il ait repris son souffle.

— Il se peut que j'aie trouvé quelque chose de tout à fait remarquable, finit-il par dire, mais, pour en être absolument certain, il faut d'abord que j'en discute avec le chef de notre département chinois.

— Votre département chinois ?

— J'ai bien failli ne pas les voir, cachés qu'ils étaient dans un coin du couloir du sous-sol, près de l'office.

— Ne pas voir quoi ? s'enquit Virginia, qui s'efforçait de dissimuler son impatience.

— Deux grands vases bleu et blanc. J'ai vérifié les marques de la base et je pense qu'ils peuvent appartenir à la dynastie Ming.

— Ont-ils assez de valeur pour qu'on les ajoute à l'inventaire ? demanda-t-elle en s'efforçant de parler posément.

— Absolument. Si ce sont des originaux. Une paire de vases semblables, mais beaucoup plus petits que les vôtres, a été mise aux enchères à New York, il y a deux ans, et elle a été adjugée à plus d'un million de dollars. J'ai pris quelques photos, poursuivit Poltimore, notamment des marques distinctives sur la base, que je vais montrer à notre expert en objets chinois, dès mon retour à Bond Street. Je vous écrirai pour vous faire part de son avis.

— Je préférerais que vous me téléphoniez. Je ne voudrais pas susciter de faux espoirs chez le duc.

— Je vous appellerai demain, dans la journée, promit Poltimore.

— Eh bien, d'accord, dit Virginia, au moment où un valet sortait de la maison avec une valise qu'il plaça dans le coffre de la voiture.

— Au revoir, donc, Votre Grâce.

— Pas tout de suite, monsieur Poltimore, dit Virginia en le rejoignant sur le siège arrière.

Elle attendit qu'ils aient commencé à rouler dans l'allée avant de chuchoter :

— Si le duc décidait de vendre les vases, comment devrait-il s'y prendre, à votre avis ?

— Si notre expert confirme qu'ils sont bien de la dynastie Ming, nous vous indiquerions la vente aux enchères qui conviendrait le mieux à des objets d'une telle importance historique.

— Dans la mesure du possible, j'aimerais les vendre avec le moins de publicité et le plus de discrétion possible.

— Bien sûr, Votre Grâce. Mais je dois souligner que si le nom de Hertford était lié à ces vases, il ne fait aucun doute qu'ils atteindraient un prix de vente beaucoup plus élevé. Vous n'êtes pas sans savoir, bien sûr, que deux choses comptent vraiment quand sont mis aux enchères des objets théoriquement de cette valeur : la provenance et le moment de leur dernière apparition sur le marché. Par conséquent, si on peut lier le nom de Hertford et trois siècles d'histoire, ce serait là le rêve de tout commissaire-priseur.

— Soit. Je comprends que cela pourrait faire une certaine différence. Mais pour des raisons personnelles, il est possible que le duc désire garder l'anonymat.

— Quelle que soit votre décision, nous la respecterons, évidemment, affirma Poltimore tandis que la voiture s'arrêtait devant la gare.

Le chauffeur ouvrit la portière pour permettre à la duchesse de descendre.

— J'attends avec impatience votre appel, monsieur Poltimore, dit-elle, au moment où le train s'arrêtait en gare.

— Je vous appellerai dès que j'en saurai plus, et soyez certaine que Sotheby's sera fier de vous servir avec le maximum de discrétion.

Il fit un petit salut de la tête avant de monter dans le train.

Virginia emprunta aussitôt la passerelle pour gagner le quai numéro 2. Elle n'eut que quelques instants à attendre avant l'entrée en gare du train de Londres. Lorsqu'elle fit de grands signes au duc, il lui décocha un immense sourire.

— C'est gentil à vous d'être venue m'accueillir, dit-il en se penchant vers elle pour l'embrasser.

— Ne dites pas de bêtises, Perry. Il me tardait tant de vous revoir.

— Quelque chose d'intéressant s'est-il produit durant mon absence ? demanda le duc, tout en tendant son billet au chef de gare.

— J'ai planté un parterre de fuchsias, qui devraient fleurir cet été, mais, franchement, cela m'intéresserait davantage que vous me racontiez tout ce qui s'est passé à votre dîner.

Poltimore tint sa promesse. Il appela le lendemain après-midi pour annoncer à Virginia qu'après avoir étudié les photos et, en particulier, les marques distinctives sur leur base, M. Li Wong, l'expert en objets chinois de Sotheby's, était quasiment certain qu'ils étaient de la dynastie Ming. De toute façon, il avait indiqué qu'avant d'accorder son imprimatur il devait les examiner personnellement.

Il débarqua quinze jours plus tard, alors que le duc était allé voir son médecin à Harley Street pour son bilan de santé annuel. Il n'eut pas besoin de passer la nuit au château, quelques minutes lui ayant amplement suffi pour se convaincre que les deux vases étaient des œuvres exceptionnelles qui susciteraient un intérêt chez les grands collectionneurs du monde entier. Il avait, en outre, pu corroborer son opinion en se documentant.

Après une journée passée au British Museum, il était tombé sur une référence suggérant que le quatrième duc de Hertford, envoyé par le gouvernement de Sa Majesté, avait conduit une mission diplomatique à Pékin au début de xixe siècle. Les deux vases constituaient probablement un présent, pour marquer l'occasion, de l'empereur Jiaqing. M. Li Wong dit alors plus d'une fois à la duchesse que le rappel de cet événement historique ajouterait une extraordinaire valeur aux deux objets. Le cadeau de deux vases Ming d'un empereur à un duc, envoyé du roi, ferait vibrer le monde des enchères.

L'expert fut, à l'évidence, déçu d'entendre Virginia lui dire que, si le duc venait à se séparer des vases, il était fort peu probable qu'il veuille que le monde entier sache qu'il vendait des objets de famille.

— Peut-être Sa Grâce accepterait-elle qu'ils soient simplement désignés comme « appartenant à un aristocrate » ? suggéra-t-il.

— Ce serait un compromis tout à fait satisfaisant.

Quand elle frappait à la porte du cabinet de travail du duc, cela rappelait toujours à Virginia l'époque où elle était convoquée par son père pour qu'il la tance sur ses manquements. Mais pas aujourd'hui. Elle était sur le point de connaître les détails précis du testament de Perry.

Il l'avait priée au petit-déjeuner de le rejoindre vers 11 heures dans son bureau car, à 10 heures, il recevait le notaire de famille pour discuter du contenu de son testament, et, notamment, de la formulation du codicille. Il lui avait rappelé qu'elle ne lui avait toujours pas indiqué s'il y avait quelque chose qu'elle aimerait garder en souvenir de lui.

Au moment où elle entra dans le bureau de son mari, Perry et le notaire se mirent immédiatement sur pied et restèrent debout jusqu'à ce qu'elle se soit assise entre eux deux.

— Vous arrivez à point nommé, dit Perry, parce que je viens d'accepter la formulation d'un nouveau codicille vous concernant, que Me Blatchford va ajouter à mon testament.

Elle baissa la tête.

— Je crains, maître, dit le duc, que mon épouse trouve tout cela un peu pénible. Mais je suis parvenu à la convaincre de la nécessité de ce genre d'affaires si on ne veut pas que l'inspecteur des impôts devienne votre parent le plus proche.

Me Blatchford opina du chef d'un air sagace.

— Peut-être auriez-vous l'amabilité d'expliquer le codicille en détail à la duchesse afin que nous n'ayons plus besoin de parler du sujet ?

— Certainement, Votre Grâce, dit le notaire, un homme d'un certain âge, qui semblait susceptible de mourir avant Perry. Au décès du duc, vous aurez la jouissance d'une maison sise sur le domaine et recevrez le personnel nécessaire pour vous servir. Vous toucherez également une allocation mensuelle de cinq mille livres.

— Est-ce que ce sera suffisant, ma chère ? intervint le duc.

— Plus que suffisant, mon chéri, murmura Virginia. N'oubliez pas que mon frère me verse toujours une allocation mensuelle, que je ne parviens jamais à dépenser.

— Je crois comprendre, reprit Blatchford, que le duc vous a demandé de choisir un objet personnel, en souvenir de lui. Avez-vous déjà fait votre choix ?

Elle mit un certain temps à relever la tête pour répondre.

— Perry a une canne qui me le rappellera chaque fois que je ferai ma promenade du soir dans le jardin.

— Nul doute que vous ayez envie de quelque chose de plus conséquent, ma chérie ? fit le duc.

— Non. Cela suffit amplement, mon chéri.

Elle se tut quelque temps avant d'ajouter :

— Bien que j'avoue qu'il y a deux vieux vases qui prennent la poussière au sous-sol. Je les ai toujours admirés... Mais seulement si vous cela ne vous peine pas de vous en séparer.

Elle retint son souffle.

— L'inventaire des objets de famille ne les mentionnant pas, dit Blatchford, avec votre permission, Votre Grâce, je vais ajouter au codicille la canne et les deux vases, et ensuite vous pourrez grossoyer la version finale.

— Bien sûr, bien sûr, dit le duc qui n'était encore qu'un gamin, la dernière fois où il était descendu au sous-sol.

— Merci, Perry, dit Virginia. C'est extrêmement généreux de votre part. Puisque vous êtes ici, maître, pourrais-je solliciter votre avis sur un autre sujet ?

— Bien sûr, Votre Grâce.

— Peut-être devrais-je, moi-même, penser à faire un testament.

— C'est très sage de votre part, Votre Grâce, dirais-je. Je serais ravi de le rédiger. Peut-être pourrions-nous fixer un rendez-vous pour une autre fois ?

— Ce ne sera pas nécessaire, maître. J'ai l'intention de laisser tous mes biens à mon cher mari.

33

Vingt minutes plus tard, une ambulance, toutes sirènes hurlantes, s'arrêta devant la grille du château.

Guidés par Virginia, deux ambulanciers montèrent en toute hâte derrière elle jusqu'à la chambre du duc. Ils le soulevèrent délicatement et l'allongèrent sur un brancard, avant de redescendre lentement au rez-de-chaussée. Virginia lui tenait la main. Au moment où les infirmiers le hissèrent dans l'ambulance, il réussit à lui faire un pâle sourire.

Elle monta dans le véhicule et s'assit sur la banquette à côté de son mari dont elle ne lâcha pas la main. L'ambulance filait à travers la campagne. Vingt minutes plus tard, ils atteignaient la clinique la plus proche.

Un médecin, deux infirmières et trois aides-soignants les attendaient. Le duc fut soulevé du brancard et placé sur un chariot qui franchit les portes ouvertes avant d'arriver à une chambre préparée en toute hâte.

Les trois médecins qui l'examinèrent parvinrent tous à la même conclusion : il s'agissait d'une légère attaque cardiaque. Malgré ce diagnostic rassurant, le médecin chef insista pour qu'il reste là afin de subir des examens plus approfondis.

Tous les matins, Virginia allait voir Perry à la clinique. Il avait beau lui répéter qu'il se portait comme un charme, les médecins refusaient de le laisser sortir tant qu'ils n'étaient pas sûrs et certains qu'il était complètement remis. Virginia lui fit nettement comprendre, en présence de l'infirmière en chef, qu'il devait suivre les instructions des médecins à la lettre.

Le lendemain, elle téléphona à tous les enfants du duc. Elle les informa du diagnostic mais se fit rassurante : si le duc faisait un peu d'exercice et qu'il suivait un régime, il n'y avait aucune raison qu'il ne vive pas encore de nombreuses années. Elle souligna que les médecins ne jugeaient pas nécessaire qu'ils reviennent en toute hâte et elle leur affirma qu'elle aurait grand plaisir à les revoir à Noël.

Un régime de pastèque, poisson cuit à l'eau et salade verte, sans le moindre assaisonnement, n'améliora pas l'humeur du duc, et lorsqu'on lui permit enfin de sortir, une semaine plus tard, l'infirmière en chef remit à Virginia une liste d'interdictions et de prescriptions : fini le sucre, les féculents, les fritures ; un seul verre de vin au dîner, et, ensuite, ni brandy, ni cigare. Il était tout aussi important, expliqua-t-elle, qu'il effectue chaque jour une promenade d'une heure au grand air. L'infirmière en chef lui confia un exemplaire du régime alimentaire recommandé par la clinique, que Virginia promit de transmettre à la cuisinière dès leur retour au château.

La cuisinière ne vit jamais la couleur de ces recommandations écrites et permit au duc de commencer la journée comme d'habitude par un bol de porridge avec du sucre roux, suivi d'œufs sur le plat, de saucisses, de deux tranches de bacon et de haricots blancs (son plat favori), copieusement arrosés de sauce. Le tout accompagné de toasts beurrés et couverts de marmelade d'orange, de café brûlant et bien sucré. Après quoi, il gagnait son cabinet de travail pour lire le *Times*, un paquet de Silk Cut ayant été posé au préalable sur le bras de son fauteuil. Vers 11 h 30, le majordome apportait un bol de chocolat chaud et une tranche de moka, ce qui lui permettait de tenir le coup jusqu'au déjeuner.

Le déjeuner se composait de poisson, comme l'avait recommandé l'infirmière en chef, mais il était pané et cuit au beurre. Une grande assiette de frites était posée à portée de main, et les desserts au chocolat – l'infirmière n'avait pas parlé de chocolat – étaient rarement refusés par le duc. Suivaient ensuite une nouvelle tasse de café et son premier cigare de la journée.

Virginia lui permettait de faire la sieste avant d'effectuer une longue promenade dans le parc afin de stimuler son appétit pour le prochain repas. Après s'être mis en smoking pour le dîner, le duc prenait un verre de xérès, voire deux, puis passait dans la salle à manger, où Virginia choisissait avec soin les divers vins pour accompagner le repas. La cuisinière savait parfaitement que le duc raffolait d'un bifteck d'aloyau saignant avec des pommes de terre sautées et la garniture habituelle. Elle considérait comme son impérieux devoir de faire plaisir à Sa Grâce. D'ailleurs, n'avait-il pas toujours repris de tout ?

Après le dîner, le majordome servait au duc un verre de brandy accompagné d'un havane. Quand ils allaient enfin se coucher, Virginia faisait tout ce qui était en son pouvoir pour exciter le duc et, bien qu'elle n'y réussît pas souvent, il s'endormait toujours, épuisé.

Elle s'astreignait à suivre rigoureusement ce programme, cédant au moindre caprice de son mari, tout en donnant à tous l'impression qu'elle était attentionnée, aimante et entièrement dévouée. Elle ne fit aucune remarque lorsqu'il ne put plus boutonner son pantalon ou qu'il se mit à faire de longues siestes, disant à tous ceux qui l'interrogeaient : « Je ne l'ai jamais vu en aussi bonne forme et je ne serais pas étonnée qu'il vive jusqu'à cent ans... » Bien que ce ne fût pas précisément son but.

Elle passa énormément de temps à préparer la célébration du soixante-douzième anniversaire de Perry. C'était un jour exceptionnel, expliqua-t-elle à tout le monde, et le duc devait avoir, pour une fois, le droit de se faire plaisir.

Après un copieux petit-déjeuner, il alla tirer le faisan avec ses copains, son fusil de chasse favori, un Purdey, sous le bras et un flacon de whisky dans sa poche revolver. Au mieux de sa forme, ce matin-là, il tua vingt et un oiseaux, avant de rentrer au château, vanné.

Il fut requinqué en voyant la dinde, les saucisses, les oignons, les pommes de terre frites et le petit pot de sauce épaisse. « Que pourrait-on demander de plus ? » dit-il à ses camarades. Ils furent entièrement d'accord et ne cessèrent de lever leurs verres à sa santé. Le dernier ne repartit qu'au crépuscule, alors que le duc s'était déjà assoupi.

— Vous vous occupez si bien de moi, ma petite, dit-il lorsque Virginia le réveilla afin qu'il se change pour le dîner. J'ai une chance exceptionnelle.

— C'est un jour exceptionnel, mon chéri, déclara Virginia en lui donnant son cadeau d'anniversaire.

Les yeux du duc pétillèrent lorsque, ayant arraché l'emballage, il découvrit une boîte de cigares Romeo y Julieta.

— Les cigares favoris de Churchill, dit-il.

— Il a vécu jusqu'à plus de quatre-vingt-dix ans, lui rappela-t-elle.

Pendant le dîner, le duc eut l'air un peu fatigué. Il parvint, cependant, à finir son blanc-manger, avant de déguster son brandy et de fumer le premier des cigares de Churchill. Lorsqu'ils montèrent enfin l'escalier, juste après minuit, il dut s'agripper à la rampe pour gravir chaque marche, l'autre bras fermement appuyé sur les épaules de Virginia.

Quand ils atteignirent finalement la chambre, il réussit seulement à faire quelques pas de plus avant de s'effondrer sur le lit. Virginia commença à le dévêtir lentement, mais il s'était endormi avant qu'elle puisse lui retirer ses chaussures.

Lorsqu'elle fut déshabillée et qu'elle le rejoignit dans le lit, il ronflait paisiblement. Elle ne lui avait jamais vu un air aussi béat. Elle éteignit la lumière.

Au réveil, le lendemain matin, elle se tourna vers lui. Il souriait toujours. Elle tira les rideaux, revint vers le lit et le regarda de plus près. Il avait l'air un peu pâle. Elle chercha le pouls, mais ne le trouva pas. Elle s'assit au bout du lit et réfléchit à ce qu'elle devait faire à présent.

Elle commença par escamoter le cigare et le brandy qu'elle remplaça par un petit bol de noix et une carafe d'eau où trempait une rondelle de citron. Elle ouvrit la fenêtre pour aérer la pièce et, après s'être à nouveau assurée que tout était en ordre, elle s'installa à sa table de toilette, vérifia son maquillage et composa son visage.

Elle attendit quelques instants puis, prenant une profonde inspiration, elle poussa un cri perçant. Elle se précipita ensuite vers la porte et, pour la première fois depuis son mariage avec Perry, quitta la chambre en peignoir. Elle dévala le grand escalier et, dès qu'elle vit Lomax, elle lui dit, d'une voix brisée :

— Appelez une ambulance. Le duc a eu une attaque.

Le majordome décrocha immédiatement le téléphone du vestibule.

Le Dr Ainsley arriva une demi-heure plus tard. Entre-temps, elle s'était habillée et l'attendait dans le vestibule. Elle le conduisit à la chambre. Il n'eut pas à examiner longtemps le duc avant d'apprendre à la duchesse douairière ce qu'elle savait déjà.

Elle s'effondra en pleurs et personne ne parvint à la consoler. Elle put quand même télégraphier à Clarence, Alice et Camilla, après avoir ordonné au majordome de retirer les deux vases bleu et blanc du couloir des communs et de les mettre dans la chambre du duc. Cette requête le déconcerta, et un peu plus tard, ce soir-là, il dit à la gouvernante : « Elle n'est pas dans son état normal, la malheureuse. »

Le chauffeur fut encore plus déconcerté quand on lui demanda de porter les vases à Londres et de les déposer chez Sotheby's, avant d'aller chercher Clarence à Heathrow et de le ramener au château Hertford.

Pendant le petit-déjeuner, la duchesse douairière, vêtue de noir, couleur qui lui seyait, lut dans le *Times* la notice nécrologique du duc. Si celle-ci était riche en compliments, la vie du duc paraissait pauvre en actes. Toutefois, une phrase la fit sourire : *Le treizième duc de Hertford est mort paisiblement dans son sommeil.*

34

Elle avait beaucoup réfléchi à la façon dont elle devrait se comporter pendant les jours suivants. Une fois que la famille se serait dispersée après les obsèques, elle avait l'intention d'effectuer quelques changements assez radicaux au château Hertford.

Le quatorzième duc fut le premier membre de la famille à arriver, et Virginia se tenait en haut du perron pour le saluer. Comme il montait l'escalier, elle esquissa une révérence pour reconnaître le nouvel ordre.

— Virginia, quel triste événement pour nous tous, dit Clarence. Mais c'est une consolation pour moi de savoir que vous avez été à ses côtés jusqu'au dernier moment.

— Vous êtes trop gentil, Clarence. Heureusement, mon cher Perry n'a pas souffert au moment de s'éteindre. C'est un grand soulagement.

— Oui. C'est déjà quelque chose, Dieu merci.

— J'espère ne pas avoir trop à attendre avant de le rejoindre, parce que, comme la reine Victoria, je vais pleurer mon cher mari jusqu'à ma mort.

Le majordome et deux valets apparurent et commencèrent à décharger la voiture.

— Je vous ai installé dans votre ancienne chambre pour le moment, poursuivit Virginia. Mais, bien sûr, tout de suite après l'enterrement de mon cher Perry, j'emménagerai dans la Dower House.

— Rien ne presse. Je rejoindrai mon régiment après les obsèques, et, de toute façon, nous allons devoir nous reposer sur vous pour expédier les affaires courantes pendant mon absence.

— Je serai heureuse de faire tout ce qui est en mon pouvoir. Et si nous discutions de tout cela une fois que vous aurez défait vos valises et que vous aurez mangé un morceau ?

Le duc arriva un peu en retard au déjeuner. Il s'excusa, expliquant que plusieurs personnes avaient téléphoné et qu'elles demandaient à le voir de toute urgence.

Elle se demanda qui avait bien pu appeler, mais elle se contenta de déclarer :

— J'ai pensé que nous devrions célébrer les obsèques jeudi, mais seulement si vous êtes d'accord.

— Je serai ravi de faire ce qui vous agrée. Peut-être pourriez-vous également réfléchir au déroulement de l'office funèbre et suggérer qui nous devrions inviter à la réception après l'enterrement ?

— J'ai déjà commencé à élaborer la liste. Je vous la soumettrai dans la journée.

— Merci, Virginia. Je savais que je pouvais compter sur vous. Devant assister à plusieurs réunions cet après-midi, j'espère que vous serez là pour accueillir Alice.

— Naturellement. Et quand Camilla et sa famille doivent-ils arriver ?

— Ce soir. Mais comme je serai dans le bureau de père...

— Dans votre bureau, dit-elle posément.

— Je risque de mettre un certain temps à m'y habituer. Auriez-vous l'amabilité de me prévenir de l'arrivée d'Alice ?

Elle travaillait à la liste des invités qu'elle souhaitait convier à la réception privée qui suivrait l'enterrement, tout en écartant les personnes qu'elle ne voulait pas voir, quand un taxi s'arrêta devant le perron et qu'Alice en descendit. Cette fois aussi, Virginia se plaça en haut des marches.

— Ma pauvre Virginia. Comment supportez-vous cette épreuve ?

Telles furent les premières paroles d'Alice au moment où Virginia la saluait.

— Pas très bien. Mais tout le monde a été extrêmement gentil et compréhensif. Ce qui m'a beaucoup aidée.

— C'est bien normal. N'étiez-vous pas son roc et son âme sœur ?

— Vous êtes trop bonne, répondit Virginia en montant l'escalier avec Alice pour gagner la chambre d'amis qu'elle avait choisie pour elle. Je vais annoncer votre arrivée à Clarence.

Elle redescendit d'un pas leste et, entrant dans le bureau du duc sans frapper, elle trouva Clarence en pleine conversation avec M. Moxton, le régisseur. Dès qu'elle entra, les deux hommes se levèrent.

— Vous m'aviez demandé de vous avertir de l'arrivée d'Alice. Je lui ai donné la chambre Carlyle. J'espère que vous pourrez prendre le thé avec nous, dans une demi-heure environ.

— Ce ne sera peut-être pas possible, dit le duc avec un brusque hochement de tête, à l'évidence agacé d'avoir été interrompu, attitude qui la troubla quelque peu.

Elle repartit sans mot dire et prit le chemin du salon, où Montgomery, le vieux labrador de Perry, se redressa en remuant la queue. Elle choisit un fauteuil près de la porte ouverte, afin de surveiller les allées et venues dans le couloir. Elle avait l'intention de suggérer à Clarence de remplacer Moxton le plus tôt possible.

La personne suivante qui entra dans le bureau du duc fut le majordome qui n'en ressortit que quarante minutes plus tard. Il disparut ensuite au sous-sol et revint peu après, accompagné de la cuisinière que Virginia n'avait jamais vue au rez-de-chaussée.

Vingt minutes passèrent avant la réapparition de la cuisinière, qui s'empressa de redescendre dans les communs. Virginia se demanda pourquoi ils étaient restés si longtemps dans le bureau du duc, à moins qu'ils aient discuté du menu de la réception, tâche que le duc lui aurait confiée, croyait-elle.

Ses pensées furent interrompues par de forts coups frappés à la porte d'entrée, mais avant qu'elle ait pu y répondre, Lomax apparut et alla ouvrir.

— Bonjour, docteur Ainsley, dit-il. Sa Grâce vous attend.

Comme ils traversaient le vestibule, Moxton sortit du bureau, serra la main du médecin et repartit immédiatement. Alors qu'il était impossible de ne pas voir Virginia, qui se trouvait sur le seuil du salon, il fit semblant de ne pas s'apercevoir de sa présence. Elle se débarrasserait de lui dès que le duc aurait rejoint son régiment.

Ravie de voir Alice descendre l'escalier, elle sortit du salon et se précipita vers elle.

— Et si nous allions rejoindre votre frère ? fit-elle. Je sais qu'il lui tarde de vous voir, ajouta-t-elle, et sans attendre la réponse, elle ouvrit la porte du bureau sans frapper et y entra.

Les deux hommes se levèrent à nouveau.

— Alice vient de descendre et je me suis rappelé que vous vouliez la voir tout de suite.

— Bien sûr, dit Clarence en serrant sa sœur dans ses bras. C'est merveilleux de te voir, très chère.

— Je pensais qu'on pourrait prendre le thé tous ensemble dans le salon.

— C'est très attentionné de votre part, Virginia, dit Clarence, mais j'aimerais passer quelques instants seul avec ma sœur, si vous n'y voyez pas d'inconvénient.

Le ton cassant de son frère sembla surprendre Alice et Virginia hésita un bref instant avant de répondre.

— Oui, bien sûr, fit-elle.

Elle se retira dans le salon, et, cette fois-ci, Montgomery ne leva même pas la tête.

Le Dr Ainsley sortit du bureau vingt minutes plus tard et s'en alla lui aussi sans prendre la peine de présenter ses hommages à la veuve éplorée. Virginia attendit que le duc la convoque dans son bureau, mais cela ne se produisit pas, et lorsqu'une servante dont elle n'arrivait jamais à retenir le nom commença à allumer les lumières dans toute la maison, elle décida qu'il était temps de se changer pour le dîner. Elle venait de sortir de son bain quand elle entendit une voiture rouler dans l'allée. Elle gagna la fenêtre et aperçut Clarence accueillir Camilla et sa famille. Elle enfila prestement ses vêtements et, lorsqu'elle ouvrit la porte de sa chambre, quelques instants après, elle vit le majordome et les deux enfants se diriger vers une aile qu'elle ne leur avait pas assignée.

— Où est votre mère ? leur demanda-t-elle.

Les enfants se retournèrent brusquement mais ce fut Lomax qui répondit :

— Sa Grâce a prié lady Camilla et son mari de le rejoindre dans son bureau et a demandé qu'on ne le dérange pas.

Elle referma la porte derrière elle. Lomax ne lui avait jamais parlé sur ce ton désinvolte. Elle s'efforça de se concentrer sur son maquillage, sans pouvoir éviter de se demander de quel sujet ils pouvaient bien parler dans l'ancien bureau du duc. Elle supposa qu'elle aurait la clé du mystère pendant le dîner.

Une demi-heure plus tard, elle descendit lentement le grand escalier, traversa le vestibule et pénétra dans le salon... vide.

Elle s'assit et attendit, mais personne ne la rejoignit. Lorsque le gong sonna 20 heures, elle se dirigea vers la salle à manger et découvrit qu'il n'y avait qu'un couvert de mis.

— Où est donc le reste de la famille ? s'enquit-elle lorsque Lomax apparut avec une petite soupière.

— Sa Grâce, lady Camilla et lady Alice prennent un léger dîner dans la bibliothèque, répondit-il sans autre explication.

Elle frissonna, bien que le feu crépitât dans la cheminée.

— Et les enfants ?

— Ils ont déjà dîné. Et, comme ils étaient fatigués après leur long voyage, ils ont de suite été se coucher.

Elle eut un sombre pressentiment mais tenta de se persuader, sans grande conviction, qu'elle n'avait aucun souci à se faire. Elle attendit que la pendule du vestibule indique 21 heures avant de quitter la salle à manger et de remonter lentement à sa chambre. Elle se déshabilla et se coucha, mais ne parvint pas à fermer l'œil. Elle ne s'était jamais sentie aussi seule.

Le lendemain matin, elle fut soulagée de voir Clarence et Alice la rejoindre pour le petit-déjeuner, mais le ton de la conversation fut guindé et sérieux, comme si elle était une étrangère dans sa propre maison.

— J'ai quasiment terminé la mise au point du déroulement de l'office religieux, annonça-t-elle, et j'ai pensé que peut-être…

— Inutile que vous perdiez davantage de temps là-dessus, l'interrompit Clarence. J'ai rendez-vous avec l'évêque, ce matin, à 10 heures, et il m'a indiqué que mon père et lui avaient organisé la cérémonie en détail, il y a déjà un certain temps.

— Et pense-t-il comme moi que jeudi…

— Non, répliqua Clarence d'un ton tout aussi ferme. Il recommande que ce soit vendredi, ce qui sera plus commode pour les amis de mon père qui viendront de Londres.

Elle hésita avant de déclarer :

— Et la liste des invités, souhaitez-vous voir mes recommandations ?

— Nous avons élaboré la liste définitive hier soir, répondit Alice. Mais si vous voulez y ajouter un ou deux noms, faites-le-moi savoir.

— Puis-je faire quelque chose pour aider ? s'enquit Virginia en s'efforçant de ne pas avoir l'air désespérée.

— Non, merci, dit Clarence. Vous en avez déjà assez fait.

Il plia sa serviette et se leva.

— Veuillez m'excuser, mais je ne veux pas faire attendre l'évêque.

Et, sur ce, sans un mot de plus, il quitta la pièce.

— Il faut que j'y aille, dit Alice. J'ai pas mal de travail si tout doit être prêt pour vendredi.

Après le petit-déjeuner, Virginia alla faire une promenade dans le parc. Elle essayait de deviner ce qui avait causé un aussi brusque changement de comportement. Elle se remonta un peu le moral en se disant qu'elle avait toujours la Dower House, cinq mille livres par mois et deux vases Ming, lesquels, comme Li Wong le lui avait confirmé, valaient au moins un million de livres. Son sourire disparut quand elle vit Camilla et son mari sortir du bureau du régisseur.

Elle déjeuna toute seule, puis, ayant l'intention d'abandonner ses habits de deuil dès qu'ils seraient tous repartis, elle décida d'aller en ville pour acheter de nouveaux vêtements. Lorsqu'elle rentra au château, le soir, un rai de lumière filtrait sous la porte du bureau et elle crut entendre la voix stridente de Camilla.

Elle soupa seule dans sa chambre, une pensée lui revenant constamment à l'esprit. Elle commençait à regretter que Perry ne soit plus de ce monde.

L'abbaye St Albans était déjà bondée lorsqu'elle y entra. Le premier bedeau accompagna la duchesse douairière jusqu'à sa place au deuxième rang. Mille yeux étant posés sur elle, elle n'osa pas protester.

Au moment où l'horloge de la cathédrale égrenait les premiers coups de 11 heures, l'orgue commença à jouer et les fidèles se levèrent tous en même temps. Porté sur les épaules de six soldats des Coldstream Guards, recouvert de décorations et de distinctions honorifiques, le cercueil avança lentement dans l'allée centrale, suivi par les membres de la famille les plus proches. Une fois le cercueil placé sur un support dans le chœur, le duc, ses deux sœurs et les petits-enfants prirent place au premier rang. Ils ne se retournèrent pas.

Virginia, qui s'efforçait toujours de comprendre pourquoi on l'avait mise en quarantaine, suivit l'office dans un brouillard. Pendant la cérémonie de la mise en terre, qui se déroula dans le cimetière de la cathédrale, on lui permit seulement de s'approcher du cercueil pour y jeter une pelletée de terre, avant de revenir à sa place. Une fois que la famille et quelques amis eurent quitté le cimetière, elle dut demander à Percy, l'oncle du nouveau duc, de la ramener au château dans sa voiture. Il accepta son explication : il avait dû y avoir un oubli ; il est vrai qu'ils avaient tous été terriblement sous pression.

Pendant la réception, Virginia se mêla aux invités. Un grand nombre d'entre eux se montrèrent aimables et lui présentèrent leurs condoléances, tandis que d'autres se détournaient dès qu'elle s'approchait d'eux. Toutefois, la pire humiliation ne se produisit qu'après le départ du dernier invité, lorsque Clarence lui adressa la parole pour la première fois de la journée.

— Pendant que vous assistiez à l'office, déclara-t-il, toutes vos affaires ont été emballées et transportées à Dower House. Une voiture attend pour vous y conduire sur-le-champ. Il y aura une réunion de famille dans mon bureau, demain matin, à 11 heures, à laquelle vous viendrez, j'espère. Je souhaite discuter avec vous d'un certain nombre de sujets graves, ajouta-t-il d'un ton qui lui rappela son père.

Sur ce, le duc se dirigea vers la porte d'entrée, l'ouvrit et attendit que Virginia sorte de la maison, afin qu'elle puisse commencer son premier jour de bannissement.

35

Levée de bonne heure le lendemain matin, elle examina tranquillement la Dower House, qui se révéla être tout à fait assez grande pour quelqu'un vivant seul. Son personnel se composait d'un maître d'hôtel, d'une servante et d'une cuisinière, ni plus ni moins que l'avait indiqué Perry dans son testament.

À 10 h 50, une voiture vint la chercher pour l'emmener au château, où, seulement quelques jours plus tôt, elle avait régné en maîtresse.

La porte d'entrée s'ouvrit au moment où la voiture s'arrêta devant le perron, et, après un simple « Bonjour, Votre Grâce », Lomax la conduisit à l'ancien bureau de son mari. Le majordome frappa un léger coup à la porte, l'ouvrit et s'écarta pour laisser passer la duchesse douairière.

— Bonjour, dit Clarence en se levant derrière son bureau.

Il resta debout jusqu'à ce que Virginia se soit assise sur l'unique siège disponible. Elle fit un sourire aux sœurs de Clarence, qui ne le lui rendirent pas.

— Merci d'être venue, commença Clarence, comme si elle avait eu le choix. Nous avons pensé qu'il serait utile que vous soyez mise au courant de nos projets pour l'avenir.

Elle devina qu'il voulait dire « pour votre avenir ».

— C'est très aimable à vous, dit-elle.

— J'ai l'intention de rejoindre mon régiment dans quelques jours et je ne compte pas revenir avant Noël. Alice va reprendre l'avion pour New York lundi.

— Par conséquent, qui va administrer le domaine ? s'enquit Virginia, dans l'espoir qu'ils avaient enfin retrouvé leur bon sens.

— J'ai confié cette tâche à Shane et Camilla, avec la bénédiction de mon père, ajouterai-je, puisqu'il avait compris que j'ai toujours voulu être militaire et que je ne suis pas fait pour être gentleman-farmer. Shane, Camilla et leurs enfants habiteront au château, ce qui réalisera un autre des souhaits de mon père.

— C'est une décision très sensée. J'espère que vous me permettrez d'apporter mon concours. Durant la période de transition, à tout le moins.

— Ce ne sera pas nécessaire, intervint Camilla, qui prenait pour la première fois la parole. Nous avons reçu une bonne proposition pour notre ferme néo-zélandaise, et mon mari va y retourner pour ratifier le contrat de vente et s'occuper des autres questions personnelles à régler, puis il va revenir pour administrer le domaine. Je vais, entre-temps, gérer les affaires courantes, avec l'aide de M. Moxton.

— Je pensais seulement que...

— C'est inutile, reprit Camilla. Nous avons pensé à tout.

— Et je crains, Virginia, dit Clarence, d'être contraint d'aborder une autre question.

Elle s'agita sur son siège.

— M. Moxton m'a signalé que mon père vous avait accordé, à mon insu, un prêt de cent quatre-vingt-cinq mille livres. Il avait, judicieusement, officialisé cette transaction.

En prononçant ces mots, il se rendit à la troisième page d'un document qu'elle se rappelait avoir signé.

Elle regretta soudain de ne pas avoir passé un peu plus de temps à lire les deux premières pages.

— L'emprunt, continua Clarence, a été souscrit pour une période de cinq ans, avec des intérêts à un taux de cinq pour cent. Si mon père décédait avant l'échéance, la somme totale devait être remboursée dans les vingt-huit jours. J'ai consulté mon comptable et il m'a écrit pour me faire savoir, poursuivit-il en tournant son regard vers une lettre posée sur le bureau, que, compte tenu des intérêts accumulés, la somme précise que vous devez à la succession se monte à deux cent neuf mille cent quarante-cinq livres. Je dois donc vous demander, Virginia, si vous avez de quoi rembourser cette somme.

— Mais Perry m'avait dit que, s'il décédait avant moi – je me rappelle ses paroles précises –, l'ardoise serait totalement effacée.

— Vous avez une preuve ? demanda Camilla.

— Non. Mais il m'a donné sa parole, ce qui devrait, sans conteste, suffire.

— Ce n'est pas sa parole que nous mettons en doute, dit Camilla, mais la vôtre.

— Et même si c'est exact, intervint Clarence, il n'a pas, en tout cas, signalé cet accord à Moxton. Il n'en est pas fait mention dans le contrat originel, que mon père a également signé, indiqua-t-il en tournant le document vers Virginia, qui reconnut parfaitement la signature.

— Je vais devoir consulter mes avocats, bredouilla-t-elle, incapable de trouver une autre réponse.

— Nous avons déjà consulté les nôtres, intervint Alice. Et Mᵉ Blatchford a confirmé que ce don n'est pas du tout mentionné dans le testament de père. On ne parle que d'une allocation mensuelle de cinq mille livres, d'une canne en bruyère et de deux vases de porcelaine.

Virginia réprima un sourire.

— Si vous n'avez pas les moyens de rembourser l'emprunt, reprit Clarence, notre comptable a trouvé un compromis, qui, j'espère, vous paraîtra acceptable, continua-t-il en se reportant à la lettre. Si nous retenions votre allocation mensuelle de cinq mille livres, la somme totale serait remboursée dans environ quatre ans. Et votre allocation commencerait ensuite à être versée.

— Toutefois, si vous décédiez au cours de ces quatre ans, intervint Camilla, soyez assurée que l'ardoise serait totalement effacée.

Virginia resta coite un certain temps avant de lâcher :

— Mais de quoi suis-je censée vivre entre-temps ?

— Mon père m'a plus d'une fois indiqué, répondit Clarence, que votre frère vous verse une généreuse allocation mensuelle que vous ne parvenez jamais à dépenser entièrement. Aussi ai-je, en quelque sorte, supposé...

— Il a arrêté de me la verser le jour où j'ai épousé votre père.

— Il nous faut donc espérer qu'une fois qu'il sera mis au courant de votre condition présente il acceptera de reprendre les versements. Autrement, vous devrez vous contenter de vos biens considérables, dont vous avez également parlé à mon père. Naturellement, si vous pouvez rembourser intégralement l'emprunt dans les vingt-huit jours, cela résoudra le problème, une fois pour toutes.

Elle baissa la tête et fondit en larmes, mais lorsqu'elle la releva, elle vit clairement qu'aucun d'entre eux n'était ému.

— Peut-être avons-nous là une excellente occasion, dit Camilla, de discuter de certaines questions pratiques. Comme l'a expliqué mon frère, mon mari va assurer l'administration du domaine et notre famille va habiter le château. Clarence et Alice y reviendront de temps en temps, mais en l'absence de mon frère, je serai maîtresse du château Hertford.

Elle attendit que le sens de ses propos soit bien saisi avant de poursuivre :

— Je souhaite qu'il soit bien compris, afin qu'il n'y ait aucun désaccord à l'avenir, qu'à aucun moment vous ne serez la bienvenue ici. Ni pour Noël, ni pour aucune autre fête. Vous ne chercherez pas non plus à entrer en contact avec mes enfants ni avec aucun membre du personnel du château. J'ai donné des instructions claires en ce sens à M. Lomax.

Virginia regarda Clarence puis Alice. Mais c'était, à l'évidence, une décision prise par la famille d'un commun accord.

— À moins que vous ne souhaitiez poser une question sur votre avenir, dit Clarence, en ce qui nous concerne, la discussion est close.

Virginia se leva et quitta la pièce le plus dignement possible. Elle traversa lentement le vestibule pour gagner la porte que le majordome tenait ouverte. Il ne lui adressa pas la parole. Alors qu'elle quittait le château, tout ce qu'elle entendit, ce fut le bruit de la porte se refermant derrière elle.

Une autre porte était déjà ouverte afin qu'on la ramène à la Dower House. Une fois déposée devant le pavillon, elle gagna immédiatement le cabinet de travail, décrocha le téléphone et composa un numéro londonien. Pour la première fois de la journée, elle fut accueillie par une voix amicale.

— Quel plaisir de vous entendre, Votre Grâce... En quoi puis-je vous aider ?

— Je souhaiterais prendre rendez-vous avec vous le plus tôt possible, monsieur Poltimore. Il se trouve que j'ai changé d'avis...

36

— Je suis absolument persuadé, dit Poltimore, que vous avez pris une sage décision. Mais puis-je vous demander ce qui vous a fait changer d'avis ?

— Mon défunt mari n'aurait pas voulu qu'on pense qu'il vendait les biens familiaux.

— Et le nouveau duc ? Qu'en pense-t-il ?

— Franchement, Clarence ne verrait pas la différence entre Ming et Tupperware.

Ne sachant pas s'il devait rire, Poltimore dit simplement :

— Avant que vous acceptiez qu'on mette aux enchères les vases, Votre Grâce, vous serez sans doute heureuse d'apprendre que j'ai reçu une offre de sept cent mille livres de la part d'un marchand de Chicago, et je suis certain que je peux le persuader de franchir la barre du million. Et cela pourrait même se faire sans que personne ne soit au courant que la transaction a eu lieu.

— Mais ce serait pour ensuite vendre les vases à l'un de ses clients ?

— Tout en faisant, par la même occasion, un excellent bénéfice. Voilà pourquoi je suis sûr qu'ils atteindraient un bien meilleur prix dans une vente aux enchères.

— Mais il n'est pas impossible que, si les vases sont présentés dans une vente aux enchères, le même marchand les enlève pour moins d'un million.

— C'est tout à fait improbable, Votre Grâce, vu l'impor-tance des objets. De toute façon, j'estime que le jeu en vaut la chandelle. J'ai déjà contacté une demi-douzaine de grands collectionneurs dans ce domaine et ils se sont tous montrés extrêmement intéressés, y compris le directeur du Musée national chinois à Pékin.

— Vous m'avez convaincue. Que dois-je faire à présent ?

— Une fois que vous aurez signé une autorisation, vous pouvez nous laisser nous occuper du reste. Vous êtes largement dans les délais pour participer à la vente d'automne, qui est toujours l'une des plus fréquentées de l'année. J'ai déjà proposé que nous présentions les vases Hertford sur la couverture du catalogue. Soyez assurée que nos clients comprendront parfaitement que nous considérons ces vases comme étant de toute première importance.

— Puis-je vous confier quelque chose dans le plus grand secret, monsieur Poltimore ?

— Bien sûr, Votre Grâce.

— Je souhaite vivement qu'il y ait le minimum de publicité avant la vente, mais le maximum après.

— Cela ne devrait poser aucun problème, d'autant moins que les spécialistes des beaux-arts de tous les journaux nationaux assisteront à la vente. Et, si les vases atteignent le prix que nous espérons, cela suscitera énormément d'intérêt dans la presse. Vous pouvez donc être sûre et certaine que le lendemain matin tout le monde sera au courant de votre triomphe.

— C'est surtout une personne en particulier qui m'intéresse.

— C'est une sale bonne femme cousue d'or, déclara Virginia.

— Vraiment ? fit Priscilla Bingham, une fois que les assiettes à dessert eurent été prestement enlevées.

— Pire. Elle a les manières et les grâces d'une duchesse, mais ce n'est que la femme d'un parvenu, un éleveur de moutons.

— Et tu dis que c'est la sœur cadette ?

— En effet. Mais elle se comporte comme si elle était la maîtresse du château Hertford.

— Mais cela ne changerait-il pas si le duc se mariait et décidait de reprendre le château ancestral ?

— C'est peu probable. Clarence est marié à l'armée et espère devenir le prochain colonel du régiment.

— Comme son père avant lui.

— Il ne ressemble en rien à son père. Si Perry était toujours de ce monde, il ne leur aurait jamais permis de m'humilier de la sorte. Mais rira bien qui rira le dernier...

Elle sortit de son sac à main un catalogue de vente aux enchères tout neuf et le passa à son amie.

— Ce sont les deux vases dont tu m'as parlé ? demanda Priscilla en posant un regard admiratif sur la couverture.

— En effet. Et tu verras ce que je vais gagner si tu te reportes au lot 43.

Priscilla tourna rapidement les pages et, lorsqu'elle atteignit le lot 43 – Deux vases Ming, circa 1462 –, elle consulta l'estimation. Elle resta bouche bée.

— Quelle générosité de la part du duc ! finit-elle par dire.

— Il n'avait aucune idée de leur valeur. Autrement, il ne s'en serait jamais séparé.

— Mais la famille découvrira sans aucun doute le pot aux roses bien avant la vente aux enchères.

— Cela ne semble guère probable. Clarence est dans un trou à Bornéo, Alice est vendeuse de parfums à New York, et Camilla ne quitte jamais le château, sauf si elle y est obligée.

— Mais je croyais que tu voulais qu'ils l'apprennent ?

— Seulement après la vente. Et, entre-temps, j'aurai déposé le chèque à la banque.

— Mais ils pourraient très bien ne jamais l'apprendre.

— M. Poltimore, qui dirige la vente, me dit qu'il a déjà reçu des appels de plusieurs journalistes importants, spécialistes des beaux-arts. On peut donc s'attendre à un grand nombre d'articles dans la presse, dès le lendemain matin. C'est à ce moment-là que les enfants découvriront le pot aux roses, mais trop tard, car j'aurai déjà empoché l'argent. J'espère vraiment, Priscilla, que tu pourras assister à la vente, jeudi soir. Ensuite, on pourra dîner ensemble chez Annabel's pour fêter l'événement. J'ai déjà réservé la table préférée de Perry. Ce sera comme au bon vieux temps.

— Oui, exactement comme au bon vieux temps, renchérit Priscilla. À propos, as-tu des nouvelles de ton ex, après ton petit coup concernant Mellor Travel ?

— Si tu parles de Giles, il m'a envoyé une carte de Noël, pour la première fois depuis des années. Mais je ne lui ai pas répondu.

— J'ai vu qu'il était de retour sur le premier banc de la Chambre des lords.

— En effet. On l'a opposé à sa sœur. Mais il est si mou que je suis persuadé qu'il la laisse constamment s'en tirer à bon compte, ajouta-t-elle en avalant une petite gorgée de café.

— Et elle est baronne maintenant.

— C'est une pairesse non héréditaire. De toute façon, elle a eu son siège aux Lords parce qu'elle a soutenu Margaret Thatcher quand elle briguait la présidence du Parti conservateur. Ça donne presque envie d'envisager de voter travailliste.

— Pour être juste, Virginia, toute la presse semble juger qu'en tant que secrétaire d'État à la Santé elle se débrouille plutôt bien.

— Elle ferait mieux de se préoccuper de la Santé de sa famille. Alcool, drogues, triolisme, agression de policiers, petite-fille jetée en prison.

— Pendant une nuit seulement, lui rappela Priscilla. Et elle est retournée à la Slade, le trimestre suivant.

— Quelqu'un a dû donner un sacré coup de piston pour que ce soit possible.

— Ton ex-mari, sans doute. Bien qu'il soit dans l'opposition, je suppose qu'il possède encore pas mal d'influence.

— Et ton mari ? s'enquit Virginia, désireuse de changer le sujet. J'espère qu'il va bien, ajouta-t-elle, tout en espérant entendre le contraire.

— Il continue à fabriquer cent mille pots de terrine de poisson par jour, ce qui me permet de vivre comme une duchesse, même si je n'en suis pas une.

— Et ton fils est-il toujours attaché de presse à la Farthings Kaufman ? demanda Virginia, en faisant semblant de ne pas avoir saisi la pique.

— Oui. En fait, Clive espère qu'on lui demandera sous peu de siéger au conseil.

— Cela doit aider que Robert soit un vieil ami du président.

— Et ton fils, comment va-t-il ? demanda Priscilla, rendant coup pour coup.

— Freddie n'est pas mon fils, comme tu le sais parfaitement, Priscilla. La dernière fois que j'ai entendu parler de lui, il s'était enfui de l'école, ce qui aurait résolu tous mes problèmes. Malheureusement, il y est retourné quelques jours plus tard.

— Qui prend soin de lui pendant les vacances ?

— Mon frère Archie qui vit des revenus de la distillerie familiale que père m'avait promise.

— Tu ne t'es pas trop mal débrouillée, duchesse, dit Priscilla en portant à nouveau le regard sur le catalogue de Sotheby's.

— Tu as peut-être raison, mais je vais quand même m'assurer que c'est bien moi qui rirai la dernière, déclara-t-elle au moment où le serveur apparaissait à leurs côtés, ne sachant trop à qui remettre l'addition.

Bien que ce fût Virginia qui avait invité Priscilla à déjeuner, elle était douloureusement consciente que son chèque serait rejeté par la banque si elle s'emparait de la note. Mais tout cela allait bientôt changer.

— C'est moi qui inviterai la prochaine fois, dit-elle. Jeudi soir, chez Annabel's, ajouta-t-elle en détournant le regard.

Lorsque Priscilla Bingham rentra chez elle aux Boltons, elle laissa le catalogue de Sotheby's sur la console du vestibule.

— Absolument magnifiques, dit Bob quand il aperçut la couverture. As-tu l'intention de porter une enchère ?

— Bonne idée. Mais, avant d'envisager cette possibilité, il te faudrait vendre beaucoup plus de terrines de poisson.

— Alors, pourquoi cela t'intéresse-t-il ?

— Ils appartiennent à Virginia, et elle est forcée de les mettre en vente parce que la famille Hertford a trouvé le moyen de ne pas lui verser son allocation mensuelle.

— J'aimerais entendre la version des Hertford avant de juger, dit Bob en feuilletant le catalogue, à la recherche du lot 43.

Il sifflota en lisant l'estimation.

— Je m'étonne, reprit-il, que la famille ait accepté de s'en séparer.

— Ce n'est pas ce qui s'est passé. Le duc les lui a légués sans avoir la moindre idée de leur valeur.

Bob plissa les lèvres mais resta coi.

— Au fait, dit Priscilla. Allons-nous toujours au théâtre, ce soir ?

— Bien sûr. Nous avons des billets pour *Le Fantôme de l'Opéra*, et la pièce commence à 19 h 30.

— Alors, j'ai encore le temps de me changer, dit Priscilla en se dirigeant vers l'escalier.

Il attendit qu'elle ait disparu dans la chambre avant de prendre le catalogue et de filer dans son cabinet de travail. Une fois assis à son bureau, il étudia soigneusement la provenance des deux vases du lot 43 et finit par comprendre pourquoi on leur attribuait une valeur exceptionnelle. Il ouvrit le tiroir du bas du bureau, en sortit une grande enveloppe kraft et y glissa le catalogue, avant d'écrire dessus en épaisses lettres capitales :

MONSIEUR LE DUC DE HERTFORD
CHÂTEAU HERTFORD
HERTFORDSHIRE

Il avait jeté l'enveloppe à la boîte aux lettres au coin de la rue et était revenu à la maison avant que Priscilla ne soit sortie de son bain.

37

— Adjugé ! Pour cent vingt mille livres, lança Poltimore, son marteau frappant la table avec un bruit sourd. Lot 39, poursuivit-il en passant à la page suivante du catalogue. Une coupe de mariage, en jade blanc, de l'époque Qianlong. Je commence les enchères à dix mille livres ?

Poltimore leva les yeux au moment où la duchesse douairière de Hertford, accompagnée par une autre dame qu'il ne reconnut pas, faisait son entrée. Un assistant leur fit longer l'allée centrale et, bien que la salle fût pleine, il les conduisit à deux sièges vides dans les tout premiers rangs, sur lesquels les deux cartons « réservé » furent prestement enlevés avant que s'asseyent les deux dames.

Virginia apprécia les murmures suscités autour d'elle par son arrivée. Quoique la vente ait débuté à 19 heures, M. Poltimore lui avait indiqué qu'il n'était pas nécessaire qu'elle arrive avant 19 h 45, puisqu'il pensait que le lot 43 passerait sous le marteau, au plus tôt, à 20 h 15, voire 20 h 30.

Virginia et Priscilla étaient assises au cinquième rang, les meilleures places, selon Poltimore, un peu comme les fauteuils d'orchestre d'un théâtre du West End. Ne s'intéressant pas le moins du monde à la coupe en jade de l'époque Qianlong, Virginia essaya de comprendre ce qui se passait autour d'elle, tout en espérant qu'on la prendrait pour une habituée des grandes ventes aux enchères.

— C'est absolument passionnant, dit-elle en saisissant la main de Priscilla.

Elle admirait les hommes en smoking qui devaient manifestement se rendre à une autre soirée après la vente, les autres portant d'élégants costumes que rehaussaient des cravates aux vives couleurs. Mais c'étaient surtout les femmes, aux tenues sortant des maisons de haute couture et arborant les derniers accessoires à la mode, qui la fascinaient. C'était pour elles davantage un défilé de mode qu'une vente aux enchères, chacune essayant de surpasser les autres, comme s'il s'agissait de la première d'une nouvelle pièce. Priscilla lui avait dit qu'il arrivait que la dernière enchère soit faite par ces femmes qui s'étaient souvent promis de rapporter chez elles, ce soir-là, tel ou tel objet, tandis que certains hommes faisaient constamment monter les enchères rien que pour impressionner la femme qui les accompagnait... et qui n'était pas forcément leur compagne.

La salle était vaste et carrée, et Virginia ne voyait pas un seul siège vide. Elle estima qu'il devait y avoir environ quatre cents acheteurs potentiels dans cette pièce où se côtoyaient collectionneurs, marchands et simples curieux. Plusieurs personnes avaient dû rester debout au fond de la salle.

Juste en face d'elle, M. Poltimore se tenait sur une estrade en demi-cercle, ce qui lui permettait de voir parfaitement ses victimes. Derrière l'estrade, se trouvaient un petit groupe d'experts de la maison, chargés – chacun dans son domaine – d'aider et de conseiller le commissaire-priseur, tandis que d'autres assistants notaient qui avait porté la dernière enchère et le montant de celle-ci. À la droite de Poltimore, de l'autre côté d'une corde lâche, était installé un groupe d'hommes et de femmes, le calepin ouvert, le stylo en suspens : les journalistes, supposa Virginia.

— Adjugé, pour vingt-deux mille livres ! lança Poltimore. Lot 40 : importante figurine décorée représentant un Luohan assis en bois sculpté polychrome, circa 1400. J'ai une première enchère pour cent mille livres.

La vente commençait nettement à s'animer, et Virginia fut ravie que le Luohan soit adjugé pour deux cent quarante mille livres, soit quarante mille livres de plus que l'estimation la plus élevée.

— Lot 41, pièce rare : figurine représentant un lion céladon en jade.

Virginia ne s'intéressait en aucune façon au lion brandi par un assistant afin que tous puissent le voir. Elle regarda vers la droite et, pour la première fois, remarqua une longue table, légèrement surélevée, sur laquelle étaient posés une douzaine de téléphones blancs, chacun utilisé par un membre du personnel de Sotheby's. Poltimore lui avait expliqué que ces personnes représentaient des clients habitant à l'étranger ou ceux qui ne voulaient tout simplement pas être vus dans la salle des ventes, même s'ils étaient parfois discrètement assis au milieu de l'auditoire. Trois des membres du personnel étaient en ligne, chuchotant à leur client, une main repliée devant la bouche. Pour le moment, les neuf autres téléphones restaient calmes. Combien sonneront, se demanda-t-elle, lorsque Poltimore ouvrirait les enchères pour le lot 43.

— Lot 42. Vase impérial Yuhuchunping, extrêmement rare, émaillé, décoré de fleurs, sur fond jaune. J'ai une offre à cent mille.

Consciente que le prochain lot serait ses deux vases Ming, Virginia sentit son cœur palpiter. Lorsque le marteau adjugea le lot 42 pour deux cent soixante mille livres, un murmure parcourut la salle. Tous attendaient le prochain lot. Tandis que deux assistants plaçaient les magnifiques vases sur deux supports, de chaque côté du commissaire-priseur, Poltimore regarda la duchesse et lui fit un gentil sourire.

— Lot 43. Exceptionnelle paire de vases de la dynastie Ming, circa 1462, offerts par l'empereur Jiaqing au quatrième duc de Hertford, au début du xixe siècle. Ces vases sont en parfait état et sont la propriété d'une dame anglaise titrée.

Virginia rayonnait, tandis que les journalistes prenaient des notes à toute vitesse.

— J'ai une offre de... – il y eut un silence qui ne s'était pas produit jusque-là – ... trois cent mille livres.

Un hoquet de surprise brisa le silence, tandis que Poltimore se redressait tranquillement et parcourait la salle du regard.

— Trois cent cinquante ? reprit-il.

Les quelques secondes qui suivirent parurent une éternité à Virginia.

— Merci, monsieur, poursuivit Poltimore en désignant un enchérisseur assis dans les tout derniers rangs.

Virginia eut envie de se retourner mais elle réussit à se maîtriser.

— Quatre cent mille ? dit Poltimore, en se tournant vers la longue rangée de téléphones à sa gauche, où huit membres du personnel mettaient au courant leurs clients du déroulement de la vente.

— Quatre cent mille ? répéta-t-il, alors qu'une élégante jeune femme levait la main, tout en continuant à parler au téléphone. Il y a une enchère par téléphone pour quatre cent mille, annonça Poltimore, qui reporta immédiatement son attention sur l'homme assis au fond de la salle. Quatre cent cinquante mille, murmura-t-il, avant de se tourner à nouveau vers les téléphones.

La main de la jeune femme se leva sur-le-champ.

— J'ai cinq cent mille, déclara-t-il, après un petit signe de tête, en s'adressant à l'homme du fond, qui secoua la tête. Cinq cent cinquante ! lança Poltimore, son regard balayant à nouveau la salle. Cinq cent cinquante mille livres ? répéta-t-il.

Virginia commençait à regretter de ne pas avoir accepté l'offre du marchand de Chicago, mais, tout en regardant le conservateur du Musée national de Chine, Poltimore annonça alors d'une voix plus forte :

— Cinq cent cinquante. J'ai une nouvelle enchère.

Lorsqu'il se tourna une fois de plus vers les téléphones, la main de la jeune femme était déjà levée.

— Six cent mille ? reprit-il, avant de regarder une fois encore le conservateur du musée, qui avait une discussion animée avec l'homme assis à sa droite.

Le conservateur leva finalement les yeux vers Poltimore et lui fit un léger signe de tête.

— Six cent cinquante mille ? dit Poltimore, le regard à nouveau fixé vers la jeune femme au téléphone.

Cette fois-ci, elle mit un peu plus de temps à répondre, mais elle finit par lever la main.

— Sept cent mille livres ? lança Poltimore, conscient que ce serait un record mondial pour un objet chinois vendu aux enchères.

Les journalistes écrivaient plus furieusement que jamais, sachant que leurs lecteurs aimaient ce genre d'envolée.

— Sept cent mille ? chuchota Poltimore d'un ton respectueux pour essayer de tenter le conservateur du musée, sans chercher à le forcer pendant qu'il poursuivait la discussion avec son collègue. Sept cent mille ? proposa-t-il, comme s'il s'agissait d'une bagatelle.

Un mouvement intempestif au fond de la salle attira son regard. Il s'efforça ne pas y prêter attention, mais, au moment où le conservateur levait la main, deux personnes qui se frayaient un chemin à travers la foule l'empêchèrent de se concentrer sur la vente.

— J'ai sept cent mille, dit Poltimore en jetant un coup d'œil vers les téléphones.

Mais il ne pouvait plus éviter de voir l'homme et la femme avancer à grands pas vers lui dans l'allée centrale. C'était inutile aurait-il pu leur dire, chaque chaise étant occupée.

— Sept cent cinquante mille ? suggéra-t-il au conservateur, sûr que les deux nouveaux arrivants feraient demi-tour.

Mais ce ne fut pas le cas.

— J'ai sept cent cinquante mille, poursuivit Poltimore.

Après un nouveau hochement de tête du conservateur, il se retourna vers la jeune femme au téléphone, s'efforçant de ne pas se déconcentrer, persuadé qu'un agent de sécurité apparaîtrait pour ramener courtoisement vers la sortie l'ennuyeux couple. Il fixait, plein d'espoir, la femme au téléphone quand une voix annonça d'un ton ferme et autoritaire :

— Voici une ordonnance du tribunal interdisant la vente des vases Ming de la collection Hertford.

L'homme remit un acte grossoyé à Poltimore, juste au moment où la femme au téléphone levait la main.

— J'ai huit cent mille ? dit Poltimore, chuchotant presque, comme un homme élégamment vêtu sortait du petit groupe d'experts se tenant derrière la tribune, prenait le document, et, après en avoir retiré le ruban rouge, en étudiait le contenu.

— Huit cent cinquante mille ? proposa Poltimore, alors que certains spectateurs assis au premier rang bavardaient entre eux sur ce qu'ils venaient d'entendre.

Lorsque la rumeur propagée[1] atteignit le conservateur, presque tous les présents bavardaient, à part Virginia, qui se contentait de fixer l'homme et la femme se tenant près de la tribune.

— Mark, fit une voix derrière Poltimore.

---

1. En anglais, *Chinese whispers*, soit « chuchotements chinois », expression plus ironiquement adéquate dans le contexte de la scène décrite ici. Jeu au cours duquel un message est déformé en étant chuchoté d'une personne à une autre. Le jeu est donc semblable à celui du « téléphone arabe » en France.

Il se tourna, se pencha et écouta soigneusement l'avis de l'avocat-conseil de Sotheby's, puis hocha la tête et, se relevant complètement, déclara de son ton le plus grave :

— Mesdames et messieurs, je suis désolé de devoir vous informer que le lot 43 est retiré de la vente.

Ces propos suscitèrent un hoquet de stupéfaction et déclenchèrent de bruyants bavardages.

— Lot 44, enchaîna Poltimore. Coupe noire, émaillée, truitée, de la dynastie Song...

Mais personne ne montrait le moindre intérêt pour la dynastie Song.

Les journalistes parqués tentaient désespérément de s'échapper afin de découvrir la raison pour laquelle le lot 43 avait été retiré de la vente, conscients que l'article qui, avaient-ils espéré, occuperait au mieux deux colonnes dans la section des beaux-arts avait à présent toutes les chances de faire la une. Hélas pour eux, les spécialistes de Sotheby's s'étaient métamorphosés en mandarins chinois, lèvres serrées et bouche cousue.

Une horde de photographes se répandit dans la salle et entoura immédiatement la duchesse. Au moment où leurs flashes crépitèrent, en quête de réconfort, elle se pencha vers Priscilla, mais son amie n'était plus à côté d'elle. Se retournant vivement, lady Virginia fit face à lady Camilla. Deux reines sur un échiquier, l'une des deux sur le point d'être renversée, tandis que l'autre, qui ne quittait jamais le château, à moins d'y être obligée, fit à son adversaire un sourire désarmant et chuchota : « Échec et mat. »

38

— Il s'agit de la « clause des aristocrates ».

— Je n'ai pas la moindre idée de ce dont vous parlez, dit Virginia à son avocat, assis de l'autre côté du bureau.

— C'est une clause assez banale, expliqua sir Edward, souvent mentionnée dans les testaments des personnes appartenant à une famille riche, afin de protéger leurs biens de génération en génération.

— Mais mon mari m'a légué les vases ! protesta Virginia.

— En effet. Mais seulement, et je cite la clause de référence dans son testament, en tant que cadeau dont vous aurez l'usufruit votre vie durant, avant de reprendre sa place parmi les biens du duc actuel.

— Mais on les croyait sans valeur, dit Virginia. N'avaient-ils pas été abandonnés dans les communs, au sous-sol, pendant des générations ?

— C'est fort possible, Votre Grâce, mais la clause des aristocrates en question stipule que cela s'applique à tout présent estimé à plus de dix mille livres.

— Je ne comprends toujours pas de quoi vous parlez, déclara Virginia, d'un ton de plus en plus exaspéré.

— Alors, laissez-moi vous expliquer… Cette sorte de clause est souvent inscrite afin de s'assurer que les domaines des aristocrates ne soient pas morcelés par des femmes n'appartenant pas à la lignée. L'exemple le plus habituel, c'est lorsqu'un membre de la famille divorce et que l'ex-épouse tente de réclamer des bijoux précieux, des œuvres d'art, voire un bien immobilier. Dans votre cas, par exemple, vous êtes autorisée à vivre, pour le restant de votre vie, à Dower House dans le parc du château Hertford. Toutefois, le titre de propriété reste au nom du duc, et, à votre décès, la maison refera automatiquement partie des biens de la famille.

— Et c'est aussi le cas de mes deux vases ?

— J'en ai bien peur, répondit l'avocat chevronné. Étant donné qu'ils valent, à l'évidence, plus de dix mille livres.

— Si seulement je m'en étais séparée en toute discrétion, dit-elle, l'air pensif, sans que le duc soit au courant, personne ne s'en serait aperçu.

— Dans ce cas, dit sir Edward, vous auriez commis un délit, puni par la loi, car on aurait considéré que vous connaissiez leur vraie valeur.

— Mais ils n'auraient jamais découvert le pot aux roses, si…, reprit Virginia, comme si elle se parlait à elle-même. Comment ont-ils bien pu l'apprendre ?

— Bonne question. J'ai en effet demandé aux notaires des Hertford pourquoi ils ne vous avaient pas indiqué la clause en question, insérée dans le testament du défunt duc, dès qu'ils s'étaient rendu compte que la vente devait avoir lieu. Ç'aurait alors évité l'embarras des deux parties, sans parler de la publication, le lendemain, des atroces manchettes dans la presse nationale.

— Et pourquoi se sont-ils abstenus ?

— Il semble que quelqu'un ait envoyé à la famille un exemplaire du catalogue de Sotheby's, ce qui n'a pas tout de suite retenu leur attention, aucun d'entre eux n'ayant reconnu les vases, bien qu'ils aient figuré sur la couverture.

— Alors, comment l'ont-ils appris ? répéta Virginia.

— C'est, semble-t-il, Tristan, le neveu du duc, qui a déclenché l'alarme. Il a, apparemment, l'habitude de descendre en catimini à la cuisine pendant les vacances scolaires. Il a cru reconnaître les vases sur la couverture du catalogue et il a indiqué à sa mère l'endroit où il les avait vus pour la dernière fois. Lady Camilla a alors contacté Me Blatchford, le notaire de la famille, qui s'est empressé d'obtenir une ordonnance du tribunal pour interdire la vente. Ils ont ensuite attrapé le premier train pour Londres où ils sont arrivés juste à temps. Et, pour citer Me Blatchford, « il s'en est fallu d'un cheveu ».

— Que se serait-il passé s'ils étaient arrivés après le coup de marteau ?

— La famille se serait retrouvée devant un intéressant dilemme. Le duc aurait dû choisir entre deux options… Soit permettre à la vente d'avoir lieu puis recueillir l'argent, soit vous intenter un procès pour récupérer la somme totale. Dans ce deuxième cas, force m'est de dire qu'à mon avis un juge aurait été contraint de donner raison aux Hertford. Il aurait pu, en outre, en référer au procureur pour qu'il décide si vous aviez commis un crime puni par la loi.

— Mais je n'avais jamais entendu parler de la clause des aristocrates ! protesta Virginia.

— Nul n'est censé ignorer la loi, rétorqua sir Edward. Et, de toute façon, je suppose qu'un juge aurait du mal à croire que vous n'aviez pas très soigneusement choisi les vases en connaissance de cause. Je dois également vous avertir que c'est également l'avis de Me Blatchford.

— Faut-il, par conséquent, rendre les vases au duc ?

— Paradoxalement, non. Les Hertford doivent respecter la lettre de la loi ainsi que l'esprit du testament de votre défunt mari. On va donc vous renvoyer les vases, afin que vous en jouissiez durant le restant de votre vie. Toutefois, Me Blatchford m'a indiqué que si vous les rendiez dans les vingt-huit jours, la famille ne vous poursuivra pas en justice, décision que je considère comme généreuse, vu les circonstances.

— Mais pourquoi voudraient-ils les vases dès maintenant, alors qu'ils les récupéreront tôt ou tard ?

— Je suggérerais que la possibilité d'empocher un million de livres pourrait bien être la réponse à votre question, Votre Grâce. Je crois d'ailleurs comprendre que M. Poltimore a déjà pris contact avec le duc pour l'informer qu'il a un acheteur privé à Chicago.

— L'homme n'a-t-il donc aucun sens moral ?

— Quoi qu'il en soit, je vous conseillerais de les rendre le 19 octobre, au plus tard, si vous ne voulez pas devoir affronter un long et coûteux procès.

— Je vais, naturellement, suivre vos conseils, sir Edward, assura Virginia, constatant qu'elle n'avait pas le choix. Assurez donc, s'il vous plaît, de ma part à Me Blatchford, que je rendrai les vases à Clarence, le 19 octobre, au plus tard.

Un accord fut conclu entre sir Edward et Me Blatchford, selon lequel les deux vases de la dynastie Ming seraient rendus au quatorzième duc de Hertford à son hôtel d'Eaton Square, le 19 octobre, au plus tard. En échange de quoi, Clarence avait signé un document juridique stipulant qu'aucune action ne serait intentée contre la duchesse douairière Hertford. Il s'engageait, en outre, à régler les frais judiciaires de celle-ci concernant cette transaction.

Le 19 octobre, Virginia eut avec Bofie Bridgwater un long déjeuner, bien plus liquide que solide, au Mark's Club. Elle ne rentra à Chelsea qu'à 16 heures, alors que les lampadaires de la place avaient déjà été allumés.

Assise toute seule dans le salon de son petit appartement, elle fixa les deux vases. Alors qu'ils ne lui appartenaient que depuis quelques mois, chaque jour qui passait lui faisait mieux comprendre pourquoi on les considérait comme des œuvres de génie. Elle devait reconnaître, même si elle gardait tout cela pour elle, qu'ils allaient lui manquer. Toutefois, la pensée d'une autre bataille juridique à mener et celle des honoraires exorbitants de sir Edward la firent brusquement revenir sur terre.

Après un léger souper, elle se fit couler un bain, puis se prélassa dans la mousse, réfléchissant longuement à la toilette qu'elle revêtirait pour l'occasion, puisque cela allait, à l'évidence, être une dernière. Elle décida de porter du noir, couleur préférée de son défunt mari.

Elle ne se pressa pas, consciente que son timing devait être parfait avant que le rideau tombe. À 23 h 40, elle sortit de l'appartement et héla un taxi. Elle expliqua au chauffeur qu'elle aurait besoin d'aide pour placer deux grands vases à l'arrière. Il n'aurait pu être plus obligeant, et, une fois qu'elle se fut installée sur le siège arrière, il demanda :

— Nous allons où, madame ?

— Au 32 Eaton Square. Et pourriez-vous conduire lentement pour éviter d'abîmer les vases ?

— Bien sûr, madame.

Elle s'assit tout au bord de la banquette, une main placée fermement sur le col de chaque vase, pendant que la voiture parcourait la courte distance séparant Chelsea d'Eaton Square, sans jamais passer en seconde.

Lorsque le taxi s'arrêta enfin devant le numéro 32, un flot de souvenirs de la période de sa vie passée avec Perry lui revint en mémoire, lui rappelant, une fois de plus, qu'il lui manquait énormément. Le chauffeur descendit prestement de voiture et lui ouvrit la portière arrière.

— Auriez-vous la bonté de poser les vases en haut des marches, lui dit-elle en mettant pied à terre.

Elle attendit que le chauffeur se soit exécuté pour ajouter :

— Si vous pouviez m'attendre pour me ramener chez moi, car je n'en ai que pour quelques instants.

— Bien sûr, madame.

Elle consulta sa montre : 23 h 51. Elle avait rempli ses engagements. Elle appuya sur la sonnette et attendit que s'allume une lumière au troisième étage. Quelques minutes plus tard, un visage familier apparut à la fenêtre. Elle fit un sourire à Clarence, qui ouvrit la fenêtre et la regarda.

— C'est vous, Virginia ? s'enquit-il en maîtrisant son exaspération.

— Sans aucun doute, mon chéri. Je viens rapporter les vases. Vous constaterez qu'il est minuit moins sept, dit-elle après avoir consulté à nouveau sa montre.

Une deuxième lumière s'alluma et Camilla se pencha à une autre fenêtre et déclara :

— Tout juste à temps.

Virginia fit un gentil sourire à sa belle-fille. Elle s'apprêtait à regagner le taxi, mais s'arrêta un bref instant pour jeter un dernier coup d'œil aux deux vases. Puis elle se pencha en avant et, mobilisant toutes ses forces, elle en souleva un très haut au-dessus de sa tête, tel un haltérophile olympique. Après l'avoir tenu un bref instant à cette hauteur, elle le laissa glisser entre ses mains. Le magnifique trésor national vieux de cinq siècles dévala les marches de pierre, avant de se briser en mille morceaux.

Des lampes s'allumèrent l'une après l'autre dans toute la maison et « La salope ! » fut l'une des injures les plus modérées proférées par Camilla.

Se prenant au jeu, Virginia fit un pas en avant, comme pour un dernier salut au public. Elle souleva ensuite le second vase et, comme le premier, le tint très haut au-dessus de sa tête. Elle entendit la porte s'ouvrir derrière elle.

— Non, je vous en prie ! hurla Clarence, en bondissant vers elle, les bras ouverts.

Mais elle avait déjà lâché le vase et l'exceptionnel chef-d'œuvre chinois se brisa en une infinité de morceaux. Peut-être encore plus fins, si c'était possible, que le premier.

Elle redescendit lentement les marches, évitant soigneusement la mosaïque bleu et blanc formée par les fragments de porcelaine, puis monta dans le taxi en attente.

Comme il reprenait le chemin de Chelsea, regardant dans son rétroviseur, le chauffeur vit sourire sa passagère. Elle ne se retourna pas une seule fois pour contempler le massacre, ayant, cette fois-ci, lu chaque clause, sans exception, du document juridique, lequel ne faisait pas la moindre allusion à l'état dans lequel les deux vases Ming devaient être restitués « le 19 octobre, au plus tard ».

Au moment où le taxi tourna à droite pour quitter Eaton Square, l'horloge d'une église proche sonna les douze coups de minuit.

SEBASTIAN CLIFTON

1984-1986

39

— Tu as demandé à me voir, président.

— Peux-tu attendre un petit moment, Victor, le temps que je signe ce chèque ? En fait, tu peux être le second signataire.

— Pour qui est-ce ?

— Karin Barrington, après son triomphe au marathon de Londres.

— Tout à fait d'accord, dit Victor en sortant son stylo et en signant d'un geste large. Quel incroyable exploit ! Je ne pense pas que j'aurais été capable de faire ça en une semaine. Alors en moins de quatre heures...

— Moi, je ne vais même pas essayer. Mais ce n'est pas pour ça que j'avais besoin de te voir.

Une fois terminés les propos préliminaires qu'adorent échanger les Anglais avant d'en venir au fait, le ton changea.

— Il est temps que tu aies ta part du gâteau et que tu prennes davantage de responsabilités.

Victor sourit, presque comme s'il devinait ce que le président allait lui proposer.

— Je veux que tu deviennes mon bras droit en tant que vice-président de la banque.

Victor ne chercha pas à cacher sa déception. Cela ne surprit pas Sebastian qui espéra seulement qu'il finirait tôt ou tard par avaler la pilule.

— Alors, qui sera ton directeur général ? s'enquit Victor.

— J'ai l'intention de proposer le poste à John Ashley.

— Mais il n'y a que deux ans qu'il travaille à la banque, et il paraît que la Barclays est sur le point de lui proposer de prendre la tête de leur bureau du Moyen-Orient.

— J'ai entendu ces rumeurs, moi aussi. C'est justement ce qui m'a persuadé qu'il fallait le garder à tout prix.

— Alors, offre-lui le poste de vice-président ! s'exclama Victor, sa voix montant de plusieurs tons.

Sebastian ne sut trop que répondre.

— Ce serait d'ailleurs en pure perte, poursuivit Victor, parce que tu sais pertinemment qu'il considérerait ce poste comme strictement honorifique et qu'il déclinerait l'offre, à juste titre.

— Ce n'est pas du tout mon point de vue. Je considère cela non seulement comme une promotion mais comme l'annonce que tu es mon successeur naturel.

— Tu parles ! Oublies-tu qu'on a le même âge ? Si tu nommes Ashley directeur général, tout le monde supposera que tu as décidé que c'est lui, et non moi, qui sera ton successeur naturel.

— Mais tu seras toujours chargé du service des changes, l'un des plus fructueux départements de la banque.

— Et qui dépend directement du directeur général, ajouterai-je, au cas où tu l'aurais oublié.

— Eh bien, j'indiquerai clairement qu'à l'avenir tu dépendras directement de moi.

— Tout le monde comprendra que c'est une façon de me mettre du baume au cœur. Et tu le sais. Si tu penses que je ne suis pas assez compétent pour être directeur général, tu me contrains à démissionner.

— Je ne veux surtout pas ça ! fit Sebastian, tandis que son plus vieil ami ramassait ses papiers, quittait la pièce sans un mot de plus et refermait sans bruit la porte derrière lui. Ça s'est bien passé, dit Sebastian.

— Voilà des années que tu te défiles, dit Karin, après avoir lu la lettre.

— Mais j'ai plus de soixante ans, protesta Giles.

— C'est le château contre le village, lui rappela-t-elle. Pas l'Angleterre contre les Antilles. De toute façon, tu n'arrêtes pas de me dire que tu aurais adoré que je voie ton *cover drive*[1].

— Quand j'étais jeune. Pas dans mon vieil âge.

— Et, poursuivit Karin, sans prêter attention à sa réponse, tu as donné ta parole à Freddie.

Giles ne sut que répondre.

— Et, franchement, si je peux courir un marathon, nul doute que tu puisses participer à un match de cricket du village.

Ces paroles finirent par réduire son mari à quia.

Il relut la lettre, une fois de plus, et gémit en s'asseyant à son bureau. Il sortit une feuille de papier d'un tiroir, enleva le capucha de son stylo et commença à ecrire.

> *Mon cher Freddie,*
> *Je serais ravi de faire partie de ton équipe pour...*

— Ne sont-ils pas magnifiques ? s'exclama le jeune homme qui admiriat les sept dessins ayant reçu le prix du Fondateur.

— Sincèrement ? fit la jeune femme.

— Oh oui ! Quelle brillante idée de la part de la dessinatrice de prendre comme thème les sept âges de la femme...

— Ah, cela m'avait échappé, dit-elle en regardant le jeune homme de plus près.

Les vêtements de celui-ci donnaient plus ou moins l'impression qu'il ne s'était pas regardé dans la glace, ce matin-là, avant de partir pour le travail. Rien n'allait ensemble. Une élégante veste Harris Tweed avec une chemise bleue, une cravate verte, un pantalon gris et des chaussures marron. Mais il montrait pour l'œuvre de l'artiste un vif enthousiasme, tout à fait communicatif.

— Comme vous pouvez le voir, dit-il, d'un ton de plus en plus animé, la dessinatrice a pris pour sujet une femme en train de courir un marathon et a décrit les sept phases de la course. Le premier

---

1. L'une des façons qu'a le batteur de frapper la balle : batte verticale et balle renvoyée en direction de la partie du terrain appelée *cover*, diagonalement opposée au batteur. Mouvement qui oblige le batteur à se contorsionner.

dessin concerne la ligne de départ, au moment où elle s'échauffe, inquiète mais en pleine forme. Dans le suivant, poursuivit-il en désignant le deuxième dessin, elle a atteint la ligne des cinq miles et elle est toujours pleine d'assurance. Mais lorsqu'elle atteint la ligne des dix miles, continua-t-il en passant au troisième dessin, il est clair qu'elle commence à ressentir des douleurs.

— Et le quatrième ? demanda-t-elle, en regardant de plus près le dessin que l'artiste avait décrit comme « le mur ».

— Regardez donc l'expression de la marathonienne. Il est clair qu'elle se demande si elle va pouvoir terminer la course.

La jeune femme opina du chef.

— Et le cinquième montre qu'elle tient tout juste le coup au moment où, à mon avis, elle passe devant les membres de sa famille qui doivent l'encourager de la voix. Elle lève le bras pour les saluer, mais même ce geste, comme le signale l'artiste d'un simple délicat coup de crayon, a dû manifestement lui coûter un extraordinaire effort.

Désignant le sixième dessin, le jeune homme poursuivit avec fougue :

— Là, nous la voyons franchir la ligne d'arrivée, les bras levés en signe de victoire. Et puis, quelques instants plus tard, dans le dernier dessin, ayant tout donné, elle s'effondre par terre, épuisée, et on la récompense en lui attachant une médaille autour du cou. Notez que la dessinatrice a ajouté le jaune et le vert du ruban, la seule touche de couleur dans la série des sept dessins... C'est tout à fait brillant.

— Vous devez être vous-même dessinateur.

— J'aimerais bien ! fit-il en lui adressant un chaleureux sourire. Ma meilleure prestation en ce domaine, c'est lorsque j'ai remporté un prix de dessin au lycée. J'ai alors posé ma candidature pour intégrer la Slade, mais je n'ai pas été pris.

— Il existe d'autres écoles des Beaux-Arts.

— Oui et j'ai essayé d'intégrer la plupart d'entre elles : Goldsmiths, Chelsea, Manchester. Je suis même allé jusqu'à Glasgow pour un entretien, mais ça n'a pas davantage marché.

— Je suis désolée.

— Inutile de l'être, car j'ai finalement demandé à l'un des membres d'un comité d'admission pourquoi je n'étais jamais retenu.

— Et qu'a-t-il répondu ?

— « Vos résultats en terminale, au lycée, sont assez impressionnants. Vous êtes, à l'évidence, passionné par cette matière et vous possédez des tonnes d'énergie et d'enthousiasme... Mais, hélas, il vous manque quelque chose. » « Quoi ? » ai-je demandé. « Le talent », a-t-il répondu.

— Quelle cruauté !

— Non. Pas vraiment. Il était réaliste, tout simplement. Il m'a ensuite demandé si j'avais songé à l'enseignement, ce qui a retourné le couteau dans la plaie, car je me suis rappelé les paroles de George Bernard Shaw : « Ceux qui peuvent le font ; ce qui ne peuvent pas l'enseignent[1]. » Je suis alors reparti et j'ai réfléchi à la question. Et j'ai compris qu'il avait raison.

— Et, à présent, vous enseignez ?

— En effet. J'ai étudié l'histoire de l'art à King's College et maintenant j'enseigne dans un lycée de Peckham, où, je suis au moins sûr d'être plus doué que mes élèves. Que la plupart d'entre eux, en tout cas, ajouta-t-il avec un large sourire.

Elle rit.

— Et qu'est-ce qui vous fait revenir à la Slade ? s'enquit-elle.

— Je vais voir la plupart des expositions d'étudiants dans l'espoir de remarquer quelqu'un qui possède un vrai talent et dont les œuvres puissent enrichir ma collection. Au fil des ans, j'ai acheté un Craigie Aitchison, un Mary Fedden et même un petit croquis au crayon de Hockney, mais j'adorerais ajouter ces sept dessins à ma collection.

— Qu'est-ce qui vous en empêche ?

— Je n'ai pas eu le courage de demander combien ils coûtent, mais comme l'artiste vient de remporter le prix du Fondateur, je suis persuadé qu'ils sont au-dessus de mes moyens.

— Combien valent-ils, à votre avis ?

— Je n'en sais rien. Je donnerai tout ce que j'ai pour les avoir.

— Combien avez-vous ?

— La dernière fois que j'ai consulté mon compte en banque, il y avait un tout petit peu plus de trois cents livres.

---

1. Dans *L'Homme et le Surhomme* (*Man and Superman*), comédie créée en 1903.

— Alors, c'est votre jour de chance ! Parce qu'il me semble qu'ils coûtent deux cent cinquante livres.

— Allons vérifier si vous avez raison, avant que quelqu'un d'autre ne se jette dessus. Au fait, reprit-il, comme ils se dirigeaient vers le bureau de vente, je m'appelle Richard Langley, mais mes amis m'appellent Rick.

— Salut ! fit-elle, en lui serrant la main. Je m'appelle Jessica Clifton, mais mes amis m'appellent Jessie.

40

— Si tu tires ton pull-over vers le bas, dit Karin, personne ne s'apercevra que tu ne peux plus attacher le premier bouton.

— Il y a vingt ans que je n'ai pas joué, lui rappela Giles en rentrant le ventre et en faisant une dernière tentative pour attacher le premier bouton d'un pantalon de cricket appartenant à Archie Fenwick.

Elle éclata de rire lorsque le bouton fut brusquement éjecté et tomba à ses pieds.

— Je suis certaine que tout se passera bien, mon chéri. Rappelle-toi seulement de ne pas courir après la balle, parce que ça pourrait mal finir.

Giles s'apprêtait à rétorquer quand on frappa à la porte.

— Entrez ! lança-t-il en s'empressant de placer un pied sur le bouton rebelle.

La porte s'ouvrit et Freddie, en tenue blanche impeccable, entra dans la pièce.

— Désolé de vous déranger, dit-il, mais il y a un changement de programme.

Supposant qu'on allait se dispenser de ses services, Giles eut l'air soulagé.

— Le majordome, notre capitaine, s'est désisté à la dernière minute, parce qu'il s'est claqué un tendon. Puisque vous avez joué pour Oxford contre Cambridge, j'ai pensé que vous étiez le candidat idéal pour le remplacer.

— Mais je ne connais même pas les autres joueurs de l'équipe !

— Ne vous en faites pas, monsieur. Je vais vous tenir au courant. Je m'en chargerais bien moi-même mais je ne suis pas sûr de savoir comment organiser le terrain[1]. Pourriez-vous être

---

1. Disposer les lanceurs (*bowlers*) sur le terrain selon leurs qualités propres pour rattraper la balle renvoyée par le batteur (*batsman*). Il y a diverses positions précises sur le terrain, chacune ayant un nom.

prêt dans dix minutes pour jouer à pile ou face. Désolé de vous avoir dérangée, lady Barrington, ajouta-t-il en ressortant en courant.

— Penses-tu qu'il m'appellera un jour Karin ? demanda-t-elle, une fois la porte refermée.

— Il ne faut rien brusquer.

Lorsqu'il découvrit le vaste terrain ovale, posé tel un bijou dans le parc du château, Giles se demanda s'il pourrait y avoir un décor plus idyllique pour une partie de cricket. Collines hérissées d'arbres entourant une plaine verdoyante d'un hectare, que Dieu avait à l'évidence destinée à être un terrain de cricket, même si ce n'était que pendant quelques semaines par an.

Freddie présenta Giles à Hamish Munro, le policier du coin, capitaine de l'équipe du village. Âgé de quarante ans, il semblait en pleine forme et n'avait pas dû avoir du mal à boutonner son pantalon.

Juste avant 14 heures, les deux capitaines entrèrent sur le *pitch*[1] ensemble. Giles suivit une procédure qu'il n'avait pas appliquée depuis des années. Il huma l'air, avant de lever les yeux vers le ciel. C'était une chaude journée pour l'Écosse. Quelques nuages éparpillés décoraient un horizon bleu ; il ne pleuvait pas et, Dieu merci, les nuages n'étaient pas annonciateurs de pluie. Il examina le *pitch*, touche de vert sur la surface, ce qui était favorable aux *fast bowlers*[2] – lanceurs rapides –, et, finalement, il jeta un coup d'œil à la foule des spectateurs... Il y en avait davantage qu'il l'avait prévu, mais il est vrai que c'était un « derby local » – un match entre équipes voisines. Deux cents personnes environ, éparpillées derrière la *boundary*

---

1. Surface rectangulaire au centre du terrain dont l'herbe est coupée plus court et à une des deux extrémités de laquelle le *bowler* (le lanceur) lance la balle en direction d'un des deux batteurs, l'un actif et l'autre inactif, qui se font face à chaque extrémité du *pitch*. Le *pitch* a un peu plus de vingt mètres de long et un peu plus de trois mètres de large.
2. Le lanceur rapide a la principale qualité de lancer la balle à des vitesses élevées. Il s'oppose au *spin bowler* qui donne de l'effet à la balle pour décontenancer le batteur.

rope[1] – corde tendue tout autour du terrain –, attendaient le commencement de la bataille.

Giles serra la main du capitaine de la partie adverse.

— À vous de choisir, monsieur Munro, dit-il en lançant une pièce d'une livre très haut dans les airs.

— Face, déclara M. Munro.

Ils se penchèrent tous les deux en avant pour examiner la pièce qui retombait sur le sol.

— Que prenez-vous, monsieur ? fit Giles en regardant la tête de la reine.

— La batte, répondit Munro sans hésitation, avant de regagner les vestiaires en hâte pour donner ses instructions à son équipe.

Quelques minutes plus tard, une sonnerie retentit et les deux arbitres en longue veste blanche émergèrent des vestiaires et entrèrent lentement sur le terrain. Archie Fenwick et le révérend Sandy McDonald étaient chargés de s'assurer du bon déroulement du match.

Quelques instants après, Giles conduisit sur le *pitch* son bataillon de guerriers qu'il ne connaissait pas. Tandis que Freddie lui soufflait ses conseils, il organisa l'attaque, avant de lancer la balle à Hector Brice, le second valet de pied du château, qui était déjà en train de gratter le sol pour marquer sa place, vingt mètres derrière les piquets[2].

Les premiers batteurs de l'équipe du village entrèrent sur le *pitch*, faisant des moulinets avec les bras et courant sur place, avec une décontraction affectée. Le facteur demanda le *middle* et le *leg stump*. Et une fois qu'il eut tracé sa marque, le pasteur lança : « *Play*[3] ! »

---

1. Les limites du terrain ovale doivent être nettement marquées, soit par une ligne blanche, soit par une corde ou quelque objet solide possédant une arête, ou marquées d'une ligne.
2. Hector Brice est le *wicket keeper*, le « gardien de guichet », positionné derrière le guichet du batteur pour essayer de rattraper la balle au vol si le batteur ne réussit pas à la renvoyer. Si le gardien de guichet la rattrape, le batteur est dit *caught* (attrapé) et est éliminé. Le guichet est composé de trois piquets de bois, les *stumps*. Le *middle stump* est celui du milieu, le *leg stump*, celui près de la jambe du batteur et l'*off stump*, celui près de sa batte. Le batteur se positionne selon qu'il est droitier ou gaucher.
3. Jouez !

Les premiers joueurs de l'équipe du village commencèrent sur un rythme rapide marquant 32 points avant que le premier guichet ne revienne à Ben Atkins, le gérant de ferme, qui avait attrapé la balle au vol dans les *slips*[1]. Hector suivit ensuite avec deux guichets, l'un après l'autre, et le score fut de 64 contre 3 (guichets) après le lancement de quinze *overs*[2]. Un partenariat s'installait entre Finn Reedie, le tavernier, et Hamish Munro, au quatrième *innings*[3], au moment où Freddie suggéra que Giles devienne lanceur. Rôle que le capitaine n'avait pas vraiment envisagé. Même dans sa jeunesse, on avait rarement demandé à Giles d'être lanceur.

Son premier *over* atteignit le chiffre de 11, y compris deux *wides*[4]. Il s'apprêtait à renoncer mais Freddie refusa tout net. Le deuxième *over* de Giles atteignit les 7, mais il n'y avait pas deux *wides.* En tout cas, et à sa grande surprise, au troisième, il prit l'important guichet du tavernier. Il y eut un « appel » concernant un lbw[5], en réponse auquel le dixième comte de Fenwick répondit par : « *Out !* » Giles se dit qu'il avait de la chance et ce fut aussi l'avis de Freddie.

---

1. On dit qu'un guichet « tombe » lorsque le batteur est éliminé, d'une façon ou d'une autre. Ici, c'est parce qu'un des neuf *fielders* « chasseurs » (ou « joueurs de champ ») de l'équipe adverse a rattrapé la balle au vol. Les *slips* sont la partie du terrain qui se trouve diagonalement derrière le batteur. Un *slip* est aussi un chasseur qui se trouve en position de rattraper la balle derrière le guichet plus ou moins près du gardien de guichet (il y en a trois : le premier, le deuxième ou le troisième *slip*).

2. Un *over* est une série de six lancers par le même lanceur.

3. Ils sont coéquipiers. Chacun est devant l'un des deux guichets qui se font face à chaque extrémité du *pitch.* L'un des deux est actif, l'autre inactif. Ils peuvent échanger leurs rôles. L'*innings* est une manche, pendant qu'une équipe est au lancer et l'autre à la batte.

4. Balle écartée, qui passe hors de la portée du batteur et ne peut donc être jouée.

5. lbw = *Leg before wicket*, soit littéralement « jambe devant guichet ». Faute du batteur qui met la jambe devant le guichet pour le protéger. L'appel (*appeal*) à l'un des deux arbitres qui se trouve près du guichet est demandé par l'équipe du lanceur. Il s'agit du cri *Howzat ?* pour *How was that ?* (Comment c'était ?) L'arbitre peut alors éliminer le batteur en lançant : *Out !* (Dehors !)

116 pour 4. Le premier valet continua à effectuer ses lents *leg cutters* d'un côté du terrain, tandis que Giles tentait un *military medium*[1] de l'autre. L'équipe du village rentra prendre le thé à 16 h 30, ayant marqué 237 contre 8, ce qui, semblait penser Hamish Munro, était suffisant pour gagner, vu qu'il fit une « déclaration[2] ».

Le thé fut servi dans une vaste tente. Tous se jetèrent sur les sandwichs à l'œuf et au cresson, les friands, les tartes à la confiture et les scones couverts de crème fraîche, tout en buvant du thé chaud et des verres de cordial au citron vert. Freddie ne mangea rien, occupé qu'il était à inscrire sur la fiche de score l'ordre de passage des batteurs. Giles regarda par-dessus son épaule et fut horrifié de voir son nom tout en haut de la liste.

— Tu veux vraiment que ce soit moi qui ouvre le jeu ? demanda-t-il.

— Oui, bien sûr, monsieur. Après tout, c'est ce que vous aviez fait pour Oxford et le Marylebone Cricket Club.

Tandis que Giles remettait ses jambières[3], il regrettait d'avoir mangé autant de scones. Un peu après, Ben Atkins et lui se dirigèrent vers le *pitch*. Giles prit la garde devant le *leg stump*, puis parcourut le terrain du regard, sa mine assurée dissimulant son réel état d'esprit. Il prit la position et attendit le premier lancer de Ross Walker, le boucher du coin. La balle fendit l'air en sifflant et frappa la jambière de Giles, exactement devant le piquet du milieu.

— *Howzat ?* hurla le boucher, sûr de lui, en sautant en l'air.

Humiliation, pensa Giles, en se préparant à rentrer au vestiaire sans avoir marqué un seul point.

---

1. Manière de lancer la balle. Un *leg cutter* est un lancer qui rebondit devant le batteur. Les lanceurs rapides sont classés selon la vitesse de leur lancer. La vitesse d'un *medium* est moyenne. Un *military medium* est un lancer plus lent que la moyenne mais régulier en ce qui concerne la vitesse et la direction, ce qui déconcentre le batteur.
2. Le capitaine de l'équipe à la batte décide d'arrêter la manche, tactique qui lui permet de disposer de plus de temps pour éliminer l'équipe adverse par la suite.
3. Les *pads*. Seuls les batteurs et les gardiens de guichet portent des jambières, des gants et parfois un casque.

— *Not out*[1] *!* répliqua le dixième comte de Fenwick, lui épargnant cette honte.

Le lanceur ne put cacher son incrédulité et se mit à frotter furieusement sa balle sur son pantalon, avant de se préparer à lancer la prochaine balle. Prenant son élan, il lança une deuxième fois le missile en direction de Giles. Celui-ci fit un pas en avant[2], et la balle frôla le bord de sa batte, manquant le piquet de quelques centimètres avant de rouler entre le premier et le deuxième *slip* jusqu'aux limites du terrain. Giles ne réussit qu'à marquer 4 points[3] et le boucher eut l'air encore plus furieux. La balle suivante tomba très loin des piquets et Giles réussit à survivre pendant le reste de l'*over*.

Le gérant de ferme se révéla un batteur compétent même s'il mettait du temps à marquer des points, et les deux hommes avaient fait 28 points avant que la balle plus lente du boucher lancée contre M. Atkins fût attrapée au vol par l'un des joueurs de champ postés derrière le guichet. Giles fut alors rejoint par un vacher, qui bien qu'il ait eu une variété de coups dignes de son métier[4], réussit à marquer 30 points en très peu de temps avant d'être *caught* à la limite du terrain. 79 contre 2. Le vacher fut suivi du chef jardinier, qui à l'évidence ne jouait qu'une fois par an. 79 contre 3.

Trois guichets de plus tombèrent pendant la demi-heure qui suivit, mais Giles demeura en place et au score de 136 contre 6, l'honorable Freddie vint le rejoindre au *crease*[5], sous de chaleureux applaudissements.

---

1. Non éliminé !
2. Le jeu de pied (*footwork*) est important au cricket. *To play forward* signifie que le batteur avance un pied et le place à l'endroit précis où la balle s'apprête à rebondir et la renvoie avant qu'elle ne monte trop haut, pour obtenir plus de précision dans le renvoi.
3. Si la balle renvoyée par le batteur franchit les limites du terrain en roulant, l'équipe marque 4 points ; si elle les franchit au vol, elle marque 6 points.
4. Vacher traduit *cow-hand*. Jeu de mots : le mot *hand* (main) désigne parfois un travailleur manuel. Le vacher sait se servir de ses mains pour renvoyer la balle de différentes manières.
5. La ligne blanche de limite du batteur.

— Il nous en faut 100 de plus, dit Giles en jetant un coup d'œil au tableau d'affichage. Mais, comme nous avons largement le temps, essaye seulement de marquer des points sur une *loose ball*[1]. Reedie et Walker se fatiguent, alors sois patient et assure-toi de ne pas leur faire cadeau de ton guichet.

Une fois que Freddie eut pris la garde, il suivit à la lettre les instructions de son capitaine. Giles se rendit vite compte que le jeune garçon avait été bien formé à son collège et avait, heureusement, un don naturel ou « l'œil » – comme on dit dans ce milieu – pour ce sport. À eux deux, ils dépassèrent les 200 points sous les applaudissements d'une partie de la foule, qui commençait à croire que le château avait des chances de gagner ce derby local pour la première fois depuis des lustres.

Giles se sentit sûr de lui alors qu'il renvoyait une balle à travers les *covers*[2] jusqu'à la limite du terrain, ce qui lui fit atteindre les 70. Après deux *overs*, le boucher revint comme lanceur, mais il avait perdu son ancien air faraud. Il se précipita vers le guichet et lança la balle avec le maximum de fureur haineuse. Giles avança un pied, évalua mal la vitesse de la balle et entendit l'impitoyable bruit de piquets de bois qui s'effondrent. Cette fois-ci, l'arbitre ne pourrait pas venir à sa rescousse. Giles repartit vers les vestiaires sous des applaudissements enthousiastes, ayant obtenu un score de 74. Mais, comme il l'expliqua à Karin en s'asseyant dans l'herbe à côté d'elle et en détachant ses jambières, il leur manquait encore 28 points pour gagner avec les trois guichets[3] qui leur restaient.

Freddie fut rejoint par le chauffeur de Sa Seigneurie, homme qui passait rarement la seconde vitesse et qui prit le piquet du milieu. Connaissant le record du chauffeur, Freddie fit tout son possible pour se garder la frappe et laisser son partenaire au guichet d'où l'on ne frappait pas. Freddie s'arrangea pour que le tableau d'affichage continue à changer,

---

1. Balle mal lancée.
2. Vaste zone du terrain autour du *pitch* devant le guichet où sont postés des joueurs de champ. En gros, à mi-distance de la limite du terrain.
3. Chaque équipe a droit à dix guichets.

jusqu'au moment où le chauffeur fit un pas en arrière pour parer une forte balle lancée à toute volée qui rebondit brusquement, et il marcha sur ses piquets. Il repartit vers les vestiaires sans avoir besoin qu'on demande à l'arbitre de prononcer son verdict.

Il fallait encore 14 points pour gagner le match lorsque le deuxième jardinier (à temps partiel) vint rejoindre Freddie au piquet du milieu. Il survécut au premier lancer de balle du boucher mais seulement parce qu'il ne put pas toucher la balle avec sa batte. Cependant, il n'eut pas cette chance au dernier lancer de l'*over* quand il envoya la balle dans les mains du capitaine du village qui se trouvait à *mid-off*[1]. Les villageois sautèrent en l'air de joie, conscients qu'ils n'avaient besoin que d'un guichet de plus pour gagner le match et conserver le trophée.

Ils n'auraient pu avoir l'air plus heureux lorsque Hector Brice entra sur le terrain et prit la garde pour affronter la dernière balle de *l'over*. Tous se rappelaient le peu de temps qu'il avait tenu l'année d'avant.

— Ne fais surtout pas une *single*[2] !

Telle fut l'unique consigne de Freddie.

Mais le capitaine de l'équipe du village, un vieux malin, organisa le terrain pour qu'une *single* soit une option séduisante. Ses troupes attendaient impatiemment que le valet revienne vite dans la ligne de feu. Le boucher lança le missile en direction de Hector. Celui-ci réussit à frapper la balle avec la batte et il la regarda rouler *backward short leg*[3]. Hector avait envie de faire une *single*, mais Freddie demeura résolument à sa place.

---

1. L'une des positions du joueur de champ. À droite du batteur.
2. Les deux batteurs courent entre les deux guichets avant qu'une deuxième balle soit lancée et arrivent parfois (rarement) à faire jusqu'à quatre courses. Une *single* signifie une course unique, par opposition à la première d'une série. Plus ils font d'allers-retours (échangent de zones entre les deux batteurs), plus ils marquent des points. Ainsi le batteur inactif peut devenir actif au moment où est lancée la balle suivante. Freddie conseille à Hector de ne pas essayer de faire une seule course.
3. À gauche et un peu en arrière du guichet.

Freddie fut très heureux d'affronter le lanceur pour l'avant-dernier *over* et il le frappa pour 4 points à sa première balle, 2 à la troisième et 1 à la cinquième. Hector ne devait survivre qu'à une balle de plus, laissant Freddie faire face au boucher pour le dernier *over*. La dernière balle de l'*over* fut lente et droite mais, quoique Hector ne l'ait pas frappée, le guichet resta intact car elle passa au-dessus des piquets avant d'atterrir dans les gants du gardien de guichet. Un soupir de soulagement fut poussé par les supporters assis dans les chaises longues, tandis que les villageois poussaient des grognements.

— Dernier *over*, annonça le pasteur.

Giles jeta un coup d'œil au tableau d'affichage.

— 7 de plus et on a la victoire, dit-il.

Karin ne lui répondit pas ; la tête dans les mains, elle était incapable de continuer à regarder ce qui se passait.

Le boucher frotta la balle éraflée sur son pantalon taché de rouge, se préparant à effectuer un dernier lancer. Il prit son élan et lança le missile en direction de Freddie qui renvoya la balle en direction du premier *slip* qui, pris au dépourvu, la lâcha.

« Quel empoté ! » marmonna le boucher. Seules paroles prononçables devant le pasteur.

Il ne resta plus à Freddie que cinq balles lui permettant de gagner les 7 points nécessaires à la victoire.

— Détends-toi, souffla Giles. Il y aura sûrement une *loose ball* que tu peux renvoyer avec succès. Reste calme et concentre-toi.

La deuxième balle prit une large marge et fut récupérée par le troisième homme[1] donnant ainsi 2 points. Il en fallait encore 5, mais il ne restait que quatre balles. La troisième aurait pu s'appeler une *wide*, ce qui aurait facilité la tâche, mais le pasteur garda les mains dans les poches[2].

Freddie frappa la quatrième balle avec force jusqu'à *deep mid-on*[3], pensa effectuer une *single*, mais décida qu'il ne pouvait laisser au valet la responsabilité de marquer les points de la victoire. Il donna de nerveux coups de batte sur le *crease*, en attendant la cinquième balle, sans quitter un instant des yeux

---

1. Chasseur à la limite du terrain.
2. L'arbitre lève l'index pour indiquer une faute.
3. Position d'un des joueurs de champ. En arrière et à droite du lanceur.

le boucher qui avançait d'un air menaçant vers sa proie. Le lancer fut rapide mais juste un petit peu court, ce qui permit à Freddie de se pencher en arrière, de l'attraper et de l'envoyer très haut *over square leg*[1], et elle atterrit plusieurs centimètres devant la corde avant de passer la limite du terrain, ce qui donna 4 points. Les supporters du château lancèrent des vivats encore plus sonores, avant de se taire en attendant anxieusement le dernier lancer.

Quatre résultats étaient possibles : victoire, défaite, *tie, draw*[2].

Freddie n'avait pas besoin de regarder le tableau d'affichage pour savoir qu'il manquait 1 point pour qu'il y ait un *tie* et 2 pour gagner au dernier lancer. Il parcourut le terrain des yeux. Le boucher lui jeta un regard noir, puis prit son élan pour la dernière fois et lança la balle avec toute l'énergie qu'il put rassembler. Le lancer était à nouveau court et Freddie fit un pas en avant avec assurance, décidé à frapper la balle avec force vers la droite, à travers les *covers*, mais la balle allait plus vite qu'il l'avait cru et elle dépassa sa batte et frôla la partie arrière de sa jambière.

Toute l'équipe du village et la moitié de la foule sautèrent en l'air et hurlèrent : « *Howzat ?* » Plein d'espoir, Freddie leva les yeux vers le pasteur qui n'hésita qu'un court instant avant de lever l'index.

Tête basse, Freddie commença le long trajet qui conduisait jusqu'au vestiaire, applaudi d'un bout à l'autre par la foule qui reconnaissait sa valeur. 87 points marqués par lui, mais le château avait perdu.

— Le cricket peut être un jeu cruel, déclara Karin.

— Mais ça forge le caractère, répliqua Giles. Et j'ai le sentiment que c'est un match que le jeune Freddie n'oubliera jamais.

Freddie disparut dans le pavillon et s'affala sur un banc à l'autre bout des vestiaires, la tête toujours baissée, indifférent

---

1. Au-dessus du chasseur posté derrière le batteur. Si la balle passe la limite du terrain en roulant : 4 points. Sans toucher terre avant : 6 points.

2. *Tie* = match nul : si les deux équipes ont le même nombre de points à la fin du match dans le temps décidé à l'avance. Il y a *draw* si l'équipe à la batte n'a pas obtenu le nombre de points requis mais n'a pas été éliminée dans le temps prévu.

aux cris de « Beau jeu, mon petit », « Pas de chance, monsieur » et « Belle prestation, mon garçon », car il n'entendait que les vivats poussés dans la salle contiguë, à grand renfort de pintes de bière tirée d'un tonneau fourni par le tavernier.

Giles le rejoignit dans le vestiaire de l'équipe qui recevait et s'assit à côté de l'adolescent désolé.

— Il reste encore une tâche à accomplir, dit Giles, au moment où Freddie se décida à relever la tête. Il nous faut aller à côté et féliciter le capitaine de l'équipe du village de sa victoire.

Freddie eut un moment d'hésitation avant de se lever et de suivre Giles. Comme ils entraient dans le vestiaire de leurs adversaires, l'équipe du village se tut brusquement. Freddie se dirigea vers le policier et lui serra chaleureusement la main.

— Magnifique victoire, monsieur Munro. L'année prochaine, il nous faudra fournir un plus grand effort.

Ce soir-là, alors que Giles et Hamish Munro dégustaient un demi de bière du cru au Fenwick Arms, le capitaine de l'équipe du village déclara :

— Votre gamin a effectué un remarquable tour de batte. Et dans un avenir assez proche, je devine qu'il va faire souffrir de bien meilleures équipes que la nôtre.

— Il n'est pas mon gamin, répondit Giles. Et je le regrette...

41

— Savais-tu que Jessica avait un nouveau petit ami ? demanda Samantha.

Au Caprice, Sebastian réservait toujours la même table de coin, d'où il jouissait d'une vue dégagée sur les autres clients, lesquels ne pouvaient pas entendre sa conversation. Cela l'amusait toujours que les longues glaces fixées au centre de la pièce lui permettent de voir les autres dîneurs, tandis qu'eux ne pouvaient s'en rendre compte.

Il ne s'intéressait pas aux vedettes de cinéma qu'il reconnaissait à peine, aux politiques qui espéraient être reconnus, ni même à la princesse Diana, que tous reconnaissaient. Lui ne regardait que les autres banquiers et les hommes d'affaires pour voir avec qui ils dînaient. Les marchés dont il devait avoir connaissance étaient souvent conclus au cours d'un dîner.

— Qui regardes-tu ainsi ? s'enquit Samantha, comme il ne répondait pas à sa question.

— Victor, chuchota-t-il.

Sam jeta un regard circulaire sur la salle sans apercevoir le plus vieil ami de Sebastian.

— Tu es un voyeur, dit-elle, une fois son café terminé.

— Et, de plus, ils ne peuvent pas nous voir.

— « Ils » ? Il est avec Ruth ?

— Non. Sauf si elle a perdu quatre ou cinq centimètres de tour de taille et qu'elle les a mis sur sa poitrine.

— Tiens-toi bien, Sebastian. C'est probablement une de ses clientes.

— Non. Je pense que tu pourrais constater que c'est lui le client.

— Tu as hérité de l'imagination débordante de ton père. C'est sans doute tout à fait innocent.

— Tu es la seule personne de la salle qui croirait ça.

— Me voilà très intriguée, dit Sam en se retournant à nouveau, mais elle ne put toujours pas voir Victor. Je te répète que tu es un voyeur.

— Et si j'ai raison, dit Sebastian, sans faire cas des reproches de sa femme, on a un problème.

— C'est plutôt Victor qui a un problème. Pas toi.

— C'est possible. Mais j'aimerais quand même quitter le restaurant sans être vu, dit-il en sortant son portefeuille.

— Comment penses-tu t'y prendre ?

— En choisissant le bon moment.

— Vas-tu créer quelque diversion ? se moqua-t-elle.

— Rien d'aussi dramatique. On ne va pas bouger jusqu'à ce que l'un des deux aille au petit coin. Si c'est Victor, on pourra filer sans être remarqués. Si c'est la femme, on sortira discrètement sans qu'il se doute qu'on les a repérés.

— Mais s'il nous salue, tu comprendras que c'est tout à fait innocent.

— Ce serait un soulagement, à plus d'un titre.

— Tu sembles plutôt expert en la matière. Tu parles d'expérience peut-être ?

— Pas vraiment. Mais tu trouveras une intrigue semblable dans l'un des romans de papa.

— Et si aucun des deux ne va au petit coin ?

— On risque d'être coincés ici un bon bout de temps... Je vais demander l'addition, reprit Sebastian en levant la main. Au cas où nous serions contraints de filer en toute hâte. Mais, désolé, Sam... Tu m'as posé une question juste avant que quelque chose attire mon attention ?

— Oui. Je demandais si tu savais que Jessica avait un nouveau petit ami.

— Qu'est-ce qui te fait penser ça ? s'enquit Sebastian en vérifiant l'addition, avant de donner sa carte de crédit.

— Jusque-là, elle ne se préoccupait jamais de son look.

— N'est-ce pas typique d'une étudiante des Beaux-Arts ? J'ai toujours l'impression qu'elle a acheté ses vêtements dans des magasins de fripes... Et je ne peux pas dire que j'aie remarqué le moindre changement.

— C'est parce que tu ne la vois pas le soir, au moment où elle cesse d'être une élève des Beaux-Arts et devient une jeune femme. Et elle a plutôt belle allure.

— En digne fille de sa mère, dit Sebastian en saisissant la main de sa femme. Espérons seulement que le nouvel élu est mieux que le play-boy brésilien, parce que je ne crois pas que la Slade serait aussi compréhensive une deuxième fois, ajouta-t-il en signant le reçu de la carte.

— Je ne pense pas que cela posera un problème, cette fois-ci. Il est venu la chercher au volant d'une Polo, pas d'une Ferrari.

— Et tu as le toupet de me traiter de voyeur ! Alors, quand aurai-je l'occasion de faire sa connaissance ?

— Ça risque de ne pas être demain la veille parce que, pour le moment, elle n'a même pas reconnu avoir un petit ami. Cependant, je projette...

— À vos postes ! Elle se dirige vers nous...

Sebastian et Sam continuèrent à bavarder au moment où une grande femme élégante passait à côté de leur table.

— Eh bien, j'aime son style, déclara Sam.

— Que veux-tu dire ?

— Les hommes sont tous les mêmes. Ils ne regardent que les jambes d'une femme, sa silhouette et son visage, comme s'ils étaient devant l'étal d'un boucher.

— Et que regarde une femme ? s'enquit Sebastian, sur la défensive.

— Ce que j'ai remarqué en premier, c'est sa robe, qui était simple et chic. Son sac était élégant sans que la marque soit affichée avec ostentation et ses souliers complétaient un ensemble parfait. Je suis donc désolée de te détromper, Sebastian, mais je la trouve très classe.

— Alors, que fait-elle avec Victor ?

— Aucune idée. Mais, comme la plupart des hommes, si tu vois un ami avec une belle femme, tu imagines le pire.

— Je crois quand même qu'il vaut mieux qu'on file à l'anglaise.

— Je préférerais de beaucoup aller saluer Victor, mais si...

— Il y a quelque chose que je ne t'ai pas dit. Victor et moi ne nous parlons guère en ce moment. Je t'expliquerai pourquoi quand on sera dans la voiture.

Sebastian se leva et fit un long détour pour éviter la table de Victor. Lorsque le maître d'hôtel ouvrit la porte pour Samantha, Sebastian lui glissa un billet de cinq livres.

— Alors, qu'est-ce que je devrais savoir ? demanda Sam, une fois installée dans la voiture sur le siège du passager.

— Victor est furieux parce que je ne l'ai pas nommé directeur général.

— Désolée de l'apprendre. Mais je peux comprendre son état d'esprit. Qui as-tu nommé à ce poste ?

— John Ashley, répondit Sebastian, au moment où il s'engageait dans Piccadilly et se joignait à la circulation nocturne.

— Pourquoi donc ?

— Parce qu'il est parfait pour le poste.

— Mais Victor a toujours été un ami fidèle, surtout lorsque ça n'allait pas très bien pour toi.

— J'en ai conscience. Mais ce n'est pas une assez bonne raison pour nommer quelqu'un directeur général d'une banque importante. Je lui ai proposé d'être mon vice-président, mais il s'est senti vexé et a démissionné.

— Ça aussi je le comprends. Alors, que fais-tu pour le garder au conseil ?

— Hakim est venu de Copenhague en avion pour le persuader de changer d'avis.

— A-t-il réussi ? s'enquit Sam alors que Sebastian s'arrêtait à un feu rouge.

Giles quittait la Chambre en hâte pour honorer un rendez-vous quand il vit Archie Fenwick devant son bureau. Il ne ralentit pas.

— Si c'est à propos des subventions proposées par le gouvernement pour les céréales, Archie, pourrions-nous prendre rendez-vous ? Je dois voir le chef du parti et je suis déjà en retard.

— Non. Il ne s'agit pas de ça. Je suis venu d'Écosse ce matin dans l'espoir que vous auriez le temps de discuter d'une affaire personnelle.

Formule codée pour « Freddie ».

— Bien sûr, répondit Giles, en entrant dans son bureau. Assurez-vous, dit-il à sa secrétaire, que je ne sois pas dérangé pendant que je suis avec lord Fenwick.

Il referma la porte derrière lui et poursuivit :

— Un whisky, Archie ? J'en ai même de votre marque, continua-t-il en présentant une bouteille de Glen Fenwick. Freddie m'en a offert une caisse à Noël.

— Non, merci. Vous ne serez pas surpris d'apprendre que c'est justement de Freddie que je suis venu vous parler, répondit Archie en s'asseyant de l'autre côté du bureau. Mais, sachant que vous êtes extrêmement occupé, je vais essayer de ne pas prendre trop de votre temps.

— Si vous aviez voulu discuter des problèmes auxquels doit faire face l'agriculture écossaise, je n'aurais pu vous accorder que cinq minutes. Mais s'il s'agit de Freddie, prenez tout votre temps.

— Merci. Je vais aller droit au but. Le directeur de l'école de Freddie m'a appelé hier soir pour m'annoncer que Freddie avait échoué à l'examen d'entrée à Fettes[1].

— Mais quand j'ai regardé son dernier bulletin scolaire, je me suis même demandé s'il ne pourrait pas obtenir une bourse prestigieuse.

— C'est ce que croyait le directeur. Voilà pourquoi il a demandé à voir ses copies. Et il s'est vite rendu compte que Freddie n'avait fait aucun effort pour être reçu.

— Mais pour quelle raison ? Fettes est l'un des meilleurs collèges d'Écosse.

— « D'Écosse »... Voilà peut-être la réponse à votre question. Parce qu'il a passé un examen similaire pour entrer à Westminster[2], une semaine plus tard, et il a été reçu parmi les six premiers.

— Je ne pense pas qu'on ait besoin de faire appel à Freud pour élucider ce mystère. J'ai seulement besoin de savoir s'il veut être interne ou externe.

— Il a coché la case « externe ».

— C'est trop loin pour faire l'aller-retour entre Westminster et le château Fenwick, et comme l'école se trouve à deux pas de notre maison, je pense qu'il a cherché à nous envoyer un message.

Archie opina du chef.

— De toute façon, il a déjà choisi sa chambre, ajouta Giles au moment où le téléphone sonnait.

---

1. Fondé en 1870, Fettes College est une prestigieuse école privée écossaise pour internes et externes, mixte depuis 1970.
2. Prestigieuse *public school* londonienne, dont l'origine remonte au xiie siècle. Elle est située près de l'abbaye de Westminster.

Il décrocha et écouta quelques instants avant de dire :

— Désolé, chef, il y a eu un petit contretemps. Je vous rejoins tout de suite.

Il reposa l'appareil et poursuivit :

— Et si vous veniez dîner ce soir à Smith Square avec Karin et moi ? Nous pourrions mettre au point les détails de cette nouvelle organisation.

— Je ne sais comment vous remercier.

— C'est moi qui dois vous remercier.

Il se leva et se dirigea vers la porte.

— C'est la seule bonne nouvelle de la journée. On se voit vers 20 heures.

— Y a-t-il un espoir de discuter des subventions pour les céréales proposées par le gouvernement, à un moment ou à un autre ?

Mais, sortant de son bureau en toute hâte, Giles ne répondit pas.

— Quel est le cours de la Cunard, ce matin ? demanda Sebastian.

— Quatre livres douze. L'action a pris deux pence depuis hier, répondit John Ashley.

— Voilà de bonnes nouvelles, tout compte fait.

— Pensez-vous qu'il arrive à votre mère de regretter d'avoir vendu la Barrington ?

— Tous les jours. Mais, comme elle est, heureusement, surchargée de travail au secrétariat à la Santé, elle n'a guère le temps d'y penser.

— Et Giles ?

— Je sais qu'il vous est extrêmement reconnaissant d'avoir si bien gérer le portefeuille de la famille ; ça lui permet de se consacrer à son premier amour.

— Se bagarrer avec votre mère ?

— Quelque chose comme ça.

— Et votre tante Grace ?

— Elle pense que vous êtes un vulgaire capitaliste. Ou, en tout cas, c'est ainsi qu'elle me juge, moi. Par conséquent, je ne crois pas qu'elle ait davantage de considération pour vous.

— Mais j'ai fait d'elle une multimillionnaire ! protesta Ashley.

— En effet. Cela ne l'empêchera pas de corriger ses copies, ce soir, tout en grignotant un sandwich au fromage. Mais je vous félicite pour elle, John. Devons-nous discuter de quelque chose ?

— Oui, hélas, président. Et je ne sais trop comment aborder le sujet.

Ashley ouvrit un dossier marqué « Privé » et fourragea parmi quelques papiers. Sebastian fut surpris de voir un homme qui avait été joueur de première ligne dans l'équipe de rugby Harlequins et qui n'hésitait jamais à affronter, bille en tête, n'importe quel membre du conseil d'administration se montrer manifestement gêné, cette fois-ci.

— Crachez le morceau, John.

— Une certaine Mlle Candice Lombardo vient d'ouvrir un compte chez nous et sa caution est le vice-président.

— C'est donc son nom...

— Vous la connaissez ?

— Disons que je l'ai aperçue. Et quel est le problème ?

— Elle a retiré cinq mille livres hier, sans avoir le moindre penny sur son compte, pour acheter un manteau de vison chez Harrods.

— Pourquoi avez-vous accepté le chèque ?

— Parce que Victor s'est porté caution pour son découvert et je n'ai pas le pouvoir de rejeter le chèque sans le consulter.

— Cedric Hardcastle doit se retourner dans sa tombe, dit Sebastian en levant les yeux vers le portrait du président fondateur de la banque. Il avait l'habitude de dire : « Ne dites jamais "jamais", sauf si on vous demande de vous porter caution. »

— Devrais-je en parler à Victor ?

Sebastian s'appuya au dossier de son fauteuil et réfléchit quelques instants à la question. Hakim avait réussi à convaincre Victor de rester au conseil et même d'accepter le poste de vice-président, aussi Sebastian n'avait-il absolument aucune envie de donner à Victor une raison de changer d'avis.

— N'en faites rien, finit-il par répondre. Mais tenez-moi au courant si Mlle Lombardo fait de nouveaux chèques.

Ashley opina du chef.

— Je suppose que vous aimeriez également savoir, reprit-il, que le compte de votre fille présente un découvert de cent quatre livres soixante. Je sais que ce n'est pas grand-chose, mais vous m'avez demandé de vous tenir au courant après...

— En effet. Mais pour être juste, John, je viens de lui donner mille livres pour sept de ses dessins.

Ashley ouvrit un deuxième dossier et consulta un autre relevé de compte.

— Elle n'a pas remis ce chèque, président. En fait, la dernière fois qu'elle a fait un dépôt, c'était un chèque de deux cent cinquante livres d'un certain Richard Langley.

— Le nom ne me dit rien. Mais tenez-moi au courant. Pourquoi froncez-vous les sourcils ? ajouta-t-il en voyant Ashley se renfrogner.

— C'est seulement que, l'un dans l'autre, je préférerais traiter avec le président de la Cunard qu'avec votre fille.

42

Manifestement mal à l'aise, ils étaient tous les quatre assis dans le salon.

— Quel plaisir de vous rencontrer enfin, dit Samantha en servant une tasse de thé à Richard.

— Tout le plaisir est pour moi, madame Clifton, répondit le jeune homme assis, l'air gêné, en face d'elle.

— Comment vous êtes-vous rencontrés tous les deux ? s'enquit Sebastian.

— Nous sommes tombés l'un sur l'autre à la Slade, à l'exposition du prix du Fondateur, expliqua Jessica.

— Je vais à toutes les expositions des écoles des Beaux-Arts, expliqua Richard. Dans l'espoir de découvrir les œuvres d'un nouveau talent avant qu'elles soient raflées par un marchand du West End et que je n'aie alors plus les moyens de les acheter.

— C'est très intelligent, dit Samantha en offrant à son invité un sandwich au concombre.

— Vous avez acquis récemment quelque chose de valeur ? demanda Sebastian.

— Une aubaine ! Une véritable aubaine... Une série de dessins au trait par un peintre inconnu, appelée *Les sept âges de la femme*, qui a remporté le prix du Fondateur. Je n'en ai pas cru mes oreilles quand j'ai entendu ce qu'on en demandait.

— Pardonnez-moi de dire que je suis surpris que votre salaire de professeur vous permette de débourser mille livres.

— Je ne les ai pas payés mille livres, monsieur. Seulement deux cent cinquante livres. Et il me restait juste assez sur mon compte pour inviter le peintre à dîner au restaurant.

— Mais je croyais...

Sebastian ne termina pas sa phrase en voyant Samantha lui faire les gros yeux et l'air gêné de sa fille. Il décida de changer de tactique.

— Je suis disposé à vous offrir deux mille livres pour ces dessins. Vous pourrez alors inviter régulièrement le peintre à dîner au restaurant.

— Ils ne sont pas à vendre, répliqua Richard. Et ils ne le seront jamais.

— Trois mille ?

— Non, merci, monsieur.

— Peut-être accepterez-vous un marché, Richard. Si vous deviez un jour laisser tomber ma fille, vous me revendriez les dessins pour deux mille livres.

— Sebastian ! lança Samantha d'un ton sec. Richard est l'ami de Jessica et non pas un client. Et, de toute façon, l'heure de la clôture des banques est passée.

— Perdez tout espoir, monsieur, dit Richard. Je n'ai pas l'intention de me séparer ni de votre fille ni des dessins.

— Tu ne peux pas toujours gagner, papa, intervint Jessica avec un sourire moqueur.

— Mais si c'était Jessie qui vous larguait, reprit Sebastian comme s'il essayait de conclure un marché d'un million de livres, est-ce que vous reconsidéreriez votre décision ?

— Laisse tomber, papa. Ça n'arrivera pas. Tu as perdu les dessins et tu es sur le point de perdre ta fille, parce que j'ai l'intention de m'installer avec Richard, dit-elle en prenant la main du jeune homme.

Sebastian s'apprêtait à suggérer que peut-être... mais Samantha lui coupa la parole.

— Quelle merveilleuse nouvelle ! fit-elle. Où allez-vous habiter ?

— J'ai un appartement à Peckham, répondit Richard. Tout près de mon travail.

— Mais nous cherchons quelque chose de plus grand, précisa Jessica.

— À louer ou à acheter ? s'enquit Sebastian. Parce que, vu les conditions actuelles du marché, je recommanderais...

— Je recommanderais, l'interrompit Samantha, qu'on les laisse décider eux-mêmes.

— C'est bien plus intelligent d'acheter, déclara Sebastian en ne faisant aucun cas de l'intervention de sa femme. Et mes deux mille livres suffiront pour l'apport.

— Ignorez-le, conseilla Samantha.

— C'est ce que je fais toujours, dit Jessica en se levant. On doit filer, papa. On va au ICA[1] pour voir une exposition de céramiques qui, d'après Richard, semble prometteuse.

— Et qui sont encore dans mes moyens, ajouta Richard. Mais si vous avez deux mille livres à investir, monsieur, je recommanderais...

Samantha s'esclaffa mais Richard eut l'air de regretter déjà ses paroles.

— Au r'voir, papa, fit Jessica.

Elle se pencha pour poser un baiser sur le front de Sebastian, et, tout en espérant que Richard ne remarquerait pas son geste, elle glissa une enveloppe dans sa poche intérieure.

— Au revoir, monsieur, dit Richard en tendant la main à son hôte. J'ai été heureux de faire votre connaissance.

— Au revoir, Richard. J'espère que l'exposition vous plaira.

— Merci, monsieur.

Samantha raccompagna les deux jeunes gens jusqu'à la porte d'entrée.

Tandis qu'il attendait son retour, Sebastian sortit l'enveloppe de sa poche, l'ouvrit et en retira son propre chèque de mille livres. C'était bien la première fois qu'il était battu par un sous-enchérisseur.

— Je ne pense pas m'y être très bien pris, déclara-t-il lorsque Samantha revint dans le salon.

— Voilà un euphémisme, même pour un Anglais. Mais ce qui m'intéresse surtout, c'est ce que tu penses de Richard.

— Il est plutôt sympa. Mais personne ne sera jamais assez bien pour Jessie... Qu'est-ce que je pourrais lui offrir pour ses vingt et un ans ? poursuivit-il après un bref instant. Et si je lui achetais une maison ?

— Surtout pas !

— Pourquoi pas ?

— Parce que ça rappellerait à Richard non seulement qu'il n'a pas un sou mais qu'il t'est redevable. De toute façon, Jessica est aussi têtue que toi et elle déclinerait ton offre, exactement comme elle a refusé ton chèque.

---

1. Institute of Contemporary Arts. Centre d'art moderne à Londres.

Sebastian lui remit le chèque, ce qui la fit rire aux éclats.

— Peut-être devrions-nous leur permettre de vivre leur vie, suggéra-t-elle. On sera peut-être même surpris de constater qu'ils se passent fort bien de nous.

— Je souhaitais seulement...

— Je sais ce que tu souhaitais, mon chéri. Mais je crains que ta fille ait été plus forte que toi, dit-elle au moment où le téléphone sonna.

— Ah, ce doit être Richard qui veut sans doute savoir si j'accepterais de monter jusqu'à quatre mille.

— C'est plutôt ta mère. Je lui ai dit qu'on devait faire la connaissance du nouveau petit ami de Jessica. Alors, nul doute qu'elle veuille savoir comment nous l'avons trouvé, ajouta-t-elle en décrochant.

— Bonsoir, madame Clifton. Ici John Ashley.

— Bonsoir, John. La banque a-t-elle brûlé ?

— Pas encore. Mais il faudrait que je parle à Sebastian le plus tôt possible.

— La banque a brûlé, dit-elle en tendant le combiné à son mari.

— Tu aimerais bien... John, que puis-je faire pour vous ?

— Désolé de vous déranger à cette heure tardive, président, mais vous m'avez demandé de vous prévenir si Mlle Lombardo faisait d'autres gros chèques.

— Combien, cette fois-ci ?

— Quarante-deux mille.

— Quarante-deux mille livres ? Ne laissez pas passer le chèque pour le moment. Si Victor ne revient pas demain, il faudra que je parle à nos conseillers juridiques. Et rentrez chez vous, John. Comme ne cesse de me le rappeler ma femme, l'heure de la clôture des banques étant passée, vous ne pouvez plus faire grand-chose, ce soir.

— Il y a un problème, mon chéri ? demanda Samantha d'un ton réellement inquiet.

— Oui, je le crains. Tu te rappelles la femme que nous avons vue, l'autre soir, avec Victor, au Caprice ? dit-il en redécrochant le téléphone et en composant un numéro.

— Comment pourrais-je l'oublier ?

— Eh bien, je crois qu'elle est en train de le mettre à sec.

— Tu appelles Victor ?

— Non. Arnold Hardcastle.

— C'est à ce point ?

— En effet.

— Salut, Jessie. Je suis ravi que vous ayez pu venir, dit-il en l'étreignant.

— Je n'aurais manqué ça pour rien au monde, Grayson.

— Je vous félicite pour le prix du Fondateur. À mon avis, une galerie du West End ne devrait pas tarder à exposer vos œuvres.

— Dieu vous entende ! fit Jessica, alors que l'artiste se détournait pour parler à un autre étudiant.

— Qu'en penses-tu vraiment ? chuchota Richard, comme il faisait lentement le tour de la galerie.

— C'est une merveilleuse exposition, même si je ne sais trop que penser de l'ours en peluche.

— Je ne parlais pas de son ours en peluche... Comment s'est passée la rencontre avec tes parents, d'après toi ?

— Comme je te l'ai déjà dit, maman t'a trouvé sexy. « Quelle chance tu as ! » Voilà exactement ce qu'elle m'a dit.

— Je ne suis pas sûr que c'est ce qu'a pensé ton père.

— Ne t'en fais pas pour papa, répondit Jessica en admirant un vase magnifique. Dès que maman lui parlera, il s'amadouera.

— Je l'espère bien. Parce qu'on va bientôt devoir le mettre au courant.

Dès 8 heures, le lendemain matin, le président, le directeur général et l'avocat de la banque étaient assis autour d'une table ovale dans le bureau de Sebastian.

— Des nouvelles de Victor ?

Telle fut la première question de Sebastian.

— Personne ne l'a vu depuis vendredi soir, répondit John Ashley. Il a dit à sa secrétaire qu'il partait en voyage d'affaires mais qu'il serait de retour à temps pour la réunion du conseil.

— Mais elle n'aura lieu que dans dix jours, dit Sebastian. Carol ne sait vraiment pas où il est ?

— Non. Il n'a donné aucun numéro de téléphone où le contacter.

— Ça ne lui ressemble pas, dit Sebastian.

— Carol m'a dit que c'est la première fois qu'il agit de la sorte.

— Bizarre, bizarre...

— Pensez-vous qu'il soit temps de faire appel à Barry Hammond ? suggéra Ashley. Je crois qu'il ne tarderait pas à retrouver Victor et à apprendre tout ce qu'il faut savoir sur Mlle Candice Lombardo.

— Non. On ne peut pas charger un privé d'enquêter sur le vice-président de la banque, déclara Sebastian. D'accord ?

— Oui, président. Mais hier, Mlle Lombardo a présenté un autre chèque à débiter immédiatement, précisa Ashley en ouvrant le dossier de plus en plus épais la concernant.

— Combien cette fois-ci ? s'enquit Arnold.

— Quarante-deux mille, répondit Ashley.

— En connaissez-vous l'objet ? demanda Sebastian.

— Non, président.

Sebastian examina le solde qui n'avait jamais été créditeur et il s'apprêtait à prononcer un seul mot pour indiquer à ses collaborateurs les plus proches ce qu'il pensait, mais il se ravisa.

— Juridiquement, quelle est notre position ? demanda-t-il à l'avocat de la maison.

— Si le compte est approvisionné ou si la caution peut garantir la somme, nous sommes contraints d'honorer le chèque dans les quarante-huit heures.

— Alors, espérons que Victor revienne bientôt ou, au moins, qu'il nous contacte dans les deux jours.

— N'y a-t-il aucune trace écrite, d'une sorte ou d'une autre ? s'enquit Arnold. Coups de téléphone, cartes de crédit, billets d'avion, quelque chose ?

— Rien, pour l'instant, répondit Ashley. J'ai demandé à sa secrétaire de nous appeler dès qu'elle aura de ses nouvelles. Mais je n'ai guère d'espoir parce que j'ai le sentiment que, si on retrouve Victor, Mlle Lombardo ne sera pas très loin.

— Il y a quelqu'un d'autre qui pourrait savoir où il se trouve, dit Arnold.

— Qui donc ? demanda Sebastian.

— Sa femme.

— Certainement pas. Ruth est absolument la dernière personne que je souhaite qu'on contacte.

— Dans ce cas, président, dit Arnold, nous sommes contraints d'accepter ce dernier chèque dans les quarante-huit heures. À moins que vous souhaitiez que je mette la Banque d'Angleterre au courant de toute l'affaire et que je lui demande si on peut bloquer tout paiement ultérieur en attendant le retour de Victor.

— Non. Permettre à la vieille dame de Threadneedle Street[1] de laver notre linge sale en public serait pire qu'en parler à Ruth. Acceptez le chèque et espérons que Mlle Lombardo n'en présente pas un autre avant la réapparition de Victor.

— Elle est quoi ? s'exclama Sebastian.
— Enceinte, répondit Samantha.
— Je vais le tuer !
— Pas question ! En fait, la prochaine fois où tu verras Richard, tu le féliciteras.
— Je le féliciterai ?
— C'est ça. Et tu leur donneras clairement l'impression à tous les deux que tu es aux anges.
— Pourquoi donc, nom d'une pipe ?
— Parce que si tu ne le fais pas, je ne veux même pas songer aux conséquences... Tu perdrais ta fille et tu ne pourrais jamais voir ton petit-fils ou ta petite-fille. Et, au cas où tu l'aurais oublié, je te signale que ça devrait te rappeler quelque chose... Il n'est pas nécessaire que je revienne là-dessus.
— Vont-ils se marier ? demanda Sebastian en changeant d'approche.
— Je n'ai pas posé la question.
— Pourquoi pas ?
— Parce que ça ne me regarde pas. De toute façon, je suis persuadée qu'ils nous le feront savoir quand ils seront décidés.
— Tu es très calme, vu les circonstances.
— Évidemment que je le suis. Il me tarde d'être grand-mère.
— Oh, grand Dieu ! Je vais être grand-père.
— Et dire que le *Financial Times* t'a décrit comme l'un des esprits les plus vifs de la City !

Il fit un large sourire et prit sa femme dans ses bras.

---

1. Nom familier donné à la Banque d'Angleterre qui se trouve sur Threadneedle Street, dans la City de Londres.

— J'oublie parfois, ma chérie, dit-il, que j'ai eu beaucoup de chance de t'épouser.

Il alluma sa lampe de chevet et se redressa sur le lit.

— Nous devrions appeler ma mère, reprit-il, pour lui apprendre qu'elle va être arrière-grand-mère.

— Elle le sait déjà.

— J'ai été la dernière personne à être informée ?

— Désolée. Il fallait que je mette toutes les troupes dans mon camp avant de te faire part de la nouvelle.

— Ça n'a vraiment pas été ma semaine, commenta Sebastian en éteignant la lumière.

— J'ai découvert l'usage des quarante-deux mille livres, président, annonça John Ashley.

— Je suis tout ouïe, dit Sebastian.

— Il s'agit de l'acompte pour l'achat d'un bâtiment à South Parade qui auparavant était une agence d'escort girls.

— Il ne manquait plus que ça ! Quelle est l'agence immobilière ?

— Savills.

— Eh bien, au moins, on en connaît le président.

— J'ai déjà parlé à M. Vaughan. Il m'a dit qu'il allait présenter dans la journée un chèque, signé par Mlle Lombardo, correspondant au reste du montant pour l'acquisition définitive du bien. Il m'a, en outre, poliment rappelé que si la vente ne se faisait pas, Mlle Lombardo perdrait son acompte.

— Espérons que Victor sera de retour à temps pour assister au conseil ! Autrement, elle se sera sans doute emparée du Play-boy Club avant la fin de la semaine.

43

— *Martinet*, qu'est-ce que ça veut dire ? demanda Freddie en levant les yeux de sa leçon.

— C'est quelqu'un d'intraitable en matière de discipline, répondit Karin. Il me semble que le mot vient du français.

— Comment se fait-il que vous connaissiez si bien l'anglais, Karin, alors que vous avez été élevée en Allemagne ?

— J'ai toujours aimé les langues à l'école. Aussi, quand je suis allée à l'université, j'ai étudié les langues modernes et je suis devenue interprète... C'est comme ça que j'ai rencontré Giles.

— As-tu réfléchi à ce que tu allais étudier quand tu iras à l'université ? s'enquit Giles, en levant les yeux de son journal du soir.

— Le PPC, répondit Freddie.

— J'ai entendu parler de politique, philosophie et économie, dit Karin, mais jamais de PPC.

— Politique, philosophie et cricket. C'est une matière bien connue à Oxford.

— Mais elle n'est pas pour les *martinets*, dit Giles. Et je suppose que si tu cherchais le mot dans la dernière édition du Shorter Oxford English Dictionary, tu t'apercevrais que le nom du lieutenant-colonel Martinet a été remplacé par celui de Margaret Thatcher, comme origine du terme.

— Ne fais pas attention à lui, intervint Karin. Il utilise n'importe quelle excuse pour s'en prendre à la Première ministre.

— Mais la presse semble penser qu'elle fait un assez bon travail, dit Freddie.

— Beaucoup trop bon, à mon goût, reconnut Giles. La vérité, c'est qu'elle était dans les cordes jusqu'à ce que l'Argentine envahisse les Malouines. Mais depuis, bien qu'elle continue à être la cible de balles venant de toutes les directions, elle semble toujours, comme James Bond, réussir à les esquiver à temps.

— Et la secrétaire d'État à la Santé ? s'enquit Freddie. Va-t-elle devoir esquiver les balles maintenant que vous êtes membre du gouvernement fantôme ?

— Les balles sont sur le point de l'atteindre, répondit Giles d'un air gourmand.

— Sois correct, Giles. Tu parles de ta sœur, pas d'une ennemie.

— Elle est pire qu'une ennemie. N'oublie pas qu'Emma est une disciple de sainte Margaret de Grantham. Mais, quand elle présentera à la Chambre haute le dernier projet de loi du gouvernement sur la Sécurité sociale, j'ai l'intention de le démonter article par article, jusqu'à ce qu'elle considère la démission comme un grand soulagement, un don de Dieu.

— À ta place, je ferais bien attention, répliqua Karin. Je devine qu'après avoir été présidente d'un grand hôpital Emma a des chances d'être mieux informée que toi sur la Sécu.

— Tu oublies que le débat n'aura pas lieu dans la salle du conseil d'un hôpital mais dans l'enceinte de la Chambre des lords où je me tiens à l'affût depuis un certain temps.

— Peut-être ferais-tu bien de te rappeler l'avertissement de Grace... Emma risque de te piéger sur des détails. Contrairement à la plupart des politiques, elle a été sur le terrain.

— Je suis sûr que tu es une tory camouflée.

— Sûrement pas. Il y a belle lurette que je ne suis plus camouflée. Et c'est Emma qui m'a convertie.

— Traîtresse !

— Absolument pas. Je suis tombée amoureuse de toi. Pas du Parti travailliste.

— Pour le meilleur et pour le pire.

— Le pire, en l'occurrence.

— Désolé de vous interrompre, mais je voulais seulement savoir le sens du mot *martinet*.

— Ne fais pas attention à Giles, dit Karin. Il est toujours ainsi, la veille d'un important débat. Surtout lorsque sa sœur y participe.

— Est-ce que je peux y assister ? demanda Freddie.

— Cela dépend du parti que tu comptes soutenir, répondit Giles.

— Le parti qui me convaincra que son projet est le meilleur.

— Voilà une position originale, déclara Karin.

— L'heure est peut-être venue de vous annoncer que je me suis inscrit aux Jeunes Conservateurs, annonça Freddie.

— Tu as fais ça ? fit Giles en chancelant, avant de s'accrocher à la cheminée.

— Il y a pire.

— Comment pourrait-il y avoir quelque chose de pire ?

— On vient d'organiser une élection fictive à l'école et je me suis présenté comme le candidat tory.

— Et quel a été le résultat ? s'enquit Giles.

— Il vaut mieux que vous ne le sachiez pas.

— Il a non seulement gagné haut la main, expliqua Karin, mais à présent, il veut se mettre dans ton sillage et devenir député. Dommage qu'il ne puisse pas siéger du même côté que toi.

Rares étaient les ministres qui avaient jamais réussi à imposer au très honorable lord Barrington des docks de Bristol le silence qui suivit cette déclaration.

— Lorsque M. Kaufman arrivera, Tom, pouvez-vous le prier de venir dans mon bureau avant la réunion du conseil ?

— Bien sûr, répondit le portier en saluant le président.

Sebastian traversa à grands pas le vestibule en direction des ascenseurs. Alors que 8 heures n'avaient pas encore sonné, quand il sortit au dernier étage, il vit que John Ashley et Arnold Hardcastle l'attendaient déjà dans le couloir.

— Bonjour, messieurs, dit Sebastian en passant rapidement devant eux pour entrer dans son bureau. Asseyez-vous, je vous prie. J'ai pensé que nous devrions discuter de la tactique à adopter avant l'arrivée de Victor... S'il arrive... Commençons par vous, John. Des nouvelles récentes ?

Ashley ouvrit un dossier qui grossissait de jour en jour.

— Le chèque de trois cent vingt mille livres a été présenté. Toutefois, M. Vaughan a reconnu que nous n'avons pas besoin de l'honorer pour le moment puisque l'accord n'est pas encore conclu.

— C'est très aimable de sa part, dit Sebastian. Il est vrai que voilà des années que nous sommes de bons clients. À votre avis, que devrions-nous faire, John, si Victor ne vient pas ?

— Appeler Barry Hammond pour lui demander de rechercher Victor, où qu'il soit. Parce que je suis absolument persuadé que la fille sera là, elle aussi.

— Cela comporte aussi des risques, suggéra Arnold.

— Beaucoup moins graves, selon moi, que ce qui se passerait si nous lui permettons de lui pomper tout son argent.

— Malencontreuse métaphore, dit Sebastian en consultant sa montre. Il ne prend vraiment aucune marge.

Un léger coup fut frappé à la porte et, pleins d'espoir, ils levèrent tous les trois les yeux vers la porte, qui s'ouvrit pour laisser entrer Rachel.

— Certains des administrateurs sont déjà là et vous attendent dans la salle du conseil, dit la secrétaire de Sebastian en lui tendant un exemplaire de l'ordre du jour.

— M. Kaufman est-il l'un d'entre eux, Rachel ?

— Non, président. Je ne l'ai pas vu ce matin.

— Eh bien, je propose qu'on se joigne à nos collègues, dit Sebastian, après avoir jeté un coup d'œil à l'ordre du jour. Je suggère que nous ne mentionnions pas Mlle Lombardo avant d'avoir pu parler à Victor en privé.

— D'accord, dirent en même temps le directeur général et le conseiller juridique de la banque.

Sur ce, les trois hommes se levèrent, sortirent du bureau et se dirigèrent vers la salle du conseil pour retrouver leurs collègues.

— Bonjour, Giles, dit Sebastian, qui n'avait jamais appelé son oncle par son prénom avant de devenir président. Dois-je comprendre que toi et ma mère ne vous parlez plus, maintenant que le projet de loi sur la Sécurité sociale a fait l'objet d'un premier débat ?

— En effet, président. La seule discussion que nous aurons désormais se déroulera entre la tribune et la salle.

Sebastian sourit, mais il ne pouvait s'empêcher de jeter constamment des coups d'œil vers la porte. Les autres administrateurs s'installèrent à leurs places, mais un siège à l'un des deux bouts de la table resta inoccupé. Comme sa mère, Sebastian considérait qu'il fallait toujours commencer une réunion à l'heure. Il consulta sa montre : 8 h 59. Il s'installa au haut bout de la table.

— Bonjour, messieurs, dit-il. Je vais demander au secrétaire de la compagnie de lire le procès-verbal de la dernière réunion.

M. Whitford se leva de son siège, à la droite du président, et lut le procès-verbal comme si c'était la leçon du jour à l'église de sa paroisse.

Sebastian s'efforça de se concentrer mais il n'arrêtait pas de lancer des coups d'œil vers la porte, même s'il n'avait guère d'espoir, Victor n'étant jamais arrivé en retard à une réunion du conseil. Lorsque M. Whitford se rassit, Sebastian oublia de demander à ses collègues s'ils avaient des questions à poser. Il se contenta de murmurer « Point numéro 1 », et il s'apprêtait à prier le directeur général de présenter son rapport mensuel lorsque la porte s'ouvrit à la volée et que, l'air troublé, le vice-président entra précipitamment dans la salle.

— Je suis désolé, président, déclara-t-il avant même de s'asseoir. Mais mon vol a été retardé à cause du brouillard. Nous avons dû survoler ce bâtiment une dizaine de fois avant d'obtenir l'autorisation d'atterrir.

— Il n'y a aucun problème, Victor, dit Sebastian d'un ton calme. Tu n'as manqué que la lecture du procès-verbal de la dernière séance. Et je m'apprêtais à passer au premier point. À savoir, les nouvelles règles concernant les banques édictées par le gouvernement. John ?

Ashley ouvrit un dossier et regarda les abondantes notes qu'il avait prises et le résumé qu'il était sur le point de communiquer à ses collègues.

— Apparemment, commença-t-il, à l'instar des membres du Parlement et des agents immobiliers, les banquiers sont à présent considérés comme les citoyens à qui on peut faire le moins confiance.

— Alors, il ne me reste plus qu'à devenir agent immobilier, dit Giles, et j'aurai réussi à être les trois à la fois.

— Quelles conclusions faut-il en tirer ? s'enquit Sebastian, une fois que les rires eurent cessé.

— Nous devons nous attendre à ce que les affaires courantes de la banque soient examinées à la loupe et que les organes de régulation effectuent des inspections bien plus strictes, fondées sur une série de nouvelles règles. Geoffrey Howe est bien décidé à montrer qu'il peut donner un bon coup de balai et nettoyer à fond la City.

— Les gouvernements conservateurs agissent toujours ainsi, mais c'est généralement oublié après quelques homélies bien choisies prononcées par le chancelier de l'Échiquier au banquet du lord-maire.

Sebastian s'aperçut que sa pensée vagabondait à nouveau alors que les administrateurs exprimaient leurs opinions si prévisibles, la seule exception étant Giles, dont il ne pouvait même deviner les intentions. Il revint brusquement sur terre quand il se rendit compte que tous ses collègues le fixaient du regard.

— Deuxième point ? lui souffla le secrétaire de la compagnie.

— Deuxième point, répéta Sebastian. Lord Barrington revient de Rome, et je crois qu'il a des nouvelles assez intéressantes à nous annoncer. Giles ?

Giles fit le récit de sa récente visite à la Ville éternelle où il avait eu plusieurs réunions avec M. Menegatti, le président de la banque Cassaldi, avec pour objectif la formation entre les deux institutions d'un partenariat à long terme. Son rapport fut suivi d'une discussion entre les administrateurs que Sebastian résuma en recommandant que Giles, entouré d'une équipe choisie, mène les discussions jusqu'à l'étape suivante, afin de déterminer si un accord était possible sur une sérieuse proposition de fusion que les deux présidents pourraient recommander à leur conseil.

— Félicitations, Giles, dit Sebastian. On attend impatiemment ton prochain rapport. À présent, peut-être devrions-nous passer au troisième point à l'ordre du jour...

Mais son esprit se remit à vagabonder en pensant au seul point qui serait à l'ordre du jour lorsqu'il aurait une réunion en tête à tête avec son vice-président. Il devait d'ailleurs reconnaître que Victor avait l'air sacrément plus détendu que lui.

Il fut soulagé quand le secrétaire de la compagnie demanda enfin :

— D'autres points ?

— Oui, répondit Victor, depuis l'autre bout de la table.

Sebastian arqua un sourcil.

— Certains de mes collègues ont pu se demander où j'étais durant les dix derniers jours, et je pense que je vous dois à tous une explication.

Nul doute que trois des administrateurs présents fussent d'accord avec lui.

— Lorsque je suis devenu vice-président, poursuivit Victor, le président m'a chargé de certaines tâches. Entre autres, l'étude de la façon dont la banque gérait ses dons aux associations caritatives. Force m'est de reconnaître que j'imaginais que ce ne serait pas une tâche trop prenante. Or, je n'aurais pu davantage me tromper. Je me suis vite aperçu que la banque n'avait aucune politique en ce domaine et que, en comparaison de nos concurrents, non seulement nous ne sommes pas à la hauteur, mais, franchement, nous sommes mesquins. Je n'aurais pas compris à quel point nous l'étions si lady Barrington ne m'avait pas contacté pour me demander le soutien de la banque avant de courir le marathon. Lorsqu'elle m'a montré sa liste de sponsors, j'ai eu honte. Elle avait reçu davantage de fonds de la Barclays, de NatWest et du professeur Grace Barrington que de la Farthings Kaufman. Cela m'a également poussé à m'intéresser davantage à l'œuvre de charité qu'elle soutient.

Le vice-président avait capté l'attention de tout le conseil.

— L'association caritative en question, poursuivit-il, envoie des missions en Afrique où son éminent chirurgien du cœur, la Dr Magdi Yacoub, opère de jeunes enfants qui, autrement, n'auraient aucune chance de survie.

— De quoi se compose exactement une « mission » ? s'enquit M. Whitford qui avait pris en notes la moindre parole du vice-président.

— Une mission se compose de cinq personnes : un chirurgien, un médecin, deux infirmiers ou infirmières, ainsi que d'un coordonnateur, tous bénévoles, et qui sacrifient parfois leurs vacances pour mener à bien cette tâche fondamentale. Lady Barrington m'a suggéré de rencontrer une certaine Mlle Candice Lombardo, membre actif du conseil d'administration de l'institution caritative. Aussi l'ai-je invitée à dîner, conclut Victor en souriant au président.

— Ce nom me dit quelque chose... dit le secrétaire de la compagnie.

— Mlle Lombardo, intervint Clive Bingham, a été élue femme la plus désirable de la planète par les lecteurs de *GQ*, et, à en croire les tabloïds, elle a en ce moment une liaison avec Omar Sharif.

— Je ne sais pas si c'est vrai, dit Victor. Tout ce que je peux vous dire, c'est que lors du dîner, j'ai vite compris qu'elle était entièrement dévouée à la cause. Elle m'a invité à l'accompagner lors de son voyage en Égypte afin de voir personnellement le travail accompli dans ce pays par le Dr Yacoub et son équipe. Voilà, président, où j'étais durant ces dix derniers jours. Et je dois avouer que j'ai passé le plus clair de mon temps à m'évanouir ou à vomir.

— Le vice-président s'est évanoui ? fit Clive, incrédule.

— Plus d'une fois. Je peux vous assurer que voir un chirurgien ouvrir la poitrine d'un enfant n'est pas un spectacle facile. Lorsque je suis monté à bord de l'avion qui devait me ramener au pays, j'avais pris la résolution d'en faire plus, beaucoup plus. Après ce voyage, je vais demander au conseil de devenir le banquier de cette association caritative, sans frais. J'ai déjà accepté de devenir son trésorier honoraire.

— Pour reprendre tes propres termes, « beaucoup plus », que peut faire la banque pour apporter son aide ? demanda Sebastian.

— Nous pourrions commencer par faire un don substantiel à l'association caritative Marsden afin qu'elle puisse poursuivre son travail sans avoir à vivre au jour le jour.

— Avez-vous une somme en tête ? demanda Giles.

— Cinq cent mille par an pendant les cinq prochaines années.

Il y eut un ou deux hoquets de surprise autour de la table, avant que Victor continue :

— Et je devine que le conseil sera ravi d'apprendre que quarante pour cent de cette somme seront déductibles des impôts.

— À votre avis, quelle sera la réaction de nos actionnaires lorsqu'ils apprendront que nous consacrons une si grosse somme à une œuvre de bienfaisance ? s'enquit John Ashley.

— Si M. Kaufman s'adressait à l'assemblée générale, suggéra Sebastian, je suppose qu'ils considéreraient que c'est insuffisant.

Un ou deux membres du conseil opinèrent du chef, tandis que d'autres sourirent.

— Nous devrions quand même leur expliquer comment l'argent est dépensé, intervint le secrétaire de la compagnie. Après tout, ce ne serait rien d'autre que notre obligation fiduciaire.

— Tout à fait d'accord, dit Victor. Et si on me permet de m'adresser à nos actionnaires sur le sujet au cours de l'AG, je suis certain que je n'aurai pas besoin de leur rappeler que la banque vient de gagner plus de onze millions de livres avec la prise de Harrods par M. Al-Fayed. Toutefois, je dois avouer que, sans demander l'accord du conseil, j'ai déposé un acompte en vue de l'acquisition d'un bien immobilier à South Parade, derrière l'hôpital Royal Marsden, afin que l'association caritative puisse établir son quartier général près de l'hôpital. J'ai pu l'acquérir pour une bouchée de pain parce que les locaux avaient été précédemment occupés par une agence d'escort girls.

— Pourquoi n'as-tu pas prévenu le conseil de l'achat ? demanda Sebastian. Un coup de téléphone aurait amplement suffi pour que nos administrateurs puissent discuter de ta proposition avant la réunion d'aujourd'hui. Alors qu'on a l'impression que tu nous as mis devant le *fait accompli*[1].

— Je te prie de m'excuser, président, mais j'ai oublié de mentionner que la princesse Diana, une amie du Dr Yacoub, participait également au voyage en Égypte et que l'équipe chargée de sa sécurité nous avait demandé de ne pas révéler l'endroit où nous nous trouvions ni le nom des autres membres de la mission.

— À juste titre, dit Giles. Inutile de télégraphier la nouvelle à l'IRA.

— Et j'ai supposé, reprit Victor en s'adressant directement à Sebastian, que si une vraie situation d'urgence s'était produite, tu n'aurais pas hésité à appeler ma femme, la seule personne qui savait exactement où je me trouvais.

Trois des administrateurs hochèrent la tête en signe d'assentiment.

---

1. En français dans le texte.

— Finalement, dit Victor, je pense que vous serez enchantés d'apprendre que, mardi prochain, le professeur Yacoub tiendra une conférence de presse à l'hôpital Marsden pour annoncer que la princesse Diana a accepté de patronner l'association.

— Bravo ! lança Clive. Cela ne peut être que bénéfique pour l'image de la banque.

— Ce n'est pas la seule raison pour laquelle je souhaite soutenir cette honorable cause, rétorqua Victor d'un ton sec.

— C'est possible, dit Arnold. Mais tant que le chancelier de l'Échiquier s'agitera, cela ne pourra pas nous faire de mal.

— Peut-être pourrais-tu rédiger une proposition pour que nous l'examinions à la prochaine réunion du conseil, dit Sebastian. Et distribue-la assez tôt pour que nous puissions y réfléchir sérieusement.

— J'ai rédigé les grandes lignes d'un résumé pendant que je tournais ce matin au-dessus de vos têtes, président, et, dès que je l'aurai complété, j'enverrai un exemplaire à tous les membres du conseil.

Plusieurs administrateurs opinaient du chef au moment où Victor referma le dossier posé devant lui.

— Merci, dit Sebastian. Il ne nous reste plus qu'à fixer la date de notre prochaine réunion.

Des agendas furent consultés et, dès qu'une date obtint l'accord de tous, Sebastian leva la séance.

— Peux-tu m'accorder quelques instants, Victor ? dit-il en ramassant ses documents.

— Bien sûr, président.

Victor suivit Sebastian. Ils sortirent de la salle, longèrent le couloir et entrèrent dans le bureau du président. Sebastian s'apprêtait à refermer la porte derrière lui quand il remarqua que John Ashley et Arnold Hardcastle les suivaient de très près.

Dès qu'ils furent tous les quatre assis autour de la table ovale, Sebastian dit, d'une voix hésitante :

— Certains d'entre nous, Victor, se sont beaucoup inquiétés lorsque, pendant ton absence, trois chèques ont été présentés par une certaine Mlle Lombardo, dont ni Arnold, ni John, ni moi n'avions entendu parler.

— Vous n'aviez jamais entendu parler d'elle ? Sur quelle planète vivez-vous ?

Constatant qu'aucun des trois hommes ne cherchait à se défendre, il comprit enfin.

— Ah ! fit-il en s'empourprant. Vous avez donc tous supposé...

— Mettez-vous à notre place, répliqua Arnold, sur la défensive.

— Et, pour être juste, dit Victor, je ne crois pas que Mlle Lombardo fasse très souvent la une du *Financial Times*.

Les trois autres administrateurs éclatèrent de rire.

— Je reconnais que je n'avais pas l'accord du conseil pour acheter le bâtiment et, comme je craignais qu'on le laisse filer pendant qu'il était si bon marché, j'ai autorisé Mlle Lombardo à ouvrir un compte pour lequel je me suis porté garant.

— Mais ça n'explique pas les cinq mille livres qu'elle a déboursées pour acheter un manteau de vison chez Harrods, dit John Ashley, l'air un rien penaud.

— C'était un cadeau d'anniversaire pour Ruth dont je ne voulais pas qu'elle ait connaissance. Au fait, est-ce là la raison pour laquelle vous essayiez de me contacter ?

— Sûrement pas, dit Sebastian. Nous voulions seulement que tu saches, avant que tu l'apprennes par les journaux, que Giles a peut-être réalisé un véritable coup de maître à Rome.

— Beau coup d'essai, fit Victor. Mais ça fait bien trop longtemps que je te connais, Sebastian, pour croire ce baratin. Voici ce que je vais faire... Je ne reparlerai plus de cette affaire si, à la prochaine réunion du conseil, tu soutiens ma proposition de parrainer l'association caritative.

— Ça, c'est une sorte de chantage.

— En effet.

— J'aurais mieux fait d'écouter ma femme, marmonna Sebastian.

— Ça aurait sans doute été plus sage, dit Victor. Je n'avais pas l'intention de signaler au conseil le clin d'œil que Samantha m'a fait quand vous sortiez du restaurant Caprice l'autre jour.

HARRY ET EMMA CLIFTON

1986-1989

44

Lorsqu'il se réveilla, Harry s'efforça de se rappeler son rêve. Était-il à nouveau capitaine de l'équipe de cricket d'Angleterre sur le point de marquer à Lord's le point de la victoire contre l'Australie ? Non, autant qu'il pouvait s'en souvenir, il courait après un autobus qui le devançait toujours de quelques mètres. Comment Freud aurait-il interprété ce rêve ? Harry mettait en doute la théorie selon laquelle les rêves ne durent jamais que quelques instants. Comment les chercheurs pouvaient-ils en être sûrs ?

Il cligna des yeux, se retourna et fixa les chiffres phosphorescents verts du réveil posé sur la table de chevet... 5 h 07. Il avait largement le temps de se repasser mentalement les premières lignes du roman avant de se lever.

Le matin où il devait commencer un nouveau livre, il se demandait toujours pourquoi. Pourquoi ne pas se rendormir au lieu de suivre, une fois de plus, un programme quotidien qui durerait au moins un an et qui pouvait se solder par un échec ? N'avait-il pas passé l'âge où la plupart des gens possèdent une montre en or et ont pris leur retraite afin de jouir du crépuscule de leur vie, comme les compagnies d'assurances se plaisent à décrire cette période ? Et Dieu seul savait qu'il n'avait pas besoin d'argent. Mais s'il devait choisir entre se reposer sur ses lauriers ou s'embarquer pour une nouvelle aventure, la décision était prise. Selon Emma, il était « méthodique ». « Obsédé », aurait dit Sebastian.

Pendant l'heure qui suivit, immobile, les yeux clos, il déroula, une fois encore, le premier chapitre. Il avait beau réfléchir à l'intrigue depuis plus d'un an, il savait que, dès que la plume se mettrait à courir sur la page, l'histoire risquait d'évoluer d'une manière qu'il n'avait pas prévue.

Après avoir imaginé et rejeté plusieurs points de départ, il en choisit finalement un, mais qu'il pourrait fort bien changer dans une prochaine version. S'il voulait capter l'imagination du lecteur et le transporter dans un autre monde, il savait qu'il devait retenir son attention dès le premier paragraphe, en tout cas, dès la première page.

Il avait dévoré des biographies d'écrivains pour connaître leur méthode de travail, et la seule chose qu'ils semblaient tous avoir en commun, c'est la conviction que rien ne peut remplacer le labeur assidu. Certains élaboraient toute l'intrigue avant même de prendre la plume ou de commencer à taper sans relâche à la machine. D'autres, une fois terminé le premier chapitre, rédigeaient un résumé détaillé du reste du livre. Harry, lui, se considérait toujours comme très chanceux s'il connaissait le premier paragraphe – ne parlons pas du premier chapitre –, car, lorsqu'il prenait la plume, chaque matin à 6 heures, il ne savait pas le moins du monde où elle l'entraînerait. Voilà pourquoi les Irlandais affirmaient qu'il n'était pas un écrivain mais un *seannachie*[1].

Avant de s'embarquer pour ce nouveau voyage, il lui fallait absolument choisir les noms des principaux personnages. Il savait déjà que la première scène se passerait dans la cuisine d'une petite maison dans un quartier pauvre de Kiev, où un garçon de quinze ou seize ans fêtait son anniversaire avec ses parents. Il fallait donner à l'adolescent un prénom qu'on puisse abréger. Ainsi, lorsque le lecteur suivrait les deux histoires parallèles et passerait de l'une à l'autre, le nom suffirait à lui indiquer immédiatement s'il était à New York ou à Londres. Il avait pensé à Joseph/Jo, mais ça évoquait trop un dictateur diabolique ; Maxim/Max, qui ne fonctionnerait que si le personnage devenait général ; Nicholai/Nick, trop royal… Il avait fini par se décider pour Alexander/Sacha.

---

1. Conteur traditionnel qui relate les événements importants du clan.

Par ailleurs, le nom de famille devait être facile à lire et à retenir. Il fallait éviter que le lecteur passe la moitié de son temps à chercher à se rappeler qui était qui, problème que Harry avait dû affronter avec *Guerre et Paix*, même s'il l'avait lu en russe. Il avait songé à Kravec, Dzyuba, Belenski et avait finalement opté pour Karpenko.

Le père devant être brutalement assassiné par la police secrète dès le premier chapitre, le nom de la mère était plus important. Il fallait qu'il soit féminin mais assez fort pour qu'on croie qu'elle pouvait élever un enfant toute seule, malgré la situation très défavorable dans laquelle elle se trouvait. Ne devait-elle pas forger le caractère du héros ? Harry choisit Dimitri pour le père et appela la mère Elena, prénom d'une personne digne et endurante. Puis, il se remit à réfléchir à la première phrase.

À 5 h 40, il rejeta la couette, lança ses jambes hors du lit et posa ses pieds fermement sur le tapis. Il prononça alors les paroles qu'il disait tous les matins à haute voix avant de gagner la bibliothèque : « S'il vous plaît, faites que j'en sois encore capable ! » Il se rendait douloureusement compte que raconter une histoire est un don qu'il ne fallait pas considérer comme acquis, une fois pour toutes. Il pria Dieu qu'à l'instar de Dickens, son héros, il mourrait au milieu d'une phrase.

Il gagna la salle de bains à pas de loup, ôta son pyjama, prit une douche froide, puis mit un tee-shirt, le bas d'un survêtement, des socquettes de tennis et un gilet de la deuxième équipe de cricket du lycée de Bristol. Il disposait chaque soir ses vêtements sur une chaise avant de se coucher et il les enfilait toujours dans le même ordre.

En dernier, il chaussa des mules en cuir, sortit de la chambre et descendit l'escalier en marmonnant : « Avance doucement et concentre-toi, avance doucement et concentre-toi. » Lorsqu'il atteignit la bibliothèque, il se dirigea vers un bureau ancien en bois massif, placé dans le renfoncement d'une fenêtre en encorbellement donnant sur la pelouse. Il s'assit dans un fauteuil droit en cuir rouge, au dossier à boutons, et consulta la pendulette posée devant lui sur le bureau. Il ne commençait jamais à écrire avant 5 h 55.

Jetant un coup d'œil vers la droite, il vit un petit groupe de photos encadrées : Emma jouant au squash, Sebastian et Samantha en vacances à Amsterdam, Jake essayant de marquer un but et Lucy, le dernier membre de la famille, dans les bras de sa mère, photo qui lui rappela qu'il était désormais arrière-grand-père. Sur l'autre côté du bureau se trouvaient sept stylos à bille qui seraient remplacés dans une semaine. Devant lui, un bloc de feuilles A4 de trente-deux lignes qui, espérait-il, comporterait de deux mille cinq cents à trois mille mots à la fin de la journée, ce qui signifierait qu'il avait rédigé le premier jet du premier chapitre.

Il ôta le capuchon de son stylo, le posa sur le bureau à côté de lui, fixa la feuille blanche et commença à écrire...

Voilà une heure qu'elle attendait, et personne ne lui avait adressé la parole.

Emma suivait un emploi du temps aussi rigoureux et astreignant – quoique entièrement différent – que celui de son mari ; surtout parce qu'elle n'était pas son propre maître. Après sa réélection, en signe de reconnaissance de son action durant son premier terme, Margaret Thatcher avait promu Emma vice-ministre de la Santé.

Comme Harry, Emma se rappelait souvent les paroles de Maisie : elle devait tout faire pour qu'on ne se souvienne pas d'elle uniquement comme la première femme à avoir présidé une compagnie cotée en Bourse. Lorsqu'elle avait relevé ce défi, elle n'avait pas imaginé qu'elle devrait affronter son propre frère, que Neil Kinnock avait malignement choisi pour être son homologue dans le gouvernement fantôme. Cela ne la tranquillisa guère de lire dans le *Daily Telegraph* que Giles était l'un des hommes politiques du moment les plus redoutables et peut-être le meilleur orateur des deux chambres.

Si elle devait le battre à la Chambre, elle espérait que ce ne soit pas seulement grâce à quelque repartie spirituelle ou à une formule mémorable. Il lui faudrait utiliser des procédés moins subtils : une maîtrise parfaite de son dossier et une connaissance de tous les détails qui, au moment du vote, persuaderaient les autres pairs du royaume de la suivre et de voter « oui » à sa proposition.

Sa journée commençait également à 6 heures et, dès 7 heures, elle était à son bureau à Alexander Fleming House pour signer des lettres préparées la veille par un haut fonctionnaire. Elle lisait toutes les lettres, sans exception, et n'hésitait pas à ajouter des corrections si elle n'était pas d'accord avec le texte proposé ou qu'elle pensait qu'on avait oublié une question fondamentale – ce qui la différenciait d'un grand nombre des autres parlementaires.

Vers 8 heures, Pauline Perry, sa secrétaire particulière, venait annoncer à Emma son emploi du temps de la journée. Le discours qu'elle devait prononcer à l'Académie royale des chirurgiens requérait, ici et là, une petite mise au point avant d'être envoyée à la presse.

À 8 h 55, elle longeait le couloir pour rejoindre le ministre pour la « réunion de prières », ainsi que les autres chefs de service du ministère. Ils passaient une heure à discuter de la politique du gouvernement pour s'assurer que tous suivent la même partition. Une remarque, lâchée en passant et relevée par un journaliste attentif, pouvait trop facilement se retrouver le lendemain à la une d'un journal national.

On la taquinait toujours impitoyablement à propos de la manchette « MINISTRE EN FAVEUR DES MAISONS CLOSES » après qu'elle eut déclaré dans un moment d'inattention : « Je suis de tout cœur avec les femmes contraintes de se prostituer. » Elle n'avait pas changé d'avis, mais elle avait depuis appris à exprimer son point de vue avec davantage de prudence.

Ce matin-là, le principal sujet de discussion était le projet de loi concernant l'avenir de la Sécurité sociale et le rôle qu'ils devraient tous jouer pour faire voter les divers articles par les deux chambres. Le ministre présenterait le projet à la Chambre basse, tandis qu'Emma accomplirait cette tâche à la Chambre haute. Elle savait que ce serait le plus grand défi qu'elle aurait à relever depuis son entrée en fonction. Notamment parce que son frère se tiendrait « à l'affût », pour le citer.

À 11 heures, elle fut conduite de l'autre côté de Westminster Bridge jusqu'au bureau du Conseil des ministres afin d'assister à une réunion destinée à évaluer les conséquences financières des engagements pris par le parti dans son programme électoral. Certains de ses collègues seraient obligés de faire des sacrifices en ce qui concernait leurs projets favoris. Se contenter de promettre d'opérer des coupes dans leur ministère en étant plus efficaces ne suffirait pas. Tous les ministres le savaient. Le public en avait par-dessus la tête de ces solutions de bureaucrate.

Déjeuner avec Lars van Hassel, le ministre de la Santé hollandais, dans le bureau d'Emma ; sans la présence de hauts fonctionnaires. Homme pompeux et arrogant, il était très brillant et le savait. Emma comprenait qu'en une heure elle en apprendrait davantage de Lars en déjeunant avec lui d'un sandwich et d'un verre de vin, que de la plupart de ses collègues en un mois.

L'après-midi, ce fut au tour de son ministère de répondre aux questions à la chambre des Lords et, même si les coups de son frère atteignaient de temps en temps leur cible, il n'y eut pas d'effusion de sang. Mais Emma savait qu'il réservait son artillerie lourde pour le jour où le projet de loi sur la Sécurité sociale serait discuté à la Chambre haute.

Après la séance des questions, elle eut une réunion avec Bertie Denham, le chef du parti, afin de discuter des membres qui, bien que siégeant sur le banc du gouvernement, avaient émis des réserves quand avait été publié le livre blanc sur le projet de loi. Certains étaient convaincus, d'autres mal informés, tandis que d'autres encore, qui avaient juré une fidélité éternelle au parti si on leur offrait la pairie, découvraient soudain qu'ils avaient leur propre opinion, du moment que cela suscitait des articles favorables dans la presse nationale.

Emma et le chef du parti cherchèrent à déterminer ceux d'entre eux qui pourraient être intimidés, cajolés ou flattés, et, dans un cas ou deux, soudoyés en leur promettant une place dans une délégation parlementaire qui serait envoyée dans quelque contrée exotique, aux alentours du jour du vote. Bertie l'avait avertie que l'issue du vote était incertaine.

Elle quitta le bureau du parti pour retourner au ministère et être mise au courant des problèmes survenus pendant la journée. Norman Berkinshaw, secrétaire général de l'Académie royale des infirmiers et infirmières – combien de temps faudrait-il encore attendre, se demandait-elle, avant qu'une femme occupe ce poste ? – requérait une augmentation de quatorze pour cent pour ses membres. Elle avait accepté de le rencontrer, avec l'idée de lui faire remarquer que si le gouvernement cédait à ses exigences, cela mettrait en faillite la Sécu. Mais elle ne savait que trop qu'il ne l'entendrait pas de cette oreille.

À 18 h 30 – elle aurait alors déjà pris du retard –, elle devait assister à un cocktail au Carlton Club, à St James's Street, où elle serrerait la main des fidèles et, un sourire figé sur les lèvres, écouterait attentivement leurs points de vue sur la bonne manière de gouverner. Puis elle serait conduite à toute vitesse à l'Académie royale de chirurgie. Elle aurait alors juste assez de temps pour relire son allocution dans la voiture. Nouvelles modifications, nouvelles biffures à effectuer, avant de souligner finalement les mots clés sur lesquels il fallait insister.

Contrairement à Harry, même absolument épuisée, il fallait qu'elle soit au mieux de sa forme, le soir. Elle avait lu que Margaret Thatcher n'avait besoin que de quatre heures de sommeil et qu'elle était toujours à sa table de travail à 5 heures du matin pour écrire des mémos à ses ministres, aux présidents des circonscriptions, à certains fonctionnaires, ainsi qu'à de vieux amis. Elle n'oubliait jamais un anniversaire, une date mémorable, ou, comme Emma avait pu récemment le constater, d'envoyer une carte de félicitations... Elle en avait reçu une pour célébrer la naissance de son arrière-petite-fille. « N'oubliez jamais, avait ajouté la Première ministre en *post-scriptum*, que votre dévouement et votre dur labeur ne peuvent que bénéficier à la génération de Lucy. »

Emma arriva chez elle à Smith Square un peu après minuit. Elle aurait téléphoné à Harry si elle n'avait craint de le réveiller, consciente qu'il serait debout dès 6 heures pour écrire le deuxième chapitre. Elle gagna le cabinet de travail pour ouvrir un autre dossier officiel apporté pendant qu'elle dînait avec le président de l'Académie royale des chirurgiens. Elle s'assit et commença à rédiger le premier jet d'un discours qui, elle le savait, pouvait déterminer toute sa carrière politique.

« Messeigneurs, j'ai le privilège de présenter à la Chambre la seconde lecture du projet de loi sur la Sécurité sociale. Permettez-moi de commencer par dire... »

45

— D'où t'est venue cette idée ? demanda Emma au moment où ils sortaient de la maison pour faire leur promenade du soir jusqu'au village de Chew Magna.

— Tu sais qu'on vient de faire mon bilan de santé annuel, répondit Harry. Eh bien, j'ai reçu les résultats ce matin.

— Tout va bien, j'espère ? dit Emma, en essayant de ne pas avoir l'air inquiète.

— Tout est parfait. Apparemment, tous les tests, sauf un, sont excellents et, bien que j'aie cessé de faire mon jogging, le Dr Richards est content que je continue à marcher une heure tous les matins.

— J'aimerais pouvoir en dire autant...

— La secrétaire chargée de ton emploi du temps s'assurerait que ce ne soit jamais possible. Mais tu essayes au moins de te rattraper pendant le week-end.

— Tu as dit « tous les tests, sauf un », reprit Emma comme ils longeaient l'allée centrale pour gagner la route.

— D'après lui, j'ai deux petites grosseurs sur la prostate. Rien d'inquiétant, mais ce serait une bonne idée de s'en occuper sans trop tarder.

— Je suis d'accord avec lui. Aujourd'hui, on peut se faire opérer ou subir un certain nombre de séances de radiothérapie et reprendre une vie normale quelques semaines après.

— Il me faut seulement une année.

— Que veux-tu dire ? demanda Emma en s'arrêtant net.

— J'aurai alors terminé *Face, tu gagnes* et honoré ainsi mon contrat.

— Et tel que je te connais, mon chéri, après ça, une demi-douzaine d'idées se bousculeront déjà dans ta tête. Puis-je demander comment avance ton roman en cours ?

— Tous les écrivains pensent que leur dernière œuvre est la meilleure, et je ne fais pas exception à la règle. Mais on n'en sait rien avant d'avoir lu les critiques ou, comme le dit Aaron,

JEFFREY ARCHER

trois semaines plus tard, quand, après le battage publicitaire du début, on voit si les ventes continuent alors qu'on ne peut plus compter que sur le bouche à oreille.

— Au diable Aaron Guinzburg ! Que penses-tu, toi ?

— Que c'est ce que j'ai fait de mieux ! lança Harry en se frappant la poitrine d'un air bravache, avant d'ajouter : Dieu seul le sait... Et toi, peux-tu juger objectivement la façon dont se présente ton discours ?

— Je ne peux être certaine que d'une seule chose... Mes collègues me feront connaître leur avis dès que je me serai rassise. Ils ne vont pas attendre trois semaines.

— Puis-je faire quelque chose pour t'aider ?

— Tu pourrais te procurer un exemplaire du discours de Giles afin que je découvre ce qui m'attend.

— Parles-en à Karin. Je suis persuadé qu'elle pourrait s'emparer d'un exemplaire.

— C'est exactement ce qu'à suggéré Sebastian et je lui ai répondu que si Giles s'en apercevait, je ne serais plus la seule personne à qui il n'adresserait plus la parole.

— Le discours de Giles ressemblera à une tirade de *Falstaff*... Bourré d'idées magnifiques, la plupart d'entre elles irréalisables et, en tout cas, impossibles à financer, ainsi que deux ou trois idées en or que tu pourras voler, voire mettre en pratique, avant les prochaines élections.

— Tu es un petit malin, Harry Clifton. Tu aurais pu être un redoutable homme politique.

— J'aurais été un exécrable homme politique. Pour commencer, je ne suis pas du tout sûr de soutenir un parti en particulier. En général, je suis pour celui qui est dans l'opposition. Et la pensée de devoir me dévoiler devant les journalistes, sans parler des électeurs, suffirait à faire de moi un ermite.

— Quel secret honteux dissimules-tu ? se moqua Emma, comme ils approchaient du village.

— Tout ce que j'accepte d'avouer, c'est que j'ai l'intention de continuer à écrire jusqu'à ce que je m'effondre, et, franchement, il y a déjà assez de politiciens dans la famille. Quoi qu'il en soit, en professionnelle de la politique, tu n'as pas répondu à ma question : comment se présente ton discours ?

386

— Plutôt bien. Mais je crains qu'il soit un peu terne et scolaire pour le moment. Je crois avoir tenu compte de la plupart des réserves de mes collègues, sauf une ou deux pour l'instant. Franchement, le discours a besoin d'une idée forte qui clouera le bec à Giles, et j'espérais que tu trouverais le temps de le lire puis de me donner sincèrement ton avis.

— Bien sûr. Bien que je soupçonne que Giles soit tout aussi inquiet que toi et qu'il adorerait se procurer un exemplaire de ton discours. Aussi, je ne m'en ferais pas trop, à ta place.

— Puis-je te demander un autre service ?

— Tout ce que tu veux, ma chérie.

— Promets-moi d'aller voir un spécialiste. Autrement, je vais me faire du souci, dit Emma, en lui prenant le bras.

— Je te le promets, répondit Harry au moment où ils passaient devant l'église du village, avant de s'engager sur un sentier public qui les ramènerait au manoir à travers les prairies. Mais j'attends quelque chose de toi, en échange.

— Tu me fais peur...

— C'est seulement que je dormirais plus tranquillement si nous mettions tous les deux nos testaments à jour.

— D'où te vient cette idée ?

— Je vais avoir soixante-dix ans l'année prochaine et j'aurai honoré le contrat du Créateur. Sans oublier la naissance de notre arrière-petite-fille. Ce serait irresponsable de notre part de ne pas nous assurer que nos affaires soient en ordre.

— Que tu es morbide, Harry !

— C'est possible, mais c'est inévitable. Le problème, ce n'est pas mon testament, puisque, à part quelques dons à des œuvres de bienfaisance, je te lègue tous mes avoirs, ce qui, d'après Sebastian, est à la fois normal et avantageux en matière de fiscalité. Mais nous devrions tous les deux commencer à faire des donations aux enfants. Si nous vivons encore sept ans, elles ne seront pas imposables. Toutefois, selon Sebastian, le vrai problème, c'est ton testament.

— À moins que je meure avant toi, chéri. Alors tous tes projets soigneusement élaborés...

— C'est peu probable, car je crois que tu constateras que les actuaires, comme les bookmakers, se trompent rarement dans le calcul des probabilités. C'est leur gagne-pain. À l'heure actuelle, les compagnies d'assurances estiment que les femmes vivent sept ans de plus que leur mari. En moyenne, les hommes atteignent les soixante-quatorze ans et leurs épouses les quatre-vingts.

— Il n'y a pas de moyenne qui tienne avec toi, Harry Clifton, et j'ai déjà projeté de mourir une quinzaine de jours après toi.

— Pourquoi quinze jours ?

— Je ne voudrais pas que le pasteur trouve la maison en désordre.

— Sois sérieuse quelques instants, ma chérie, dit Harry, sans pouvoir réfréner un sourire. Considérons-nous comme des époux moyens. Étant donné que j'ai une année de plus que toi, tu devrais me survivre de huit ans.

— Foutues statistiques !

— Je pense, malgré tout, qu'il est temps que tu mettes à jour ton testament afin de réduire les impôts que les enfants auront à payer sur la succession, impôts qui se montent toujours à quarante pour cent, en dépit des promesses de Mme Thatcher.

— Tu as sérieusement réfléchi à la question, n'est-ce pas, Harry ?

— La pensée du cancer est un signal d'alarme qu'il ne faut pas négliger. Quoi qu'il en soit, j'ai lu les petits caractères de la police d'assurance de la Prudential et je n'ai pas vu la moindre référence à l'immortalité.

— J'espère qu'on ne va pas avoir trop souvent ce genre de conversation.

— Une fois par an devrait suffire. Mais je serai plus tranquille lorsque ton testament sera mis à jour.

— J'ai déjà légué le manoir à Sebastian et la plus grande partie de mes bijoux à Samantha, Jessica et Lucy.

— Et Jake ?

— Je ne pense pas qu'un collier de perles lui siérait. De toute façon, j'ai l'impression qu'il a hérité les plus mauvais côtés de son père et qu'il finira multimillionnaire.

Harry lui prit la main et ils reprirent le chemin du manoir.

— Parlons maintenant de sujets plus agréables. Où aimerais-tu passer tes vacance d'été, cette année ?

— Sur une petite île de l'océan Indien où aucun de mes collègues ne pourra me joindre.

— Voilà des semaines qu'on n'a pas vu Harry et Emma, dit Karin. Et si nous les invitions à déjeuner dimanche ?

— Je n'ai aucune intention de fraterniser avec l'ennemi, répondit Giles en tirant sur les revers de sa robe de chambre, jusqu'à ce le dernier vote ait été effectué et que les tories aient été battus.

— Dieu du ciel, Giles ! Il s'agit de ta sœur...

— Nous n'avons que la parole de nos parents à ce sujet.

— Alors, quand puis-je espérer les revoir ?

— Pas avant le départ des capitaines et des rois.

— De quoi parles-tu ?

— Crois-tu un seul instant que Wellington aurait envisagé de dîner avec Napoléon la veille de Waterloo ?

— Ç'aurait sacrément mieux valu pour tout le monde.

— J'ai le sentiment, s'esclaffa Giles, que Napoléon aurait été d'accord avec toi sur ce point.

— Combien de temps devrons-nous attendre pour découvrir qui de vous deux sera exilé à Sainte-Hélène ?

— Pas très longtemps. La date provisoire pour le débat a été inscrite au calendrier parlementaire pour jeudi en huit.

— Oserai-je te demander comment se présente ton discours ?

— Extrêmement bien. Je pense pouvoir assurer que mes collègues l'accueilleront en applaudissant à tout rompre et en agitant l'ordre du jour. En fait, poursuivit Giles après un bref instant, je n'en ai pas la moindre idée, ma chérie. Tout ce que je peux te dire, c'est que je n'ai jamais autant travaillé un discours.

— Même si tu gagnes le débat, penses-tu réellement avoir la moindre chance de battre le gouvernement alors qu'il possède une solide majorité ?

— Une véritable chance. Si les non-inscrits et les libéraux entrent dans le même couloir de vote que nous, ce sera très serré. J'ai également repéré une douzaine de tories à qui le projet de loi ne plaît pas et qui hésitent encore. Si je peux en convaincre certains de se joindre à nous, ou simplement de s'abstenir, on sera au coude à coude.

— Mais les chefs de file du Parti conservateur vont faire des heures supplémentaires pour cajoler, menacer et même soudoyer les rebelles en puissance ?

— Ce n'est pas tout à fait aussi facile à faire à la Chambre des lords, où les chefs de parti n'ont pas beaucoup de postes à offrir, de promotions ou d'honneurs à faire miroiter à des jeunes politiques ambitieux. Tandis que moi, je peux chatouiller leur orgueil en affirmant que ce sont des hommes de bien courageux et indépendants qui mettent ce qui est bon pour le pays avant ce qui est bon pour leur parti.

— Et les femmes ?

— C'est plus difficile de soudoyer les femmes.

— Tu es une crapule, Giles Barrington.

— Je le sais, ma chérie, mais tu dois comprendre qu'être une crapule fait partie des caractéristiques de l'emploi.

— Si les votes te sont favorables, dit Karin pour la première fois d'un ton sérieux, cela signifierait-il qu'Emma risquerait de devoir démissionner ?

— À la guerre comme à la guerre.

— J'espère que ton discours contient de meilleurs clichés que ça.

— Traîtresse, dit Giles, en enfilant ses chaussons, avant de disparaître dans la salle de bains et de faire couler l'eau chaude.

Se regardant dans la glace, qui se couvrait rapidement de buée, il déclara : « Comment la ministre peut-elle prétendre comprendre la situation d'une jeune mère à Darlington, Doncaster ou Durham ? »

— Quelle ville choisirais-tu ? demanda-t-il à Karin, son ton redevenant normal.

— Darlington, répondit Karin. Il n'est guère probable qu'Emma y soit jamais allée.

— Ou les difficultés que doit affronter un mineur du pays de Galles du Sud, qui passe la moitié de sa vie au fond de la mine, ou celles d'un petit fermier des Highlands qui commence le travail à 4 heures du matin ? Car ce sont là les gens qui comptent sur leur hôpital local quand ils tombent malades mais qui s'aperçoivent qu'il a été fermé par ces respectables et chaleureux tories qui ne cherchent pas à sauver des vies, mais seulement à faire des économies.

— Afin qu'on puisse construire, un peu plus loin, un plus grand hôpital, mieux équipé, suggéra Karin.

— Comment la très honorable dame peut-elle avoir la moindre idée de... poursuivit Giles, sans faire cas de l'interruption de sa femme.

— Combien de temps vas-tu rester là-dedans, Giles ?

— Arrête d'interrompre l'orateur, femme. Je viens d'entamer ma péroraison.

— Et j'ai besoin d'aller au petit coin, maintenant.

Giles sortit de la salle de bains.

— Et tu oses m'accuser d'avoir recours à des manœuvres déloyales, dit-il en agitant son blaireau devant elle.

Elle ne répondit pas mais lui lança un regard noir, avant d'entrer dans la salle d'eau.

Il prit sur la table de nuit la dernière version de son discours et remplaça Durham par Darlington.

« Et comment la très honorable dame peut-elle espérer comprendre... »

Il se pencha et raya « espérer comprendre » et mit à la place « avoir la moindre idée de », au moment où s'ouvrait la porte de la salle de bains.

— La vice-ministre pourrait bien rappeler au noble lord qu'elle comprend parfaitement ce genre de situation ayant eu le privilège de présider pendant sept ans l'un des plus grands hôpitaux publics du pays.

— De quel côté es-tu ?

— Je ne me déciderai qu'après avoir entendu les deux parties. Parce que, pour le moment, je n'ai entendu qu'une des deux, et plusieurs fois.

— « Aime, honore et obéis », dit Giles en rentrant dans la salle de bains pour finir de se raser.

— Je n'ai pas promis d'obéir, répliqua Karin, juste avant que se referme la porte.

Karin s'assit à l'extrémité du lit et commença à lire le discours de Giles. Il n'était pas mal du tout, dut-elle reconnaître. Poussant la porte à la volée, Giles reparut, rasé de frais.

— Il est temps de discuter de questions plus urgentes, annonça-t-il. Où irons-nous en vacances cette année ? J'ai pensé qu'on pourrait passer quelques jours sur la Côte d'Azur. On pourrait descendre à la Colombe d'or, visiter le musée Matisse, faire un tour en voiture sur la Corniche et même passer un week-end à Monaco.

— À Berlin.

— À Berlin ? répéta Giles en s'asseyant à côté d'elle sur le lit.

— Oui, répondit Karin, d'un ton sérieux. J'ai l'impression que ce mur barbare ne va pas tarder à tomber enfin. Des milliers de mes compatriotes se tiennent tous les jours du côté occidental pour protester en silence, et j'aimerais me joindre à eux.

— Eh bien, d'accord, dit Giles en entourant d'un bras les épaules de Karin. Je vais appeler Walter Scheel dès mon arrivée au bureau. Lui seul pourra me dire ce qui se passe en coulisses.

— J'aimerais bien savoir où Emma passera ses vacances cette année, fit Karin en retournant dans la salle de bains.

Giles attendit que la porte se referme pour répondre à voix basse :

— À Sainte-Hélène, si j'ai mon mot à dire.

46

— Je dois avouer, sir Harry, que je n'ai lu aucun de vos livres, dit le spécialiste de Harley Street en regardant son patient, assis en face de lui à son bureau. Le Dr Lever, mon confrère, les adore. Il a été déçu d'apprendre que vous aviez choisi l'opération plutôt que des séances de radiothérapie, ce qui est son domaine. Puis-je vous demander, tout d'abord, si c'est toujours votre choix ?

— Absolument, docteur Kirby. J'en ai longuement parlé avec mon généraliste, le Dr Richards, ainsi qu'avec ma femme, et ils ont tous les deux été d'avis que je devais me faire opérer.

— Par conséquent, je vais donc vous demander à présent, et je crois deviner votre réponse, si vous préférez que l'opération ait lieu dans une clinique privée ou dans un hôpital public.

— À ce sujet, je n'ai guère eu le choix. Lorsque, avant de devenir vice-ministre de la Santé, votre femme a présidé un hôpital public durant sept ans, il me semble que choisir une clinique privée serait une cause de divorce.

— Alors, il va falloir discuter du moment adéquat. J'ai étudié vos analyses et je suis d'accord avec votre généraliste que tant que votre PSA demeure autour de six, il n'y a aucune raison de s'inquiéter. Mais, étant donné qu'il augmente d'année en année, il serait prudent de ne pas retarder trop longtemps l'opération. C'est pourquoi j'aimerais que cela ait lieu d'ici six mois. En outre, de cette façon, personne ne pourra suggérer que vous êtes passé avant les autres grâce à vos relations.

— Cela me conviendrait également. Je viens de terminer le premier jet de mon dernier roman et j'ai l'intention de remettre le manuscrit à mon éditeur juste avant Noël.

— Bien. Ce problème est donc résolu, dit le Dr Kirby en tournant plusieurs pages de son agenda. Disons le 11 janvier, à 10 heures. Et je vous suggère de ne prendre aucun rendez-vous pendant les trois semaines après l'intervention.

Harry nota la date dans son agenda, mit trois astérisques en haut de la page et barra le reste du mois.

— J'effectue la plupart de mes interventions aux hôpitaux publics Guy ou St Thomas, poursuivit le Dr Kirby. Je suppose que, Saint-Thomas se trouvant juste de l'autre côté de Westminster Bridge par rapport à votre maison, ce serait plus commode pour vous et votre femme.

— En effet. Merci bien.

— Une petite complication a surgi depuis votre dernière consultation chez le Dr Richards, dit Kirby en faisant pivoter son fauteuil pour faire face à un écran accroché au mur. Lorsqu'on examine cette radio, poursuivit-il en pointant un mince rayon de lumière sur l'écran, on voit que les cellules cancéreuses sont pour le moment confinées dans une petite zone. Toutefois, si on y regarde de plus près, ajouta-t-il en grossissant l'image, on observe qu'une ou deux de ces méchantes petites créatures tentent de s'échapper. J'ai l'intention de les enlever toutes avant qu'elles ne gagnent d'autres parties du corps, où elles risqueraient de causer de plus gros dégâts. Bien que nous ayons récemment mis au point un traitement pour guérir le cancer de la prostate, on ne peut pas en dire autant en ce qui concerne les os ou le foie, lieux vers lesquels se dirigent ces petites crapules.

Harry hocha la tête.

— À présent, je suppose, sir Harry, que vous avez vous-même des questions à poser.

— Combien de temps prendra l'opération et combien de temps mettrai-je à récupérer ?

— L'opération dure de trois à quatre heures, après quoi, vous passerez une quinzaine de jours relativement peu agréables, mais, en général, un patient est presque entièrement remis trois semaines après, tout au plus. Vous ne garderez guère plus de six ou sept petites cicatrices sur le ventre, qui s'atténueront rapidement et je pense que vous serez de retour à votre table de travail un mois après, au maximum.

— Voilà qui est rassurant, dit Harry.

Il hésita un instant avant d'oser demander :

— Combien de fois avez-vous pratiqué cette opération ?

— Plus d'un millier... Je crois, par conséquent, que je suis passé maître en la matière. Et vous, combien de livres avez-vous écrits ?

— *Touché*[1], répondit Harry en se levant pour serrer la main du chirurgien. Merci. Je vous reverrai avec plaisir en janvier.

— Personne ne me revoit avec plaisir. Mais, dans votre cas, je considère que c'est un privilège que vous m'ayez choisi comme chirurgien. Il est vrai que je n'ai lu aucun de vos livres, mais je venais de commencer mon premier travail comme chef de clinique à University College Hospital quand vous avez prononcé votre discours à Stockholm devant le comité du prix Nobel, à la place d'Anatoly Babakov. Il tira un stylo d'une poche intérieure, le brandit et déclara : « La plume est plus forte que l'épée. »

— Je suis tout autant flatté que terrifié.

— Terrifié ? fit Kirby, l'air étonné.

— Flatté que vous vous souveniez de mon discours mais terrifié que vous ayez été un jeune chef de clinique à l'époque. Suis-je donc si vieux ?

— Certainement pas. Et quand j'en aurai terminé avec vous, vous serez à nouveau en pleine forme pour vingt ans de plus.

— Qu'en pensez-vous ? chuchota Emma.

— Je ne peux pas prétendre que c'est la peinture que j'aurais conseillée en premier à Jessie de présenter au concours de la Royal Academy, reconnut Richard.

— Moi, non plus. Alors qu'elle aurait pu présenter l'un de ses portraits traditionnels, ce qui lui aurait sans aucun doute donné une chance de gagner la médaille d'or.

— Mais c'est un portrait, maman, dit Sebastian.

— C'est un préservatif géant, Seb, murmura Emma.

— C'est vrai. Mais il faut regarder plus attentivement pour voir sa véritable signification.

— Oui, je dois avouer que je ne l'ai pas saisie. Peut-être auras-tu la bonté de me l'expliquer ?

— C'est le commentaire de Jessie sur l'humanité, expliqua Samantha pour se porter au secours de Sebastian. À l'intérieur du préservatif se trouve le portrait de l'homme moderne.

---

1. En français dans le texte.

— Mais c'est un...

— En effet, renchérit Harry, incapable de résister plus long-temps. C'est un pénis érigé à la place du cerveau de l'homme.

— Et de ses oreilles, ajouta Emma.

— Bravo, maman. Je suis contente que tu l'aies compris.

— Mais regardez de plus près les yeux, dit Samantha. Et vous verrez les images de deux femmes nues.

— Oui, je les vois. Mais pourquoi l'homme tire-t-il la langue ?

— Je n'en ai aucune idée, maman, répondit Sebastian.

— Au prix de trois mille livres, poursuivit Emma, toujours peu convaincue, y aura-t-il un acheteur ?

— J'ai l'intention de l'acheter, dit Sebastian.

— C'est fort loyal de ta part, mon chéri. Mais où diable vas-tu l'accrocher ?

— Dans le hall de la banque, afin que tout le monde le voie.

— Sebastian, c'est un préservatif géant.

— C'est vrai, maman, et je suppose qu'un ou deux de nos clients les plus éclairés pourront même s'en rendre compte.

— Et je suis sûre que tu peux également m'en expliquer le titre : *Toutes les sept secondes* ?

Sebastian fut tiré d'embarras par l'arrivée à leurs côtés d'un monsieur distingué.

— Bonsoir, madame la ministre, dit-il à Emma. Puis-je vous dire à quel point je suis ravi de vous voir, vous et votre mari, à la Royal Academy.

— Merci, sir Hugh. Pour rien au monde nous n'aurions manqué cet événement.

— Y a-t-il une raison particulière pour laquelle vous avez inter-rompu votre emploi du temps chargé pour vous joindre à nous ?

— Ma petite-fille, répondit Emma, incapable de dissimuler sa gêne, en désignant *Toutes les sept secondes*.

— Vous devez être très fière, déclara l'ancien président de la Royal Academy. Il faut porter à son crédit le fait qu'elle n'a jamais fait allusion à ses éminents grands-parents.

— Je devine que lorsque son père est un banquier et sa grand-mère une femme politique tory, on n'a guère envie d'en parler à ses amis artistes. Mais je doute également qu'elle vous ait jamais dit que deux de vos aquarelles sont accrochées chez nous, à la campagne.

— Je suis flatté, dit sir Hugh. Mais j'avoue que j'aurais aimé posséder le don inné de votre petite-fille.

— C'est très aimable à vous. Mais puis-je vous demander ce que vous pensez sincèrement de la dernière œuvre de Jessica ?

L'ancien président de la Royal Academy regarda longuement *Toutes les sept secondes*, avant de répondre :

— C'est original, novateur. Cela repousse les frontières de notre imagination. Il me semble qu'on y perçoit l'influence de Marcel Duchamp.

— Je suis d'accord avec vous, sir Hugh, intervint Sebastian. Et c'est précisément la raison pour laquelle je vais acheter ce tableau.

— Je crains qu'il n'ait déjà été vendu.

— Quelqu'un l'a vraiment acheté ? fit Emma, incrédule.

— Oui. Un marchand américain l'a enlevé dès le début de l'exposition. Et, comme vous, plusieurs autres acheteurs ont été déçus d'apprendre qu'il avait déjà été vendu.

Emma resta coite.

— Veuillez m'excuser, je vous prie, reprit sir Hugh, mais l'heure est venue d'annoncer le nom du gagnant de la médaille d'or de cette année.

Il inclina légèrement le buste avant de s'éloigner en direction de l'estrade, à l'autre bout de la salle.

Alors que deux photographes prenaient des photos d'elle à côté de la peinture, Emma se taisait toujours. Tournant une page de son bloc-notes, un journaliste lui dit :

— Puis-je vous demander, madame la ministre, ce que vous pensez du portrait peint par votre petite-fille ?

— Original, novateur. Cela repousse les frontières de notre imagination. Il me semble qu'on y perçoit l'influence de Marcel Duchamp.

— Merci, madame la ministre, dit le journaliste en notant ce commentaire avant de s'éloigner prestement.

— Tu es non seulement éhontée, maman, mais ton audace repousse les frontières de notre imagination. Je suis sûre que c'est la première fois que tu entends parler de Duchamp.

— Il faut être juste, intervint Harry. Ta mère ne s'est jamais comportée de la sorte avant de faire de la politique.

Un petit coup fut frappé contre le micro et tous se tournèrent vers l'estrade.

— Mesdames, messieurs, bonsoir. Je m'appelle Hugh Casson, et je suis honoré de vous accueillir à l'exposition de l'école de la Royal Academy. En tant que président du comité des prix, j'ai à présent le privilège d'annoncer le nom du vainqueur de la médaille d'or de cette année. En général, je commence par dire que le jury a eu du mal à prendre sa décision et à quel point les deuxièmes ont manqué de chance, mais cette fois-ci, il n'en est rien. Le comité a accordé à l'unanimité la médaille d'or à...

— Vous devez être fière de votre petite-fille, déclara la secrétaire générale du ministère lorsqu'elle rejoignit la vice-ministre dans son bureau, le lendemain matin. Elle va se trouver en très illustre compagnie.

— En effet. J'ai lu les détails dans les journaux de ce matin et les diverses interprétations du tableau. Mais dites-moi, Pauline. Qu'en pensez-vous ?

— Original, novateur. Cela repousse les frontières de notre imagination.

— Tout à fait d'accord, dit Emma, sans chercher à cacher son ironie. Mais je suis sûre que je n'ai pas besoin de vous rappeler que c'est un préservatif géant que le *Sun* a reproduit en première page.

— Et la presse a accordé plus de place à ce préservatif qu'à toute la campagne en faveur des rapports sexuels protégés que vous avez lancée l'année dernière, comme vous vous en souvenez sans doute, madame la ministre.

— Oui. J'avais tout de même réussi à faire quelques manchettes en disant que la campagne serait « pénétrante », dit Emma en souriant. Autre chose, Pauline ?

— Je viens de lire la dernière mouture de votre discours pour le débat de jeudi prochain, madame la ministre.

— Et il vous a fait bâiller.

— Je l'ai trouvé un peu prosaïque.

— Façon polie de dire qu'il était ennuyeux.

— Eh bien, disons qu'une certaine dose d'humour ne lui ferait pas de mal.

— Surtout que l'humour est le point fort de mon frère.

— Cela pourrait faire toute la différence. Si la presse a raison, les résultats seront serrés.

— Ne peut-on compter sur les faits pour convaincre ceux qui hésitent encore ?

— Je ne compterais pas là-dessus, madame la ministre. Et je crois que vous devriez savoir que la Première ministre a demandé quels plans nous avons préparés au cas où le vote nous serait défavorable.

— Vraiment ? Alors j'ai intérêt à revoir une fois encore le discours ce week-end. L'ironie de la situation, c'est que si mon frère n'était pas mon adversaire, je lui demanderais d'y ajouter *un bon mot*[1], ici et là.

— Je suis sûr que ça lui plairait de faire ça. Mais sans doute est-ce justement la raison pour laquelle Kinnock lui a offert le poste.

— Ce n'est guère subtil. Autre chose ?

— Oui, madame la ministre. Pourrais-je discuter avec vous d'un problème personnel ?

— Ça a l'air sérieux, Pauline. Mais oui, bien sûr.

— Avez-vous suivi les derniers résultats des recherches concernant l'ADN, en provenance des États-Unis ?

— Non, en fait. Mes dossiers officiels me fournissent déjà assez de lecture.

— Il me semble que les toutes dernières découvertes en ce domaine pourraient vous intéresser.

— Pourquoi donc ? fit Emma, sincèrement déconcertée.

— Aujourd'hui, les chercheurs peuvent incontestablement savoir si deux personnes sont apparentées.

— Comment étiez-vous au courant ? demanda Emma à voix basse.

— Lorsque qu'une personne est nommée ministre de la Couronne, nous préparons un dossier sur elle, afin de n'être pas pris au dépourvu, si la presse nous demande des renseignements sur son passé.

— La presse vous a-t-elle contactée ?

— Non. Mais j'étais lycéenne quand l'affaire a été examinée par la Chambre des lords pour décider si c'était votre frère

---

1. En français dans le texte.

ou Harry Clifton qui était l'aîné, et, par conséquent, l'héritier légitime du titre et des biens de la famille Barrington. À l'époque, toutes mes camarades du lycée de Berkhamsted et moi trouvions cela très romanesque, et nous avons été ravies que Leurs Seigneuries votent en faveur de votre frère, afin que vous puissiez épouser l'homme que vous aimiez.

— Et, à présent, je pourrais enfin apprendre si la décision des lords était la bonne. Laissez-moi un peu de temps pour réfléchir à la question, parce que je ne voudrais sûrement pas faire le test sans l'accord de Harry.

— Naturellement, madame la ministre.

— Pour parler d'un sujet plus léger, Pauline, vous avez dit que vous aviez un dossier sur moi. Est-ce à dire que vous en avez un sur tous les ministres ?

— Absolument. Toutefois, cela ne signifie pas que j'accepterais de révéler lequel de vos collègues est un travesti, lequel a été surpris en train de fumer de la marijuana à Buckingham Palace, et lequel des juges siégeant à la Chambre des lords aime se déguiser en policier pour faire des patrouilles de nuit.

— Juste une question, Pauline… Certains d'entre eux font-ils partie des indécis ?

— Hélas, non, madame la ministre.

47

Bien que la plupart des lords aient décidé comment ils allaient voter longtemps avant que la Chambre se réunisse pour tenir ce débat fondamental, Emma et Giles savaient que le sort du projet de loi dépendait d'une douzaine de pairs que l'un ou l'autre devait rallier à sa cause.

Ce matin-là, Emma s'était levée de bonne heure et avait, une fois de plus, revu son discours, avant de se rendre au ministère. Elle lut à haute voix plusieurs paragraphes clés avec Harry pour seul auditeur, et, même s'il fit un certain nombre d'excellentes suggestions, elle se résignait au fait qu'en tant que ministre elle ne pouvait se permettre d'utiliser les hyperboles dont raffolait Giles, ministre dans le gouvernement fantôme. Il est vrai que le seul but de Giles était de mettre le gouvernement dans l'embarras au moment du vote, alors que sa fonction à elle était de gouverner.

Lorsqu'elle arriva dans son bureau, à Alexander Fleming House, elle fut soulagée qu'aucun rendez-vous ne soit inscrit dans son agenda pour pouvoir se concentrer sur la seule chose qui comptait pour elle. Tel un athlète qui se prépare fiévreusement pour une finale aux Jeux olympiques, la façon dont elle passait les dernières heures avant la course pouvait fort bien décider du résultat. Toutefois, en politique, il n'y a pas de deuxième prix.

Depuis une semaine, afin de ne pas être prise au dépourvu, elle cherchait à deviner toutes les questions qui risquaient de surgir au cours du débat. La déclaration du maréchal Montgomery allait-elle se révéler juste ? Pour les neuf dixièmes, le sort d'une bataille dépend de la préparation, bien avant que soit tiré le premier coup de feu.

Elle tremblait en montant dans la voiture officielle qui devait la conduire au palais de Westminster, de l'autre côté du fleuve. Dès son arrivée, elle se retira dans son bureau avec un sandwich au jambon et une tasse de café noir. Elle relut son discours une fois encore, y apporta quelques menues modifications, puis se dirigea vers la Chambre.

Au moment où Big Ben sonnait deux coups, le président de la Chambre s'installa sur le *Woolsack* pour que la séance puisse commencer.

Monseigneur l'évêque de Worcester se leva du banc des évêques afin de conduire les prières. Comme tous les autres pairs, il était parfaitement conscient de la signification de ce débat. Bien qu'il y ait plus de mille pairs héréditaires qui avaient le droit d'assister à la séance, ainsi que six cents pairs non héréditaires, la Chambre ne pouvait en contenir qu'environ cinq cents. Aussi n'était-il pas étonnant qu'il n'y ait déjà plus une seule place de libre sur les bancs.

Si les questions du ministère de l'Intérieur figuraient en premier à l'ordre du jour, rares étaient les pairs qui s'intéressaient aux réponses, et de légers bavardages se firent entendre tandis qu'ils attendaient le principal événement.

Giles fit son entrée vers la fin de la séance des questions et fut chaleureusement accueilli par ses collègues, tel un boxeur poids lourd avant de monter sur le ring. Il s'assit à la seule place restante au premier rang.

Emma apparut quelques instants plus tard. Alors qu'elle longeait le premier banc du gouvernement, avant de s'asseoir à côté du chef des tories à la Chambre des lords, elle fut tout aussi chaleureusement accueillie.

Une fois terminée la séance des questions, le président de la Chambre indiqua qu'on pouvait à présent s'occuper du principal sujet à l'ordre du jour. Lord Belstead se leva lentement, posa son discours sur le lutrin et, avec toute la confiance d'un homme ayant occupé plusieurs éminents postes officiels, lança la première salve au nom du gouvernement.

Après que lord Belstead eut prononcé son allocution d'ouverture, lord Cledwyn, tout aussi à l'aise en cet environnement familier, se leva du banc de l'opposition pour répondre.

Puis se succédèrent un certain nombre de discours prononcés par d'autres lords, et les membres de la Chambre écoutèrent avec plus ou moins d'intérêt. Tout le monde attendait manifestement les interventions du très honorable lord Barrington des docks de Bristol, qui exprimerait le point de vue de l'opposition, et de la très honorable baronne Clifton de Chew Magna, qui défendrait le projet du gouvernement.

Ni Emma ni Giles ne quittèrent la Chambre pendant les débats, évitant tous les deux de s'absenter pour dîner et continuant à écouter les interventions de leurs collègues, tout en prenant de temps en temps des notes lorsqu'un point était habilement discuté.

Si les bancs se clairsemèrent entre 19 et 21 heures, Emma et Giles savaient que les travées se rempliraient longtemps avant le lever de rideau du deuxième acte. Seul John Gielgud faisant sa dernière apparition dans *The Best of Friends*[1] dans un théâtre du West End pouvait s'attendre à jouer devant pareille salle comble.

Lorsque le dernier orateur se leva pour prononcer son allocution depuis les derniers bancs, seul le trône, occupé par la reine lors de l'ouverture du Parlement, demeurait vide. Les nobles lords qui n'avaient pu trouver de places assises se serraient sur les marches du trône et dans les allées, entre les bancs rouges. Derrière la barre de la Chambre, à l'autre extrémité de la salle, se tenaient plusieurs membres de la Chambre des communes, y compris le ministre de la Santé qui avait promis à la Première ministre que tout avait été fait pour que la loi soit votée, afin que le gouvernement puisse avancer dans son programme législatif chargé, car le temps pressait. Mais, à en juger par la mine des membres de la Chambre basse, ils étaient aussi peu certains du résultat.

Emma jeta un coup d'œil à la « galerie des distingués visiteurs » où des membres de sa famille étaient assis au premier rang. Puisqu'ils appartenaient également à celle de Giles, elle soupçonnait qu'ils se rangeaient dans deux camps de même importance. Harry, Sebastian et Samantha la soutenaient indubitablement, tandis que Karin, Grace et Freddie devaient être du côté de Giles, laissant Jessica faire pencher la balance d'un côté ou de l'autre. Emma se dit qu'ils ne faisaient que refléter les sentiments des autres pairs.

---

1. *The Best of Friends* (Les Meilleurs Amis) est une pièce de Hugh Whitemore (1987).

Lorsque lord Samuels, éminent président du Collège royal de médecine, se rassit après avoir prononcé la dernière allocution depuis les bancs des non-inscrits, un murmure d'expectative parcourut toute la Chambre.

Si Giles avait le trac quand il se leva, cela ne se voyait pas du tout. Il agrippa fermement le bord de la tribune et attendit que le silence se fasse avant de commencer son discours.

— Messeigneurs, je m'adresse à vous, ce soir, douloureusement conscient que le sort de la Sécurité sociale se trouve entre vos mains. J'aimerais que ce soit là une exagération, mais je crains que ce ne soit pas le cas. Parce que, ce soir, messeigneurs, vous, et vous seuls, allez décider si cet atroce projet de loi, poursuivit-il en brandissant l'ordre du jour très haut au-dessus de sa tête, va devenir loi ou une simple pièce de collection pour ceux qu'intéresse la petite histoire.

» Je n'ai pas besoin de rappeler à Vos Seigneuries que c'est le Parti travailliste qui, sous l'égide de Clement Attlee, a non seulement créé la Sécurité sociale mais qui a depuis toujours défendu son existence. Chaque fois que le pays a dû souffrir sous un gouvernement conservateur, les travaillistes se sont chargés de s'assurer que la Sécurité sociale survive aux attaques répétées des infidèles s'efforçant de défoncer son portail sacré.

De sonores vivats furent lancés derrière lui, ce qui lui permit de tourner une page de son texte et de prendre connaissance de la phrase suivante.

— Messeigneurs, j'ai honte de reconnaître, reprit-il en poussant un soupir exagéré, que le nouvel infidèle appartient à ma propre famille. À savoir, la baronne Clifton de Chew Magna.

Les deux côtés de la Chambre éclatèrent de rire ensemble, tandis qu'Emma regrettait de ne pas avoir le don de passer sans transition d'une déclaration grave à une pique humoristique, et de mettre la Chambre de son côté.

Durant les vingt minutes qui suivirent, Giles démonta le projet de loi, article par article, se concentrant en particulier sur ceux qui avaient inquiété les tories indécis. Emma ne pouvait qu'admirer l'habileté avec laquelle son frère couvrait de louanges les contributions, dignes d'hommes d'État, apportées par les quelques tories qui hésitaient encore.

— Nous ne pouvons qu'espérer, ajouta-t-il, que ces hommes et ces femmes de conscience montreront le même courage et la même indépendance d'esprit quand viendra l'heure de voter et, qu'au dernier moment, faisant fi de leur profonde conviction, ils ne se voileront pas la face au nom de la fidélité à leur parti.

Même en tenant compte des dons de Giles, c'était un discours magistral. Ses collègues et ses adversaires étaient au bord de leur siège pendant que, tel Merlin, il continuait à enchanter la Chambre fascinée. Emma savait que pour l'emporter il lui faudrait rompre ce charme et ramener ses collègues à la réalité.

— Messeigneurs, permettez-moi de terminer, déclara Giles presque en chuchotant, en vous rappelant le pouvoir que vous possédez, ce soir. L'occasion unique vous est donnée de rejeter ce défectueux et frauduleux projet de loi qui, s'il était adopté, entraînerait la fin du Service national de santé tel que nous le connaissons et entacherait le souvenir de son glorieux passé et du bon vieux temps.

Il se pencha au-dessus de la tribune puis releva lentement les yeux pour parcourir le banc du gouvernement, avant de dire :

— Ce projet de loi ne prouve qu'une seule chose, messeigneurs : les dinosaures ne se trouvent pas qu'au musée d'Histoire naturelle.

Il attendit que les rires aient cessé avant de reprendre, un ton plus bas :

— Ceux d'entre vous qui, comme moi, ont examiné chaque terme de ce projet de loi auront noté qu'un mot brille par son absence. J'ai eu beau chercher, messeigneurs, je n'ai trouvé nulle part le mot de « compassion ». Mais qu'y a-t-il là de surprenant, puisque la ministre qui s'apprête à présenter le projet, a personnellement refusé un salaire décent au laborieux personnel infirmier ?

Des cris de « Honte ! » fusèrent des bancs de l'opposition tandis que Giles fixait sa sœur.

— Et il n'est pas nécessaire de lire entre les lignes pour comprendre que le véritable but du gouvernement est de remplacer « national » par « privé » dans National Health Service[1], car sa priorité absolue est de servir ceux qui ont les

---

1. Le National Health Service (Service national de santé) anglais est, plus ou moins, l'équivalent de la Sécurité sociale française.

moyens d'être malades et de jeter au dépotoir ceux de nos concitoyens qui ne peuvent pas se le permettre. C'est, et ça a toujours été, la philosophie de ce gouvernement.

» Messeigneurs, poursuivit Giles, sa voix montant de plus en plus, je vous invite à voter clairement contre cet inique projet de loi, afin que ces citoyens puissent continuer à jouir d'une Sécurité sociale véritablement nationale. Je suis intimement convaincu qu'en matière de santé tous les hommes et, précisa-t-il, après un temps d'arrêt, en regardant sa sœur, toutes les femmes, sont nés égaux.

» Messeigneurs, reprit-il, je ne vous demande pas, je vous supplie de donner fermement votre avis à entendre à nos compatriotes et qu'au moment de voter vous rejetterez résolument ce projet de loi.

Il se rassit tandis que les lords siégeant derrière lui poussaient de sonores vivats, tout en agitant l'ordre du jour. Quand les acclamations cessèrent enfin, Emma se leva de son siège, plaça son discours sur le lutrin, dont elle agrippa fortement le bord, dans l'espoir que personne ne se rendrait compte à quel point elle avait le trac.

— Messeigneurs, commença-t-elle d'une voix tremblotante, il serait impoli de ne pas reconnaître la qualité de la prestation de lord Barrington, mon noble parent, mais il s'agit bien d'une prestation, parce que je devine que lorsque vous lirez demain le texte de son allocution dans le *Hansard*[1], vous constaterez qu'elle était riche d'effets de rhétorique, vide de fond et entièrement dépourvue de faits avérés.

Quelques « Vivat, vivat ! » furent lancés à voix basse par ses collègues derrière elle, tandis que les lords assis de l'autre côté de la Chambre restaient silencieux.

— Ayant passé, poursuivit-elle, sept ans de ma vie à diriger un grand hôpital public, je n'ai pas à prouver que je suis tout aussi intéressée par l'avenir de la Sécurité sociale que les personnes assises sur les bancs d'en face. Toutefois, malgré toute l'énergie manifestée par le noble lord, la vérité, c'est que, quoi qu'on dise, il faut bien régler les factures et équilibrer les comptes. La Sécurité sociale doit être financée par des espèces

---

1. Compte rendu des débats du Parlement britannique.

sonnantes et trébuchantes, autrement dit, par l'argent du contribuable, être de chair et d'os.

Emma fut ravie de voir certains opiner du chef. Le discours de Giles avait été bien accueilli, mais c'était à elle d'expliquer le projet de loi en détail. Or, elle eut beau analyser, à l'intention de Leurs Seigneuries, le texte, article par article, elle ne réussit pas à susciter le même vif enthousiasme que son frère.

Alors qu'elle tournait une nouvelle page, elle sentit qu'elle « perdait la Chambre », selon la formule de son grand-père, lord Harvey, pour décrire le moment où les pairs commencent à bayer aux corneilles et se mettent à bavarder entre eux. Réaction plus humiliante que les moqueries et les cris de « Honte ! ».

Levant les yeux, elle aperçut un pair d'un certain âge dodeliner de la tête et quand, quelques instants plus tard, il se mit à ronfler, ses deux collègues assis de chaque côté ne cherchèrent pas à le réveiller, car il était évident qu'ils se délectaient de la gêne de la ministre. Se rendant compte que le moment du vote approchait à toute vitesse, elle tourna une nouvelle page.

— Et maintenant, déclara-t-elle, je souhaiterais reconnaître le rôle de la colonne vertébrale de l'hôpital public : notre merveilleux personnel infirmier, qui...

Giles se mit sur pied d'un bond pour interrompre la ministre et pénétra en territoire ennemi. Emma lui céda immédiatement la place, permettant ainsi à son frère de s'emparer de la tribune.

— Je remercie la noble dame de me céder la place, mais puis-je lui demander pourquoi, si elle considère qu'il accomplit un si merveilleux travail, le personnel infirmier ne reçoit-il qu'une augmentation de trois pour cent ?

Persuadé qu'Emma était à présent dans les cordes, il alla se rasseoir sous les cris de « Vivat, vivat ! »

Emma reprit sa place à la tribune.

— Si j'ai bonne mémoire, dit-elle, le noble lord a exigé une hausse de salaire de quatorze pour cent pour le personnel infirmier.

Giles hocha vigoureusement la tête.

— Je suis donc contrainte de lui demander où le gouvernement devra trouver l'argent pour accorder une telle augmentation.

Giles se remit immédiatement debout, prêt à asséner le coup décisif.

— Il pourrait, répondit-il, commencer par imposer davantage ceux qui gagnent le plus et qui ont les moyens d'aider ceux qui sont moins fortunés.

Sur ce, il se rassit sous des vivats encore plus sonores, tandis qu'Emma attendait patiemment à la tribune.

— Je suis contente que le noble lord ait admis que ce ne serait qu'un commencement, déclara-t-elle en prenant un dossier officiel qu'un fonctionnaire du ministère des Finances lui avait remis ce matin-là, parce que ce ne serait en effet qu'un commencement. S'il demande à la Chambre de croire que le Parti travailliste pourrait accorder une augmentation de quatorze pour cent au personnel infirmier simplement en augmentant les impôts de ceux qui gagnent annuellement quarante mille livres, ou plus, permettez-moi de lui dire qu'il devrait les augmenter de quatre-vingt-treize pour cent chaque année. Et j'avoue, ajouta-t-elle en empruntant à son frère son genre d'ironie, ne pas avoir compris que le Parti travailliste avait l'intention d'augmenter certains impôts de quatre-vingt-treize pour cent, parce que je ne l'ai pas vu dans son manifeste, dont j'ai lu le moindre mot.

Si elle entendait les rires qui fusaient derrière elle, elle ne pouvait voir ses collègues pointer leur index sur son frère en répétant : « Quatre-vingt-treize pour cent, quatre-vingt-treize pour cent. »

Comme Giles l'avait fait, elle attendit que le silence se rétablisse avant d'ajouter :

— Peut-être le noble lord acceptera-t-il d'indiquer à la Chambre les autres propositions qu'il envisage pour couvrir les dépenses supplémentaires.

Giles resta assis.

— Puis-je suggérer une ou deux façons de lever les fonds nécessaires afin d'atteindre sa cible de quatorze pour cent ?

Elle avait reconquis l'attention de la Chambre. Elle tourna une page du mémo du ministère des Finances placé dans le dossier officiel.

— Pour commencer, je pourrais renoncer à la construction des trois nouveaux hôpitaux prévue à Strathclyde, Newcastle et

Coventry. Cela réglerait le problème. Remarquez que je serais obligée de fermer trois autres hôpitaux l'année prochaine. Mais, n'acceptant pas de faire ce sacrifice, peut-être devrais-je étudier le budget d'autres ministères pour voir ce que mes collègues ont à offrir.

Elle tourna une nouvelle page.

— Nous pourrions effectuer des coupes dans nos projets de construire de nouvelles universités ou annuler les trois pour cent d'augmentation des pensions de retraite. Cela réglerait le problème. Ou nous pourrions réduire les dépenses des forces armées en mettant au rancart tel ou tel régiment. Non, non, ce serait impossible ! s'écria-t-elle avec mépris. Pas après que le noble lord a plaidé avec tant de passion, il y a seulement un mois, contre la pratique de coupes dans le budget de l'armée.

Giles se tassa encore plus sur son siège.

— Et, continua-t-elle, vu l'éminent passé du noble lord comme secrétaire d'État aux Affaires étrangères, peut-être pourrions-nous fermer une demi-douzaine d'ambassades. Cela réglerait la question. Nous pourrions même le laisser choisir les ambassades à supprimer. Washington ? Paris ? Moscou peut-être ? Pékin ? Tokyo ? Force m'est de demander s'il s'agit là d'une autre politique des travaillistes qu'ils ont oublié de mentionner dans leur manifeste ?

Soudain des vivats et des rires parcoururent les bancs du gouvernement.

— Non, monsieur le président, reprit Emma, une fois que la Chambre fut redevenue silencieuse. La vérité, c'est que les paroles sont bon marché tandis que l'action revient plus cher. Et c'est le devoir d'un gouvernement responsable de déterminer les priorités et de s'assurer que le budget soit équilibré. Cette politique était annoncée dans le programme électoral des tories et je ne m'excuse pas.

Elle était consciente qu'il ne lui restait plus que deux ou trois minutes et les encouragements de ses collègues ravis empiétaient sur son temps de parole.

— Je dois, par conséquent, dire à la Chambre que je considère l'éducation, les pensions de retraite, la défense et le rôle que nous jouons dans les affaires du monde comme étant tout aussi importants que mon propre ministère. Toutefois, permettez-moi d'assurer à Vos Seigneuries qu'en ce qui concerne mon propre ministère je me suis battue bec et ongles avec celui des Finances pour que la construction de ces trois hôpitaux soit maintenue dans le budget.

Elle se tut puis éleva le ton pour ajouter :

— Ce matin, le chancelier de l'Échiquier a accepté que le personnel infirmier obtienne une augmentation de six pour cent.

Des bancs derrière elle fusèrent des vivats prolongés.

Abandonnant les dernières pages de son texte, elle regarda directement son frère et déclara :

— Cependant, rien de tout cela ne sera possible si vous suivez ce soir le noble lord pour voter contre ce projet de loi. Si je suis, comme il le suggère, une infidèle qui piétine le portail sacré de la Sécurité sociale, je dois lui dire que j'ai l'intention d'ouvrir ce portail pour permettre à tous les patients d'entrer. Oui, messeigneurs, « gratuit au point d'utilisation », pour citer Clement Attlee, son héros. Voilà donc la raison, messeigneurs, pour laquelle je n'hésite pas à vous prier de me rejoindre dans le monde réel et de soutenir ce projet de loi, afin qu'à mon retour au ministère, demain matin, je puisse commencer à apporter les modifications nécessaires qui assureront l'avenir de la Sécurité sociale, au lieu de la laisser végéter dans le passé, en compagnie de lord Barrington, mon noble parent, qui va sans doute continuer, année après année, à se rappeler avec nostalgie le bon vieux temps. Quant à moi, messeigneurs, je parlerai à mes petits-enfants, ainsi qu'à mon arrière-petite-fille, du bon nouveau temps. Mais cela ne sera possible que si vous soutenez ce projet de loi. Messeigneurs, je vous prie de me permettre de renvoyer à l'autre Chambre ce projet de loi pour l'examen en seconde lecture.

Elle se rassit sous les vivats les plus sonores de la séance, tandis que Giles se tassait sur son banc, conscient qu'il avait eu tort de passer la tête au-dessus du parapet au lieu de simplement feindre l'ennui et de laisser Emma creuser sa propre tombe. Elle regarda son frère assis de l'autre côté de la Chambre. Il porta la main à son front et murmura « *Chapeau*[1] ! » Louange sincère.

---

1. En français dans le texte.

Mais ils étaient tous les deux parfaitement conscients qu'il fallait encore attendre le résultat du vote.

Lorsque la cloche annonça le vote, les lords commencèrent à se diriger vers les couloirs correspondant à leurs convictions. Emma entra dans le couloir des *Contents*, qui recueillerait les votes en faveur du « oui », où elle remarqua un ou deux indécis et des neutres en train de voter. Mais cela suffirait-il ?

Une fois qu'elle eut donné son nom au greffier assis à son haut bureau et qui cochait chaque nom, elle regagna sa place sur le premier banc et participa à la rumeur des menus propos qui s'élève toujours comme de l'air chaud des deux côtés de la Chambre pendant que les lords attendent le retour des chefs de parti chargés d'annoncer le verdict.

Le silence se fit lorsque les quatre huissiers s'alignèrent puis se dirigèrent lentement vers la table placée au centre de la Chambre.

Le premier chef de parti brandit une carte et, après avoir revérifié les chiffres, déclara :

— *Contents*, à gauche, quatre cent vingt-deux.

Emma retint son souffle.

— *Not contents*, à droite, quatre cent onze. Les *Contents* l'emportent.

Des vivats fusèrent des bancs derrière Emma. Quand elle sortit de la Chambre, elle fut entourée de supporters qui lui disaient qu'ils n'avaient jamais douté de sa victoire. Elle sourit et les remercia.

Elle réussit enfin à s'arracher à eux pour aller rejoindre Harry et le reste de la famille dans la salle de réception des pairs, où elle fut ravie de voir Giles ouvrir une bouteille de champagne. Il remplit la coupe d'Emma et leva la sienne.

— À Emma, dit-il, qui a non seulement fait le meilleur discours mais qui a gagné la bataille, comme notre mère l'avait prédit.

Après le départ du reste de la famille, Harry, Giles, Emma, Karin et Freddie – qui buvait sa première coupe de champagne – regagnèrent lentement à pied leur maison de Smith Square. Épuisée, Emma se mit au lit, mais un enivrant mélange d'adrénaline et de sentiment de triomphe l'empêcha de s'endormir.

Le lendemain matin, elle se leva à 6 heures, sa cruelle horloge biologique faisant fi de son désir de continuer à dormir.

Après s'être douchée et habillée, elle se précipita au rez-de-chaussée, se réjouissant à l'avance à l'idée de lire dans les journaux les comptes rendus des débats, tout en buvant une tasse de thé et en mangeant peut-être un second toast nappé de confiture d'orange. Les journaux étaient déjà disposés sur la table. Elle lut la manchette du *Times* et s'effondra sur la chaise la plus proche, la tête dans les mains. Elle n'avait jamais voulu ça.

LORD BARRINGTON DÉMISSIONNE APRÈS
SON HUMILIANTE DÉFAITE AUX LORDS

Emma savait qu'en langage parlementaire « démissionne » est un euphémisme pour « est viré ».

48

FIN

Harry reposa son stylo, sauta en l'air et s'écria « Alléluia ! »
Il agissait toujours ainsi après avoir écrit ce mot : « Fin ». Il
se rassit, regarda le plafond et dit : « Merci. » Autre rituel
accompli.

Le lendemain matin, il enverrait des copies de son roman à
ses trois premiers lecteurs pour qu'ils puissent découvrir *Face,
tu gagnes.* Puis, en attendant leur avis, il souffrirait de sa crise
névrotique annuelle. Mais, tout comme lui, ses premiers lecteurs
avaient leurs habitudes.

Il y avait d'abord Aaron Guinzburg, son éditeur américain,
qui, dès que le manuscrit aurait atterri sur sa table de travail,
quitterait son bureau et rentrerait chez lui après avoir clairement indiqué qu'il ne voulait être dérangé sous aucun prétexte
tant qu'il n'aurait pas tourné la dernière page. Il appellerait alors
Harry, oubliant parfois l'heure qu'il était en Angleterre. Vu sa
réaction enthousiaste habituelle, il fallait parfois ne pas tenir
compte de son avis.

Son deuxième lecteur était Ian Chapman, son éditeur anglais,
qui attendait toujours le week-end pour découvrir le livre.
Ensuite, aux premières heures du matin, il téléphonait à Harry
pour lui communiquer son avis. Comme c'était un Écossais
qui était incapable de cacher sa pensée, cela ajoutait à l'appré-
hension de Harry.

La troisième personne, de loin la plus fine des trois, c'était
Grace, sa belle-sœur, qui, non seulement donnait son opinion
désintéressée, mais l'exprimait invariablement dans un compte
rendu de dix pages et, oubliant de temps en temps qu'il n'était
pas l'un de ses étudiants, corrigeait sa grammaire.

Il ne l'avait jamais considérée comme une fan de William
Warwick jusqu'à ce qu'elle se laisse une fois aller à reconnaître
avoir un penchant pour les romans corsés. Toutefois, les romans
qu'elle considérait ainsi, c'étaient ceux de Kingsley Amis, de

Graham Greene (qu'il jugeait, lui, délassants) et de son auteur favori, Ian Fleming.

Pour la remercier de lui avoir fait part de son avis, il l'emmenait déjeuner au Garrick avant d'aller assister avec elle, en matinée, à une pièce également corsée, de préférence de Terence Rattigan, son dramaturge favori.

Une fois les trois manuscrits envoyés par courrier, commençait une attente douloureuse. Harry avait prévenu ses lecteurs que *Face, tu gagnes* différait de ses œuvres habituelles, ce qui accroissait son angoisse.

Il avait envisagé de demander à Giles, qui avait depuis peu davantage de temps libre, et à Sebastian, son fan le plus enthousiaste, d'être eux aussi parmi les premiers lecteurs de son dernier manuscrit, mais il avait finalement décidé de ne pas modifier son rituel. Il leur permettrait de lire la version définitive à Noël, après que l'éditrice aurait suggéré des changements.

Il imaginait que Mlle Eileen Warburton, une vieille fille du quartier, vivait seule dans un appartement en sous-sol et qu'elle ne refaisait surface – telle une taupe – qu'à l'arrivée du printemps. Pendant les mois d'hiver, elle passait son temps à travailler sur les infortunés manuscrits des auteurs, en corrigeant les fautes, certaines si insignifiantes que personne ne les aurait remarquées. Tandis que d'autres, des « bourdes criantes », comme elle se plaisait à les appeler, auraient, si elles n'avaient pas été corrigées, causé l'arrivée sur le bureau de l'auteur d'un flot de lettres furieuses soulignant son incompétence. Mlle Warburton ne permettait jamais à Harry d'oublier que Genève n'était pas la capitale de la Suisse et que le *Titanic* avait coulé le 15 et non pas le 14 avril.

Dans un moment d'insolente bravade, Harry lui avait rappelé que dans *Madame Bovary* les yeux de l'héroïne passent, en moins de cent pages, du noir au marron, puis au bleu, avant de redevenir noirs.

— Je ne fais jamais de commentaires sur les textes que je n'ai pas corrigés, rétorqua-t-elle, sans la moindre ironie.

Emma serait l'une des dernières personnes à lire le manuscrit, sur épreuves. Toutes les autres devraient attendre que le livre soit publié pour recevoir un exemplaire.

Harry avait projeté de passer un week-end reposant, une fois le livre terminé. Le samedi après-midi, lui et Giles se rendraient au stade Memorial Ground pour regarder Bristol jouer contre Bath, son rival de longue date. Le soir, il emmènerait Emma à l'Old Vic pour voir *Come For the Ride* avec Patricia Routledge[1] avant d'aller dîner chez Harvey's.

Harry et Emma avaient été invités par Giles et Karin pour déjeuner au château Barrington. Ils assisteraient ensuite à l'office du soir et Harry passerait la plus grande partie du sermon à se demander à quelle page en étaient ses trois lecteurs. Et il ne pourrait envisager une nuit de sommeil ininterrompue tant que ses fameux trois premiers lecteurs n'auraient pas appelé pour donner leur avis.

Lorsque le téléphone sonna, il se dit qu'il était trop tôt pour que l'un d'entre eux ait déjà terminé le livre. Quand il décrocha, il entendit la voix familière de Giles à l'autre bout du fil.

— Désolé de bousculer tes plans, Harry, mais je ne vais pas pouvoir t'accompagner au match de rugby, samedi, et il va falloir également repousser la date du déjeuner, dimanche.

Harry n'eut pas à demander pourquoi, car une explication suivit sur-le-champ.

— Walter Scheel vient de téléphoner. L'Allemagne de l'Est a enfin ouvert les vannes et des flots de citoyens est-allemands franchissent la frontière. J'appelle de Heathrow. Karin et moi sommes sur le point de prendre un avion pour Berlin. Nous espérons arriver avant que le Mur s'effondre, parce que nous avons bien l'intention tous les deux de faire partie de l'équipe de démolition.

— Voilà une excellente nouvelle ! Karin doit être aux anges. Dis-lui que je l'envie beaucoup. Dans quelques années, lorsque les gens nous demanderont où l'on se trouvait le jour où le Mur est tombé, vous pourrez leur dire que vous étiez sur place. Rapportez-m'en un morceau si vous le pouvez.

— Vu le nombre de gens qui m'ont fait la même demande, je vais devoir prendre une valise supplémentaire.

---

1. *Come For the Ride* (Venez faire un tour, 1988) est un *one-woman show* avec Patricia Routledge, comédienne et chanteuse anglaise. Musique de Harold Arlen, paroles de Johnny Mercer.

— Rappelle-toi que tu vas voir l'histoire se dérouler en direct. Alors, avant de te coucher le soir, assure-toi de consigner par écrit tout ce à quoi tu as assisté ce jour-là. Sinon, au réveil, tu auras oublié les détails des événements.

— Je ne suis pas sûr qu'on ira se coucher.

— Puis-je vous demander pourquoi vous avez un marteau dans votre sac, monsieur ? s'enquit un scrupuleux agent de sécurité de Heathrow.

— J'espère pouvoir abattre un mur, répondit Giles.

— J'aimerais pouvoir me joindre à vous, dit l'agent, avant de refermer la fermeture Éclair du sac de voyage.

Lorsque, une heure plus tard, Giles et Karin montèrent à bord de l'avion de la Lufthansa, on avait l'impression qu'ils venaient de s'introduire sans invitation dans une fête. Une fois le décollage effectué, les bouchons de champagne sautèrent, tandis que les passagers parlaient avec leurs voisins comme s'ils étaient de vieux amis.

Karin tint la main de Giles pendant tout le vol et elle dut dire une douzaine de fois : « Je n'arrive pas à y croire ! » Elle avait peur de découvrir en arrivant à Berlin que la fête était finie et que tout était revenu à la normale.

Après un vol de deux heures, qui parurent une éternité, l'avion finit par se poser ; à peine eut-il cessé de rouler sur la piste que les passagers se levèrent d'un bond. La file d'attente disciplinée qui a fait la réputation des Allemands se désintégra et se mua en une ruée qui dévala la passerelle, courut sur le tarmac et entra dans le terminal. Ce soir-là, personne ne resterait calmement sur place.

Après avoir passé la douane, Giles et Karin sortirent de l'aéroport à la recherche d'un taxi. Ils s'aperçurent alors qu'une multitude de passagers avaient eu la même intention. Toutefois, au grand étonnement de Giles, la file d'attente avança rapidement, trois, quatre, voire cinq personnes s'engouffrant dans chaque voiture, puisqu'elles se dirigeaient toutes vers le même lieu. Quand leur tour arriva, Giles et Karin se joignirent à une famille allemande qui n'eut pas besoin d'indiquer au chauffeur l'endroit où elle souhaitait se rendre.

— Anglais, pourquoi tu viens à Berlin ? demanda le jeune homme tassé contre Giles.

— Je suis mariée à une Allemande de l'Est, expliqua Giles en passant un bras autour des épaules de Karin.

— Comment votre femme a-t-elle réussi à fuir ?

— C'est une longue histoire...

Karin vint à la rescousse de Giles et, s'exprimant dans sa langue maternelle, il lui fallut les cinq kilomètres d'une circulation particulièrement dense et lente pour parvenir à la fin de son récit, qui fut accueillie par une salve de vigoureux applaudissements. Le jeune homme regarda Giles avec une nouvelle expression de respect, alors que celui-ci n'avait pas compris un traître mot des explications de Karin.

Quoiqu'il restât encore un kilomètre et demi à parcourir, le chauffeur abandonna la partie en plein milieu d'une rue transformée en piste de danse. Giles fut le premier à descendre de voiture. Il sortit son portefeuille pour payer le chauffeur, qui dit simplement : « Pas ce soir », avant de faire demi-tour et de repartir en direction de l'aéroport. Voilà un autre homme qui décrirait à ses petits-enfants le rôle qu'il avait joué le soir où le Mur était tombé.

Main dans la main, Giles et Karin se frayèrent un chemin à travers la foule en liesse jusqu'à la porte de Brandebourg, que ni l'un ni l'autre n'avaient vue depuis l'après-midi où Karin avait fui Berlin-Est, il y avait désormais près de vingt ans.

Comme ils approchaient du magnifique monument, construit par Frédéric-Guillaume II, roi de Prusse, paradoxalement comme un symbole de paix, ils aperçurent plusieurs rangs de soldats en armes alignés de l'autre côté. Giles pensa à la suggestion de Harry de mettre par écrit tout ce dont il était témoin, de peur d'oublier les divers événements, se demandant quel terme son beau-frère aurait choisi pour décrire l'expression des soldats. Ni « furieux », ni « effrayés », ni « tristes »... Ils étaient simplement médusés. Comme celle de tous les gens qui dansaient autour d'eux, leur vie avait changé d'un seul coup.

Karin resta à distance pour les observer. Tout ça n'était-il pas trop beau pour être vrai ? L'un d'entre eux allait-il la reconnaître et tenter de lui faire refranchir la frontière, même à présent ?

Bien qu'un peuple réuni soit en train de faire la fête autour d'elle, elle n'était toujours pas persuadée que la vie ne reviendrait pas comme avant au lever du soleil. Comme s'il pouvait lire dans ses pensées, Giles la prit dans ses bras.

— Tout est terminé, ma chérie, lui dit-il. Tu peux tourner la page. Le cauchemar est enfin terminé.

Un officier est-allemand surgit de nulle part et hurla un ordre. Les soldats mirent l'arme à l'épaule et s'en allèrent au pas cadencé, ce qui causa un rugissement encore plus joyeux. Tandis qu'autour d'eux tous dansaient, buvaient et chantaient à tue-tête, Giles et Karin fendirent lentement la foule en direction du Mur couvert de graffitis et sur lequel dansaient des centaines de fêtards comme s'il s'agissait de la tombe d'un ennemi honni.

Karin s'arrêta et toucha le bras de Giles en voyant un vieillard étreindre une jeune femme. Il était clair qu'à l'instar de nombreuses personnes au cours de cette nuit inoubliable, après vingt-huit ans de séparation, ils étaient enfin réunis. Comme le vieil homme étreignait la petite-fille qu'il pensait ne jamais connaître, les rires joyeux se mêlaient aux larmes.

— Je veux me tenir en haut du Mur, déclara Karin.

Giles leva les yeux vers le monument haut de trois mètres cinq, symbole d'échec, sur lequel des centaines de jeunes gens faisaient la fête. Il décida que ce n'était pas le moment de rappeler à sa femme qu'il avait près de soixante-dix ans. C'était un soir où l'on se dépouillait d'un certain nombre d'années.

— Merveilleuse idée ! fit-il.

Lorsqu'ils atteignirent le pied du mur, il comprit soudain ce qu'Edmund Hillary avait dû ressentir quand il s'apprêtait à gravir la dernière partie de l'Everest. Heureusement, deux jeunes sherpas, qui venaient de redescendre, lui firent la courte échelle afin qu'il puisse les remplacer au sommet. Il n'y parvint pas complètement mais des fêtards se penchèrent aussitôt et lui tendirent la main pour le hisser jusqu'à eux.

Karin le rejoignit quelques instants plus tard et, côte à côte, ils regardèrent de l'autre côté de la frontière. Elle avait toujours du mal à croire qu'elle n'allait pas se réveiller et constater que ça n'avait été qu'un rêve. Quelques Allemands de l'Est s'efforçaient d'escalader l'autre côté du Mur et Karin se pencha pour tendre la main à une jeune fille. Giles prit une photo des deux femmes, qui ne s'étaient jamais rencontrées auparavant, en train de s'étreindre comme de vieilles amies. La photo allait se retrouver sur leur cheminée à Smith Square pour commémorer le jour où l'Est et l'Ouest avaient recouvré la raison.

Depuis leur poste élevé, Giles et Karin regardèrent un flot de gens s'envoler vers la liberté, tandis que les gardes, qui la veille auraient tiré sur quiconque tentait de franchir la frontière, se contentaient de regarder, immobiles, incapables de comprendre ce qui se passait autour d'eux.

Karin commençait enfin à croire que le génie s'était échappé de la bouteille communiste, mais elle dut attendre encore une heure avant d'avoir le courage de dire à Giles :

— J'aimerais te montrer l'endroit où j'habitais.

Il trouva presque aussi difficile de redescendre du Mur que d'y grimper, mais grâce à plusieurs mains tendues, il y parvint tant bien que mal, même s'il dut reprendre son souffle une fois que ses pieds eurent touché le sol.

Karin lui prit la main et il leur fallut affronter un déferlement de gens se précipitant en sens inverse alors qu'ils se frayaient péniblement un chemin vers le poste-frontière. Des milliers d'hommes, femmes et enfants portant des sacs, des valises et même poussant des landaus chargés des biens de toute une vie se dirigeaient tous dans la même direction, laissant leur ancienne existence derrière eux, refusant clairement d'envisager de rebrousser chemin, de peur de se retrouver à nouveau pris au piège.

Une fois qu'ils furent passés sous la barrière rouge et blanc et qu'ils eurent quitté l'Ouest, Giles et Karin se joignirent au maigre flux humain allant dans le même sens qu'eux. Karin hésita un court instant au moment de franchir la seconde barrière et de se retrouver en terre est-allemande.

Il n'y avait ni garde-frontière, ni chien-loup, ni fonctionnaire aux lèvres pincées chargé de vérifier la validité des visas. Il n'y avait plus qu'un sinistre terrain vague.

Plus de file d'attente pour avoir un taxi, car il n'y avait plus de taxi. Ils croisèrent un petit groupe d'Allemands de l'Est qui priaient, agenouillés, en silence, à la mémoire de ceux qui avaient donné leur vie pour rendre possible cette journée.

Karin et Giles continuèrent à se frayer un chemin dans la foule qui fondait à chaque pas qu'ils faisaient. Après une bonne heure de marche, Karin s'arrêta enfin et désigna une lugubre enfilade de bâtiments identiques qui lui rappelèrent une vie qu'elle avait presque oubliée.

— C'est là que tu habitais ?

— Au dix-neuvième étage, répondit-elle en levant les yeux, la deuxième fenêtre à partir de la gauche. C'est là que j'ai passé les vingt-quatre premières années de ma vie.

Il compta jusqu'à une minuscule fenêtre sans rideau, au dix-neuvième étage, la deuxième à partir de la gauche, et il ne put s'empêcher de se rappeler où il avait passé les vingt-quatre premières années de sa vie : le château Barrington, l'hôtel particulier à Londres, le château fort écossais où il passait quelques semaines tous les étés, sans oublier, bien sûr, la villa de Toscane s'il avait besoin de prendre l'air.

— As-tu envie de monter voir qui habite là aujourd'hui ?

— Non, répondit Karin d'un ton ferme. Je veux rentrer à la maison.

Sur ce, sans un mot de plus, elle tourna le dos au bloc de béton grisâtre et rejoignit ses compatriotes qui se dirigeaient vers l'Ouest pour jouir d'une liberté qu'elle n'avait jamais considérée comme acquise une fois pour toutes.

Elle ne se retourna pas une seule fois sur le chemin de la frontière, même si elle eut à nouveau un accès d'angoisse alors qu'ils approchaient du point de passage. Il se dissipa dès qu'elle vit certains des gardes, vestes déboutonnées et col ouvert, en train de danser avec leurs nouveaux amis, qui n'étaient plus des Allemands de l'Ouest ou de l'Est, mais des Allemands tout court.

Une fois qu'ils furent à nouveau à l'Ouest, ils découvrirent des jeunes et des vieux armés de marteaux de forgeron, de barres de fer, de burins et même d'une lime à ongles. Ils s'échinaient à démonter, bloc par bloc, le monstre long de cent cinquante-cinq kilomètres, symbole matériel de ce que Winston Churchill avait appelé le « rideau de fer ».

Giles ouvrit la fermeture Éclair de son sac de voyage et en tira le marteau qu'il tendit à Karin.

— À toi de commencer, ma chérie, lui dit-il.

EMMA CLIFTON

1990-1992

49

— C'est le moment de l'année... commença Emma en levant son verre de vin chaud.

— Où on jette tous nos jouets hors du landau, dit Giles, et qu'on refuse de participer à l'un de tes jeux ?

— C'est le moment de l'année, répéta Emma, sans faire cas de l'intervention de son frère, où on lève nos verres à la mémoire de Joshua Barrington, fondateur de la compagnie maritime Barrington.

— Qui avait fait un bénéfice de trente livres, quatre shillings et deux pence la première année, mais avait promis à son conseil d'administration qu'il ferait mieux à l'avenir, rappela à tous Sebastian.

— Trente-trois livres, quatre shillings et deux pence, pour être exact, le corrigea Emma. Et il en a fait un plus gros, bien plus gros.

— Il a dû se retourner dans sa tombe, dit Sebastian, quand nous avons vendu la compagnie à la Cunard pour la coquette somme de quarante-huit millions de livres.

— Moque-toi bien, mais nous devrions tous être reconnaissants à Joshua pour tout ce qu'il a fait pour la famille.

— Tout à fait d'accord, intervint Harry, qui se mit debout, leva son verre et lança : À Joshua !

— À Joshua, reprirent-ils tous en chœur.

— Passons aux choses sérieuses, à présent, déclara Emma en reposant son verre.

— C'est la veille du nouvel an, protesta Giles. Tu sembles oublier que tu es chez moi. Je pense, par conséquent, que nous allons nous passer de ce rituel cette année.

— Sûrement pas, répliqua Emma. Seule Lucy sera épargnée.

— Mais soyez prévenue, ma jeune dame, dit Harry en souriant à son arrière-petite-fille qui dormait à poings fermés dans les bras de sa mère, votre sursis n'est que temporaire.

— Tout à fait juste, renchérit Emma, comme si Harry n'avait pas plaisanté. Le moment est venu pour chacun d'indiquer ses résolutions du nouvel an.

— Et les braves, dit Harry, nous rappelleront celles qu'ils avaient prises l'année dernière.

— Que j'ai inscrites dans ce petit carnet rouge, dit Emma. Au cas où quelqu'un les aurait oubliées.

— Bien sûr, président Mao, dit Giles en remplissant son verre à nouveau.

— Qui souhaite commencer ? s'enquit Emma, sans prêter davantage attention à son frère.

— Je cherche un nouveau travail, dit Samantha.

— Toujours dans le monde des arts ? demanda Harry.

— Oui. La Wallace Collection cherche un directeur adjoint, et j'ai fait acte de candidature.

— Félicitations ! fit Grace. Ce que la Courtauld a perdu sera gagné par la Wallace.

— C'est juste le degré supérieur de l'échelle, dit Sebastian. Je parie qu'à cette même date, l'année prochaine, la résolution de Samantha sera de devenir présidente de la Tate Gallery.

— Et toi, Sebastian ? Qu'auras-tu accompli à cette date, l'année prochaine ?

— J'ai l'intention d'agacer ma tante Grace en lui faisant gagner de plus en plus d'argent.

— Que je peux ensuite distribuer à de plus en plus d'orga-nisations méritantes, répliqua Grace.

— Ne t'en fais pas. Victor s'occupe déjà de faire ça, comme Karin te le confirmera.

— J'ai lu le rapport de M. Kaufman, dit Grace. Et cela vous honore grandement, la banque et toi, Sebastian.

— Louanges méritées, renchérit Emma, en prenant des notes avant de regarder sa sœur. Et toi, Grace, comme tu es l'une des rares personnes de la famille dont le nom est coché chaque année, que projettes-tu pour les douze prochains mois ?

— Sept de mes jeunes protégés espèrent être admis à l'université cette année et je suis décidée à ce qu'ils atteignent tous leur but.

— Quelles chances ont-ils ? demanda Harry.

— Je suis tout à fait persuadée que les quatre filles seront reçues mais je ne le suis pas autant pour les garçons.

Tous rirent, sauf Grace.

— C'est mon tour, c'est mon tour, s'écria Jake.

— L'année dernière, si j'ai bonne mémoire, dit Emma, tu voulais quitter l'école. C'est toujours ce que tu veux ?

— Non, répondit Jake avec force. Je veux que maman ait ce boulot.

— Pourquoi donc ? s'enquit Samantha.

— Parce qu'alors je n'arriverai plus en retard à l'école tous les matins.

— La vérité sort toujours de la bouche des enfants, dit Harry, incapable de réprimer un sourire.

Samantha s'empourpra tandis que le reste de la famille s'esclaffait.

— Eh bien, dit-elle, j'ai intérêt à prendre deux résolutions, cette année, finit-elle par déclarer. Une pour moi et l'autre pour Jake.

— Puisque Giles semble ne pas vouloir participer cette année, dit Emma, quelle est la tienne, Karin ? As-tu l'intention de courir un nouveau marathon ?

— Plus jamais. Mais je fais à présent partie de l'association caritative Marsden et j'espère que la famille m'aidera à financer une mission. Entre parenthèses, cela ne concerne pas Sebastian.

— Est-ce que cela signifie qu'on m'accorde un répit cette année ?

— Non. J'ai persuadé Victor que la banque devait financer sa propre mission, la mission Farthings Kaufman.

— Ça va me coûter combien ?

— Cela coûtera vingt-cinq mille livres à la banque. Mais je compte sur toi pour que tu finances ta propre mission.

Sebastian s'apprêtait à protester lorsque Grace intervint.

425

— Et Giles et moi aimerions aussi financer notre propre mission, la mission Barrington.

Giles sourit à sa sœur en inclinant le buste.

— Tout comme Emma et moi, dit Harry, annonce qui déclencha les applaudissements du reste de la famille.

— Je n'ose pas penser à la résolution que tu prendras l'année prochaine, dit Sebastian.

— Je n'en ai pas encore terminé avec celles de cette année, déclara Karin.

— Sebastian, Jessica, Richard, Lucy et moi serons enchantés de nous joindre à vous, dit Samantha, et de financer notre propre mission.

Levant les yeux au ciel, Sebastian déclara :

— Joshua Barrington, tu as beaucoup à te faire pardonner !

— Bravo, Karin ! fit Emma en inscrivant les divers éléments dans son carnet rouge. Suis cet exemple, Jessica, ajouta-t-elle en souriant à sa petite-fille.

— J'espère être présélectionnée pour le prix Turner.

— Je ne vois pas pourquoi, dit Grace. Turner n'aurait jamais obtenu le prix Turner.

— Ce serait une belle réussite, ma jeune dame, intervint Harry.

— Et si c'est le cas, renchérit Richard, elle serait la plus jeune peintre à être présélectionnée.

— Ce serait un beau succès, en effet, reconnut Grace. Sur quoi travailles-tu en ce moment ?

— Je viens de commencer une série appelée *L'Arbre de vie*.

— Ah, j'aime les arbres, dit Emma. Et tu as toujours été une très bonne paysagiste.

— Ce ne sera pas ce genre d'arbre, grand-maman.

— Je ne comprends pas. Un arbre est un arbre.

— Sauf s'il s'agit d'un symbole, suggéra Harry en souriant à sa petite-fille.

— Et, toi, quelle est ta résolution, papy ? Ton livre va-t-il gagner le Booker Prize ?

— Pas la moindre chance, intervint Grace. Le prix ne sera jamais accordé à un conteur, hélas ! Mais je peux vous dire, étant la seule personne ici à l'avoir lu, que le dernier roman de Harry est son livre le plus accompli jusque-là. Il a plus que

426

comblé les espoirs de sa mère et il peut s'accorder un congé d'un an.

Harry fut pris au dépourvu. Il avait eu l'intention d'annoncer à la famille qu'il allait subir une importante opération au mois de janvier, mais qu'il n'y avait aucun souci à se faire parce qu'il ne serait hors service que durant quelques semaines.

— Et toi, Emma ? s'enquit Giles. Projettes-tu d'être Première ministre à cette date, l'année prochaine ?

— Je ne le crois pas, répondit Emma. Mais j'ai bien l'intention d'être encore plus une infidèle l'année prochaine que l'année dernière, ajouta-t-elle en reposant son verre et en versant quelques gouttes de vin sur la table.

— Qu'est-ce que c'est un « infidèle » ? demanda Jake.

— Quelqu'un qui vote conservateur, expliqua Giles.

— Alors je veux être infidèle. Mais seulement si Freddie est lu aussi un infidèle.

— Bien sûr que je le suis, dit Freddie.
"I often think it's comical
How Nature always does contrive
That every boy and every gal
That's born into the world alive
Is either a little Liberal
Or else a little Conservative[1] !"

— Paroles ? demanda Grace.

— W. S. Gilbert.

— Quel opéra-comique ?

— *Iolanthe*, répondit Freddie. Et comme je suis déjà un infidèle, j'ai décidé de prendre une nouvelle résolution cette année.

— Mais tu n'as pas encore marqué une centaine à Lord's, lui rappela Giles.

— J'en ai toujours l'intention, mais l'année prochaine à cette date, j'aurai changé de nom.

L'annonce inattendue de Freddie les laissa tous sans voix, même Jake.

---

1. « Je pense souvent que c'est marrant.../Que la nature toujours s'arrange.../Pour que toutes les filles et tous les gars.../Qui viennent au monde.../Soient ou des petits travaillistes.../Ou des petits conservateurs ! »

— Mais Freddie m'a toujours beaucoup plu, finit par dire Emma. Je trouve que ça te va parfaitement.

— Freddie n'est pas le nom que je veux changer. À partir du 1ᵉʳ janvier, j'aimerais qu'on m'appelle Freddie Barrington.

La salve d'applaudissements qui suivit lui indiqua clairement que la famille approuvait sa résolution du nouvel an.

— Il s'agit d'une procédure assez simple, expliqua Grace, qui avait toujours le sens pratique. Il suffit de signer un contrat unilatéral et Fenwick appartiendra au passé.

— J'ai dû signer un nombre bien plus grand de documents pour que ça se fasse, dit Giles en serrant la main de son fils.

Le téléphone sonna et Markham apparut quelques instants plus tard.

— Lord Waddington, au téléphone, annonça-t-il.

— Le prince des infidèles, dit Giles. Prends donc la communication dans mon bureau, Emma.

— Ce doit être une affaire sérieuse pour qu'il appelle la veille du jour de l'an, dit Emma.

— Ce n'est pas vous qu'il appelle, milady, dit Markham. Il a demandé à parler à lord Barrington.

— Vous en êtes sûr, Markham ?

— Sûr et certain, milady.

— Alors, tu as intérêt à voir ce qu'il veut, dit Emma à Giles.

Si Jessica et Freddie avaient laissé les autres sans voix, un coup de téléphone du président des lords fit immédiatement parler tous les membres de la famille. Ils ne se turent que lorsque la porte se rouvrit et que leur hôte reparut. Ils fixèrent tous sur lui un regard interrogateur.

— Eh bien, cela a déterminé ma résolution du nouvel an, déclara seulement Giles.

— Il faudra bien que tu le leur dises, tôt ou tard, dit Emma, tandis qu'elle et Harry regagnaient à pied le manoir, le lendemain, en tout début de matinée.

— J'en avais l'intention, hier après-midi, mais Grace m'a un peu volé la vedette, sans parler de Freddie et de Giles.

— Giles n'a pu cacher à quel point la décision de Freddie l'avait enchanté.

— Est-ce qu'il t'a dit pourquoi lord Waddington voulait lui parler ?

— Pas un mot.

— Tu ne penses pas qu'il va changer de côté à la Chambre pour se joindre aux infidèles ?

— Jamais. Ce n'est pas du tout son genre. Mais maintenant que tu as remis le livre, as-tu autre chose à régler avant d'entrer à l'hôpital ?

— J'aimerais pouvoir faire ça.

— Faire quoi ?

— Changer de sujet sans avoir à utiliser une phrase de transition. Ça serait impossible dans un livre. Dans la vie réelle, lorsque deux personnes ont une conversation, elles passent du coq à l'âne sans y prêter attention, parfois même au milieu d'une phrase. Scott Fitzgerald a écrit une nouvelle qui rapporte une conversation tirée de la vie réelle et c'est illisible.

— Très intéressant... Et maintenant, réponds à la question.

— Non. Maintenant que la préparatrice et la correctrice ont fait tout leur possible, je ne peux guère faire grand-chose de plus avant la publication du livre.

— Où la redoutable Mlle Warburton t'a-t-elle pris en faute cette fois-ci ?

— J'ai fait lire par un policier de New York les droits Miranda[1] à un prévenu, trois ans avant qu'ils soient instaurés.

— Oh, là, là ! Autre chose ?

— Des deux-points qui auraient dû être des points-virgules, et il semble que j'utilise trop souvent l'expression « nul doute ». Voilà quelque chose d'autre que tout le monde fait dans la vie normale, mais on ne nous le pardonne pas dans un roman.

— Vas-tu faire des tournées pour la promotion cette fois-ci ?

— Probablement. La plupart des lecteurs vont croire qu'il s'agit d'un nouveau roman de la série *William Warwick* et je vais devoir les détromper. De toute façon, Aaron est déjà en train d'organiser une tournée aux États-Unis pour moi, et mon éditeur londonien me pousse à aller au Salon du Livre de Bombay.

---

1. Les *Miranda rights*, instaurés en 1966, sont lus à un prévenu lors de son arrestation. Ils lui indiquent qu'il a le droit de garder le silence et de bénéficier des services d'un avocat.

— Tu pourras caser tout ça ? Ça m'a l'air assez contraignant.

— Plutôt facilement, en fait. J'entre à l'hôpital St Thomas dans deux semaines et je devrais être complètement remis au moment de la publication du livre.

— À ta sortie de l'hôpital, je ne pense pas que tu devrais revenir ici. Reste à Londres où Karin, Giles et moi pourrons te dorloter. J'ai d'ailleurs déjà prévenu mon ministère que je serai absente pour deux semaines au moins.

— À mon avis, Giles risque d'être absent plus longtemps.

— Pourquoi dis-tu ça ?

— La rumeur court que notre ambassadeur à Washington prend sa retraite au printemps.

50

Le bureau était plus petit qu'il l'avait imaginé, mais les magnifiques boiseries et les beaux portraits à l'huile de ses prédécesseurs lui firent comprendre l'indubitable importance historique de son nouveau rôle.

Le capitaine de frégate Rufus Orme, son secrétaire particulier, lui avait clairement expliqué les tâches qui lui incombaient. À l'instar du monarque, s'il ne jouissait peut-être pas d'un véritable pouvoir dans ce nouveau poste, il possédait énormément d'influence. D'ailleurs, durant les cérémonies officielles, il marchait derrière la reine, tandis que l'archevêque de Canterbury et le Premier ministre suivaient à un pas derrière lui.

Il était aidé par une petite équipe très expérimentée qui s'occupait de tout ce dont il avait besoin. Il se demanda cependant combien de temps il lui faudrait pour s'habituer à ce qu'on l'aide à se vêtir. Croft, son valet, apparaîtrait chaque jour, à la même heure, pour accomplir un rituel qui devait être réglé à la seconde près.

Il commença à ôter ses habits, ne gardant que son maillot de corps et son caleçon. Il se sentait tout à fait ridicule. Croft l'aida à enfiler une chemise blanche fraîchement repassée. Un col blanc empesé était attaché par un bouton à l'arrière de la chemise, puis venait un jabot de dentelle plissée à l'endroit où l'on portait normalement une cravate. Nul besoin de se regarder dans la glace : Croft était son miroir. Ensuite, le valet alla prendre une robe en soie noire brodée d'or drapée sur un mannequin dans un coin de la pièce. Il la souleva avec précaution et tendit la robe de sorte que le nouveau porteur puisse glisser ses bras dans les longues manches passementées et dorées. Croft recula d'un pas, vérifia la tenue de son maître, puis s'agenouilla pour l'aider à chausser une paire de souliers reluisants à boucles de cuivre. Il se remit sur pied, prit une perruque carrée sur la tête en bois du mannequin et en coiffa le lord chancelier. Le valet recula à nouveau d'un pas, opéra un léger ajustement, un rien à gauche.

La dernière tâche de Croft consistait à faire passer la lourde chaîne, symbole de la fonction, datant de 1643, par-dessus la tête de Giles, sans la lâcher, jusqu'à ce qu'elle repose commodément sur les épaules. À ce moment-là, Giles se rappela avoir appris à l'école que trois de ses prédécesseurs avaient été exécutés à la Tour de Londres.

Une fois habillé, il put enfin se regarder dans le miroir en pied. S'il avait l'air ridicule, il dut avouer, ne serait-ce qu'à lui-même, qu'il était ravi. Le valet inclina le buste. Son travail terminé, il repartit sans faire le moindre commentaire.

Après le départ de Croft, le capitaine de frégate Orme entra dans la pièce. Orme n'aurait jamais envisagé d'entrer avant que le lord chancelier ait revêtu sa tenue d'apparat.

— J'ai lu l'ordre du jour, Orme, dit-il. Un point devrait-il me préoccuper ?

— Non, milord. Aujourd'hui, la vice-ministre de la Santé répondra aux questions. Il se peut qu'il y ait des échanges musclés à propos du sida mais rien qui doive vous préoccuper.

— Merci.

Giles consulta sa montre, conscient qu'à moins sept il quitterait son bureau dans la tour nord et s'acheminerait vers la Chambre du prince.

La porte se rouvrit, cette fois-ci pour laisser entrer un jeune page, qui fit un profond salut avant de passer vivement derrière Giles pour saisir le bord de sa robe à traîne.

— Trente secondes, milord, dit Orme, quelques instants avant que la porte s'ouvre à nouveau pour laisser sortir le lord chancelier afin qu'il entame le trajet de sept minutes à travers le palais de Westminster jusqu'à la Chambre des lords.

Il mit le pied sur le tapis rouge puis marcha lentement le long du vaste couloir. Des membres de la Chambre, des appariteurs et des huissiers se tenaient d'un côté et inclinaient le buste lorsqu'il passait devant eux, saluant non pas Giles mais le monarque qu'il représentait. Il avançait d'un pas régulier, s'étant exercé la veille, à un moment où la Chambre ne siégeait pas. Le capitaine de frégate Orme avait souligné qu'il ne devait marcher ni trop vite ni trop lentement pour arriver à la Chambre du prince quelques instants seulement avant que Big Ben sonne deux coups.

Tandis qu'il longeait le couloir nord, on pouvait lui pardonner de se demander combien de ses collègues seraient dans la Chambre pour l'accueillir lorsqu'il s'assiérait pour la première fois sur le *Woolsack*. Ce ne serait qu'à ce moment-là qu'il découvrirait comment sa nomination surprise avait été reçue par les autres pairs.

Un jour normal, il n'y aurait eu qu'une poignée de membres présents. Ils se lèveraient quand le lord chancelier entrerait dans la Chambre, inclineraient légèrement le buste et demeureraient debout pendant que son vieil ami, l'évêque de Bristol, conduirait les prières du jour.

Tandis qu'il continuait à mettre un pied devant l'autre, Giles était de plus en plus nerveux. Les battements de son cœur s'accélérèrent encore lorsqu'il monta sur le tapis bleu et or de la Chambre du prince, quatre-vingt-dix secondes à l'avance. Tournant à droite, il suivit le long couloir recouvert d'un tapis rouge jusqu'à la Chambre, avant d'y faire enfin son entrée. Au moment où il atteignit le vestibule de la Chambre, le public se tenait debout en silence, et il entendit résonner dans tout le bâtiment le premier coup de Big Ben.

Au deuxième coup, deux appariteurs en habit ouvrirent les grandes portes pour permettre au nouveau lord chancelier d'entrer dans la Chambre haute. Il essaya de ne pas sourire de plaisir quand il découvrit ce qu'un producteur de théâtre aurait appelé une salle comble. En fait, plusieurs de ses collègues avaient dû rester debout dans les allées, tandis que d'autres étaient assis sur les marches du trône.

Leurs Seigneuries se levèrent toutes en même temps lorsqu'il entra dans la Chambre, l'accueillant en criant à tue-tête « Vivat, vivat ! », tout en agitant, selon la tradition, l'ordre du jour. Giles dit plus tard à Freddie que l'accueil de ses collègues avait été le plus beau moment de sa vie.

— Plus beau que lorsque vous avez fui les Allemands ?

— Tout aussi terrifiant, reconnut Giles.

Tandis que l'évêque de Bristol conduisait les prières, Giles jeta un coup d'œil à la galerie des distingués visiteurs, où il vit sa femme, son fils et son plus vieil ami qui le regardaient. Ils ne pouvaient cacher leur fierté.

Après que l'évêque eut finalement béni son auditoire dans la salle archipleine, Leurs Seigneuries attendirent pour se rasseoir que le lord chancelier eût pris place pour la première fois sur le *Woolsack*, se fût installé et eût soigneusement disposé autour de lui les pans de sa robe. Il ne put résister à la tentation de faire une courte pause avant d'adresser un signe de tête à la très honorable baronne Clifton pour lui indiquer qu'elle pouvait se lever pour répondre à la première question inscrite à l'ordre du jour.

Emma se leva pour s'adresser à la Chambre.

— Monseigneur le lord chancelier, commença-t-elle, je sais que toute la Chambre désirera se joindre à moi pour vous féliciter de votre nomination et vous souhaiter une longue et heureuse présidence de cette Chambre.

Les acclamations montèrent de toutes parts et Giles salua sa sœur en inclinant le buste.

Question numéro 1.

Emma se tourna vers les bancs des non-inscrits.

— Je peux assurer le noble pair, lord Preston, que le gouvernement prend très au sérieux la menace que pose le sida. Mon ministère a prévu une enveloppe de cent millions de livres pour la recherche concernant cette terrible maladie. Nous partageons nos découvertes avec d'éminents chercheurs et de grands médecins du monde entier, dans l'espoir de trouver un médicament le plus vite possible. Je dois d'ailleurs ajouter que je me rends à Washington la semaine prochaine pour rencontrer le ministre de la Santé américain et je peux assurer à la Chambre que le sujet du sida figurera parmi nos toutes premières priorités.

Un homme d'un certain âge, assis au dernier rang des non-inscrits, se leva pour demander une précision.

— Je remercie la ministre de sa réponse, mais j'aimerais savoir comment nos hôpitaux font face au soudain accroissement du nombre de patients ?

Appuyé au dossier de son siège, Giles écouta avec intérêt les réponses de sa sœur aux diverses questions qui lui étaient lancées, se rappelant l'époque où il était assis sur le banc du gouvernement. Même si elle hésitait parfois, elle n'avait plus besoin de consulter constamment le dossier préparé par ses services. Il était tout aussi impressionné par le fait qu'elle maintenait parfaitement l'attention de la Chambre, ce à quoi certains ministres ne parvenaient jamais.

Durant les quarante minutes suivantes, Emma répondit aux questions sur divers sujets, allant du financement de la recherche sur le cancer aux agressions contre le personnel des urgences à l'issue des matchs de football, en passant par le temps que mettaient les ambulances à arriver sur les lieux après les appels téléphoniques.

Existait-il un élément de vérité, se demandait Giles, dans les suppositions chuchotées dans les couloirs ? Si les conservateurs gagnaient les prochaines élections, se pourrait-il que Margaret Thatcher nomme Emma chef du Parti conservateur à la Chambre des lords ? Si c'était vrai, il pensait que cela n'étonnerait aucun de ses collègues de la Chambre haute. Toutefois, une autre rumeur circulait depuis peu dans les coulisses du pouvoir : un député sans fonction ministérielle se préparerait à affronter Mme Thatcher pour occuper la direction du parti. Giles considérait cette supposition comme une pure spéculation car, bien que les méthodes de la Première ministre fussent jugées draconiennes, voire dictatoriales, par certains membres de son parti, Giles ne pouvait imaginer que les tories oseraient seulement envisager de se débarrasser d'une Première ministre qui n'avait jamais perdu une élection.

— Je peux seulement assurer au noble lord, dit Emma quand elle se leva pour répondre à la dernière question inscrite à l'ordre du jour, que mes services continueront à autoriser la vente des médicaments génériques mais seulement une fois qu'ils auront subi les tests les plus rigoureux. Nous poursuivons toujours le même but : faire en sorte que les patients n'aient pas à payer des sommes exorbitantes à l'industrie pharmaceutique qui semble souvent faire passer ses profits avant eux.

Elle se rassit sous les cris de « Vivat, vivat ! » et lorsque le secrétaire d'État aux Affaires étrangères prit sa place afin d'ouvrir un débat sur les Malouines, elle ramassa ses documents et sortit en hâte de la Chambre, afin de ne pas être en retard à son rendez-vous suivant, avec Ian McKellen, le militant gay qui, comme elle le savait, avait des idées bien arrêtées sur la façon dont le gouvernement devait s'occuper de la crise du sida. Il lui tardait de lui dire à quel point elle avait aimé sa récente prestation en tant que Richard III au Théâtre national.

Au moment où elle quittait la Chambre, elle trébucha et laissa tomber quelques documents, qu'un chef de parti qui passait par là ramassa pour elle. Elle le remercia et s'apprêtait à repartir à grands pas lorsqu'elle entendit quelqu'un l'appeler derrière son dos.

— Madame la ministre, puis-je vous dire deux mots ?

Se retournant, elle vit lord Samuels, président du Collège royal de médecine, qui la suivait en courant. Si elle avait fait une gaffe pendant la séance des questions, ce n'était pas le genre d'homme qui aurait risqué de la mettre mal à l'aise à la Chambre. Ce n'était pas son style.

— Bien sûr, lord Samuels. J'espère ne pas avoir commis une horrible gaffe cet après-midi ?

— Sûrement pas, répondit-il avec un chaleureux sourire. C'est seulement que j'aimerais discuter avec vous d'un certain sujet. Pourriez-vous m'accorder quelques instants ?

— Bien sûr, dit à nouveau Emma. Je vais demander à ma secrétaire particulière d'appeler votre bureau pour organiser un rendez-vous.

— Je crains que l'affaire soit assez urgente, madame la ministre.

— Alors peut-être pourriez-vous venir me voir, demain matin, à 8 heures, dans mon bureau ?

— Je préférerais vous voir en privé, loin des yeux indiscrets des fonctionnaires.

— Alors c'est moi qui irai vous voir. Dites-moi seulement où et quand.

— Demain matin, à 8 heures, dans mon cabinet au 47A, Harley Street.

Emma était tout à fait au courant de l'antagonisme existant entre le président du Collège royal de médecine et celui du Collège royal de chirurgie. Antagonisme fâcheux et, selon certains, personnel, à propos de la fusion des hôpitaux Guy, St Thomas et King afin de constituer un seul hôpital public. Les médecins étaient pour et les chirurgiens, contre. Les deux déclaraient : « Il faudra me passer sur le corps ! »

Emma s'était bien gardée de prendre parti et elle pria ses services de lui préparer un dossier qu'elle pourrait étudier avant le lendemain matin en vue de son rendez-vous avec lord Samuels. Cependant, les rendez-vous s'enchaînant, certains débordant sur le suivant, elle n'eut pas le temps de lire le dossier avant de se mettre au lit, un peu après minuit. Elle était si fatiguée qu'elle eut du mal à se concentrer sur les détails et elle sombra bientôt dans un profond sommeil.

Le lendemain matin, elle rouvrit le dossier Thomas-Guy-King, avant même de s'être préparé une tasse de thé.

Il se trouvait toujours en haut d'une pile d'une douzaine d'autres dossiers urgents, y compris un rapport confidentiel sur l'analyse d'ADN rédigé par deux éminents scientifiques américains. Elle connaissait déjà les résultats de leurs premières découvertes et à présent elle pouvait enfin partager la bonne nouvelle avec Harry.

Elle se leva d'un bond, saisit le téléphone sur le buffet et composa le numéro de Harry au manoir.

— La nouvelle a intérêt à être bonne, dit-il, parce qu'Alexander est sur le point de décider s'il va sauter dans le coucou en partance pour les États-Unis ou dans celui en partance pour l'Angleterre.

— Elle est bonne, mieux que bonne. Le rapport sur l'ADN montre qu'Arthur Clifton est indubitablement ton père.

Il y eut un long silence, puis Harry s'écria :

— Alléluia ! Voilà, en effet, de bonnes nouvelles. Je vais mettre une bouteille de champagne au frais et on pourra fêter la nouvelle à ton retour.

— Pour les États-Unis, dit Emma, avant de reposer l'appareil.

Après avoir répondu à plusieurs coups de téléphone pendant le petit-déjeuner, elle n'avait toujours pas eu le temps d'étudier les arguments pour ou contre la proposition de lord Samuels avant que le chauffeur s'arrête devant sa porte à 7 h 25. Ça allait être une autre journée de rendez-vous à la chaîne.

Elle lut les propositions détaillées des deux présidents pendant la traversée de Londres, mais elle n'avait toujours pas choisi son camp au moment où sa voiture s'engagea dans Harley Street. Elle replaça la chemise dans le maroquin rouge[1] et consulta sa montre : 7 h 57. Elle espérait que la discussion ne durerait pas trop longtemps, car elle devait être de retour au ministère pour recevoir le nouveau président de la BMA[2], un exalté, qui, avait-elle été prévenue par sa secrétaire générale, considérait que tous les tories devraient être noyés à la naissance, ce que Pauline décrivait comme la solution du roi Hérode.

Au moment où elle s'apprêtait à appuyer sur la sonnette du numéro 47A, la porte fut ouverte par une jeune femme.

— Bonjour, madame la ministre. Permettez-moi de vous conduire au cabinet de lord Samuels.

Le président du Collège royal de médecine se leva lorsque la ministre entra dans la pièce. Il attendit qu'elle fût assise avant de lui proposer du café.

— Non, merci, dit Emma, qui voulait perdre le moins de temps possible, tout en s'efforçant de ne pas donner l'impression qu'elle était pressée.

— Comme je vous l'ai expliqué hier, madame la ministre, le sujet que je souhaite aborder est d'ordre personnel. C'est la raison pour laquelle je ne souhaitais pas vous voir dans votre bureau.

— Je comprends parfaitement, déclara Emma, qui attendait d'entendre ses arguments en faveur de la fusion de Guy et de St Thomas avec King.

— Hier, pendant la séance des questions...

Ah, se dit Emma, j'ai donc dû, finalement, faire une grossière erreur, qu'il a eu la gentillesse de ne pas relever à la Chambre.

— ... j'ai remarqué que lorsque vous vous arrêtiez pour boire, vous faisiez tomber quelques gouttes d'eau sur vos feuillets. Vous avez ensuite répondu à la question sans consulter vos

1. Serviette en cuir rouge sur laquelle sont estampés les armoiries royales et le nom du ministère et dans laquelle les ministres transportent les documents officiels. De manière similaire, on parle en français d'un « portefeuille » ou d'un « maroquin ».
2. British Medical Association, l'ordre britannique des médecins.

notes, si bien que personne ne s'en est aperçu, alors que ce n'était pas la première fois que cela arrivait.

Où veut-il en venir ? se demanda-t-elle. Mais elle ne l'interrompit pas.

— Et quand vous avez quitté la Chambre, vous avez trébuché et fait tomber vos documents.

— En effet, répondit Emma, mille pensées lui passant par la tête à présent. Mais aucun de ces deux incidents ne m'a alors paru important.

— J'espère que vous avez raison, dit Samuels. Mais puis-je vous demander si vous avez récemment eu du mal à saisir des objets comme une tasse, votre porte-documents, et même votre stylo au moment de signer des lettres ?

Elle hésita puis répondit :

— Oui, maintenant que vous en parlez... Mais ma mère me traitait toujours de maladroite.

— Hier, j'ai aussi remarqué que vous avez hésité deux ou trois fois pendant que vous vous adressiez à la Chambre. Était-ce parce que vous réfléchissiez à votre réponse ou parce que vous éprouviez certaines difficultés d'élocution.

— J'ai attribué cela à la nervosité. Mon frère passe son temps à me rappeler de ne jamais baisser la garde lorsque je suis à la tribune.

— Vos jambes vous paraissent-elles parfois si faibles que vous êtes obligée de vous asseoir ?

— Oui, mais j'ai près de soixante-dix ans, lord Samuels, et je suis la première à reconnaître que je devrais faire davantage d'exercice.

— C'est possible... Mais m'autoriseriez-vous à vous faire un bref examen neurologique, ne serait-ce que pour dissiper mes inquiétudes.

— Bien sûr, répondit Emma, quoiqu'elle eût envie de refuser et de retourner à son bureau.

Le bref examen dura plus d'une heure. Lord Samuels commença par lui demander de lui faire part de ses antécédents médicaux. Puis il ausculta son cœur et vérifia ses réflexes grâce à un petit coup de marteau à percussion sur la rotule. S'il avait été satisfait, il se serait excusé de l'avoir inquiétée et il l'aurait renvoyée au travail. Mais ce ne fut pas le cas. Au contraire, il poursuivit son auscultation en testant les nerfs crâniens. Ensuite, il étudia soigneusement sa bouche, cherchant une éventuelle fasciculation de la langue. Pas du tout satisfait, il dit :

— L'examen que je vais vous faire subir risque d'être douloureux. En fait, j'espère qu'il le sera.

Emma ne fit aucune remarque lorsqu'il saisit une aiguille et la lui planta dans le haut du bras. Le cri de douleur qu'elle poussa alors fit clairement plaisir au médecin. Mais lorsqu'il refit l'expérience dans la main droite, elle ne réagit pas.

— Aïe ! fit-elle quand il la piqua dans la cuisse.

Cependant, lorsqu'il la piqua dans le bas du mollet, elle aurait pu aussi bien être une pelote à épingles, car elle ne sentit rien. Il passa au dos, mais plusieurs points étaient insensibles.

Elle remit son chemisier tandis que lord Samuels retournait à sa table de travail, il ouvrit un dossier et attendit qu'elle le rejoigne. Quand il releva les yeux, elle était assise face à lui, l'air inquiète.

— Emma, lui dit-il avec douceur, je crains de ne pas avoir de bonnes nouvelles à vous annoncer.

51

Lorsqu'un ministre démissionne à la suite d'un scandale, la presse trempe sa plume dans le sang et s'en donne à cœur joie. Mais s'il doit renoncer à sa charge à cause d'une maladie, elle adopte un tout autre comportement, surtout si le ministre en question est à la fois aimé et respecté.

Les lettres habituelles entre un Premier ministre et un collègue qui a dû subitement démissionner furent échangées, mais cette fois-ci, les sincères regrets ressentis par les deux parties n'auraient pu échapper à personne.

> *Cela a été le travail le plus passionnant que j'aie jamais eu et un grand privilège de servir dans votre gouvernement.*

À quoi la Première ministre répondit :

> *Votre exceptionnelle contribution à l'administration publique et les services que vous avez rendus à votre pays sans ménager votre peine ne seront pas oubliés.*

Ni la Première ministre ni la vice-ministre démissionnaire ne mentionnèrent la raison du brusque départ d'Emma.

Le premier médecin du pays n'avait jamais vu un patient recevoir une pareille nouvelle avec autant de dignité et de maîtrise de soi. Le seul signe de fragilité humaine ne s'était manifesté que lorsqu'il l'avait raccompagnée à la voiture et qu'elle s'était, l'espace d'un instant, appuyée sur son bras. Elle ne lui demanda qu'une chose, qu'il accepta sur-le-champ.

Lord Samuels demeura sur le trottoir jusqu'à ce que la voiture du ministre soit sortie de son champ de vision. Il regagna alors son cabinet et, comme elle le lui avait demandé, il téléphona à trois personnes qu'il ne connaissait pourtant pas : le lord chancelier, la Première ministre et sir Harry Clifton.

Le premier fondit en larmes et fut tout à fait incapable de répondre, tandis que la deuxième annula immédiatement ses rendez-vous en expliquant à ses collaborateurs qu'elle souhaitait aller rendre visite à une amie. Ces deux personnes, en déduisit lord Samuels, étaient faits du même bois que la grande dame qui venait de quitter son cabinet. Mais l'appel qu'il redoutait le plus fut celui qu'il avait repoussé en dernier.

Aussi délicatement que possible, lord Samuels apprit à Harry que sa femme souffrait de sclérose latérale amyotrophique et que son espérance de vie était d'un an, dix-huit mois, tout au plus. Le doux homme de lettres se trouva à court de mots pour exprimer ses sentiments.

— Merci, lord Samuels, de m'avoir prévenu, finit-il par dire après un long silence, avant de raccrocher.

Il mit un certain temps à reprendre suffisamment ses esprits pour accepter qu'il fallait que l'un des deux reste fort.

Il abandonna *Face, tu gagnes* au milieu d'une phrase et se rendit à la gare en voiture. Il arriva à Smith Square bien avant le retour d'Emma.

Lorsque, après avoir quitté le ministère pour la dernière fois, elle fut reconduite chez elle en voiture, elle trouva Harry qui l'attendait sur le seuil. Ni l'un ni l'autre ne dirent le moindre mot quand il la prit dans ses bras. Il n'est guère nécessaire de parler quand on vit ensemble depuis plus de cinquante ans.

Entre-temps, il avait appelé tous les membres de la famille pour leur apprendre l'atroce nouvelle avant qu'ils la lisent dans les journaux. Il avait également écrit une demi-douzaine de lettres dans lesquelles il expliquait que pour des raisons personnelles il annulait tous ses rendez-vous, mondains ou professionnels, et qu'il n'en prendrait pas de nouveaux.

Le lendemain matin, il emmena Emma en voiture à leur maison du Somerset afin de commencer une nouvelle vie. Il installa un lit dans le salon pour qu'elle n'ait pas à monter l'escalier et enleva tout ce qu'il y avait sur son bureau dans la bibliothèque afin qu'elle réponde aux sacs de lettres qui arrivaient à chaque distribution du courrier. Harry ouvrait chacune d'entre elles et les rangeait en diverses piles : famille, amis, collègues, le personnel de la Sécurité sociale, constituant une pile spéciale pour celles des jeunes femmes des quatre coins du pays, dont Emma ne connaissait pas l'existence jusque-là, et qui, non seulement voulaient la remercier, mais utilisaient constamment le terme de « modèle ».

Il y avait une pile de lettres particulièrement haute qui mettait du baume au cœur d'Emma chaque fois qu'elle en lisait une. Celles émanant de ses collègues qui, bien que ne partageant pas ses idées politiques, souhaitaient exprimer leur admiration et leur respect pour la façon dont elle avait toujours écouté leurs points de vue et avait, à l'occasion, accepté de changer d'avis.

Quoique son courrier ne diminuât pas pendant plusieurs semaines, Emma répondit à toutes les personnes qui avaient pris la peine de lui écrire, ne s'arrêtant que lorsqu'elle n'avait plus la force de tenir la plume. Ensuite, elle dictait ses réponses à Harry qui ajouta celle de scribe à toutes ses autres tâches. Elle insistait, malgré tout, pour lire chaque réponse avant de la signer. Quand, au fil du temps, même signer lui devint impossible, Harry le fit de sa part.

Le Dr Richards passait la voir deux fois par semaine et indiquait à Harry ce à quoi il devait s'attendre par la suite, bien que le vieux généraliste reconnût qu'il se sentait totalement démuni, ne pouvant faire guère plus que montrer sa compassion et rédiger d'innombrables ordonnances pour des comprimés qui, espérait-il, soulageraient les douleurs d'Emma.

Durant les premières semaines, elle put faire une agréable promenade matinale dans le parc en compagnie de Harry, mais elle dut bientôt s'appuyer sur son bras, puis sur une canne, avant de se résigner à utiliser un fauteuil roulant que Harry avait acheté à son insu.

Pendant ces premiers mois, c'était surtout elle qui parlait, ne manquant jamais d'exprimer avec force son point de vue sur les événements du monde, même si elle ne les connaissait à présent que de seconde main par la presse du matin et, le soir, par les journaux télévisés. Elle fut ravie de voir le président Bush et Mme Thatcher signer un traité avec le président Gorbatchev à Paris et mettre ainsi un terme à la guerre froide. Mais, quelques jours plus tard seulement, elle fut horrifiée d'apprendre qu'à Londres certains de ses anciens collègues parlementaires conspiraient pour démettre la Première ministre. Était-il nécessaire qu'elle leur rappelle que la Dame de fer avait gagné trois élections d'affilée ?

Emma retrouva assez de force pour écrire une longue lettre à Margaret dans laquelle elle exprimait clairement son point de vue. Elle fut étonnée de recevoir une lettre encore plus longue par retour du courrier. Emma regrettait de ne plus être au palais de Westminster dont elle aurait pu arpenter les couloirs pour dire franchement à ses collègues ce qu'elle pensait d'eux.

Alors qu'elle restait vive d'esprit, son corps continuait à dépérir et, de semaine en semaine, son élocution devenait de plus en plus embarrassée. Toutefois, elle ne manquait jamais d'exprimer sa joie chaque fois qu'arrivait un membre de la famille. Ils se relayaient à tour de rôle pour lui faire faire des promenades dans son fauteuil roulant le long des allées du parc.

La petite Lucy n'arrêtait pas de bavarder pour raconter à son arrière-grand-mère ce qu'elle faisait. C'était la seule qui ne comprenait pas vraiment la situation, ce qui rendait leurs rapports tout à fait particuliers.

Jake portait maintenant des pantalons longs et jouait les grands garçons, tandis que Freddie, étudiant de première année à Cambridge, se montrait calme et prévenant et discutait avec Emma des affaires du jour comme si elle occupait toujours un poste élevé. Elle aurait voulu vivre assez longtemps pour le voir siéger aux Communes, mais elle savait que c'était impossible.

Tandis qu'elle poussait le fauteuil roulant dans le parc, Jessica annonça à sa grand-mère que l'exposition sur *L'Arbre de vie* allait bientôt ouvrir et qu'elle espérait toujours être présélectionnée pour le prix Turner, même si, ajouta-t-elle, rien n'était moins sûr !

Sebastian et Samantha venaient dans le Somerset en voiture tous les week-ends. Sebastian s'efforçait vaillamment de rester enjoué chaque fois qu'il se trouvait en présence de sa mère, mais il avoua à son oncle Giles qu'il se faisait à présent tout autant de souci pour son père que pour sa mère. « Harry se tue à la tâche », écrivit Giles à sa sœur Grace, ce soir-là.

Giles et Karin passaient quant à eux le plus de temps possible au manoir et téléphonaient régulièrement à Grace qui était écartelée entre son travail avec ses élèves et son devoir auprès de sa sœur. Dès le premier jour des vacances d'été, elle prit le train pour Bristol. Giles vint la chercher à la gare Temple Meads et lui indiqua à quel point l'état de santé de leur sœur s'était détérioré depuis la dernière fois où elle l'avait vue. Si Grace était tout à fait préparée en ce qui concernait la condition physique d'Emma, elle eut un choc en voyant Harry qui était devenu un vieil homme.

Elle se mit en devoir de s'occuper des deux, mais lorsque Giles revint, la fois suivante, elle l'avertit qu'elle ne pensait pas qu'Emma assisterait à la tombée des feuilles à l'automne.

La publication de *Face, tu gagnes* n'affecta en rien la vie quotidienne des Clifton. Harry ne se rendit pas aux États-Unis pour effectuer sa tournée promotionnelle et il n'alla pas non plus en Inde pour prononcer une allocution au Salon du Livre de Bombay.

Pendant cette période, il n'alla à Londres qu'une fois, non pas pour rendre visite à son éditeur ni pour prendre la parole au déjeuner littéraire de la librairie Foyles, mais pour dire à Roger Kirby qu'il ne se ferait pas opérer de son cancer de la prostate parce qu'il ne pouvait se permettre d'être alité, même pendant une brève période.

Le chirurgien comprit la situation mais il le prévint :

— Si le cancer gagne les intestins ou le foie, votre vie sera menacée. Dites-moi, Harry, avez-vous récemment ressenti de fortes douleurs dans le dos ?

— Non, mentit Harry. On en reparlera lorsque...

Il avait une autre tâche à accomplir avant de retourner au manoir. Il avait promis à Emma qu'il achèterait un exemplaire de son roman préféré chez Hatchards afin de lui en lire un chapitre tous les soirs. Lorsqu'il descendit du taxi à Piccadilly, il n'accorda pas la moindre attention à la vitrine où pourtant ne trônait qu'un livre, accompagné d'une bannière qui proclamait :

LA SENSATION LITTÉRAIRE DE L'ANNÉE

Il entra dans la librairie et, lorsqu'il eut trouvé un exemplaire cartonné du *Moulin sur la Floss*, il tendit un billet de dix livres à la jeune caissière. Elle plaça le livre dans un sac et, au moment où il repartait, regarda le client de plus près, se demandant si c'était possible.

Elle se dirigea vers le présentoir central, y prit un exemplaire de *Face, tu gagnes* et regarda la photo de l'auteur sur le rabat de derrière, avant de jeter un coup d'œil à travers la vitrine à l'homme qui montait dans un taxi. Elle avait cru quelques instants que c'était Harry Clifton, mais, regardant la photo de plus près, elle comprit que l'homme mal rasé, aux cheveux gris en bataille qu'elle venait de servir était bien trop vieux. La photo n'avait-elle pas été prise moins d'une année auparavant ?

Elle reposa le livre en bonne place sur la table des best-sellers où il se trouvait depuis onze semaines.

Lorsque Emma s'alita définitivement, le Dr Richards prévint Harry qu'elle n'en avait plus que pour quelques semaines.

Bien que Harry ne l'ait jamais laissée seule plus de quelques minutes, il avait du mal à supporter la douleur qu'elle devait endurer. Désormais, elle ne pouvait guère absorber que des aliments liquides et, la parole l'ayant abandonnée, elle ne communiquait à présent que par des clignements d'yeux. Un pour « oui », deux pour « non », trois pour « s'il te plaît », quatre pour « merci ». Il lui fit remarquer que les troisième et quatrième options étaient quelque peu superflues, mais il pouvait l'entendre lui répondre que « les bonnes manières ne sont jamais superflues ».

Chaque fois que l'obscurité envahissait la chambre, Harry allumait la lampe de chevet et lui lisait un autre chapitre, tout en espérant qu'elle s'endormirait rapidement.

Après l'une de ses visites matinales, le Dr Richards prit Harry à part.

— Elle n'en a plus pour longtemps maintenant.

Le seul souci de Harry ayant été depuis quelque temps de savoir combien de temps elle allait encore devoir souffrir, il répondit :

— Espérons que vous avez raison...

Ce soir-là, il s'assit au bord du lit et continua la lecture : « Ce monde est déconcertant, et le vieil Harry[1] a le doigt dessus. »

---

1. Old Harry est l'un des surnoms du diable que les superstitieux de cette époque avaient peur d'appeler par son nom. L'extrait est tiré du chapitre II du *Moulin sur la Floss* (*The Mill on the Floss*) de George Eliot, publié en 1860.

Emma sourit.

Lorsqu'il arriva à la fin du chapitre, il referma le livre et regarda la femme qui avait partagé son existence et qui, à l'évidence, ne souhaitait plus vivre. Il se pencha vers elle et chuchota :

— Je t'aime, ma chérie.

Quatre clignements d'yeux.

— La douleur est-elle insupportable ?

Un clignement.

— Cela ne va pas durer très longtemps, à présent.

Trois clignements, suivis d'un regard suppliant.

Il l'embrassa doucement sur les lèvres.

— Je n'ai jamais aimé qu'une femme, de toute ma vie, chuchota-t-il.

Quatre clignements.

— Et je prie Dieu que l'on se revoie bientôt.

Un clignement, suivi de trois et de quatre autres.

Il lui prit la main, ferma les yeux et demanda à Dieu, dont il n'était plus sûr de l'existence, de lui pardonner. Puis, de peur de changer d'avis, il saisit un oreiller et la regarda une fois encore.

Un clignement, suivi de trois.

Il hésita.

Un clignement, répété plusieurs fois, à quelques secondes d'intervalle.

Il appuya l'oreiller doucement sur le visage d'Emma.

Les mains et les jambes d'Emma se contractèrent convulsivement quelques instants avant de s'immobiliser, mais il continua à appuyer doucement. Lorsqu'il souleva enfin l'oreiller, il y avait un sourire sur le visage d'Emma comme si elle appréciait un repos qu'elle n'avait pas connu depuis des mois.

Harry la tint dans ses bras tandis que les premières feuilles d'automne commençaient à tomber.

Le Dr Richards passa le lendemain matin et, s'il fut étonné d'apprendre que sa patiente était morte pendant la nuit, il ne le signala pas à Harry, se contentant d'écrire sur le certificat de décès : « Décédée dans son sommeil des suites d'une sclérose latérale amyotrophique. » Il est vrai qu'il était à la fois le médecin de famille et un vieil ami.

Emma avait laissé de claires instructions concernant ses obsèques. Elle voulait un enterrement sobre auxquels ne devaient assister que la famille et les amis proches. Ni fleurs ni couronnes, et des donations à l'hôpital royal de Bristol. Ses désirs furent suivis à la lettre, mais elle ne pouvait deviner le nombre de personnes qui la considéraient comme une amie proche.

Tous les villageois se pressaient dans l'église, ainsi que des personnes qui n'étaient pas tout à fait de ce village, comme Harry s'en aperçut quand, avançant en traînant les pieds dans l'allée centrale pour se joindre aux autres membres de la famille, assis au premier rang, il passa à côté d'une ancienne Première ministre, placée au troisième rang.

S'il ne put se rappeler grand-chose de l'office car il avait l'esprit ailleurs, il s'efforça de se concentrer lorsque le pasteur prononça une émouvante oraison funèbre.

Après que le cercueil eut été descendu dans la fosse et que des poignées de terre furent jetées dessus, Harry fut l'un des derniers à s'éloigner de la tombe. Lorsqu'il retourna au manoir pour rejoindre le reste de la famille, il constata qu'il ne pouvait pas se rappeler le nom de Lucy.

Grace le surveilla de près ; il demeurait assis sans rien dire dans le salon où il avait rencontré Emma pour la première fois ; enfin « rencontré » n'est pas le mot exact.

— Ils sont tous partis, lui dit-elle, mais il resta assis, à regarder par la fenêtre.

Lorsque le soleil disparut derrière le plus haut chêne, il se leva, traversa le vestibule et gravit lentement l'escalier pour gagner leur chambre. Il se déshabilla et se coucha dans un lit vide, désormais indifférent à ce monde.

Les médecins affirment qu'on ne peut mourir de chagrin. Or Harry mourut neuf jours plus tard.

Le certificat de décès mentionna le cancer comme cause de la mort, mais, comme le fit remarquer le Dr Richards, si Harry l'avait souhaité, il aurait pu vivre encore dix, voire vingt ans.

Les instructions de Harry furent aussi claires que celles d'Emma. Comme elle, il souhaitait un enterrement très simple. Il exigeait seulement d'être inhumé à côté de sa femme. Ses désirs furent exaucés, et lorsque la famille rentra au manoir après l'enterrement, Giles en rassembla tous les membres dans le salon et leur demanda de porter un toast à la mémoire de son plus cher et plus vieil ami.

— J'espère, ajouta-t-il, que vous allez me permettre de faire quelque chose que Harry n'aurait pas approuvé, je le sais.

La famille écouta en silence sa proposition.

— Nul doute qu'il n'eût pas été d'accord, dit Grace. Mais, en revanche, Emma l'aurait été. Elle me l'a dit.

Giles regarda tour à tour les membres de la famille, mais il n'eut pas besoin de solliciter leur approbation. Il était clair qu'ils soutenaient tous sa décision.

HARRY ARTHUR CLIFTON

1920-1992

52

Ses instructions n'auraient pu être plus précises, mais il est vrai que le rituel était en vigueur depuis 1621.

Le très honorable lord Barrington des docks de Bristol devait arriver à la cathédrale St Paul à 10 h 50, le matin du 10 avril 1992. À 10 h 53, il serait accueilli à la porte nord-ouest par le très révérend Eric Evans, chanoine en résidence. À 10 h 55, le chanoine accompagnerait le lord chancelier dans la cathédrale, puis ils se dirigeraient vers le haut de la nef où il devrait « atterrir », *dixit* le chanoine, à 10 h 57.

Quand 11 heures sonneraient à l'horloge de la cathédrale, l'organiste devait jouer les premières mesures de l'hymne *All People That on Earth Do Dwell*[1] et les fidèles se lèveraient alors pour chanter, l'assura le doyen. À partir de là et jusqu'à la dernière bénédiction du doyen, l'office commémorative serait confiée à monseigneur Barry Donaldson, l'évêque de Bristol, et l'un des plus vieux amis de Harry. Il ne resterait à Giles qu'un rôle à jouer sur la scène ecclésiastique.

Il avait passé des semaines à se préparer pour cette cérémonie d'une heure, parce qu'il considérait qu'elle devait être digne de son plus vieil ami et, tout aussi important, parce qu'elle aurait été approuvée par Emma. Pour s'assurer de ne pas être en retard, il s'était même exercé, la semaine précédente, à aller de Smith Square à St Paul en voiture à exactement la même

---

1. « Tous les gens qui habitent sur la Terre ».

heure. Le trajet lui ayant pris vingt-quatre minutes, il avait décidé de quitter la maison à 10 h 15. Il valait mieux avoir un peu d'avance, avait-il dit à son chauffeur, qu'être en retard. On peut toujours ralentir, mais la circulation londonienne vous permet rarement d'accélérer.

Sachant qu'il n'arriverait pas à se rendormir, le matin de l'office commémorative, Giles se leva un peu après 5 heures. Il enfila une robe de chambre, descendit dans son cabinet de travail et relut une fois de plus le panégyrique. Comme Harry le faisait avec ses romans, il avait remis son ouvrage quatorze fois sur le métier, à moins que ce ne soit quinze fois. Il effectua quelques modifications, changeant un mot ici et là, ajoutant une phrase. S'il était sûr qu'il ne pouvait plus l'améliorer, il lui fallait encore en vérifier la durée.

Une fois de plus, il relut le texte d'un seul trait en à peine moins de quinze minutes. Winston Churchill lui avait dit un jour : « Il faut une heure de rédaction pour chaque minute d'un important discours, mais il faut donner l'impression à votre auditoire, mon cher petit, qu'il est improvisé. » Voilà la différence entre un simple lecteur de discours et un véritable orateur, avait-il précisé.

Giles se leva, repoussa son siège et commença à réciter l'oraison comme s'il s'adressait à un millier de personnes, même s'il n'avait pas la moindre idée de la taille de l'auditoire. Le chanoine lui avait dit que la cathédrale pouvait aisément contenir deux mille personnes, mais que ce nombre n'était atteint qu'en de rares occasions. Par exemple, lors des funérailles d'un membre de la famille royale ou pour un office à la mémoire d'un Premier ministre. Et même ces célébrations ne faisaient pas immanquablement salle comble.

— Ne vous en faites pas, avait-il ajouté, du moment qu'il y a au moins six cents personnes, on pourra remplir la nef, fermer le sanctuaire, et la cathédrale aura l'air bondée. Seuls les paroissiens habituels s'en apercevront.

Giles pria le ciel que la nef soit pleine en l'honneur de son ami. Il reposa le texte quatorze minutes plus tard, puis retourna à sa chambre où il trouva Karin toujours en robe de chambre.

— Il est l'heure de partir, lui dit-il.

— Bien sûr, mon chéri, dit-elle. En tout cas, si tu penses te rendre à la cathédrale à pied. Si tu pars maintenant, tu seras là à temps pour accueillir le doyen, ajouta-t-elle en disparaissant dans la salle de bains.

Pendant que Giles revoyait son allocution au rez-de-chaussée, elle avait disposé une chemise blanche, sa cravate du lycée de Bristol et un costume sombre revenu du teinturier la veille. Giles prit tout son temps pour s'habiller, choisissant finalement des boutons de manchettes en or, le cadeau de mariage de Harry. Après s'être regardé dans la glace, il arpenta nerveusement la chambre, prononçant à voix haute des passages entiers de son oraison, tout en consultant constamment sa montre. Combien de temps Karin allait-elle prendre ?

Lorsqu'elle reparut vingt minutes plus tard, elle portait une simple robe bleu marine que Giles n'avait jamais vue, ornée d'une broche herse[1] en or représentant une sarrasine. Elle voulait faire honneur à Harry.

— C'est l'heure de partir, annonça-t-elle calmement.

Comme ils sortaient de la maison, Giles fut soulagé de voir que Tom se tenait déjà à côté de la portière arrière de la voiture.

— On y va, Tom, dit-il en s'affalant sur le siège arrière, tout en consultant à nouveau sa montre.

Tom quitta lentement Smith Square, comme l'exigeait l'occasion. Il passa devant le palais de Westminster, tourna autour de Parliament Square avant de suivre Victoria Embankment.

— La circulation semble particulièrement dense aujourd'hui, déclara Giles en jetant un nouveau coup d'œil à sa montre.

— Ni plus ni moins que la semaine dernière, dit Tom.

Giles ne fit aucun commentaire sur le fait que tous les feux viraient au rouge dès qu'ils y arrivaient. Il était persuadé qu'ils allaient être en retard.

---

1. La *portcullis brooch* est une broche en forme de herse (ou « sarrasine ») de château fort. La herse (*portcullis*) est le symbole de la Chambre des communes. Cette broche était l'emblème des suffragettes dans leur lutte pour obtenir le vote des femmes. Dessinée en 1909 par la célèbre suffragette Sylvia Pankhurst, elle est ornée de deux chaînes et symbolise la prison où étaient enfermées certaines militantes féministes.

Au moment où ils passaient devant les griffons montés sur piédestal qui marquent l'entrée de la City de Londres, Giles commença à se détendre : ils allaient être en avance de dix minutes. Et c'eût été le cas si quelque chose qu'aucun d'eux n'avait prévu n'était pas survenu.

Alors qu'il restait environ huit cents mètres à parcourir et qu'on voyait déjà le dôme de la cathédrale, Tom aperçut une barrière placée en travers de la rue, qui n'était pas là la semaine précédente lorsqu'ils avaient effectué le même parcours. Un agent de police leva le bras pour les arrêter. Tom abaissa sa vitre et annonça : « Le lord chancelier. »

L'agent salua et fit un signe de tête à un collègue qui souleva la barrière pour les laisser passer.

Puisqu'ils progressaient si lentement, Giles était content d'être en avance. La foule des piétons débordait des trottoirs sur la rue, forçant la voiture à presque s'arrêter.

— Arrêtez-vous ici, Tom, dit Giles. Nous allons faire à pied les cent derniers mètres.

Le chauffeur fit halte au milieu de la rue et se précipita pour ouvrir la portière arrière, mais Giles et Karin se frayaient déjà un chemin à travers la foule. Les gens s'écartaient en les reconnaissant et certains se mirent même à applaudir.

Giles s'apprêtait à les remercier, lorsque Karin lui chuchota :

— N'oublie pas que c'est Harry qu'ils applaudissent, pas toi.

Ils parvinrent enfin aux marches de la cathédrale et commencèrent à les gravir dans un couloir de stylos et de crayons brandis par ceux qui souhaitaient rendre hommage non seulement à l'écrivain mais aussi au défenseur des droits civiques.

Levant les yeux, Giles vit qu'Eric Evans, le chanoine en résidence, les attendait en haut des marches.

— Je me suis trompé, pas vrai ? dit Giles avec un sourire contraint. C'est vrai qu'un écrivain est toujours mieux vu qu'un homme politique.

Giles rit nerveusement tandis que le chanoine les faisait entrer dans la cathédrale par le portail nord-ouest. Même munis d'un billet, les retardataires restaient debout sur le côté de la nef, tandis que ceux qui n'avaient pas d'invitation s'entassaient au fond comme des fans de football sur les gradins d'une tribune bondée.

Karin savait que le rire de Giles était un mélange de trac et d'adrénaline. En fait, elle ne l'avait jamais vu aussi nerveux.

— Détends-toi, lui chuchota-t-elle, tandis que le doyen les conduisait dans la longue allée de marbre, passant devant le mémorial de Wellington et au milieu de la nef noire de monde, jusqu'à leurs places à l'extrémité de la nef.

Giles reconnut plusieurs personnes au cours de leur lente marche en direction de l'autel. Aaron Guinzburg était assis à côté d'Ian Chapman, le Dr Richards avec lord Samuels, Hakim Bishara et Arnold Hardcastle représentaient la Farthings, sir Alan Redgrave était à côté de sir John Rennie, tandis que Victor Kaufman et le Pr Algernon Deakins, son vieux copain d'école, se trouvaient dans les premiers rangs.

Mais ce furent deux femmes, assises toutes seules, dont la présence le surprit. Une élégante vieille dame baissa la tête au moment où Giles passa à côté d'elle. Assise près du fond, elle ne souhaitait plus, à l'évidence, être reconnue comme aurait pu s'attendre à l'être une duchesse douairière. Et, dans la rangée directement derrière la famille, se trouvait une autre dame venue de Moscou pour honorer le cher ami de son défunt mari.

Une fois qu'ils se furent installés au premier rang, Giles prit le programme de l'office préparé par Grace. La couverture était ornée du simple portrait de sir Harry Clifton, Chevalier commandeur de l'ordre de l'Empire britannique, qui avait été dessiné par la lauréate du prix Turner.

Le programme aurait pu être choisi par Harry lui-même, car il respectait ses goûts personnels : traditionnels, populaires. C'était un sentimental qui s'acceptait comme tel. Sa mère aurait approuvé.

L'assistance fut accueillie par Barry Donaldson, l'évêque de Bristol, qui conduisit les prières à la mémoire de Harry. Jake, dont la tête apparaissait à peine au-dessus du lutrin, lut la première leçon.

— I Corinthiens 13. « Quand bien même je parlerais les langues des hommes et des anges... »

Le chœur de St Mary Redcliffe, où Harry avait été choriste, chanta *Réjouis-toi, le Seigneur est ressuscité !*

En tant que nouveau chef de la famille Clifton, Sebastian se dirigea lentement vers le lutrin nord pour lire la deuxième leçon,

Apocalypse, de 21 à 37. Il eut beaucoup de mal à prononcer les mots.

— « Et je vis un ciel nouveau et une terre nouvelle, car le premier ciel et la première terre s'en étaient allés, et la mer n'est plus... »

Lorsqu'il retourna à sa place au premier rang, Giles ne put s'empêcher de remarquer que les cheveux de son neveu commençaient à grisonner sur les tempes. Quoi de plus normal chez un homme qui venait d'être élu au conseil d'administration de la Banque d'Angleterre ?

L'assistance se leva afin de se joindre à tous ceux qui se trouvaient dehors pour chanter le chant favori de Harry, tiré de *Blanches colombes et vilains messieurs* : *Sit Down, You're Rockin' the Boat*[1]. Peut-être pour la première fois dans l'histoire de la cathédrale, des « Bis ! » résonnèrent dedans comme dehors. À l'intérieur, le chœur de l'Armée du salut fut conduit par miss Adélaïde représentant Emma, tandis qu'à l'extérieur se trouvaient un millier de Sky Masterson[2] qui jouaient Harry.

Le doyen hocha la tête et le chef des chœurs leva à nouveau son bâton. Giles était sans doute la seule personne qui ne se joignit pas aux autres quand ils commencèrent à chanter. *And Did Those Feet in Ancient Times...*[3] De plus en plus nerveux, il posa le programme de l'office à côté de lui et s'agrippa au bord du banc dans l'espoir que personne ne verrait ses mains trembler.

---

1. « Assieds-toi, tu secoues le bateau. »
2. Personnages de la comédie musicale américaine *Blanches colombes et vilains messieurs* (*Guys and Dolls,* 1950).
3. « Et ces pieds ont jadis foulé... [...] Jusqu'à ce que nous ayons construit Jérusalem... [...] Dans les vertes et agréables terres d'Angleterre... »
Les phrases en italique sont extraites d'un poème de William Blake (1808), issu de la préface de *Milton : a Poem,* aujourd'hui connu sous le nom de « Jerusalem », adapté en hymne, en 1916, par sir Hubert Parry. L'hymne est très fréquemment utilisée dans les chapelles, églises et cathédrales anglaises. C'est également l'un des plus populaires chants patriotiques que l'on entend dans toutes sortes de cérémonies plus ou moins officielles (concerts-promenades, certains matchs de rugby et de cricket, cérémonie d'ouverture des Jeux olympiques d'été à Londres en 2012, mariage du prince William, etc.).

Lorsque l'assistance arriva à « *Till we have built Jerusalem...* », se tournant, Giles vit que le doyen se trouvait à côté de lui. Il inclina le buste. Il devait être 11 h 41.

Il se leva, sortit dans l'allée centrale et suivit le doyen jusqu'aux marches de la tribune, où il s'inclina à nouveau, avant de s'éloigner alors que « *In England's green and pleasant land* » résonnait dans ses oreilles. Au moment où il allait monter les treize marches, il pouvait entendre Harry lui dire : « Bonne chance, mon vieux. Je suis bien content de ne pas être à ta place. »

Parvenu en haut des marches, il plaça son discours sur le petit lutrin en cuivre et regarda la foule compacte. Un seul siège était vide. Le dernier vers du chef-d'œuvre de Blake ayant été chanté, les fidèles se rassirent. Lançant un regard à gauche, il vit la statue de Nelson dont l'unique œil le fixait et il attendit que l'auditoire se soit bien installé pour prononcer sa première phrase :

— « C'était le plus noble de tous les Romains[1]. »

» Un grand nombre de personnes m'ont demandé au cours des ans si, la première fois que j'ai rencontré Harry Clifton, il était évident que j'étais en présence d'une personne vraiment remarquable. Je dois répondre que non, ce n'était pas le cas. En fait, seul le hasard, ou plus précisément l'alphabet, nous a rapprochés. Parce que je m'appelais Barrington, mon lit était à côté de celui de Clifton dans le dortoir, le jour de notre arrivée au collège Saint-Bède. Et de ce hasard est née l'amitié d'une vie entière.

» Dès le début, ma supériorité naturelle a été une évidence. Après tout, le garçon qu'on avait placé à côté de moi pleurait non seulement toute la nuit mais mouillait aussi son lit.

Les rires qui fusaient à l'extérieur gagnèrent l'intérieur de la cathédrale, ce qui aida Giles à se détendre.

— Ma supériorité naturelle, poursuivit Giles, a continué à se manifester lorsqu'il est entré subrepticement dans la salle d'eau. J'ai dû lui donner une brosse à dents et lui prêter de la pâte

---

1. Cette citation et toutes les suivantes entre guillemets sont extraites de la scène 5 de l'acte V de *Jules César* (1599) de William Shakespeare. Marc-Antoine parle de Brutus, l'un des assassins de Jules César.

dentifrice. Le lendemain matin, quand nous avons rejoint les autres élèves pour le petit-déjeuner, ma supériorité a été encore plus évidente. En le voyant lécher à fond son bol de porridge, il est devenu clair que Clifton n'avait jamais utilisé de cuillère. Cela m'a alors paru une excellente idée et je l'ai imité. Après le petit-déjeuner, nous nous sommes tous rendus dans la grande salle pour assister à notre première assemblée afin d'écouter l'allocution du directeur. Il était évident que Clifton n'était pas mon égal... Son père était docker et le mien était propriétaire des docks, tandis que sa mère était serveuse et la mienne s'appelait lady Barrington. Comment pouvions-nous être des égaux ? Je lui ai, malgré tout, permis de s'asseoir à côté de moi.

» À l'issue de l'assemblée, nous nous sommes rendus dans la salle de classe pour suivre le premier cours et, une fois de plus, Clifton était assis à côté de Barrington. Malheureusement, lorsque la cloche a sonné pour annoncer la récréation, ma supériorité théorique s'était évaporée plus rapidement que la brume matinale au lever du soleil. Je n'ai pas mis longtemps à comprendre que je marcherais dans l'ombre de Harry le reste de ma vie, car il devait prouver, bien au-delà du petit monde dans lequel nous vivions alors, que la plume est plus forte que l'épée.

» Cet état de faits a continué après notre départ de Saint-Bède et notre entrée au lycée de Bristol où, une fois de plus, on me plaça à côté de mon ami... Je dois d'ailleurs avouer que j'ai été admis au lycée pour la seule et unique raison que mon père avait financé les nouveaux vestiaires dont l'établissement avait besoin.

Si le public massé à l'extérieur de St Paul s'esclaffa et applaudit, la bienséance n'autorisa que des rires polis à l'intérieur de la cathédrale.

— Je suis devenu capitaine de la première équipe de cricket du lycée, poursuivit Giles, tandis que Harry obtenait le premier prix d'anglais et une bourse d'études pour Oxford. Quant à moi, si je suis entré de justesse à Oxford, c'est seulement parce que j'avais marqué une centaine à Lord's dans l'équipe junior du Marylebone Cricket Club.

Il attendit que les rires se soient calmés avant de reprendre :

— C'est alors que se produisit un événement imprévu : Harry tomba amoureux de ma sœur Emma. J'avoue qu'à l'époque j'ai pensé qu'il aurait pu trouver mieux. Pour ma défense, je dirai que je ne savais pas qu'elle obtiendrait la plus prestigieuse bourse d'études pour entrer au collège Somerville, à l'université d'Oxford, qu'elle serait la première présidente d'une entreprise cotée en Bourse, présidente d'un hôpital public et ministre de la Couronne. Ce ne serait ni la première fois ni la dernière que Harry allait prouver que j'avais tort. Je n'étais même plus le plus prestigieux Barrington. Ce n'est peut-être pas le moment de mentionner ma petite sœur Grace, qui était encore écolière à l'époque et qui est devenue par la suite professeur de lettres à Cambridge. Je suis à présent relégué à la troisième place dans la hiérarchie Barrington.

» Reconnaissant désormais que Harry m'était bel et bien supérieur, je me suis assuré que nous assistions aux mêmes travaux dirigés, ayant prévu qu'il ferait mes dissertations pendant que je pratiquerais mon *cover drive*. Toutefois, Adolf Hitler, qui n'avait jamais joué au cricket, a mis un terme à tout cela et nous a forcés à suivre des chemins séparés.

» "Tous les conspirateurs sauf lui

» Ont fait ce qu'ils ont fait par jalousie du grand César"

» Harry m'a fait honte en quittant Oxford et en s'engageant avant même la déclaration de guerre, et, lorsque j'ai fini par suivre son exemple, son bateau avait été coulé par un sous-marin allemand. Tout le monde pensait qu'il avait disparu en mer. Mais on ne peut pas se débarrasser de Harry Clifton aussi facilement... Sauvé par les Américains, il a passé le reste de sa guerre en territoire ennemi alors que je me suis retrouvé dans un camp de prisonniers de guerre allemand. J'ai le sentiment que, si le lit du lieutenant Clifton avait été à côté du mien à Weinsberg, je me serais évadé bien plus tôt.

» Harry n'a jamais parlé, ni à moi ni à personne d'autre, de sa guerre, quoiqu'il ait reçu la prestigieuse étoile d'argent en remerciement de ses services en tant que jeune capitaine dans l'armée américaine. Mais, si on lit l'éloge prononcé quand il a reçu cet honneur comme je l'ai fait lorsque je me suis rendu à Washington en tant que secrétaire d'État aux Affaires étrangères, on découvre qu'avec l'aide d'un caporal irlandais, d'une jeep et de deux pistolets il a convaincu le maréchal Kertel, le commandant d'une division d'élite de panzers, de donner l'ordre à ses hommes de déposer leurs armes et de se rendre. Peu après, la jeep de Harry a sauté sur une mine terrestre pendant qu'il rejoignait son bataillon. Son chauffeur a été tué et, alors qu'on ne pensait pas qu'il pourrait survivre au voyage, Harry a été envoyé en Angleterre par avion et hospitalisé à l'hôpital royal de Bristol. Toutefois, les dieux avaient d'autres projets pour Harry Clifton que même lui n'aurait pas cru possibles.

» La guerre terminée et Harry complètement rétabli, Emma et lui se sont mariés et installés dans la maison d'à côté, même si je dois reconnaître que quelques hectares nous séparaient toujours. De retour dans le monde réel, je voulais faire de la politique tandis que Harry avait l'intention de devenir écrivain. Par conséquent, nous avons, une fois de plus, emprunté des chemins différents.

» Lorsque je suis devenu député, j'ai pensé que nous étions enfin des égaux jusqu'à ce que je m'aperçoive que Harry avait davantage de lecteurs que moi d'électeurs. Je n'avais qu'une consolation : j'étais à l'évidence le modèle de William Warwick, son héros fictionnel : fils de comte, beau garçon, extrêmement intelligent, personnage héroïque...

Cette description fut saluée par de nouveaux rires, tandis que Giles passait à la page suivante.

— Mais les choses ont empiré, reprit Giles. À la parution de chaque nouveau livre, de plus en plus de lecteurs ont rejoint sa légion d'admirateurs, alors qu'à chaque nouvelle élection je perdais des électeurs.

» "Lui seul ne se joignit à eux qu'animé d'honnêtes intentions
» Et en pensant au bien public"

» Et puis, sans prévenir, comme a l'art de le faire le destin capricieux, la vie de Harry a pris un nouveau tournant, lorsqu'on l'a invité à être président de la section anglaise de la PEN, rôle dans lequel il allait montrer un talent envié par beaucoup de ceux qui se considèrent comme des hommes d'État.

» La PEN lui avait assuré qu'il s'agissait d'un poste honoraire qui ne serait pas trop prenant. Il est clair qu'elle ne savait pas à qui elle avait affaire. À la première réunion qu'il a présidée, il a découvert la situation d'un homme dont peu d'entre nous avions entendu parler à l'époque et qui croupissait dans un goulag sibérien. Grâce au sens de la justice de Harry, Anatoly

Babakov est devenu un nom connu de tous, un personnage faisant partie de nos vies.

Cette fois-ci, les vivats à l'intérieur et à l'extérieur de la cathédrale se prolongèrent, tandis que certains sortaient leur stylo et le brandissaient très haut.

— Grâce à l'acharnement de Harry, le monde libre a soutenu la cause du grand écrivain russe, forçant le régime despotique russe à céder et à finalement le libérer.

Giles s'arrêta et regarda la foule, avant d'ajouter :

— Et aujourd'hui, Yelena, l'épouse d'Anatoly Babakov, est venue en avion de Moscou pour se joindre à nous afin d'honorer l'homme qui a eu le courage de défier les Russes dans leur propre pays, de faire libérer son mari, de lui faire obtenir le prix Nobel, rejoignant ainsi ces géants de la littérature qui vivent longtemps après que nous avons été oubliés.

Cette fois, les applaudissements durèrent plus d'une minute. Giles attendit que le silence règne à nouveau avant de continuer son discours.

— Combien d'entre vous sont-ils conscients que Harry a décliné l'offre du titre de chevalier, refusant d'être ainsi honoré tant qu'Anatoly Babakov continuait à végéter en prison ? C'est Emma, sa femme, qui, plusieurs années plus tard, lorsque le palais lui a à nouveau écrit, l'a convaincu d'accepter, non en reconnaissance de son œuvre littéraire, mais en tant que défenseur des droits de l'homme.

» J'ai naguère demandé à cet homme doux et modeste ce qu'il considérait comme sa plus grande réussite : se trouver numéro 1 sur la liste des best-sellers dans le monde entier, devenir chevalier du royaume ou révéler au monde le génie et le courage d'Anatoly Babakov, son confrère écrivain ? "Épouser ta sœur, telle a été sa réponse spontanée. Parce qu'elle n'a jamais cessé, a-t-il poursuivi, de hausser la barre, me permettant ainsi de monter de plus en plus haut." Si Harry s'est jamais vanté de quelque chose, ce fut seulement des réussites d'Emma. Il n'a jamais connu l'envie. Il ne se réjouissait que des réussites des autres.

» "Sa vie fut noble, et les divers éléments de son être

» Se mêlaient si harmonieusement que la nature pouvait se dresser…"

» Dans notre famille nous avons une tradition. La veille du nouvel an, nous révélons tous nos résolutions pour les douze mois suivants. Il y a quelques années, Harry a avoué avec une certaine réticence qu'il allait essayer d'écrire un roman dont sa mère, sa plus exigeante critique, aurait pu être fière. "Et toi, Giles ? m'a-t-il demandé. Quelle est ta résolution pour la nouvelle année ?" "Je vais perdre six kilos", ai-je répondu.

Giles attendit que les rires cessent avant de placer une main sur son ventre en brandissant de l'autre un exemplaire de *Face, tu gagnes* pour que tous puissent le voir.

— J'ai pris cinq kilos de plus, tandis que le livre de Harry s'est vendu à un million d'exemplaires la première semaine. Mais il aurait quand même trouvé plus important que Grace, sa belle-sœur, professeur de lettres émérite à l'université de Cambridge, le considère comme un chef-d'œuvre de narration.

Il s'arrêta quelques instants, comme s'il réfléchissait avant de poursuivre.

— Il paraît que Harry Clifton est mort. Je suggère que quiconque ose répéter cette calomnie jette un coup d'œil aux diverses listes des best-sellers du monde entier. Ne prouvent-elles pas qu'il est en vie ?

» Juste au moment où Harry s'apprêtait à recevoir les félicitations et les lauriers saluant la réussite de toute une vie, les dieux ont décidé d'entrer en scène pour nous rappeler qu'il était humain, en faisant disparaître la personne qu'il aimait le plus au monde.

» Lorsqu'il a appris la tragique maladie d'Emma et le peu de temps qu'il lui restait à vivre, et qu'il a dû faire face, il a affronté cet obstacle sans fléchir, comme tous ceux que la vie avait placés sur son chemin, tout en sachant que c'était une bataille ingagnable.

» Il a tout lâché sur-le-champ, même la plume, afin de se consacrer à Emma et de faire tout ce qui était en son pouvoir pour atténuer ses douleurs. Aucun de ceux d'entre nous qui avons vécu avec eux durant ces derniers jours n'a vraiment compris à quel point ces douleurs l'avaient affecté et avaient ébranlé ses forces. Quelques jours après le décès d'Emma, dans une fin digne de l'un de ses romans, il a lui-même rendu l'âme.

» J'étais à son chevet quand il est mort. J'avais quelque peu espéré que cet homme de lettres allait peut-être prononcer une dernière formule mémorable. Et il ne m'a pas déçu. "Giles, m'a-t-il dit, en saisissant ma main, je viens d'avoir une idée pour un nouveau roman." "Dis-m'en plus", ai-je dit. "Il s'agit, a-t-il répondu, d'un garçon né dans les quartiers pauvres de Bristol, fils de docker, qui tombe amoureux de la fille du propriétaire des docks." "Et que se passe-t-il ensuite ?" ai-je demandé. "Je n'en ai aucune idée, a-t-il dit. Mais le premier chapitre sera prêt lorsque je prendrai la plume demain matin."

Giles leva les yeux au ciel et déclara :

— Il me tarde de le lire.

S'efforçant désespérément de se maîtriser, le flux des mots ne coulant plus de source, il passa au dernier feuillet de son oraison, décidé à ne pas décevoir son ami. Délaissant son texte, il reprit d'une voix calme :

— Il est vrai que Harry a demandé à quitter discrètement la scène de la vie et que je suis passé outre. Je ne suis pas Marc-Antoine, poursuivit-il en regardant l'auditoire. Mais je pense que les mots du barde de l'Avon s'appliquent tout aussi bien à Harry qu'au noble Brutus.

Il se tut quelques instants avant de se pencher en avant, et, chuchotant presque, il récita :

— « Sa vie fut noble, et les divers éléments de son être

» Se mêlaient si harmonieusement que la Nature pouvait se dresser

» Et dire à l'univers entier : C'était un homme !

Remerciements

Tous mes remerciements vont aux personnes suivantes pour leurs recherches et leurs conseils inestimables :

Simon Bainbridge, sir Win Bischoff, sir Victor Blank, le Dr Harry Brunjes, le professeur Susan Collins, Eileen Cooper de l'Académie royale, le très honorable lord Fowler (Parti conservateur), le révérend chanoine Michael Hampel, le professeur Roger Kirby, Alison Prince, Catherine Richards, Mari Roberts, Susan Watt, Peter Watts et David Weeden.

LES ESCALES

Chantel Acevedo
Lointaines merveilles

Rabih Alameddine
Les Vies de papier

Jeffrey Archer
Seul l'avenir le dira
Les Fautes de nos pères
Des secrets bien gardés
Juste retour des choses
Plus fort que l'épée
Le temps est venu

M.J. Arlidge
Am stram gram
Il court, il court, le furet
La Maison de poupée
Au feu, les pompiers

Jami Attenberg
La Famille Middlestein
Mazie, sainte patronne des fauchés et des assoiffés
L'Âge de raison

Laura Barnett
Quoi qu'il arrive

Fatima Bhutto
Les Lunes de Mir Ali

Daria Bignardi
Accords parfaits

Jenna Blum
Les Chasseurs de tornades

Blanca Busquets
Un cœur en silence

Chris Carter
Le Prix de la peur

Catherine Chanter
Là où tombe la pluie

E.O. Chirovici
Jeux de miroirs

Emma Hooper
Etta et Otto (et Russel et James)

Yves Hughes
Éclats de voix

Peter de Jonge
Meurtre sur l'Avenue B

Rachel Khong
Bye-bye, vitamines

Gregorio León
L'Ultime Secret de Frida K.

Amanda Lind
Le Testament de Francy

Gilly Macmillan
Ne pars pas sans moi
La Fille idéale

Owen Matthews
Moscou Babylone
L'Ombre du sabre

Colette McBeth
À la vie, à la mort

Sarah McCoy
Un goût de cannelle et d'espoir

Kate McNaughton
La Fêlure

David Messager
Article 122-1

Hans Meyer zu Düttingdorf
La Mélodie du passé

Hannah Michell
Dissidences

Derek B. Miller
Dans la peau de Sheldon Horowitz

Fernando Monacelli
Naufragés

Julia Montejo
Une vie à t'écrire

Juan Jacinto Munoz Rengel
Le Tueur hypocondriaque

Idra Novey
Le Jour où Beatriz Yagoda s'assit dans un arbre

Chibundu Onuzo
La Fille du roi araignée

Gunilla Linn Persson
Par-delà les glaces

Ismet Prcić
California Dream

Paola Predicatori
Mon hiver à Zéroland

Dorit Rabinyan
Sous la même étoile

Raffaela Romagnolo
La Masnà

Paolo Roversi
La Ville rouge

Sandip Roy
Bien comme il faut

Eugen Ruge
Quand la lumière décline
Le Chat andalou

Amy Sackville
Là est la danse

William Shaw
Du sang sur Abbey Road

Anna Shevchenko
L'Ultime Partie

Liad Shoham
Tel-Aviv Suspects
Terminus Tel-Aviv
Oranges amères

Priscille Sibley
Poussières d'étoiles

Marina Stepnova
Les Femmes de Lazare
Leçons d'Italie

Pour suivre l'actualité des Escales,
retrouvez-nous sur
www.lesescales.fr
et suivez-nous sur les réseaux sociaux

 Editions Les Escales

 @LesEscales

 @LesEscales

LA CHRONIQUE DES CLIFTON
EST AUSSI
AU LIVRE DE POCHE.

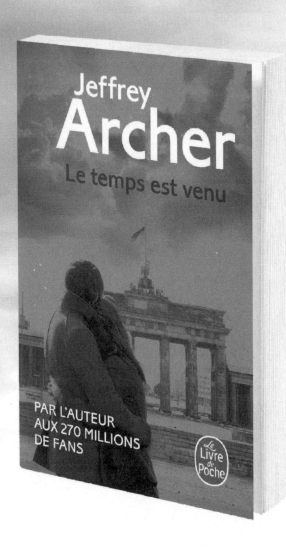

Jeffrey
Archer
Le temps est venu

PAR L'AUTEUR
AUX 270 MILLIONS
DE FANS

« Un conteur de la trempe d'Alexandre Dumas. »
New York Times

Achevé d'imprimer en avril 2018
par Normandie Roto Impression s.a.s.
61250 Lonrai
N° d'impression : 1801592
Dépôt légal : avril 2018

Imprimé en France